U0065095

陳昌明

11.12

原址位在今西門路二段的「大舞臺」，由臺灣人集資經營，1910 開始興建，1947 空襲損毀。
臺南觀眾在此觀賞各式輪番登臺的福州戲、時事新戲、歌仔戲、甚至電影，是歷時非常長的
商業劇場。（公眾領域標章）

《1936 年《臺灣公論》刊出「文
化的極致—臺南銀座街」，畫面
上可看到沿著今中正路的劇院繁
華盛況。王育德曾提及這一帶數
座戲院的特質：「『宮古座』是
格調最上流，文化協會的政治宣
傳劇常借這裡上演。『世界館』
是往運河途中的劇院，主要上演
日本電影，而且是時代劇。最小
的是『戎館』，位在世界館對面
的轉角處，經常上演中國電影。」
（《王育德自傳暨補記》，臺北：
前衛，2018 年，頁 205。）（資
料來源：國立臺灣圖書館）

臺南安平臺灣製鹽會社餘
興圖像。（資料來源：《
御大典記念臺灣寫真帖》
（1929），國立臺灣圖書館
典藏）

臺南安平專賣局餘興表演圖
像。（資料來源：《御大典
記念臺灣寫真帖》（1929），
國立臺灣圖書館典藏）

臺南州新營郡東洋館妓連餘
興表演圖像。（資料來源：
《御大典記念臺灣寫真帖》
（1929），國立臺灣圖書館
典藏）

此兩張劇照推測是臺南文化劇團於「南座」內的演出。不僅臺南的文化運動者，如韓石泉、盧丙丁、莊松林、林占鰲、蔡培火、梁加升、王受祿等擔任要角，其他地區如新竹新光社也參與其中。（資料來源：國立臺灣文學館）

1927年黃金火以「臺南文化劇團」之名，在「南座」演出並合影。此劇院推測位在今西門圓環一帶，是高松豐次郎 1908 年前後於全臺各地興建的劇場之一，約於 1928 年停業。（資料來源：國立臺灣文學館）

黃欣組織「臺南共勵會」，後擴充為「共勵義塾」，教導失學孩子。但此圖像上標示皇紀 2603 年（西元 1943 年）的慶祝活動，推測為戰時呼應國策的新年集會活動。（資料來源：蕭聖燕）

新營兒文作家陳玉珠，在第十二屆洪建全兒童文學獎頒獎
典禮中發表獲獎感言。（照片來源：陳玉珠）

左鎮出生、喜歡貓的兒文作家王淑芬，
關懷弱勢孩子，是國內寫校園生活故事
的第一把手。（照片來源：王淑芬）

謝武彰幽默風趣，台語溜，散文、詩歌一把罩。
1981 年他以《大家來唱ㄅㄆㄇ》（啟元，1981，
後轉由親親發行）獲得兒童文學類國家文藝獎，是
臺灣兒文界第一位獲國家文藝獎者。（資源來源：
洪文瓊）

蘇振明教授是「南瀛之美圖畫書」的策畫催
生者。更難得的是，他又特別為此套書，替
縣府編寫一本導讀手冊（2009），以供推廣，
充分洋溢關懷鄉土之情。（資源來源：洪文瓊）

校園人氣王兒文作家林哲璋,應邀到桃園龍安國小演講,學校為他布置書展、製作歡迎的肖像立牌。(2023.5.16,講題:閱讀的智慧/寫作的祕密)。(照片來源:林哲璋)

榮獲新聞局第一屆金鼎獎的「新一代兒童益智叢書」,1976年在中央圖書館臺灣分館展出十天的宣傳海報。(資源來源:洪文瓊)

府城出生,關懷人權的留英兒童文學博士幸佳慧,往生前仍努力為臺灣兒文界留下這本圖畫書作品《新說台灣民間故事——虎姑婆》(玉山社,2020)。(資源來源:洪文瓊)

第三屆洪建全兒童文學創作獎頒獎典禮合照,後排左五為陳玉珠。(照片來源:陳玉珠)

第一屆中華兒童叢書金書獎頒獎典禮（1971.4.4）後，得獎者華霞菱（左三）、林良（右一）與中華兒童叢書前後任總編輯林海音（左一）、潘人木（左二），及作家琦君（右二）合影。（照片來源：國立臺灣文學館）

戰後一九五○年代臺省教育廳先後創刊《小學生》、《小學生畫刊》兩份雜誌，供國小中高年級、低年級幼稚園學童閱讀。「兒童讀物編輯小組」成立後，改出「中華兒童叢書」，停刊這兩份雜誌。（左圖資源來源：國立臺灣歷史博物館；右圖資料來源：洪文瓊）

這份 1972 年 5 月創刊的《兒童月刊》，是 1971 年我退出聯合國後，留美學生發起捐款支持在臺灣創辦一份兒童雜誌而誕生的。它在正式創刊前先發行 0 期（試印本，1972.2），是臺灣兒文界的創舉。（資源來源：洪文瓊）

一九六〇年代，臺南的現代教育出版社委請臺南師專林守為教授（以筆名「林田山」具名）主編中小學生課外讀物。林教授也親自參與編寫多本，例如《白手成家》（1967，編寫），《童年的故事》（1968，主編）。（資源來源：洪文瓊）

日治時期臺灣盛行童謠教唱與創作，北市文化局出版的這本《寶島留聲機》（2018），收錄了日治臺籍人士創作的童謠作品。（資源來源：洪文瓊）

徐士欽是臺南立人國小美術老師，在校參與「詩畫合一教學」。他身體力行，自己創作國台語兒歌、童詩，也自己配製插圖。這幅作品摘自徐老師的《小精靈兒歌創作集》（久洋，1992）。（資源來源：洪文瓊）

上圖：1971 年省教育廳開辦國小教師「兒童讀物寫作班」後，各縣市諸多老師自動自發編輯發行《○○兒童》。這一份《南縣兒童》季刊（每期分低、中、高年級三冊同時發行），正是在此風潮下誕生的。（資源來源：洪文瓊）

右圖：1988 年報禁解除，光復書局該年 9 月 1 日創刊《兒童日報》。該報以「兒童文化」為編輯理念，精編彩印，迫使《國語日報》改版、放大字體。可惜光復因財務危機，於 1998 年 2 月 28 日停刊。（資源來源：洪文瓊）

1987 年臺南縣教育局依省教育廳指示，針對國小師生舉辦兒文創作研習及徵文，並出版專輯取名為《小麻雀 臺南縣兒童文學創作專輯》，每年持續出版一輯到縣市併都前一年（2010）。（資源來源：洪文瓊）

2011 年臺南縣市併都後，原臺南縣發行的《小麻雀》更名為《小黑琵》，每年繼續出版一冊《小黑琵 臺南市兒童文學創作專輯》。（資源來源：洪文瓊）

2023 年 9 月 24 日，財團法人兒童文化藝術基金會於南紡購物中心主辦「2023 臺南市兒童家鄉故事繪本創作聯合展演」，開幕後合照，中立者左四為基金會執行長盧彥芬、左五南市教育局副局長王崑源、左六董事長林文寶教授。（照片提供：盧彥芬）

「劍獅」常被視為安平意象的代表。安平人劉如桂的《劍獅出巡》為 2008 第二十屆信誼幼兒文學獎獲獎作品。2018 年信誼慶祝幼兒文學獎設獎三十周年（信誼為安平何傳家族的企業），將此作品改編為兒童劇，在臺南、臺中、臺北三地巡迴演出。（資源來源：洪文瓊）

麻豆媳婦蘇菲亞・劉（劉張月娥）把她在麻豆所見所聞的婆姐陣頭活動，自寫自畫做成這本圖畫書《婆姐佑子》（台南市文史工作室協會，2016）。佑子與麻豆盛產的柚子諧音。她更是把婆姐的踩街開舞稱為「台南小搖滾」。畫作樸實、動感十足，頗有搖滾氣氛。（資源來源：洪文瓊）

臺南市「府城文學獎」1995 年設立，共辦 16 屆。兒童文學類未受重視，只有在最後第 15、16 兩屆設有「臺語兒童繪本」類，頒給正獎和貳獎。這本《你敢知？》（周世宗／文，周燁／圖；臺南市立圖書館、開朗雜誌，2009）是第十五屆正獎作品。（資源來源：洪文瓊）

臺南師專畢業的劉臺痕是很另類的兒文作家，或許是宗教信仰關係，她關懷地球生態的未來、關懷校園少年吸毒的問題，分別寫了《五十一世紀》（九歌，1993）、《閻王不要的小子》（健行，1996）這兩本在臺灣兒文有指標性的作品。（資源來源：洪文瓊）

臺灣少年小說不乏科幻作品，但類似傳統武俠的奇幻作品不多。原本以寫實小說創作為主的廖炳焜，轉換跑道，創作這一本以鄭成功進取臺灣為背景的武俠小說《來自古井的小神童》（巴巴，2016），可說為臺灣少年小說開拓一個新類屬。（資源來源：洪文瓊）

臺南兒文作家跨寫「兒童傳記」的頗多，其中林樹嶺的《鄭成功》（光田，1999）和姜天陸《黑水溝的領航者：鄭成功》（三民，2007），兩本都不從「民族英雄」觀點去著墨，相當特別。（資源來源：洪文瓊）

李獻璋《臺灣民間文學集》，1936 年 6 月
13 日由臺灣文藝協會發行。（資料來源：
國立臺灣文學館）

《臺南文化》第二卷第四期（1953）收錄韓
石麟〈臺南市民間故事兩則〉。（資料來源：
臺南文史研究資料庫）

胡萬川總編輯，林培雅編撰《台南縣閩南
語故事集（一）》。（資料來源：臺南市
文化局）

由清代富商吳尚新整建之「吳園」，又稱「樓仔內」，而後日治時期則為臺南廳政府改建成「台南公館」，後稱「台南公會堂」。（照片來源：國立臺灣歷史博物館）

安平人過去常以俗諺「有粷旗富，無粷旗厝」來形容外號為「粷旗」之富商盧經堂的豪宅，現今為臺南市市定古蹟「盧經堂厝」。（照片來源：臺南市政府文化局）

1871 年 4 月英國攝影家約翰・湯姆生（John Thomson）到訪南
臺灣各地，記錄下當時西拉雅族人的身影。（照片來源：翻攝自游
永福《尋找湯姆生：1871 臺灣文化遺產大發現》，新北：遠足文化，
2019）

新化武安宮大使爺神像。（照
片 來 源：維 基 共 享 資 源，
Pbdragonwang 提供）

鹽水五十三將軍廟主祀「張大主帥」
（張榮森）。（照片來源：台南市
鹽水區五十三將軍廟）

全臺開基永華宮主祀廣澤尊王。（照片來源：
天涯廟宇人）

臺南仁德明直宮。（照片來源：天涯廟宇人）

余清芳肖像照，出自《臺灣寫真帖》
第1卷第12集（1915年）。（照
片來源：中央研究院臺灣史研究所
檔案館）

西來庵內部照片。（照片來源：中央研究院臺灣史研究所檔案館）

位於臺南東山區的 Kabua Sua（吉貝耍聚落）於每年農曆 9 月 4 日的晚上 11 點舉行夜祭。此圖為獻豬儀式完成後，由婦女所組成的牽曲團以歌舞向 Alid （阿立母）表達敬意。（資料來源：段洪坤）

在夜祭隔日（即族人所謂「七神船破遇難日」）的中午，部落舉行「孝海祭」以感念先祖。（資料來源：段洪坤）

位於臺南市大內區的頭社公廨，其漢化的廟名為「太上龍頭忠義廟」。（資料來源：段洪坤）

將軍區的漚汪昔日曾有一「巷口大窟」，戰後接連有人於此溺斃，直到關聖帝君降駕指示並進行肅清。巷口大窟現已整修成排水溝渠。（照片來源：林培雅）

枷鎖、刑杖等刑具，上有貼符。（照片來源：周世華）

搗草藥用

煉草藥用

臺南安平海投社文朱殿「煉藥」的器具。（照片來源：林培雅）

安平妙壽宮的「太白千歲」人身、虎身神像。（照片來源：林培雅）

臺南文學史

Tainan Literary History

現代戲劇 卷
兒童文學 卷
神話傳說 卷
民間文學

主編 陳昌明

作者 秦嘉嫄 洪文瓊 趙慶華 林培雅

璀璨臺南四百　輝煌文學榮光

　　四百多年來，「青瞑蛇」曾文溪不斷舞動它蜿蜒的身軀，變化莫測的移動過程在嘉南平原上潤澤出一片肥沃豐饒的土地，眾多流經此地的溪河，或流入倒風內海，或進到臺江內海，逐漸孕育成今日大臺南的風土。不同族群在此匯聚，文化間的碰撞、對話與積累，進而編織出形塑臺南文學的搖籃。

　　文學在臺南這塊土地扎根茁壯、開花結果，是無數文人、作家與熱愛這片鄉土的人們共同努力和投入的成果結晶。凡提及臺南文學，我們不能不提古典詩興盛的南社、充滿鹽分地帶地方采風的北門七子、超現實主義文學的風車詩社；以及諸如〈西拉雅吉貝耍開關鬼門傳說〉、《小封神》、《送報伕》、《臺灣男子簡阿淘》、《鹽田兒女》及《花甲男孩》等眾多臺南作家的文學作品。直至今日，臺南仍是許多作家的故鄉，或文學靈感發想與創作的筆耕之地。

　　臺南作為文化古都，市府為迎接 2024「臺南 400」，與國立成功大學合作編纂《臺南文學史》，由陳昌明名譽教授擔任主持人，集結施懿琳、

呂美親、鳳氣至純平、蘇敏逸、陳家煌、林培雅、廖淑芳、洪文瓊、薛建蓉、秦嘉嫄、趙慶華與許倍榕等臺灣文學領域之重量級專家學者撰稿成書，並與文訊雜誌社合作出版。《臺南文學史》全書共五冊，依時間軸從十七世紀古典文學到二十一世紀現代文學，橫跨數百年間不同歷史時期，涵蓋原住民口傳文學、臺語文學、兒童文學、神話傳說與民間文學等文學類型，彰顯臺南文學在臺灣文學史當中的重要意義及地位，更凸顯臺南文學的豐富與多樣。

臺南文學不只是地方文學，而是臺灣文學的歷史縮影。藉由回首臺南文學史，瞭解這座城市的前世今生，放眼前瞻未來臺南文學的可能性。臺南作為臺灣文學城市，將持續綻放其文學魅力，璀璨光彩輝煌下一個百年榮光。

臺南市　市長　黃偉哲

悠南文學好日　回首臺南

　　都說城市如詩，臺南這座城市所帶給我們的南方想像，像是重拾那些巷弄裡遙遠歷史的記憶，軸走在此時彼時漫長流轉的時間洪流，品嘗美食當中南風帶鹹的土地文學味，用指尖在書本紙張上的文字語句之間漫步，翻過一頁一頁的南土好日。

　　臺南便是如此充滿文學的城市。因此在即將迎接「臺南400」之際，無法忽視臺南文學史所占有的重要地位。本書《臺南文學史》自 109 年起與國立成功大學共同合作，歷時長達三年的時間，經過多位專家學者撰寫及審查委員審閱編校後，終於在今 112 年問世亮相。《臺南文學史》全書有五冊，分別為《古典文學卷：鄭轄～日治（1651～1895）》由施懿琳、陳家煌主筆；《古典文學卷：日治～戰後（1895～）／現代文學卷：日治（1895～1945）》由薛建蓉、施懿琳、許倍榕、鳳氣至純平主筆；《現代文學卷：戰後（1945～）》由廖淑芳、蘇敏逸主筆；《臺語文學卷》為呂美親撰寫；《現代戲劇卷·兒童文學卷·神話傳說與民間文學卷》則是秦嘉嫄、洪文瓊、趙慶華、林培雅主筆。總計文字量超過一百萬字，

可見其纂修資料之豐富及繁複。

在此感謝擔任計畫主持人的陳昌明名譽教授不辭辛勞，召集編纂撰寫的專家學者們皆為一時之選。以及感謝三年期間協助審查的委員張良澤、廖振富、江寶釵、王建國，總是在忙碌之餘熱心提供許多貴重建議。並特別感謝國立成功大學的支持，讓如此有劃時代意義的《臺南文學史》得以順利完成。

猶如出身臺南的臺灣文壇巨擘葉石濤所言「沒有土地，哪有文學」，大臺南是個多元文化交匯的所在，蘊含厚實歷史文化能量，百年以來激發許多來往此處的騷人墨客們創作書寫的靈感，稿紙落筆之處盡是字句耕耘。文化局將持續以文學城市為願景，發掘更多臺南文學獨有魅力，期待《臺南文學史》能讓更多人認識臺南文學不僅只是回望臺灣文學史當中的一頁篇幅，而是悠然自在地寫下屬於自己的文學好日。

臺南市政府文化局　局長

臺灣地方文學史的永恆資產

　　在臺南生根立足、成功大學近百年的發展一直與府城共好共榮，也為其迤邐綿長的城市風華鑲嵌著曖曖含光的驕傲！

　　「2024 臺南四百」也是臺灣四百、更是各界矚目的文化大事。於此關鍵時刻，我有幸在校長任內與師生一起貢獻！從推動「臺灣學研究」，包括「熱蘭遮城 400：世界體系與影響」、「偎海 e 所在」、「如何成為臺灣人」；相關策展，例如：「城東有成——成大╳印象╳臺南」、「鯤首之城：十七世紀荷治福爾摩沙的熱蘭遮堡壘與市鎮」、「1643 熱蘭遮虛擬實境：堡壘、市鎮與市民特展」；也在歷史現場舉辦以「走讀府城，重回熱蘭遮城時代」的論壇；無一不在為城市的過去尋溯更多觀照的視角，讓她多元飽滿的面貌漸露光影，為我們所見。

2019 年終之際，本校在行政與經費上全力支持，與臺南市合作「四百年臺南文學史」，由陳昌明教授統籌。參與資料蒐集、編寫的校內外專家學者皆為一時之選，呈現恢弘的視野，更推進了臺灣地方文學史的書寫層次，可謂當今最系統性、亦是首見涵蓋各文類的大作。

　　國立成功大學素以成為一所能夠回應社會與世界關鍵議題的大學為使命，期待未來得以持續透過與臺南文化內涵的深度結合，驅動出更豐富的文學研究與活動，為師生擴展更多樣的共學場域，建立使大學、文化與社會得以永續發展的基礎，也為下一個四百年的臺南文學史留下不可替代的永恆資產。

國立成功大學第十七任校長　　蘇慧貞

主編序
追溯文化根源

　　四十多年前就讀成功大學，當時臺南對我是純然陌生的都市，只知小吃豐富，古蹟林立。因為師友的帶領，才慢慢辨識這個城市的紋理，深刻感受此城市歷史文化的魅力。大二開始，拜訪過葉石濤、黃天橫、趙雲、蘇雪林、紀剛、林宗源等人，初識前輩文人風采。又跟張良澤老師、張恆豪、張德本、許素蘭、陳國城（舞鶴）在筆鄉書屋校看《前衛》雜誌；因緣際會下與班上同學帶李喬、洪醒夫尋訪玉井噍吧哖故地，都開啟我對臺南文學與歷史的認識。三十多年前回成大任教，幫文化中心籌畫臺南市作家作品集，後來擔任臺灣文學館副館長，更有機會蒐集前輩作家作品，接觸更多當代作家。其中與楊熾昌多次聚餐，呂興昌、陳萬益、林瑞明、葉笛以及南臺灣作家經常性的聚會，優游臺南作家之中，算是對臺南文學的初步認識。而開始編纂文學史，才是對臺南文學的深度感受。

　　臺南是文化古都、全臺首學，文化教育開發甚早，可謂人文薈萃，俊才輩出。不管在文學創作或文化活動上都成果斐然，其中文人創作甚多，留下傑出佳篇，形成臺南文學。所謂「臺南文學」乃指籍隸臺南或曾居臺南，或以臺南的人、地、事、物、景等為題材所創作出來的文學作品，包括口傳文學、古典文學，日治時期文學，以至戰後現當代文學。在府城建

城四百年出版一部臺南文學史，是文化界眾所期盼之事。過去雖有學者撰寫相關著作，如彭瑞金教授的《臺南文學小百科》、龔顯宗教授《臺南縣文學史（上）》，及日本大東和重教授《台南文学の地層を掘る》等著作，都貢獻卓著，但因為篇幅無法呈現前後相承的完整性。因此有意藉此機會，召集志同道合的學術伙伴，共同來承擔這次《臺南文學史》的編纂工作，希望在文類與歷史的傳承上有較深入的探討。

　　臺南自 1624 年荷蘭東印度公司築安平築熱蘭遮城開始，至 2024 年將屆滿 400 年，所以明年將有系列慶典活動，也會透過「博覽會」形式，探討臺南城市發展與文化構築等相關議題。三年前時任文化局的葉澤山局長，為籌畫臺南 400 年相關活動，委請我編纂臺南文學史，當時我正想退休而婉拒。他轉而與成大蘇慧貞校長洽談，蘇校長對我說，不論我是否退休，成功大學作為位居臺南的頂尖大學，似乎責無旁貸，希望我能接任。於是請我召集學者，古典文學委請施懿琳、陳家煌主筆，日治時期古典散文、日文現代文學、漢文現代文學由薛建蓉、鳳氣至純平、許倍榕主筆，戰後現代文學由廖淑芳、蘇敏逸主筆，現代戲劇由秦嘉嫄主筆，臺語文學由呂美親主筆，口傳文學由趙慶華主筆，次年又加入兒童文學，由洪文瓊

教授主筆，然口傳文學因趙慶華工作繁忙，由林培雅老師接手，林老師重新改寫神話傳說與與增加民間文學，成為新的面貌。每位教授都在忙碌的研究工作中，願意撥出時間擔任此辛苦工作，熱情讓人感動。

　　撰作之初，困擾最大的是體例建構與寫作的方式，所以一開始的籌備會，由幾位教授們討論彼此的分工，臺南文學史撰寫體例則由我初擬，原則上將臺南文學史分成幾個領域，即上述的口傳文學、古典文學、日治時期日文文學、日治時期漢文學、現當代文學、戲劇、臺語文學等方面，後來在執行九個月後，因為臺南作家作品集發表會上，兒童文學作家陳玉珠提出，臺南文學史應加入兒童文學，次年才委請洪文瓊教授加入團隊。至於各領域敘述則以時間軸為主，章節由各領域撰寫老師安排，每一章節前有一文學演變的總敘述，透過時間軸繫人（作者）、繫事（重要文學事件）。時間的標示，以西元紀年後附年號，作者首次出現標生卒年，其他引文或附註形式細節，也都透過體例說明，我們都知道每位寫作者有自己的寫作習慣，但在要求較淺顯易讀的情況下，希望能有其嚴謹性。然而分工整合的部分最難處理，我們一開始採分類各自書寫方式，但又怕有些跨時代與跨文類作者會有重複的問題，經過顧問會議，邀請陳萬益、彭瑞金、龔顯宗三位教授提供經驗，文學史以時間軸為主，部分寫作在時代與文類上進行協作。到第二年末我們又進行了一輪體例的修訂，由於有個別寫作的差異，文類上又進行了拆解，為了尊重撰寫老師各自的特性，乃成為今日的面貌。

　　府城建城 400 年，臺南文學當然不只 400 年，臺灣作為矗立海上千萬年的美麗島嶼，原始初民在六千多年前已活躍於這塊土地上，然而原住民透過口說相承，缺乏文字記載，早期的文學殊難查考。本文學史提到臺南

西拉雅口傳文學，涉及新港社、目加溜灣社、麻豆社、蕭壟社等平鋪族群，乃根據 1628 年荷蘭牧師喬治 甘迪留斯（Georgius Candidius）《臺灣島略說》的記載。清朝陳第《東番記》、黃叔璥《臺海使槎錄》僅提供少數原住民口傳文學與傳說。對原住民較大規模的調查要等到日治時期，我們今日所見如佐山融吉、大西吉壽《生番傳說集》，小川尚義、淺井惠倫《原語にょる臺灣高砂族傳說集》，都是日治時期調查的重要文獻。更早的資料難以索求，我們只能透過想像，那個林野開闊，百萬野鹿奔騰於嘉南平原上，茫昧缺乏紀載的時代。

所以臺南文學史雖涉及原住民口傳文學，實際主軸卻從漢人的傳統文學開始，雖非故意呼應府城建城 400 年，無意中卻不謀而合。古典文學從明鄭、清領至日治，沈光文設帳講學始，我們會看到許多府城膾炙人口的掌故，以及精采多元的佳篇。施懿琳與陳家煌兩位教授長期從事相關研究，提供我們宏觀的視野，古臺南的生活景貌，仕紳往來，盡收眼底。於是我們會接觸到如沈光文、朱術桂、陳永華、鄭成功、鄭經、郁永河、孫元衡、黃叔璥、陳輝、章甫、施瓊芳、劉家謀、許南英、施士洁、蔡國琳、蔡碧吟、羅秀惠、楊宜綠、連橫、黃欣等知名文人。我們今日遊府城時，聽到耆老談到赤崁樓、孔廟、五條港、米街、關帝廳、大舞臺、新町……這些老地名，或者進入小巷，與荷蘭、明鄭、清領、日治等各個時代的歷史痕跡相會面，透過臺南文學史的映照，會有更深層的認識。所以至赤崁樓，會讓人懷想施瓊芳、施士洁父子兩進士故居，至水仙宮則可遙想章甫的〈水仙宮志〉。總之，這些古典文人作品處處可與府城生活相輝映。

至日治時期，漢詩文與現代文學的承轉，也對應到政治演變所引發文學社群的質變。從古典文學進入現代文學的寫作，也有新舊文學交替的問

題，最明顯的如古典文學跨越日治時期，有著新舊文學各自爭鋒，加上日語的書寫，形成複雜的多樣面貌，所以在寫作上除了古典詩，又加入漢文小說、散文，以及漢語現代文學、日語現代文學的分類。這些新舊文學交錯時代，有許多作者跨越新舊文類寫作，如黃欣、王開運、洪坤益、許丙丁等。其中楊宜綠作為傳統古典詩人，他的兒子楊熾昌在日治時期成立「風車詩社」，標榜法國象徵詩派，是臺灣最早的超現實主義書寫者，父子兩人正代表古典至現代的轉型。而現代文學的風潮是隨著現代文明與現代生活產生的作品，相映於臺灣當時與現實政治抗爭的年代，臺灣文藝聯盟佳里支部的成立，關懷故土與生活的居民，隱然與殖民主義相對抗，楊逵、鹽分地帶文學群、以至葉石濤，都有此種精神的延續。當然，臺南也有仕紳文人風花雪月的一面，詠嘆景物、居食、藝文之美的篇章，別有風光。

　　臺南現代文學的發展非常精采，類型多元且人才薈萃。書寫過程以時序先後撰寫，後來又將文類區分開來，曾經多次修訂改版，負責戰後現代文學的廖淑芳與蘇敏逸老師又都重視文本閱讀，改版過程頗為辛苦。但也讓我們從新巡禮了葉石濤、楊逵、吳新榮、郭水潭、許丙丁、姜貴、紀剛、蘇雪林、周梅春、林宗源、許達然、楊青矗、葉笛、呂興昌、林瑞明、林佛兒、白萩、羊子喬、桑品載、黃武忠、蔡德本、黃勁連、袁瓊瓊、蘇偉貞、舞鶴、蔡素芬、趙雲、王家誠、張德本、陳耀昌、陳正雄、鹿耳門漁

夫、張瀛太、賴香吟、鴻鴻、利玉芳、顏艾琳、孫維民、張耀仁、伊格言、邱致清、施俊州、黃崇凱、楊富閔等作者。臺南文學史有許多過去文學史較少碰觸的分類，前文已提及，譬如將日治時期漢語古典小說、散文與現代文學分開，又獨立書寫日文現代文學，幸好近年相關研究已較成熟，建蓉與倍榕兩位老師幫忙彙整。日文部分則請日本來臺研究臺灣文學的鳳氣至純平老師幫忙，也得以順利進行。戲劇與兒童文學在傳統文學史頗受忽略，這部文學史則將此兩文類委請秦嘉嬡與洪文瓊老師撰寫，以示重視。而臺語文學的編著，是臺南文學史不可或缺的一環，全國各地雖有臺語文作家，但沒有能像臺南這樣的質量與重量，雜誌、作品、人才輩出，委請移居於臺南，在臺灣師範大學從事相關研究與教學的呂美親教授撰寫，是熱情又適當的人選。

臺南作為全國開發最早的古都，文化的展現豐富多元，許多文人風貌，歷史掌故口耳相傳，或經文字記載下來，成為今日我們認識己身文化、認識臺灣土地的憑據。這部臺南文學史相當龐大，是追溯文化臺南的重要著作，能夠完成殊為不易。然臺南文學史今雖有紙本出版，未來更重視可讓讀者在網路查索，而且出版後若有遺漏需增補，或錯誤需修訂，希望可在網路版本繼續進行。文學史的撰寫不可能完美，但我希望臺南文學史是一部可以滾動修正，讓讀者愈來愈喜歡的文學史。

《臺南文學史》編纂主編　
國立成功大學中文系名譽教授

目錄

神話傳說與民間文學卷　趙慶華、林培雅

現代戲劇

◆ 秦嘉嫄

現代戲劇

在臺南要看戲並不難，要為臺南寫一本劇場史卻大不易。這種弔詭本身便是臺南地區豐富多樣性的反映，從十七世紀被以大員為名記錄、爾後臺灣府、乃至臺灣縣，此地名曾經足以代表整座島的漢人，具有指標性地位。然而隨著自然景觀變化及行政改制，它的地域所涵蓋地範圍是那麼地分歧又變動，或許過往史書上它僅僅意味著安平赤崁一帶，至今則成為東依中央山脈、西臨臺灣海峽、縣市合併的大臺南市。

另一方面，任何企圖全面評估臺南劇場的人很容易如墜五里霧中，除了已難見文字紀錄的西拉雅及更早原住民的祭儀歌舞，各時期移入的家班、新劇、文士劇、文化劇、實驗劇場、環境劇場、社區劇場之交纏，還有在不同語言文化中演繹的臺南故事，如荷蘭人編寫鄭成功歌劇、日人能劇文樂、中國劇團編寫臺南時事等等。多采多姿地令人頭昏眼花，難怪至今難有貫時性地綜觀書寫。因此，當我們著手尋找臺南劇場的歷史調查、表演記錄、創作者、演出製作情況、經濟社會政治背景和觀眾反應等領域的工作時，我們不得不承認臺南劇場史是一個資料散落薄弱的領域。

在臺南文學史四百年的最初規畫中，本書原分為兩部分，各自與日治時期的漢文文學以及戰後的現代文學合為一冊。然而在不同文類的整合過程中，除了臺南戲劇資料散落，逐漸發現戲劇難以持續地與漢文文學或現代散文小說並置討論。再加上戲劇現場呈現的特質，時而成為文人們致力改革的靡靡之音，時而成為熱情應和的社會改革工具，以及各種劇本形式迅速又目不暇給的發展，故將「現代戲劇」獨立成冊，以較能貫時性地呈

現臺南戲劇的繁複面貌。建議讀者們閱讀時，除了現代文學外，亦可互相參閱〈日治時期現代文學〉以及〈臺語文學〉等篇章。

在全世界各地，「現代戲劇」的起始各自相異、甚至各被賦予不同的專有名詞，但一般仍是以「舞臺鏡框」將觀眾席隔開、以及對於寫實主義的追求（包括主題、故事背景及表演風格）來為現代戲劇定義。許多第一部現代戲劇創作於十九世紀末和二十世紀初，當時劇作家如易卜生及蕭伯納等不斷嘗試新的講故事方式和與觀眾互動的新方式，這些早期的現代戲劇經常涉及有爭議的主題，力圖挑戰了自身關於戲劇及其目的的傳統觀念。而臺南這座城市也迅速地感染了這股摩登熱潮，首先是商業戲院逐一開幕，縱使寫實舞臺美學仍在摸索嘗試。例如，1910 年前後的「大舞臺」內，舞臺鏡框前的觀眾，看到的是輪番登臺的福州戲、時事新戲、歌仔戲、甚至電影。鑼鼓穿插著管絃樂，戲曲唱著臺南時事新聞，以各種特意出新的手法吸引著觀眾，這些難以稱之為現代且如今看來略顯突兀的演出，事實上新舊交雜地掀開了流行音樂與現代劇場的時代。一九二〇年代後，再出現了一群又一群親自登台的仕紳及知識分子，從黃金火、黃欣到王育德等文人，伴隨著各種論戰方酣的社會背景，投入劇本的編寫改譯，也許尚未成熟定型，但以其致力於改善社會現實的理想，一登場就成功吸引了文壇目光，正式邁入現代劇場的時代。

因此，與所謂現代戲劇的發展較為相關的詞彙，從新劇、文士劇、話劇、小劇場、再到社區劇場、應用劇場，皆是本書關鍵字，將成為介紹臺南劇場的引線，而北管、南管、歌仔戲等則是背景，並不會深入探析。換言之，本書主要以文人的文字創作為主，因為這些文人的投入，劇本創作

也開始納入文學界的範疇，得以與其他文類彼此鳴鼓響應。但藉由美學變遷的更迭，我們仍會看到現代劇場對傳統戲曲或祭儀的種種衝擊，或者不同劇種創作者如何彼此合作競逐。

另一方面，縱使此時現代劇場仍然以其對現實主義的承諾和舞臺鏡框的使用來定義，然而隨著劇作家和導演嘗試用新的方式講故事和與觀眾互動，現代戲劇也已經發展到包括許多不同的風格和流派，關心的主題更趨多元，不僅推動了舞臺的多樣使用，也革新著文本的定義。故基於此時現代戲劇的種種不獨尊書寫文字的特色，本篇除了致力挖掘往昔較少得見的劇本史料，卻也不侷限在文字劇本的介紹。我們將看到作品、表演者及觀眾之間的互動，以串起長長歷史中，劇場美學在新形式及新觀念的引入後，逐步演變成各種在地的創作。

基此，此書雖以「現代戲劇」為主軸，仍將會簡短地自介紹荷治明清史料開始，力圖將散落的臺南戲劇相關資料，以在地的角度蒐羅並更新。的確，四百年來的臺南範圍，隨著時間變動而有不同指涉，誰是臺南人也不斷的變化。在更新的層面上，甚至「戲劇」本身觀念產生轉變：數位化的虛擬與擴充，空間不再僅是實體距離，更提供了新的觀察及參與途徑。而處在一個被移民、國族、媒體、科技所包圍的環境中，活生生的劇場，所提供的現場親密性，仍然是一個極具力量的空間。透過回望往昔創作者們，包括觀眾，或許可以幫助我們在未來去展現更多書寫及參與劇場的可能途徑。

第一章

十七世紀至
十九世紀末 (1691～1895)

在 1895 年日本統治臺灣全島之前,臺南地區擁有漢人戲劇文化的中心位置。十七及十八世紀被稱作「戲」的活動,所存的文獻甚少,但數條珍貴資料皆以臺南為活動背景,顯見臺南的統治位置。

第一節　鄭轄時期的臺南戲劇活動

十七世紀的臺灣,荷蘭東印度公司以轉運港型式經營大員港(約一六二四～一六六〇年代),最常被提及的演出例子是何斌於臺南家中造戲臺、買戲童及戲箱戲服、備酒席宴請友人。雖不見正史所記載,但此種演戲至夜半的聚會,不僅漢人文獻有所描述,荷蘭文獻亦有記載:「在那中間,也表演了數種罕見的戲劇,就像皮影戲(wayangen),用以娛樂來賓,一直表演到很晚。」[1]

在往昔,何斌這類商賈巨富,雖未直接參與戲劇演出,但往往在劇場史中有著舉足輕重的關鍵角色。他們的金錢資助除了一般認知的家班,廣義而言,另外還包含藉自身之力引入異地劇團或演員的祭儀及商業演出。例如清乾隆年間,當時臺南與蘇州、上海、寧波等地貿易互市頻繁,由於有大批商人在臺南,因此也吸引蘇州崑曲戲班來此演出。[2]而如此由商人以及祭儀等組成的戲劇活動支持體系,在民族國家興起及宗教功能於現代生活中漸失之後,支持體系出現了政府及知識分子,特別是政府力量重要性逐漸增大。這樣的轉變在日治時期特別明顯,仕紳及知識分子成為催生現代戲劇的動力,越來越多不同形式的表演及作品被介紹到臺南,奠基了日後臺南在臺灣劇場史上的重要地位。

從各種文件中窺見的此時期戲劇活動,更顯示著漢人移民與國際局勢

1——原引文請見《熱蘭遮城日誌III-D·1651-11-11》,江樹生譯註,臺灣日記知識庫。此段記載請參見康尹貞針對荷蘭文獻的討論。康尹貞,〈從17、18世紀大員/安平、府城、臺灣縣戲劇文獻看華人戲劇在臺灣的傳播途徑與傳播中心〉,收入劉益昌、賀安娟主編,《南瀛歷史、社會與文化V》,臺南:臺南市政府文化局,2019年,頁295-297。而關於何斌造戲臺與荷蘭時期演戲記錄,除上引書外,另參見張復豐,〈清代臺灣戲曲活動與發展研究〉,國立成功大學博士論文,2004年,頁25-27;以及邱坤良,〈時空流轉,劇場重構:十七世紀臺灣的戲劇與戲劇中的臺灣〉,《劇場與道場,觀眾與信眾—臺灣戲劇與儀式論集》,臺北:臺北藝術大學,2013年,頁12-25。

變化多端的特質。日本人已在大員停泊，目的在躲避明朝海禁政策，並與對岸中國進行走私貿易，甚至到呂宋越南從事貿易。縱使戲劇活動應該規模不大，但藉由戲劇作為祭祀求平安以及處理人際關係媒介的情形，已經具體存在，且演出方式頗令西洋人驚異。

荷蘭人達帕兒（Olfert Dapper, 1639-1689）在 1670 年出版的書中觸及荷蘭人及漢人的在臺狀況，認為中國人比他們還陶醉在戲裡，有一段與戲劇有關的文字說明戲曲演員多是社會下層人物，也是邪惡的流氓，演出則是主人點戲的方式：「幾乎一切是用唱的方式表達，口白極少。演員跟著每場戲的需要，穿著非常漂亮的服裝」[3]。這些演出資料可能來自大員，但也可能是中國閩粵一代的戲曲活動，但其中所描述的唱多白少、漂亮行頭，也的確符合戲曲特色。

頗值得一提的是在 1662 年鄭成功順利取得臺灣，應該是個頗值得記錄的國際大事件，越來越多文獻顯示當時各地皆曾以此為主題製作演出。例如荷蘭劇作家漢那 諾姆斯（Joannes Nomsz, 1738-1803）根據鄭成功事蹟所創作的劇本《福爾摩沙圍城悲劇》（*Anthonius Hanbroak, of de belegering van Formosa*, 1775），被認為是第一個以臺灣歷史為背景的劇本，場景都是在 1661 年的熱蘭遮城內。

此原始劇本目前無法得見。但日本作家山岸祐一曾譯為〈悲劇臺灣の攻圍〉，於 1933 年（昭和 8 年）連載於《臺灣時報》1 月到 5 月號，作為臺灣文化三百年的紀念活動。[4] 根據此譯文，主軸是新教牧師韓布魯克（A. Hambroek）牧師不屈服的精神，而鄭成功以暴君形象出現。在荷蘭人治臺的最後階段，當 1661 年 4 月 30 日鄭成功率艦攻入鹿耳門港，5 月

2——張啟豐，〈清代臺灣戲曲活動與發展研究〉，國立成功大學博士論文，2004年，頁208-10。

3——引自邱坤良，〈時空流轉，劇場重構：十七世紀臺灣的戲劇與戲劇中的臺灣〉，頁19-20。此段譯文譯者應為羅斌，但原始資料尚未尋得。

4——原日文譯者山岸氏生卒年不詳。此劇於2013年王文萱重譯為《福爾摩沙圍城悲劇》，臺南：國立臺灣歷史博物館，2013年，陳瑢真導讀，翁佳音校注。故關於此劇研究，可參考陳瑢真對中文譯本的導讀；以及前註邱坤良，〈時空流轉，劇場重構：十七世紀臺灣的戲劇與戲劇中的臺灣〉。

4 日普羅民遮城荷蘭守軍投降，5 月 24 日鄭成功派遣韓布魯克牧師前往熱蘭遮城，勸誘荷蘭總督揆一投降，但是韓布魯未勸降，反而激勵荷蘭同胞繼續奮戰。韓布魯克牧師走出熱蘭遮城，回返承天府鄭營，遭到鄭成功下令斬首。顯然，鄭成功對於頑強抵抗的荷蘭傳教士及信眾是毫不留情懲治，也成為鮮明的演出素材。

另外，日本傳統藝能「人形淨瑠璃」與「歌舞伎」有一個劇本「國姓爺合戰」，是由 1715 年日本劇作家近松門左衛門（1653～1725）所創作，在大阪首演時，創下三年內連演十七個月的紀錄。學者邱坤良認為這齣戲之所以轟動，甚至被視為進松作品中最高的傑作。除了近松編劇技巧與舞臺技術，亦與題材吸引日本觀眾有關，尤其當時日本幕府鎖國，日本商人乃至藝人，對同時代跨國流傳的鄭成功故事應亦充滿想像。[5]

第二節　明清時期的臺南戲劇活動

回到福爾摩沙島，1683 年施琅（1621～1696）率福建水師攻臺，鄭克塽（1670～1707）上書投降，至少臺灣島西半部自此畫入清朝版圖，臺南出現在清代方志、文人筆記、詩集的戲劇活動也逐漸增加，且有較詳細的描寫，但仍多集中在漢人活動頻繁的港口與廟口。鄭家經略臺灣及附近海域，從漢人的觀點，的確深具歷史意義。而從荷蘭直至日本政權這近兩百年的時間中，雖然南及恆春、北迄基隆淡水都有開墾，然安平府城一帶繼續作為整個臺灣島上的政治經濟軍事中心，提供了戲劇活動興盛的重要背景與理由。知名的郁永河〈臺灣竹枝詞〉（1697）即描述從臺南鹿耳門登陸，適巧碰到媽祖廟前演戲酬神：「媽祖宮前鑼鼓鬧，侏離唱出下南

5——邱坤良，〈時空流轉，劇場重構：十七世紀臺灣的戲劇與戲劇中的臺灣〉，頁22-23。

腔」，並自註：「天妃廟近赤崁城，海舶多於此演戲賽願」，可見貿易商為求貨船航行平安，請戲時機必定相當多。其後的記載，也不脫港口與廟口的背景。

或許這是因為早期漢人移民渡海墾植，多賴宗教力量支持，社群與戲劇作為整合社群組織的重要媒介，使得劇場與宗教活動結合極為密切。如同學者邱坤良所描述：「不同於整個中國有宮廷、茶樓、文人家班等不同階層的表演活動，而臺灣的戲劇活動僅以祭祀演劇為主軸，並伴隨著移墾社會的變遷而發展，演戲的時間、空間不斷轉變，更重要的，不同族群、不同階層之間的戲劇活動也因而匯集，整個臺灣構成宏大的祭祀劇場演戲生態區，這是中國及其他華人社會所罕見的。」[6]

只不過到了清代，對臺灣一系列的歷史敘事中，戲劇再也不是以正面形象被官方所稱頌，例如高拱乾《臺灣府志》的印象是，「與夫信鬼神、惑浮屠、好戲劇、競賭博，為世道人心之玷，所宜亟變者亦有之」。[7]「好戲劇」在當時以高拱乾為代表的官員中，已是一個負面的陋俗了，也因為對於戲劇的負面觀感，纂修方志筆記的官吏文人視戲劇為傷風敗俗、迷信浪費，便極少針對戲劇活動的人事多作著墨，因此對祭祀演戲的描寫也漸漸千篇一律，或者未加列入，較難有意識介紹戲劇形式、內容及特色。

對戲劇的負面觀感，不僅官方，如之前的荷蘭人或者後繼的日本人，也都有類似的記載，而這也成為仕紳及知識分子催生現代戲劇的動力，也是本書以現代戲劇為主要角色的背景。

6——邱坤良，〈清代方志中的「戲劇」〉，《劇場與道場，觀眾與信眾——臺灣戲劇與儀式論集》，臺北：臺北藝術大學，2013年，頁71。

7——高拱乾，〈風土志〉，《臺灣府志》，臺灣文獻叢刊第六十五種，臺北：臺灣大通書局，1987年，頁186-187。

　　事實上整個十七世紀到十九世紀，這個被稱之為大員／赤崁／臺灣府的空間，縱使集結了漢人、荷蘭、西班牙人，以及少數的日本海盜等，甚至原住民，但因各有部落，生活習慣、風俗甚至語言都各不相同，在沒有嚴格的國境概念下，各族群之間固守各自領域，基本上少有往來。也使得對其他族群是否也曾在大員一帶發生戲劇活動，例如荷蘭人是否曾慶祝聖誕，唱作表演？就目前以漢人為主的史料而言，其他族群的戲劇活動實難以推測。

　　雖然近年對於早期文獻的深化研究讓我們看到更多原住民的身影，特別是一些外文的紀錄，但有關樂舞的紀錄仍只是驚鴻一瞥，難以窺其全貌。「原住民十分愛好音樂，總是愉悅地聆賞外國人的表演，無論是樂器演奏或歌唱，他們都非常喜歡。為表示讚賞之意，他們也回報動人優美的歌曲，低沉的音調伴隨著特異的戰爭舞，還有竹口琴和由鼻孔吹奏的小木蕭來做配樂，頗能引人入勝。」[8]但這些零散的記述當然無法呈現相關活動的全貌，故僅在此略加提醒。若回到當時的時空環境，便會明瞭戲劇活動沒被史書記載，並不代表其他演戲活動不興盛。

　　隨著史料的發現，也可看到世界其他族群在臺南這個空間中的戲劇活動，以及政治變遷。例如，在一八五〇年代到1916年前後將近七十年的期間，有各式各樣的英國商人定居於福爾摩沙南部，他們在打狗及安平這兩座港口形成了一個社區，如今安平成為臺南市的一部分，而打狗則是高雄市的一部分。生活在此的洋人，多是因為1864年清朝正式開放福爾摩沙部分港口通商而被派遣，而洋人的利益則由英國領事館所代表，這個領

8——必麒麟（W.A. Pickering），陳逸君譯，《歷險福爾摩沙》，臺北：原民文化，1999年，頁81。

事館在不同時期設置在大員、打狗以及後來的安平。這個社群的規模從未超過三十多人，但在福爾摩沙南端的海上貿易爭端中扮演重要的協調角色。他們的重要角色也因為各地的政治角力，在十九世紀末產生了轉變。首先是 1885 年中法戰爭結束後，清朝政府決定賦予福爾摩沙島更多的重要性，將其行政地位由府升格為省，第一任臺灣巡撫劉銘傳將權力核心遷離福爾摩沙南部，最終在臺北建立省城，因此，位在南部的英國領事館所能調解爭端的能力受到大大縮減。

　　這些與臺南興衰關係密切的西洋商人，也許他們對整個大歷史的發展影響不深，但仔細追索，仍會發現蛛絲馬跡留存在臺南劇場相關的人事物中。在一些舊照片中，一八九〇年代曾出現英國式的打獵派對，而英國商人所經營的貿易活動，也與安平家族頗有連結。[9]若我們試著從這些洋人的眼光來看當時的福爾摩沙南端，可能也會有另一番感受。於 1865 年前後來到臺灣的英國人必麒麟（W.A. Pickering, 1840-1907），描述當時的安平港已經淤積，沙洲上是荷蘭碉堡遺跡，上岸後越過四周髒亂貧窮的小漁村，再藉著運河通往三哩外的臺灣府。必麒麟接著描述臺南府城牆殘破，已失去防禦功能：「臺灣府方圓約五哩，四面修築高大的中國式城牆〔……〕這座城牆早無防禦功能，因暴雨和地震的關係，牆面不僅破損不堪，也有多處缺口，敵軍可以很容易地從缺口攻進城內。」[10]

　　對於英國人的貿易利益的第二波衝擊在 1895 年到來，長居在高雄的英國研究者龔李夢哲（David Charles Oakley, ? -2016），曾追尋英國家庭在安平一帶的足跡，說明福爾摩沙島割讓給日本之後，日本官方「著手逐一排除南部商人的各項利益。一開始日本政府宣布鴉片專賣，然後是樟腦

9——關於當時打狗與安平的洋人家族，請參考龔李夢哲（D.C. Oakley），徐雨村譯，《福爾摩沙的洋人家族：希士頓的故事》，高雄：高雄市政府文化局。

10—— 必麒麟（W.A. Pickering），陳逸君譯，《歷險福爾摩沙》，頁41。

專賣，最後是默許強大的日本利益集團來接掌蔗糖貿易。〔……〕日本接掌蔗糖貿易這件事標示著洋商在福爾摩沙南部的結束，雖然洋人繼續傳教，而且在福爾摩沙北部的洋商維持其活動。」[11]

洋商的經商利益隨著日本統治而告一段落，那些破舊的城牆、髒亂的漁村、小小的運河也將會隨著臺南城市發展而拆除或移置，但並未被遺忘，之後又時而浮現在臺南劇場作品中。故暫且結束以祭祀活動的港口及廟口空間討論，接下來我們將以二十世紀的現代劇場為軸線，逐步描繪臺南劇場史。我們將會看到，在城市、鄉村、廟會、室內劇院、戶外街道，各種空間中，臺南人物與他們所創作的作品均持續交織、彼此影響著。

11—— 龔李夢哲（D.C. Oakley），徐雨村譯，《福爾摩沙的洋人家族：希士頓的故事》，頁10-11。

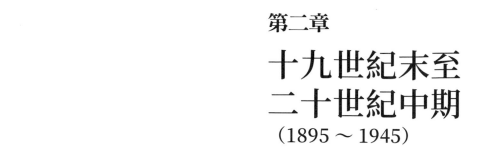

第二章

十九世紀末至
二十世紀中期

（1895～1945）

在第一部分的背景介紹結束後，本書將從「新劇」一詞開始，介紹臺南「漢文新劇」的發展，以探看現代劇場所引發的文學及社會演變。所謂「新劇」，主要是指表演型式相對於傳統戲曲的新劇種，不再以鑼鼓音樂及程式動作為主，而以口語對白為主要表演形態。若引用邱坤良的分類，臺灣正劇、改良戲、文士劇、文明戲、文化戲、皇民劇等皆統稱為與傳統相對的「新劇」之中，「幾乎可以涵蓋所有非傳統戲曲形式的戲劇」[12]。

當然，新舊劇的指稱並非絕對不變，例如，當所謂傳統戲班也開始編演時事新戲，上述新舊劇之間的分野便顯得模糊，但藉此將可更清晰看到臺南這座城市的種種特質與創新。

第一節　漢文新劇

1914 年前後居住在臺南的片岡巖出版《臺灣風俗志》，以其日人背景如此評價臺灣戲劇：「臺灣戲劇是一種河州劇場（河原芝居），也就是乞食劇場（乞食芝居），不但不能想像未來的進步發達，反而會越來越趨衰退。但現在聽說有一位姓高松的有心人士出來發展臺灣新劇（不用官話，只用臺語的戲劇）正在各地上演，以此應能多少挽救臺灣戲劇的殘秋。」[13]當時日本已殖民臺灣近二十年，對於臺南戲劇仍是非常負面的觀感，事實上此觀感也普遍存在臺南本地的漢人知識分子。

這個負面觀感的轉變，高松的出現僅是第一步，直到一九二〇年代新劇與文化劇的浪潮，戲劇在文人筆下才有了較為正面的評價。一方面，雖然政經中心漸漸北移，臺南劇場的景觀卻更加多元也逐漸地擴展，離開船

12—— 邱坤良，《舊劇與新劇：日治時期臺灣戲劇之研究》，臺北：自立晚報，1992年，頁302。
13—— 此段譯文請參看許書惠，〈重探《臺灣風俗誌》中的臺灣戲劇章節——比較中譯本與原著的差別〉，《戲劇學刊》第31期，2020年，頁81。

及碼頭,離開港口、廟口與宅邸,不再僅以祭祀演劇為主軸。另一方面,新場地大量出現,朝向商業、文學以及娛樂文化政策的方向駛去。從佳里醫生詩人吳新榮的日記中,即可看到他多采多姿的時尚生活:「往滋養軒取午食、在寶美樓開晚宴、去鷺遷閣嘗和食、到天國咖啡店飲酒、至森永食茶」[14]等城市的摩登消費。流行歌曲不斷推陳出新,大眾文學開花結果,不僅看電影,也開始拍攝電影。在相關回憶錄中,偶見後輩回味提及當年赴劇場看名人搬演臺語「文士劇」的經驗,對於認識的長輩男扮女裝,記憶猶新。[15]新場地的出現不僅是殖民者勢力的展現,也融合著諸多現代化、消費生活的大眾需求。新的戲院也改變了人們看戲的時間,相較於隨著歲時祭儀活動的觀劇活動,變成每逢周日都會有相當多的觀眾看戲,晚上散場時常會將周邊巷弄擠得水洩不通。

因為戲院建築的出現,觀戲的場合不限於府第、廟口或鄉邑集會的搭臺唱戲,從日本或中國而來的戲班們,陸續成為臺南商業演出劇團的先鋒。這些靠票房的演出,也影響了報刊如《漢文臺灣日日新報》開始有〈戲園雜組〉、〈臺南劇界〉、〈本日戲齣〉等戲劇專欄,推介戲曲,報紙亦成為往後戲劇評論與宣傳的管道。[16]另一方面,這些休閒娛樂的變化與經濟條件優渥又具文化深度的仕紳們喜好關係密切,同時與創作互相影響。除了互別苗頭經營劇場、寫報紙專欄,文人們也紛紛開始這些與往昔傳統文學創作不同的體裁。

的確,1925年前後臺灣各地「新劇」劇本及演出曾出現相對性高峰期,但受到數年一變的政治局勢及殖民地大環境影響,少有持續發展的機會。在不同史料中,雖有不少新劇劇團或相關戲劇的運動組織,以及眾多

14—— 陳曉怡,〈城市餐館裡的時代記憶〉,收入李佳卉編,《台南歷史地圖散步》,臺北:中央研究院數位文化中心,2019年,頁186。

15—— 莊建隆,《台南莊黃兩個家族》,臺北:吳三連臺灣史料基金會,2020年,頁113。

16—— 徐亞湘,《日治時期中國戲班在臺灣》,臺北:南天,2000年,頁92。

參與的人名、演出劇目，光從名稱上亦極豐富，但若要進一步申論它們的活動內容、品質與影響，足以論述的素材並不多。

此外，雖說是漢文劇本，但書寫及對話中仍是頻繁出現日文，實難以就此清晰辯證真實演出時的語言。就目前蒐羅所見，全臺刊登在印刷品而且以全漢文書寫的新劇劇作，僅有以下數篇：

〈屈原〉（1924），陳梗，刊於《臺灣民報》第二卷第 14 號

〈新劇大羅天〉（1925），花花世界叟（羅秀惠），刊於《黎華報》第 5 號花選卷

〈櫻花落〉（1928），少嵒，刊於《臺灣民報》192 至 195 號

〈巾幗英雄〉（1928），青釗，刊於《臺灣民報》211 及 212 號

〈蕙蘭殘了〉（1929），青釗，刊於《臺灣民報》250 至 254 號

〈誰之過〉（1929），莊松林（筆名 KK.、朱鋒），刊於《反普特刊》

〈〔女查〕媒嫺〉（1932），悲鴻生，刊於《南音》第 1 卷第 9／10 期

〈破滅的危機〉（1933），黃欣，《固園文存》

〈兩對摩登夫婦〉（1934），守愚，刊於《臺灣文藝》第 1 卷第 1 號

〈虛榮誤〉（1935），曙人，刊於《臺灣文藝》第 2 卷新年號

〈天鵝肉〉（1935），德音，刊於《臺灣文藝》第 2 卷第 5 號

〈落陰〉（1935），張深切，刊於《臺灣文藝》第 2 卷第 7 號

〈鎖在雲圍的月亮〉（1936），廢人（即鄭明），改編自張資平小說，刊於《臺灣新文學》第 1 卷第 2 號至第 5 號

〈模範壯丁〉（1936），獨孤，刊於《臺灣新文學》第 1 卷 7 號

上列劇目中，目前探察屬於臺南的作家就有陳梗、羅秀惠、青釗、德音、黃欣、莊松林以及廢人等，所占比例頗高。當然，限於個人能力，

仍有大量文獻待追索。[17]例如，最早的〈巾幗英雄〉與〈蕙蘭殘了〉的作者青釗，於最新的研究中始得知為臺南出生的黃鑑村，而他與藝文完全不相干的身分是「臺灣無線電技術的開拓導師」[18]。而發表〈天鵝肉〉的德音，應該就是蔡德音（1912～1994），臺南第二公學校畢業，在流行音樂及電影亦頗有發展。還有〈鎖在雲圍的月亮〉的廢人，雖生平尚待更深入考察，但據許倍榕在「漢語現代文學篇」的追索，應該就是另以筆名在《赤道》雜誌發表作品的明、一明、赤子，後與莊松林共組「臺南藝術俱樂部」的鄭明，日治時期與黃欣的「共勵會演藝部」往來亦密切。

　　無論如何，對照日治時期的琳琅滿目的演出以及知識分子疾呼推行的新劇運動，目前可確認刊登的漢文劇本稀少地驚人。然而，這並不意味著當時臺南創作量少，因為參與創作者比想像中熱切，彼此交織成綿密的網。例如黃欣僅列出〈破滅的危機〉一齣，但事實上他們的文士劇持續以不同名義公演。筆名廢人的鄭明，在1928至1933年間參與黃欣組織的「臺南共勵會演藝部」，執導過〈復活的玫瑰〉、〈一串珍珠〉、〈誰之錯〉、〈破滅的危機〉等，並曾於〈少年維特之煩惱〉中，擔任導演也同時與王雨卿分任男女主角。甚至另外一位重量級人士黃金火的文化劇巡迴，皆呈現出密集而大量的創作。這或得歸因於劇本文學的特殊性，使得文學與戲劇雖然關係密切，但所需要的創作條件與呈現方式不盡相同。劇本創作並不推崇編寫「案頭劇」，而是強調呈現「演出」，於是作者往往只有簡短的劇情大綱，邊排邊改，以至於演出結束還沒有正確完整的劇本出現，更使得如今只見劇目或演出描述，情節內容難以得見。

17—— 這些所見的漢文劇目中，曙人及守愚應該是同一人，為彰化作家楊守愚。另葉榮鐘〈為劇申冤〉（臺灣民報1929.5.5）文內，指出臺灣新聞同年曾刊登江肖梅之〈病魔〉以及張淑子之〈草索記〉，但未見。另依據中國大陸學者李詮林之《臺灣現代文學史稿》（臺北：萬卷樓，福建師範大學文學院百年學術論叢第五輯，2013），其書中第223頁所列，另有〈逃亡〉（廖毓文，即廖漢臣作）、〈平民的天使〉（吳江冷）、〈反動〉（逢秋）、〈結婚的理想〉（邱春榮）、〈外交部事務官〉（張榮宗），但僅見其列出劇目，尚未找到原始刊登處。

18—— 顧振輝，〈《臺灣民報》劇作家青釗生平考〉，《台南文獻》第15期，2019年，頁140-61。

為了不過於偏頗，也不僅僅談論稀少的劇本文字，將輔以日治臺南劇場建築的出現及經營者介紹。因為談論漢文現代劇本，若沒注意到在日人統治五十年間，當時的觀眾開始在劇場內觀賞日本新派、福州徽班或在地劇團的輪番上演，那麼將失去臺南劇場與東京、上海、甚至歐美劇場交流的歷史脈絡。受各地對時事入戲影響，新編時事其實一直是演出潮流，以臺灣本地題材為戲曲賣點的情形常常得見，例如當時《林投姐》常被搬演，因此，報端偶見「演唱新戲」、「又排新劇」，皆是在此時事入戲脈絡。更是擺脫過往純粹將演戲視為節慶的一環，將興建戲院與聘戲演出視為經營之事業。另舉臺灣戲劇史上一個著名的例子：出現於 1911 年臺南「大舞臺」的《臺南奇案》，是由來自中國大陸的福州三慶班特地編演，由老生花旦扮演各人物，據徐亞湘考證，此劇是目前可考第一次出現臺灣本地題材入戲。也就是，日治時期全臺首見的時事新戲，以石阿悉輕信婦言而誤殺胞弟的社會時事，造成「雖細雨頻降，男婦老幼，聯袂往觀者，亦絡繹云」的演出效應，是由來自中國大陸的福州班，而非本地戲班所作。 ¹⁹

第二節　新場地與新演出

　　本節便將以高松豐次郎與臺南的關係為引子，逐步帶出臺南在地仕紳黃欣、黃金火、莊松林、王育德等陸續經營或參與創作的戲劇事業，最後再進一步介紹目前資料尚存的劇本及創作者。上述片岡巖那些負面的看法與用語，應該是對於一九一〇年代左右臺南戶外演出的野臺戲：「演戲的

19——　引文請見：〈又排新劇〉，《漢文臺灣日日新報》，第3945號，1911年5月23日，3版。徐亞湘的研究指出，「當時台北人對於邀請對岸戲班來台演出的態度不若台南人積極熱絡」，商業劇場的興盛，讓聘戲者獲利甚豐，一時造成風尚，甚至導致臺南嫖客減少、妓女無心操業的情形。請參見徐亞湘，《史實與詮釋－日治時期臺灣報刊戲曲資料選讀》，宜蘭：國立臺灣傳統藝術中心籌備處，2009年，頁137-138。

20——　許書惠，〈重探《臺灣風俗誌》中的臺灣戲劇章節——比較中譯本與原著的差別〉，頁79-80。

21——　徐亞湘，《日治時期中國戲班在臺灣》，頁83。

22——　陳慧勻，〈舞臺上的兇賊與義賊—評述日治至戰後的新劇《廖添丁》〉，《臺灣學研究》第9期，2010年，頁45。

舞臺是由骯髒的舊板子、舊柱子、舊天幕所搭建，前面沒有幕，也沒有背景。樂隊是跟著演員一起在舞臺上演奏，還穿著有點髒的便服，踩著沾了泥巴的腳上臺演奏；舞臺後面是後臺，也就是在泥土地上用舊藤箱圍起來、對外毫無遮掩的地方〔……〕演員登臺演出也毫不注意自己的身段，臉和眼睛望向別處，多半是機械式的擺動手腳，演出中想吐鼻涕或痰等，就直接當場吐掉。」[20]而片岡巖特別提到的「一位姓高松的有心人士」，也就是高松豐次郎，其推廣不用官話、使用臺語的新劇，如此的「新劇」，當時多以「臺灣正劇」稱之。

「臺灣正劇」一詞，似乎較之野臺戲有更正式、嚴謹地編排，但其實演出形式仍為幕表制，使用語言應是日語、漢語交雜，「僅有故事大綱而無對白，舞臺裝置僅有簡單屏風式的布景，伴奏的音樂則是採取日本歌舞伎（舊劇）伴奏用的各種樂器」[21]。高松建立的「臺灣同仁社」的正劇演出從 1903 年開始，至 1919 仍有演出紀錄。由其演出劇目來看，題材的選擇則與日本新派劇類似，以當時的臺灣社會時事為主，例如在當時屬於社會刑案劇的《兇賊廖添丁》，靠著廖添丁特殊行止的話題性，以及新聞報刊上連篇報導的精采追捕過程，期待獲得觀眾的喜愛。[22]縱使簡單，這類與當代生活較為密切，「甚至針對臺灣人規劃製作『臺灣正劇』的節目，這在其他日人經營的臺南市戲院中未曾見過」[23]。

除了製作「臺灣正劇」，高松豐次郎在 1908 年至 1910 年間於全臺興建經營的八個戲院，臺南的「南座」屬於其規畫的第一批商業劇院。[24]而這種商業劇院的出現，可說是臺南劇場史最大的變化。就劇場史而言，劇

23── 厲復平，《府城・戲影・寫真：日治時期臺南市商業戲院》，臺北：秀威資訊，2017年，頁44。

24── 石婉舜，〈高松豐次郎與臺灣現代劇場的揭幕〉，《戲劇研究》第10期，2012年，頁46-47。葉龍彥，《日治時期臺灣電影史》，臺北：玉山社，1998年，頁68，曾列出高松豐次郎所建之戲院所在地的今日地名如下：竹塹俱樂部（新竹・1908年7月落成）、南座（臺南・1908年10月落成）、臺中座（臺中・1909年10月落成）、嘉義座（嘉義・1909年3月落成）、打狗座（高雄・1909年5月落成）、阿緱座（屏東・1909年6月落成）、基隆座（基隆・1909年10月落成）、朝日座（臺北・1910年12月落成）。其中，「嘉義座」位於今嘉義市，但當年也在臺南州的管轄範圍。但根據石婉舜的整理，若將電影放映場所也納入，並不僅於上述八間。

院建築所帶起的質變是「現代劇場」的美學品味引進：燈光、音響變得重要，布景寫實，「全齣十幕，檯上配景，皆依西洋裝備」[25]，甚至表演方式也相異，不再需要唱念、翻跳的職業演員，不久，更與新興的電影映演結合，極為迅速地成為提供戲劇、電影和各式表演的大眾娛樂場所。

雖然高松豐次郎對臺南的影響，相較於臺北可能較淺，但稍微了解一下當時的整體狀況，包括電影以及以臺語演出的舞臺劇，或許有助於凸顯臺南的特色。若將戲院建築的出現，同時置放在當時整個世界殖民及資本主義的脈絡，更可理解殖民者想在他們的殖民區建造劇院的雄心勃勃，這是將地方轉變為統治區域，將母國制度移植到新環境中的一種嘗試。例如法國政府在殖民地越南也建造了三座歌劇院，分別在西貢，海防和河內。這是有意為殖民城市提供文化基礎設施的嘗試，也是整個世界現代化劇場轉變的潮流。

高松豐次郎「南座」（1908）當時舊址已難精確定位，賴品蓉推測在當時日人在臺南逐漸形成的新商業區（今中正路西門路）一帶，區分開了舊有的清代之前漢人移民的民權路商業區。[26] 漸漸擴展開來的市區，日本人和本島人接觸更為頻繁，娛樂餐飲設施也逐漸增加。1910 年，日本治臺 15 年後，臺灣從這年的元旦開始廢止舊曆，改採西曆。舊時臺灣府的城牆，也在這個時期陸續開始拆除，並且逐漸形成日本人居住區。高松豐次郎更配合官方外圍組織愛國婦人會進行以電影教化民眾的工作，曾另於臺南公會堂舊址設立「高松活動寫真會常設館」（1911 年前後）。[27]

舞臺的增多，意味著流行娛樂的歌手、知名的演員持續來到臺灣演唱、演奏，甚至戲劇表演等。高松豐次郎招聘來臺巡迴的往往是極富盛名

25── 〈朝日座之正劇〉，《臺灣日日新報》，1919年7月22日。

26── 賴品蓉，〈臺南市的案例〉，《臺灣老戲院文史地圖（1895-1945）》網站，中央研究院人社中心GIS專題中心暨國立清華大學臺灣文學研究所石婉舜研究室（2017），網址http://map.net.tw/theater/distribution/c/。取自2022年5月22日。

27── 石婉舜，〈高松豐次郎與臺灣現代劇場的揭幕〉，頁40。

28── 顧盼，〈日本殖民時期歌舞伎的臺灣巡演〉，發表於戲劇跨領域學術研討會，2014年，頁12。

29── 康尹貞，〈戰前臺灣日人商業劇場的黃金時代—以1913年為例之觀察〉，《戲劇學報》第30期，2019年，頁 27-28。

的表演，於 1911 年邀請當時名氣極盛的川上音二郎（1864～1911），尤其川上的妻子貞奴風靡歐洲，使得演出大受歡迎。報載川上音二郎 1911 年 5 月 29 日在南座的演出滿座，隔日更有臺灣製糖會社包場欣賞。然而川上音二郎回國後不到半年就過世了，新派劇時代就此結束。

另一位曾經來臺南巡迴的著名演員是市村羽左衛門（1874～1945），1913 年在臺停留期間為 5 月 10 日至 6 月 13 日約一個月[28]，於南座演出時滿席無立錐之餘地，團體觀劇包括臺南州廳高等官員及家族，辯護士連、婦人連等，因為太受歡迎，應有志者邀請比原定檔期多延一日再往高雄。[29]市村羽左衛門的身世與臺南頗有淵源，其父為法裔美籍李仙得（Charles Willliam LeGendre, 1830-1899），當年曾任美國駐廈門領事，負責地區還包括臺灣府等港口，曾深刻介入美國三桅帆船羅發號（Rover）船長及夫人遭福爾摩沙南端原住民殺害事件，李仙得當時與原住民頭目簽訂協議，以確保沉船海員安全。[30]

日本新劇運動先驅島村抱月（1871～1918）與「新劇第一女優」松井須磨子（1886～1919）的「藝術座」，也曾在高松豐次郎邀請來臺。「渡邊淳一的《女優》（集英社文庫，1983）鉅細靡遺地敘述須磨子一生的情感世界與劇場成就，也簡略提到『藝術座』在臺北朝日座、嘉義座、臺南新泉座、打狗座的公演。」據邱坤良研究，「藝術座」來臺公演，應該是當年藝文界盛事，當時前往觀賞的臺灣菁英應不在少數，賴和的隨筆就說他曾擲去五圓的觀賞費用，去看須磨子的《復活》。[31]

當然，在高松豐次郎連鎖式的戲院經營之前，臺南並非沒有室內表演空間。「日治時期臺南市曾出現八家戲院：大黑座（1905～1907）、臺

30—— Sandra GaruthersThomson, "Filibustering to Formosa: General Charles LeGendre and the Japanese," Pacific Historical Review 40, no. 4 (1971): 442－56。

31—— 請修改為「此段關於島村抱月及松井須磨子來臺灣巡演之中文史料，請參考邱坤良的研究，如〈須磨子抱月哀史之台中淚痕〉《風傳媒》2016年10月20日（https://www.storm.mg/lifestyle/179038?mode=whole）以及〈從星光到鐘聲：張維賢新劇生涯及其困境〉，《戲劇研究》第20期，2017年7月，頁47。

南座（1903〜1915）、南座（1908〜1928）、大舞臺（國風劇場）（1911〜1945）、戎座（戎館）（1912〜1945）、新泉座（1915〜1924）、宮古座（1928〜1945）、世界館（1931〜1945），其中大黑座是寄席、世界館是專營的電影館，其他皆是劇場轉型而來的混合戲院，既上演戲劇又播映電影。」[32] 雖然僅是類似簡單的「寄席」式小型演藝場所，位於大井頭街的大黑座〔蛭子座〕（1903），仍可能臺南是最早的商業劇院建築。「寄席」是日本特有的大眾演藝場所，主要上僅是演如落語、講談或魔術等深具庶民性格的日式說唱藝術。此地址約在今日民權路二段，也就是全美戲院一帶。1905 年大黑座更換席主，重新裝修而更改座名為蛭子座，開場時有藝技表演，來了約五百名觀眾。之後又可見人形淨琉璃的演出。據當時報刊，雖然可能舞臺的相關設施簡略或缺乏，所以不被稱為劇場，而且可能存在時間不長，但這新的表演空間，已完全不同於祭祀為中心的演出脈絡。

　　「臺南座」（1903）[33]，則被認為是臺南市區第一座正式劇場，不僅上演日本歌舞伎、京劇或文明戲，也是放映電影的場所。但因為臺南座主為日人近藤金次郎，節目類型仍以日本歌舞演劇節目為主。例如 1905 年有素人演出的　恤兵演藝會」，此或許與石婉舜指出之臺北脈絡類似，即日人治臺的最初十年間，臺北陸續出現在地日人組成的職業劇團，為其同胞提供精神慰藉之所。[34] 而厲復平更仔細的推論，當時應該已經使用電力，因為報導中曾提及，「園內亦添設電扇，使觀者無酷熱之虞云」、「因電火故障，明滅無定」，雖然此劇場的描述是內有榻榻米座席，厲復平則提供了一個有趣的描述，因臺灣人不習慣跪坐，因此僅有榻榻米座席的臺南

32—— 厲復平，〈日治時期臺南市宮古座戲院考辨〉，《戲劇學刊》第25期，2017年，頁12。
33—— 原眾多資料提及臺南座成立日期為1906，厲復平指出臺南座最遲在1903年就已經出現，前說顯然有誤。厲復平更認為後來的新泉座（1915）有可能是臺南座轉手整修後重新開張。
34—— 石婉舜，〈高松豐次郎與臺灣現代劇場的揭幕〉，頁45。

座於戲院中加放座椅應付。[35]但早期的大黑座及臺南座等空間實仍屬小型場地,且設備也失之簡陋。極為迅速地,自高松豐次郎在臺南興建的「南座」開張(1908)以後,由於更新穎寬敞、容納人數更多,小型表演場地大不如前。而高松豐次郎半官方的身分,更使得「南座」成為各種官方與重要人士辦理活動的主要場所。但其如此大手筆的經營方式,也遭逢了現實問題,只能縮減其經營規模。在這個商業劇院與巡迴劇團興盛的期間,若仔細探看背後所交織的名聲、金錢、資源與人情,那是極為複雜、迷人又殘酷的世界。

近年來對於臺南日治時期的劇場研究漸趨紮實且豐富,尤其厲復平對各重要表演場所的查考,便向我們展示了如此熱鬧的臺南劇界。隨著都市發展,不僅劇場建築物一棟棟落成,「臺南座」大致位於今日民生路一段的位置,「南座」則更接近今日的西門圓環,經營者的身分也是變化競合。「南座」在1910年很快地又轉為與臺灣人張文選等合資經營的模式, 而這也解釋了為何這段期間,原日資的「南座」不間斷地有中國戲班來演出,同時與臺南另一重要劇院「大舞臺」競爭局面,兩座劇場競爭火藥味之激烈,往往成為報端新聞。

第三節　文明戲、文士劇與文化劇

一、文明戲與中國戲班巡迴

「大舞臺」自1910年前後開幕,戰爭時期曾改名為「國風劇場」,直到1945年毀於美軍轟炸,一直被視為是臺南是唯一長期由臺灣人經營的戲院。[36]大舞臺與當時日人木造劇場不同,是水泥磚造西方建築樣

35── 厲復平,《府城‧戲影‧寫真:日治時期臺南市商業戲院》,頁33。

36── 大舞臺被描述成專門演出臺灣戲及上海戲,原文出處為《台南工商案內》,臺南市役所編,1933年,頁44,引自黃美月,〈臺南仕紳黃欣之研究〉,頁28。

式。也未採用舊式戲園茶館格式，反而是西方鏡框式舞臺。剛開幕時，主要經營者洪采惠、與「南座」的張文選之間充滿火藥味，兩座劇場的戲目或檔期安排，往往打對臺。漢文臺灣日日新報於1911年〈臺南劇界之競爭〉曾詳述兩邊競爭手段，甚至故意買地阻擋，大謬不然。[37]競爭激烈也可見臺南劇場當時的熱絡，甚至比起臺北還要熱中於戲班的邀演，據徐亞湘的分析，「當時臺北人對於邀請對岸戲班來臺演出的態度不若臺南人積極熱絡」[38]，特別是在農曆新春期間，總是有各地商人爭聘劇團演出，除了福州班，另有潮州、外江戲等等各地方劇團受聘來臺商業巡迴。1907年，原籍潮州的臺南商家們，為了不讓福州三慶班專美於前，合聘潮州外江戲老福順班來臺南在媽祖宮內演出，不過因為音樂及演出大部分臺南人都不熟，劇評結果淒慘：「未能奪目生新，頗為島人厭惡。」[39]

　　在劇場史上，初期「大舞臺」便扮演著重要角色。第二章第一節所提及的福州三慶班以石阿奚謀殺胞弟的時事編演《臺南奇案》（1911），是最早看到傳統戲曲拋開歷史束縛，編寫搬演當時的社會案件。很迅速地，幾乎同時在「臺南座」（座主為日人近藤金次郎）演出的福州新福連陞，為挽救票房也以陳秀娘謀殺小姑之時事敷演《臺南大奇案》，果然奏效。受此影響，以臺灣本地題材入戲的情形常常得見，其中又以《林投姐》一劇最常被搬演，因此，報端偶見「演唱新戲」、「又排新劇」，皆是在此時事入戲脈絡。

　　新編時事其實一直是演出潮流。例如，四處蓋戲院的高松豐次郎，也在差不多同時（1911年）曾組「同仁社」，以臺語演出四處巡迴，新編〈斷

37——〈臺南劇界之競爭〉《漢文臺灣日日新報》第3874號，1911年3月6日。

38——徐亞湘，《史實與詮釋——日治時期臺灣報刊戲曲資料選讀》，頁137。

39——三班優劣之比較，參考《漢文臺灣日日新報》，1907年6月28日，第2744號。

髮奇談〉、〈廖添丁〉、〈滿洲馬賊之苦節〉、〈薄命壯丁〉等難以盡數的新演出。鍾喬描述演出是「以簡單的屏風為背景，配合日本歌舞伎的伴奏」[40]。另當時報刊卻又指出臺北演出〈廖添丁〉時有機械裝置：「朝日座所演臺灣正劇。自戲臺改用迴轉機械。已免停滯。」[41]此迴轉機械尚難以確認是否即為旋轉舞臺？研判初期應有此設計，但簡單。而高松「同仁社」曾數次巡迴到臺南，當然多在南座演出，就描述看來，劇情多可被歸類為高潮起伏扣人心弦的鄉土劇。例如，「以姦夫淫婦之奸計。父子淪為悲境。最終姦夫就縛。淫婦發狂。」[42]可惜，這些當時就不被文人重視的淺白臺語演出，現今也未見任何劇本留存。

1921 年，另一股來自中國的文明戲影響也來到臺南。《臺灣日日新報》記者李逸濤召慕股東，邀請上海流行的「民興社」攜寫實布景赴臺，巡演至臺中、嘉義、臺南等地皆頗受觀眾歡迎。「所唱諸戲係棄繁文專重實景，且寓有懲戒之意」，所以頗得當時觀眾讚賞。可惜該班對白皆用北京話，臺人因語言隔閡多不解其意，後來聘主馬上僱請說士在演出前說明劇情大要，這個辦法果然對吸引觀客大有幫助。[43]

1926 年民興社再度來到臺南，於「大舞臺」演出《大家歡喜》、《雌虎威伏猛將軍》等正劇。當時臺南新報有筆名為戲癖者，在看完民興社的演出後寫〈觀劇偶詠〉四首詩作。也因此行，上海「民興社」的赴臺演出，使得臺南在早期臺灣的新劇史料占有重要位置。據《臺灣省通志》、呂訴上以及後期馬森的描述，「民興社」離臺後，當時經營麻豆戲院的臺中人劉金福，延請上海民興社員姚嘯梧及瞿曼軒留臺指導，組織臺灣第一個文明劇團「臺灣民興社」至全島各大都市演出，後來經過幾度解散又重組，

40—— 鍾喬，〈從「怒吼吧！花岡」到「怒吼吧！中國」——追溯日據時期臺灣新劇的流脈〉，《文訊》32期，1987年，頁16。

41—— 《臺灣日日新報》第4033號，1911年8月17日。

42—— 《臺灣日日新報》第4750號，1913年7月11日。

43—— 陳慧勻，〈舞臺上的兇賊與義賊——評述日治至戰後的新劇《廖添丁》〉，頁48。

劇目包括《賣花結婚》、《兩怕妻》、《西太后》、《楊乃武》、《新茶花女》等劇。[44]

此外，以麻豆戲院為基底的「臺灣民興社」演出，也讓當時擔任劇情解說員的臺南人吳鴻河對文明戲產生莫大興趣，於1923組「黎明新劇社」（或稱臺南黎明新劇團），除了各地巡迴，並曾在宮古座公演時，與大舞臺的丹桂社對臺鬥戲。例如，丹桂社演出「媽祖出世」，黎明社則排演「媽祖子出世」，更在其中穿插「蔡牆關童」以諷刺大舞臺之老闆蔡祥，一時震動臺南全市。其演出活動持續至1928年前後，因股東內鬨而散班。[45]

然而奇怪的是，雖然臺灣省通志有此明確紀載，據徐亞湘查考當時報刊，並無黎明新劇團的演出紀錄：「此一屬文明戲末流的民興社，它到底引介了什麼中國文明戲到臺灣來嗎？〔……〕更是徒具其形式而無其精神內涵，只能算是一種追求商業利益下的移植與拷貝罷了。」[46]回顧此時中國文明戲本身也已經欲振乏力，又被移植到臺灣巡演，可能演出並不大費周章，因此也無特別登報廣告。其實，這些巡演臺南的時事新戲、文明戲、臺灣正劇，表演形式可能無多大區別：多是幕表戲的形式、未見完整劇本，因此，最多只能針對表演或舞臺擺置的改變提出觀察，較難推測這些究竟對當時劇場創作，特別是漢文為主的創作風格產生什麼影響。

甚至，可能是文人對於閒暇文學的改革意見，無涉政治或票房。例如，創辦《黎華報》的臺南文人羅秀惠，提倡新學的手法來保存漢學，但在他1925年所發表大眾通俗教育中改革戲劇、講演小說的感言：「戲劇不能純用賓白，小說不必專取白話」[47]其用辭仍是戲曲術語，有歌有舞也才是劇場，也可見對當時文人對於「新劇」，仍是以類似戲曲新編的方式思考。

44—— 演出劇目參看陳耋，〈福建話劇活動歷史述略〉，《戲劇學刊》第8期，2008年，頁97；另一說劉金福當時為臺南麻豆戲院經營者，演出劇目另有不同，參考張炳楠監修，李汝和主修，廖漢臣整修，《臺灣省通志·卷六·學藝志藝術篇》第十一節文明戲的描述（臺灣省文獻委員會纂修，臺北：眾文圖書出版，一九七〇年），頁19。或參看馬森：〈含苞待放──二十世紀的臺灣現代戲劇〉，《文訊雜誌》第169期，1999年，頁27。

45—— 李汝和主修，廖漢臣整修，《臺灣省通志·卷六·學藝志藝術篇》，頁19-20。

46—— 徐亞湘，《日治時期中國戲班在臺灣》，頁90。

但可確知這些演出多多少少帶來了利潤或名聲，才使得劇團陸續成立、受邀巡迴、演出更趨多樣。不僅羅秀惠自己會為了娛樂聚會而編寫劇本，《臺灣省通志》記載，當時臺南州下之北港，有吳丁炎等人組織「民聲社」，各在設立地公演外，或與其他劇團提攜至近鄰各地公演。如1927年「民聲社」曾與「彰化新劇社」聯合，前後至彰化座、苑裡鎮公演。[48]

故可見臺南「大舞臺」等新劇場設立，一方面固然反應臺南人對更相近的語言演出之娛樂需求，另一方面也可見各地商業交錯之痕跡。就在地社群而言，不久後新營郡的「新戲臺」、白河「西座」、麻豆「後竹仔戲院」、東山「東山戲院」、六甲「六甲座」等各郡各鎮的劇院迅速湧現，顯示在地巨商與知識菁英對戲劇仍有著龐大影響力。新營新戲臺1933年落成，臺人合資興建、日本官方核可，「建築樣式氣派足以彰顯合資者的勢力、影響力與家族聲望」[49]。新的演出活動是在地資本興起之代表，更是擺脫過往純粹將演戲視為節慶的一環，將興建戲院與聘戲演出視為經營之事業。

「大舞臺」的另一重要事蹟是首次出現內臺歌仔戲的演出。研究者多數認為，1925年管理人之一蔡祥，直接經營歌仔戲班「丹桂社」，頻頻在「大舞臺」上演，造就歌仔戲進入內臺發展的重要里程碑。[50]在王育德及蔡瑞月等人的回憶中，臺南的「大舞臺」是規模最大的，是歌仔戲上演的常駐館。王育德更仔細分析數座戲院的特質：「『宮古座』是格調最上流，文化協會的政治宣傳劇常借這裡上演。『世界館』是往運河途中的劇院，主要上演日本電影，而且是時代劇。最小的是『戎館』，位在世界館對面的轉角處，經常上演中國電影。」[51]

47—— 蕉麓（羅秀惠），〈閱報之感言〉，《黎華報》第2期，1925年4月，第1版。

48—— 《臺灣省通志‧卷六‧學藝志藝術篇》，頁23。

49—— 鄭聖勳，〈日治時期臺南新營地區室內表演場所探究〉，國立臺南大學戲劇創作與應用學系碩士班碩士論文，2018年，頁48-49。

50—— 厲復平，《府城‧戲影‧寫真：日治時期臺南市商業戲院》，頁58。

51—— 王育德、王明理著，吳瑞雲、邱振瑞譯，《王育德自傳暨補記》，臺北：前衛，2018年，頁205。

王育德特別描述「大舞臺」，充滿著胡琴、鑼、大小鼓的伴奏，這種熱鬧是電影院遠遠比不上的，「在燦爛奪目的電燈照射之下，整個劇場充滿了熱鬧歡盛的氣氛。」而當他跟著祖母去看戲，往往是要吃包子、餃子、或啃瓜子，他的姐姐們則是迷上了劇團的武生，還瞞著家人偷偷追到高雄去看他。[52]當時除了常駐的丹桂社，還有從福建來的「舊塞樂」劇團，「每場一定都有厲害的武打場面，宣傳中總說『真刀真槍』、『活動機關』，可真是令人心生畏懼的武打戲。」[53]

此時應該是一九三〇年代初期，大舞臺仍是丹桂社根據地，而且戲院產業已頗具競爭能力，也因此才會出現當時報端對於大舞臺的經營陸續出現批評：「臺南娛樂機關太少。大舞臺汲汲乎唯利是圖。市民多促其改革」[54]。皇民化運動開始推行之後，丹桂社這類都會型的劇團多被解散或改組，相關發展將在下一階段的一九四〇年代繼續闡述。

二、文士劇文士劇與共勵會

「文士劇」此詞與黃欣「共勵會」的演劇部關係密切，應該是最能顯現臺南仕紳劇場創作樣貌。此詞可能來自日本，意謂參與者皆是「文人」，而非「戲子」。或者借用當時報端描述「登場人物俱有聲於時者」[55]。另有研究者指出共勵會是為區別於文化劇，免遭日警彈壓，乃自稱「文士劇」以別於輒遭日警禁演的文化劇。但無論是文化劇或文士劇，主題訴求大致相同，以關懷社會問題及現實狀態。在報端可見的黃欣文士劇演出劇目中，也常見「社會劇」一詞，強調不同於被視為淫蕩的歌仔戲演出：「到處開幕大博一般好評。非復如最近盛行之破風壞俗之歌仔戲可比云」。[56]在仕紳文人的期望中，多仍希望借用戲劇力量，做些有助於社會之事，而非謀反或策動觀眾抵抗意識。

52—— 同上，頁206-7。

53—— 同上，頁206。

54—— 《臺灣新民報》，1930年6月14日，第317號。

55—— 《漢文臺灣日日新報》第100472號，1928年6月14日。

56—— 同上。短文內描述於屏東座開演文士劇，第一日〈勞心勞力教育家〉（喜劇）、〈破滅的危機〉（社會劇），第二日〈哭什麼〉（喜劇）〈大悟徹底〉（社會劇），劇本「大有包藏社會心理狀態之研究。到處開幕大博一般好評。非復如最近盛行之破風壞俗之歌仔戲可比云」。

黃欣 1923 年入股大舞臺經營，1927 年為推動地方教育，組織「臺南共勵會」，後擴充為「共勵義塾」。地方興學是日治時期各地仕紳或實業家普遍的志業，特設演劇部也並非絕無僅有，但親自編劇演出、四處巡迴演出則屬少見。而且黃欣雖是「大舞臺」股東，共勵會的演出卻不限於自家劇場，也在南座、宮古座演出，甚至到嘉義、屏東、臺北大稻埕巡迴。翻閱當時關於共勵會巡演的報導，某種文人羅曼蒂克情調十分濃郁，例如 1927 年連續兩年的中秋前後，演劇部員為鑑於光陰不再，人生幾何，乃思及時行樂，泛舟鹿耳門。[57]

　　此種浪漫又感國憂時的情懷，或濃或淡的存在於成員謝士葵、王雨卿（1907～1936）、邵禹銘等具有讀書人身分的漢人。查閱演出紀錄，共勵會這群參與者，或許是政商背景十分綿密，其實所謂激發民族意識訴求較稀少，多以破除迷信、賑災救款、或者稍加諷刺社會制度等為演出目的。在鄧慧恩的歷史小說《亮光的起點》（2018）中，便描述後來成為博物學家的王雨卿，在共勵會教導失學孩子，也為了參加共勵會演出，向佐伯操學習扇子舞，兩人因此相識相戀，結為連理。

　　初期共勵會的演劇部，每夜在吳園排演新劇，並於南座公演。[58]推測公演時不會一天僅演一齣戲，而是以音樂、喜劇、雜耍，搭配社會劇演出。雖然所存劇本不多，但單就當時頗為琳瑯滿目的劇目及簡述來看，他們創作心嚮往之的對象主要是歐洲劇作家，喜劇部分甚至模仿卓別林。「挪威之易卜生。波蘭之廖抗夫。英吉利之蕭伯納。俄羅斯之安得列夫。無不致力於戲劇創作。」[59]

57——「臺南共勵會諸同仁。為鑑於光陰不再。人生幾何。乃思及時行樂。爰於去十一夜。泛舟鹿耳門。水光燈影雜以絲竹清音。至足樂也。是夜演劇部員。為念南部震災。哀鴻待拯。援手有心。愛莫能助。乃議來二十四五兩日。將向嘉義方面。演戲助捐。」（《漢文臺灣日日新報》第9837號，1927年9月15日）；「是夜載酒攜朋泛輕舟於鹿耳，看明月之共潮生也」（《漢文臺灣日日新報》第100215號，1928年9月28日）。

58——《漢文臺灣日日新報》第9769號，1927年7月9日。

59——《固園文存》其二，〈破滅的危機〉書後語，王臥蕉，頁39。

「文士劇」豐沛的巡迴演出，再加上前文關於商業劇場的融合，或許給後世的印象是臺南的演劇與大家較熟悉的新劇文學中的民眾運動及批判精神有所距離。但這是另一支脈絡，接下來我們就要來看看，當文協總部於1923年遷至臺南，所留下的處處痕跡。

三、文化劇與文化協會

　　在文化協會的臺南脈絡中，最著名的人物是黃金火，除了資助蔡培火的文化協會活動經費，自己也呼喚好友及後輩組織「文化演劇團」（或名「文化演藝會」），排練演出，希望擺脫當時文化協會用的單調講演會形式。

　　最常被引用的是1926年4月4日，蔡培火的活動寫真隊（後以「美臺團」稱之）首先於臺南「大舞臺」戲院放映兩天，夜夜客滿，大約有兩千多人觀賞，又延期一夜，然後才巡迴全島各處放映。可惜的是，之後「美臺團的所有器材和影片都留在臺南，在二次世界大戰末期，因美機轟炸，全部化為灰燼」[60]。

　　1927年，黃金火首次以「文化演劇團」之名，在「南座」首演大獲好評。《臺灣民報》紀錄如下：「臺南及安平青年所組織的劇團開第一回試演於南座。安平的人們早卻有一番的公開演劇了。但是兩部合作是這回為始。自3月28日起三日間，每夜觀覽者無立錐之餘地。今次公開的戲題是〈戀愛之勝利〉、〈非自由之自由〉、〈薄命之花〉、〈憨老大〉等。」[61]

　　此則報導進一步讚賞了演出，得以一窺當時的演出方式：「如演〈薄命之花〉時，演者情迫思切，戲中的主人翁已多自哭了，滿座流淚者不計其數。演劇中間又穿插了數次的南都諸女士的奏樂和獨唱，觀覽者皆滿足而歸。」[62]

60── 葉龍彥，《日治時期臺灣電影史》，頁138。
61──〈臺南文化劇大成功〉，《臺灣民報》，1927年4月24日，8、9版。
62── 同上。

如果相關研究無誤，那麼這些令觀者滿足而歸的演出，網羅了當時「名角」，臺南著名的文化運動讀書人，如韓石泉、盧丙丁、莊松林、林占鰲、蔡培火、梁加升、王受祿等所謂反殖民運動菁英[63]。也因為如此成功，「臺南的出演人們也生出多大興趣。與安平人們協力組織一個臺南文化劇團，已準備正式請給照，不久將有第二次的合演好戲出現了」[64]。而此演出地點「南座」，也是黃欣共勵會演劇部的首演地，即是高松豐次郎所建，但當時已漸趨沒落、不過仍是官方倚重的場所。

同年 10 月第二回的文化劇演藝會再度在南座登台。「每夜未開演前觀眾都擁擠滿座。第一夜的劇目是〈封神臺〉、〈月下鐘聲〉，第二夜〈民眾聲〉因被當局禁止，再換〈憨老大〉、〈春夢〉，第三夜〈新的生路〉、〈淚海孤舟〉，第四夜則是受觀眾要求，再演〈月下鐘聲〉、〈淚海孤舟〉。」[65]

就如此的劇目安排推測，前後兩回公演不過相距半年，竟可推出新劇目至少四齣，可見參與人士的熱衷。也可見這些製作規模應不龐大、無須精美的布景或服裝、也無須特殊專業的表演技巧，否則難以在短時間內完成不同劇目的籌備。

對於當時觀眾而言，較為深刻的應是「寫實」表演方式：「如演〈淚海孤舟〉這劇中演得十分出神，真刀真劍的比武，那時候野心的軍長及惡漢被社會主義者孟天民刺死在地上的時，全身滿血宛如真實，滿地拍掌的稱快，這也是劇員表現很好的緣故。」[66]演出中間一樣穿插奇術、合唱和跳舞，此與當前現代劇場，一夜演一齣，同一齣連演數夜的方式完全不同。當時新劇的演出安排仍類似戲曲的折子戲安排，每夜不同，或可應觀眾要求更動。

63—— 摘自黃信彰，〈工運歌聲反殖民〉，頁52。
64—— 〈臺南文化劇大成功〉，1927年4月24日。
65—— 〈臺南開第二回演藝會〉，《臺灣民報》，1927年10月30日，6版。
66—— 同上。

與此刻現代劇場相同的是，表演團體之間的人員互動性極高。例如，當時黃金火參與的「文化演劇團」南座演出，是由稍早成立的新竹「新光社」指導。換言之，除了商業劇場，一九二〇年代中期的臺南在地文人，也感受著北部與中部新劇團陸續成立的熱潮。當時最熱鬧的應該是臺灣中部，即全臺最早明確以新劇為名演出應該是 1925 年彰化「鼎新社」：「1月 30 日在彰化座開演社會之新劇，劇名是《良心的戀愛》，由於彰化鼎新社主催，演劇之人盡屬中國留學生，適由中國歸臺」[67]。鼎新社主要成員陳崁等人後因對戲劇詮釋方式意見不同曾經分裂，最後在 1928 年因經費不足解散。而在 1925 同年，草屯「炎峰青年會」成立。同年底，新竹「新光社」也成立，成員皆為文化協會成員。[68]

　　不過，更新的史料顯示，當時仍屬於臺南州的北港「醒民社」，由蔡秋桐創辦，雖難以得知演出詳細資料及劇本，但推測成立時間在 1923 年9 月 4 日，更早於 1924 年彰化鼎新社的成立時間，可能是地方青年響應文協新文化運動號召而成立的最早團體。[69]

　　而臺南城裡最熱鬧的新劇演出年度應該是 1927 年，可說是臺南知識分子最熱中戲劇演出的時刻。似乎是某種驅力，除了黃金火的文化劇連續於此年公演，黃欣的共勵會演藝部創立，還有報導中提到的「安平青年劇團」也在此年首演。然而此安平青年劇團似乎活動時間短暫，且與其他社會運動團體有更深的結合，故演出資料較難比對確認。但《臺灣省通志》明確描述：「其初有廈門留學生林延平（後改名林嘯鯤），創立安平劇團，在臺南市排演〈自由花〉。又有赤崁勞働青年會，為支援高雄淺野水泥工友爭議，5 月 16、7 日在三塊厝工友工廠，排演〈憨老大〉、〈月下鐘聲〉

67—— 〈彰化新劇的盛況〉，《臺灣民報》，1925年3月1日。

68—— 林芳妤，〈府城青年的社會參與及文化活動研究：以1921-1931年為範圍〉，國立成功大學中文系碩士論文，2015年，頁30。原文應是參考王乃信等譯，《臺灣社會運動史：第四冊》，臺北：海峽學術出版社，2006年，頁27-28。

69—— 此推測參見石婉舜，〈文協演劇十年：新文類、革命武器與劇場公共領域〉，收於《世界・啟蒙・在地：臺灣文化協會百周年紀念》，臺北：中央研究院臺灣史研究所，2023年，頁128-129。另關於蔡秋桐所留下的影像研究，請參閱陳淑容主編《蔡秋桐影像集》，臺南：國立臺灣文學館，2022年。

及諧劇〈封神臺〉，激勵工友。出演者有：蔡嘉培、陳明來、陳華、陳本禮、林宜鰲、陳少莊、黃江福、林占鰲、蘇香源、蔡榮宗、陳乞、薛應得、王德發、曾銘池、王再添、張享寅，郭成家、梁嘉升、郭琴堂等。」[70]一連串名單陣容頗為龐大，也常被後世劇場史書籍引用，但此創團者「林延平」疑為誤字，應是另一姓名類似的林延年為同一人。無論團主為何人，安平勞工會、赤崁勞働青年會等，與黃金火關係密切，相關演出難以區分。

然而，如同其他地方的文化劇劇本，這些多是臨時完成，演員也不強調表演才能，因此無論是「文化演藝會」的熱鬧、「臺南文化劇團」或「安平劇團」的文化巡演、或者稍晚莊松林（筆名 K.K. 等）的「臺南市藝術俱樂部」（1936），皆未能持續發展。或許這也是劇場朝生暮死的特質之一。

之後與劇場最相關的應該是新化出生的楊逵。楊逵旅日期間（1924～1927），東京戲劇界因小山內薰（1881～1928）創立的築地小劇場成為新劇實驗室，呈現蓬勃的氣勢，日本左翼運動也極為活躍蓬勃，楊逵曾參與其中，加入佐佐木孝丸的「前衛座演劇研究所」，接受築地小劇場要角千田是也（1904～1994）的演劇訓練，並幫忙做舞臺裝置的工作，或客串演員。[71]

1935 年後，楊逵等創辦的《臺灣新文學》募集新人創作，獨孤〈模範壯丁〉入選，是目前少數可見的全漢文劇本。同時，也陸續推出「演劇映畫通信」專欄，介紹演劇界最新動態，例如舉辦中國漁民家庭的電影《漁光曲》放映會。楊逵以日文書寫的〈在新劇運動再出發之際〉明示：「它〔臺灣新文學〕的對象不只限於知識階級，而應該絕大多數被文化圈遺棄的大眾抱著更多的關心。為了達到這個目的，戲劇和電影當然是最有效的

70── 張炳楠監修，李汝和主修，廖漢臣整修，《臺灣省通志·卷六·學藝志藝術篇》，臺灣省文獻委員會纂修，臺北：眾文圖書出版，一九七〇年，頁22。

71── 邱坤良，〈文學作家、劇本創作與舞臺呈現 ── 以楊逵戲劇論為中心〉，《戲劇研究》第6期，2010年，頁120。

部門。」[72]《臺灣新文學》另有「特別原稿劇本募集」的徵稿消息，比起當時其他文藝雜誌更為積極，規定第一點為「和漢文不拘—在排演時口白全部改成臺灣話」，第三點則是具有鼓勵性的聲明：「截稿發表隨時—若有好的隨時發表而推遷給適當的劇團排演」[73]。

可惜的是，楊逵此段間的劇作多以日文寫成，雖然他的思考以及對話都與漢文寫作者相通。1943 年，楊逵陸續發表〈父與子〉、〈撲滅天狗熱〉，以及為臺中藝能奉公隊翻譯《怒吼吧！中國》（蘇聯作家 TretyaKov 原作，中文名特列季亞柯夫、鐵捷克，另譯特列查可夫，1892 ～ 1939），在臺中、臺北、彰化演出，但此演出是在皇民劇的推動下，相關脈絡可參考後文說明。

第四節　相關演藝活動

一、學藝會及集會演出

一九三〇年代的臺南，與全臺灣相同的是各式各樣的業餘表演活動增加，且逐漸成為慣例，而這些演藝活動也為未來的大臺南創作立下基礎。學藝會、敬老會、青年團體或不同會社聚會時的餘興節目，參與者及觀眾眾多。自 1924 年開始，全臺出現同一區域跨校的小公學校聯合學藝會。[74]新營地區的聯合學藝會最早為 1928 年 12 月在新營小學校舉行的「新營郡下西部 23 小公學校聯合學藝會」，內容有由各校選出的男女兒童四十番的談話、獨唱、對話、遊戲以及鹽水公學校職員的合唱。[75]

屬於素人團體集會演出，謠曲、浪花節活動也相當蓬勃，臺南可分辨之團體有高砂觀世會、謹謠會等、浪花節研究會等。「有純由臺人發起，

72—— 此段文字引自趙勳達，〈《臺灣新文學》（1935-1937）的定位及其抵殖民精神研究〉，國立成功大學臺灣文學研究所碩士論文，2003年，頁83，原載《臺灣新文學》一卷七期。另關於楊逵劇本討論可見趙勳達同一論文，頁164-165。

73—— 林芳玫，〈府城青年的社會參與及文化活動研究：以1921-1931年為範圍〉，頁75-76。

74—— 簡秀珍，〈觀看、演練與實踐－臺灣在日本殖民時期的新式兒童戲劇〉，《戲劇學刊》第15期，2012年，頁23。

專演本島戲劇之演藝會。根據報導,臺南一班青年子弟二十餘人,因見 7 月 10 日臺南座舉行演藝會,頗覺技癢,因此也借大舞臺演出子弟戲,將所得捐作討蕃慰問之用。並特邀黃藏錦、張榜山演出,此二人曾在鳳山為愛國婦人會之活動演出,頗得好評。」[76]

目前可查考的正式演出,雖然不足稱之為豪華或壯觀,但舞臺布景道具服裝皆有模有樣,部分且頗為精良。此外,縱使這些演出多與文化劇、政治宣傳活動脫不了關係,卻多了以戲會友、刷新生活、增進樂趣的休閒感。例如南部印刷從業員會 1929 年成立「演藝部」,主籌人侯舜如,邀了工友總聯盟盧丙丁等一起募集劇員,原因是「鑑於各會員的生活太乾燥、沒有新趣、故非組織一娛樂機關不可」。[77]當然,侯舜如、盧丙丁等亦是臺灣民眾黨的支持者,故此南部印刷從業員會的「演藝部」仍多被歸在社會運動的脈絡中研究。

二、現代舞蹈

同時,島外來到臺南的演出更為頻繁多樣。住在臺南本町的蔡瑞月,就讀臺南第二高女時到「宮古座」觀賞石井漠舞蹈團的演出而心生嚮往,並於 1942 ～ 45 年間隨石井漠、石井綠在國際上演出,也回憶家裡旅館的員工會帶她去「大舞臺」看歌仔戲,使得她充滿了戲劇的幻想。我們從一九三〇年代臺南宮古座在報端的廣告及報導中,可一窺當時的劇目:

10.1 宮古座の大平圭介一黨 五日の替り狂言

10.2 四谷怪談 大平圭介一黨 於宮古座

10.4(廣告)斷然日本民謠舞踊 宮古座

75── 《臺灣日日新報》第10290號,1928年12月12,日刊第5版;鄭聖勳,〈日治時期臺南新營地區室內表演場所探究〉,頁63。

76── 康尹貞,〈戰前臺灣日人商業劇場的黃金時代─以1913年為例之觀察〉,頁32。

77── 《臺灣民報》第256號,1929年4月14日。

10.3（廣告）上海名片 愛情武俠 風流女俠

10.7 二村氏一行的民謠舞踊於宮古座

10.10 a 宮古座の　素劇と手踊　舞臺は百花燎亂

b エビス館　魔性　松竹週間

10.25 a 臺灣文化三百年 記念會催物中の花形 臺南美妓連の手踊總踊

會期中宮古座

に於て開演

b 宮古座の演藝 二十六日の夜は 會員券持參者に限る

10.28 a 宮古座的三百年紀念演藝會

b 素人劇と美妓の手踊 二十八日の番組（於宮古座）

10.29 宮古座の諸演藝 手踊き素劇 博多二輪加その他

10.31 a 文化三百年紀念

b 宮古座の 演劇と手踊

c 宮古座 五日目 三十日夜 落語 琵琶 手踊 素劇

三、廟會與罰戲

　　最後須特別提醒，雖然組織家班自娛的情形仍是少有的例子，但由個別的地方富紳、紳商集體招聘或會社團體邀聘，甚至以罰戲請戲來承應違規行為，仍延續著在廳堂及各廟口演出。也可以藉由演戲謝罪，取代原有的司法處罰違禁罰戲的習俗，也同樣具有公開展示的特質，透過廟前僱請戲班演出，以紅紙書寫「謝罰」兩字貼在戲臺前面。[78]

　　例如以下兩則報導：

78── 張儷齡，〈臺灣現代劇場空間公共秩序之形成：人類肉體「文明化」的多重堆疊〉，國立交通大學社會與文化研究所碩士論文，2007年。

北門郡學甲庄宅子港人。李惠前長男。李烈。年十七。目前持一自轉車
部分品。欲售於學甲自轉車業者。李天化。天化不及細察。疑為贓品。
即密告於當地警官。致烈被拘入警所審問。迨後判明為非贓品。始釋之
出。烈後知係天化密告。大憤至天化店前。責以不是。門前觀眾叢集。
天化被其奚落不堪老羞成怒。率其弟出。兩人將烈按倒毒打。始負重傷。
其父聞及。憤其野蠻將提出傷害告訴。後經魯連出為排解。天化願出金
百圓。演戲謝罪息事云。[79]

臺南宮古座門番某某二人毆打到該座觀劇的吳朝萬氏。「後來吳某提出
告訴、某某等恐慌失措、才托其同僚某出為排解、顧設筵和做戲謝罪為
條件要求吳某和解。于是在新町杏花樓張筵謝罪、並是夜向宮古座觀
眾、公然表示謝罪之意。」[80]

社會文化及技術動力彼此相互錯綜拉扯著，對於當時知識分子而言，在新
建造的舞臺上演出「新劇」，無論是自編自演的劇本，或者在殖民脈絡中
的演出，包括白日本引進的紙芝居、日本蒞臺的表演團體，臺灣本地的青
年劇、兒童劇、演劇挺身隊、職業的戲曲與戲劇劇團等。西方鏡框式劇場，
隨著殖民主義而來，但東方的劇場，從中國的春柳社、日本新派、臺灣歌
仔戲，都將那些室內劇場以及寫實對話的形式，以時重時輕的方式吸收入
自己的文化，甚至改變了自身傳統劇場的樣貌。

四、皇民劇與青年劇

　　1937 年隨著盧溝橋事變發生、皇民化運動的抬頭，名之為「皇民化
劇」的相關活動，以驚人的速度蔓延全島。這些以現代戲劇為主的「皇民

79—— 〈出金百圓 演戲謝罪〉，《臺灣日日新報》第12924號，1936年3月21日。
80—— 〈地方通信‧臺南‧戲園門番打觀客〉，《臺灣日日新報》第3011號，1930年2月22日。

化劇」，通常指的是職業團體的演出。另外還有業餘的青年團，被統稱之為「青年劇」，演出內容以「融入身為皇國國民應當具備的生活方式或思想傾向的現代劇」[81]。據簡秀珍研究，青年團會員須為小、公學校畢業生，年齡在 12 歲以上，25 歲以下。其實早在 1919 年左右，全臺第一個女子青年團組織在臺南市鹽埕處女會成立，臺灣第一個男子青年團則更早在 1914 花蓮港廳吉野村成立。但直至 1938 年 6 月〈臺灣聯合青年團設置旨趣〉發表後，才正式成為皇民化運動的教化團體，次年，青年團團員數目即呈現大幅擴充之勢，從十一萬七千餘人增加到四十四萬餘人。[82]

而當時為控制戲劇演出的內容，總督府自 1940 年（昭和 15 年）起編輯出版各式劇本，有為了青少年巡演的皇民奉公會臺北州支部編撰的《青年演劇腳本集》第一輯、二輯，臺灣總督府情報部的《輕鬆製作青少年劇腳本集》（《手輕に出來る青少年劇腳本集》），還有《藝能祭皇民化劇腳本集》等供給職業劇團演出。這些劇本集，特別是青少年演劇的「每一齣戲後面都有演出的詳細指導，甚至樂譜、面具的作法，與說明演出方法的專文。鉅細靡遺的程度，今日讀來仍令人驚訝不已」[83]。河原功則介紹這些劇本，以日語為主，舞臺多為農村，說教意味濃厚，作者群包括黃得時、竹內治、中山侑、龍瑛宗及西川滿等，但目前尚無研究是否有以臺南為主題的劇本。[84]

除了官方編纂，更早在 1934 年就已經開始以青年劇為名公開徵稿，第一屆得主背景多是學校教職員，而與臺南最有相關的是二獎〈勝利者〉作者田尻實一，時任臺南高等工業學校。[85]這些劇本多以日語寫成，充滿愛國意識，「塑造出一種愛鄉土的臺灣日語青年〔……〕劇本中的青年確信自己熱心公益，也相信社會教育是一種進步意識形態」[86]。

81—— 黃得時，〈作為娛樂的皇民化劇〉，收入黃英哲編，《日治時期臺灣文藝評論集第三冊》，臺南：國家臺灣文學館籌備處，2006年，頁64。

82—— 簡秀珍，〈太平洋戰爭後臺灣的新劇活動：以地方青年業餘演劇與中央指定演劇挺身隊為討論中心〉，《戲劇學刊》第8期，2008年，頁36。

83—— 同上，頁47。

84—— 柳書琴等，《日治時期臺灣現代文學辭典》，臺北：聯經，2019年，頁328-32。

85—— 吳宗佑，〈「民眾」的戲劇實踐：以日治時期台日知識人的劇本創作為中心（1923-1943）〉，國立政治大學臺灣文學研究所碩士論文，2019年，頁57。

日人治臺，曾賦予臺灣無比重要的地位，當時戲劇最高統制機關「臺灣演劇協會」的松居桃樓認為臺灣能領導大東亞諸民族文化，創造出令大眾喜愛的戲劇，因此他呼籲臺灣創造出新穎、雄渾、高雅的大東亞戲劇，以及專業的劇作家、演員、舞臺美術專家，領導大東亞諸民族走向正確的文化方向。[87]松居桃樓除舉辦皇民鍊成會相關課程外，也常到各地視察、指導演出活動，如桃園「雙葉會」由簡國賢編劇、林搏秋導演的《阿里山》，都有松居桃樓的足跡。[88]

　　另一層面，如果說一九二〇年代新劇運動過於強調啟迪民智，使得劇場專業被忽視，技術進步緩慢，但這段時間卻是演出技術及劇場專業大幅進展。一方面，官方的皇民奉公會為提升劇本的水準，不斷戮力針對劇本改良開設課程、訓練人才；另一方面，赴日本或中國留學的知識分子，漸漸以劇場藝術專業返臺，例如張維賢曾在日本新劇運動極重要的築地小劇場學習，返臺後陸續以易卜生《國民公敵》或是臺語的翻譯劇公演，技壓日本團隊。但目前未曾見到這些劇場專業與臺南劇人的深刻交流。

　　再加上，官方「臺灣演劇協會」當時的主要活動地點也非臺南，使得一九四〇年代的臺南新劇創作紀錄幾乎空白，僅有各地巡迴演出或講座的短暫資料，例如東京松竹歌舞伎座的照明技師澤木喬來臺，曾與松居桃樓（報載疑誤為「松井桃郎」）在市公會堂舉辦青年劇講習會，討論戰爭與青年劇、青年劇會的組織、舞臺照明法、青年劇的作法、表情術等。[89]或者臺南州下各市郡為增強戰力與娛樂，組成「移動演劇團」，表演舞劇及歌謠等紀錄。[90]

86—— 同上，頁59。

87—— 松居桃樓，〈臺灣演劇論〉，《臺灣時報》第26卷7號，1942年1月，頁66-72。

88—— 邱坤良，〈戰時在台日本人戲劇家與臺灣戲劇—以松居桃樓為例〉，《戲劇學刊》，第12期，2010年，頁19 - 20。

89—— 《臺灣日日新報》第15618號，1943年8月25，日4。

90—— 《臺灣日日新報》第15723號，1943年12月8，日4。

因此，無論是更細緻地將「新劇」（島民劇、職業劇團演出，泛指當時商業性質演出）及「青年劇」（泛指業餘戲劇）區分開來，或者被林摶秋以「第二次新劇運動」來看的青年劇運動，此時期臺南似乎未出現奪目的作品。縱使簡秀珍認為：「這項（註：皇民奉公會於1943年2月舉辦的劇團指導者鍊成會）針對劇本寫作的課程，是破天荒的事，也培育了戰後新劇與臺語片的編劇人才。」[91]但臺南似乎無人接受這一系列專業課程訓練，至少目前未見到任何提及此劇本訓練的影響。雖然臺南出生的楊逵曾在這一脈絡下寫作劇本，並與巫永福等人組織「臺中藝能奉公會」巡迴，如同上述，但演出地已都不在臺南。

另一條值得追索的線可能得回到黃欣的「大舞臺」後期發展。先從當時熱衷劇場的臺南人王育德於1941年發表的文章〈臺灣演劇的今昔〉談起，他先把臺灣戲劇史分為盧溝橋事變前及事變後。事變之前的「文化劇」水準較高，是文化協會和共勵會的紳士們扮演的玩票劇，一般大眾的娛樂是以競相華麗的歌仔戲為首的布袋戲、魁儡戲、皮戲。但事變之後，原本競爭激烈的娛樂被禁，許多經營不良的劇團就垮掉了。被默許演出的鄉下小劇團，「僅以陳舊戲服代用著，襤褸不堪」、「而且油漆也剝落太不像話」、「另外用洋樂器的大鼓和喇叭伴奏。這些音樂一完，嗩吶和絃仔就又鳴響起來」、「而且演戲也不認真，只會歡騰亂跳」，只不過因為還在唱歌仔曲調，所以老人和鄉下人喜歡。

有趣的是，王育德所描述的低級歌仔戲，與日治初期片岡巖的負面看法與用語類似，只不過王育德最期待的「新派劇」是以臺北的「東寶劇團」及臺南的「國風劇團」為例，裝置、布景、道具都很現代化，臺詞是臺灣

91—— 簡秀珍，〈太平洋戰爭後臺灣的新劇活動：以地方青年業餘演劇與中央指定演劇挺身隊為討論中心〉，頁51。

白話加上三成日文，有時候也會全以日文演出，需要大規模的準備，只有這派才真正是戲劇的將來，「作為皇民化運動的一環，要說演劇報國，那麼就只有這一派了」[92]。

王育德文內所提到的臺南「國風劇團」淵源為何呢？研判應與大舞臺改名為「國風劇場」密切相關。

回顧事變前的「大舞臺」，黃欣等雖有入股，但主要經營者是蔡祥。蔡祥在1925年開始系統性的自製戲劇性演出節目，如前文所提及，蔡祥組織「丹桂社」歌仔戲班並進入大舞臺演出，成為歌仔戲團首度登戲院之創舉。當年，蔡祥甚至成立南影公司，不依靠日本的發行商系統而另闢來源，進口上海電影在「大舞臺」放映，將「大舞臺」的經營面向擴展到電影放映。[93]

邁入皇民化時期，帶有中國色彩的演出及電影都被限制，這對「大舞臺」的影響甚鉅。或許是因此讓「往昔蔡祥擅長經營的節目類型都難以發揮，而邵禹銘擔任臺南共勵會演藝部主任，有策畫文士劇的能力與經驗，自然是繼任大舞臺經理的人選」[94]。於是，1941年已更名為「國風劇場」，也改由松本道明（邵禹銘的日本姓名）及社長國江南鳴（黃欣的日本姓名）負責營運。

而「國風劇團」推測就是此時成立，「在保甲協會後援之下，街上的有識之士從組織到完成據說費了兩年時間和兩萬圓資金，規模相當宏大」[95]。但這樣的投資似乎並未回本，王育德另外在回憶錄中說：「受觀眾歡迎的程度直落而下，『國風劇場』的股票也暴跌，經營甚至產生赤字。」[96]不過，也差不多在此時，王育德以高中生的年紀，曾跟著「國風劇團」巡迴演出，

92—— 王育德，〈臺灣演劇的今昔〉，收入黃英哲編，《日治時期臺灣文藝評論集第三冊》，臺南：國家臺灣文學館籌備處，2006年，頁151。

93—— 關於蔡祥與電影事業的介紹，請參考葉龍彥，《日治時期臺灣電影史》，頁134；厲復平，《府城‧戲影‧寫真：日治時期臺南市商業戲院》，頁68-69。

94—— 厲復平，《府城‧戲影‧寫真：日治時期臺南市商業戲院》，頁72。

95—— 王育德，〈臺灣演劇的今昔〉，頁151。

96—— 王育德、王明理，《王育德自傳暨補記》，頁209。

想看看所謂改良劇如何從歌仔戲脫胎換骨。遠赴東部共十天,並寫了見聞記發表在校園文藝雜誌中,可惜尚未得見全文。[97]目前僅見的隻字片語,或可推測仍是以奇術妙技為號召的演出。這個劇團「是以手槍互相猛擊為號召,在戲幕後頭有擅長打柏青哥的人,用汽水罐的彈珠向舞臺發射,只要順利又恰巧地發出砰的一聲,就萬事 OK」[98]。

但國風劇團極少見於當今研究或紀錄,也許是因為「國風劇團」時間極短、也不是藝術至上。除了在電影導演邵羅輝的相關史料中曾經提及,多與當時的主流口號相關,但邊陲的殖民劇場去強調致力涵養日本精神[99],無論在當時的母國日本或後來的臺灣,皆難以被納入各自史書之中。

五、海外交流

最後,或許不完全適用於文學史,但非常值得提及的是與臺南相關的電影拍攝及跨海戲劇交流。當年另有許多呼應國策的電影受到鼓勵,其中以臺南為背景拍攝的影片,如「日本活動寫真株式會社」在安平等地拍攝的《海上的豪族》。[100]

另外,臺南表演者赴海外的演出史料也漸趨增多,例如馬來西亞學者沈國明考察,日治時期《外國行旅券下付表》以演劇為出國旅行目的申請者,絕大部分的目的地是廈門,其次是香港,以及少數者赴上海和福州,1930 年後則更多是直接下南洋到馬來亞從事演劇活動。其中很值得深入探索的現象是,馬來亞報端上來自福建的「鳳凰班」,其實是臺灣人巫景盛的「丹鳳社」,另外「鷺江鐘鳴新劇團」等劇團在馬來亞的分合,都讓我們看到臺灣先赴廈門再轉赴馬來亞巡演的足跡,「臺灣劇

97—— 同上,王育德、王明理,《王育德自傳暨補記》,頁205-10。

98—— Paul J.A.Robson andRobert J.Bennett, "SME Growth: The Relationship with Business Advice and External Collaboration," Small Business Economics 15, no. 3 (2000): 193 - 208, https://doi.org/10.1023/A :1008129012953.

99—— 〈日本精神の涵養に努む 國風劇團試演〉,《臺灣日日新報》,1943年9月21日。

100—— 李政亮,〈海的影像政治(下),《海上的豪族》反映戰時日本國策與民心?〉,鳴人堂,2021年5月3日 https://opinion.udn.com/opinion/story/11655/5429925。

團的演出精湛，迎合馬來亞僑民的欣賞水準，獲得觀眾的力挺。」而當時活躍在馬來西亞及星洲的臺南表演人士有陳春生、新化鄭阿柑、曾炎金、麻豆的林正國，如今看來已完全陌生的姓名，卻可能扮演著早期文化交流的重要角色。[101]

　　如此多面向資料的提及，同時也藉此再度提醒當我們在此追溯臺南文學劇場史料，可能被侷限在文字或目前可見的記載中，誤以為日本官方或知識分子的影響具有壓倒性，甚至才具有研究論述或留存價值。也忽視了臺南與南洋、歐美的脈絡，相信隨著更多曾被忽視或難解的資料重新出土，更深刻的劇場史觀將會為此篇章對話、補充得更完整精采。

第五節　劇場人物及劇本簡介

　　在本節中，則將介紹與劇本創作相關的仕紳文人，感受臺南漢人劇場創作，從傳統科舉文人、到報刊作家、劇團／場參與者的發展，也感受當年臺南仕紳的眼光與經濟實力。

一、陳梗

　　鹽水人，北上就讀臺北醫學專門學校，1921 年與蔣渭水共同催生「臺灣文化協會」。1924 年於《臺灣民報》發表〈屈原〉一劇，標題前提「此篇特奉呈親友劉美珠女士吳海水君為新婚紀念」，並寫「屈原（獨幕劇）在東京陳梗（群山）」，閉幕篇後註明「一九二四年七月八日脫稿」。[102] 雖名為獨幕劇，但劇本文詞頗為長篇，內容以屈原及漁父兩個角色的對話，描述投江自盡前的屈原之悲憤心情。文辭古典，對世事及君主不明充滿落寞傷心，如漁父質疑：「為什麼偏要深思高舉。以致喫

101——沈國明，〈臺灣現代戲劇對外傳播——以東南亞研究為例〉，外交部臺灣獎助金訪問學人報告。http://taiwanfellowship.ncl.edu.tw/files/scholar_publish/2013-fyksoyzmdllbebl.pdf。
102——陳梗，〈文藝 屈原（獨幕劇）〉，《臺灣民報》第二卷第十四號，1924年8月1日，13版至16版。

人家放逐。才說什麼獨清獨醒？」陳梗對屈原這一角色的舞臺指示是：
「（氣的兩眼通紅。呼呼氣喘）住、住！我知道了。照爾這樣說來。設若
人家不怕臭氣。偏要喫糞。爾也要隨他喫嗎？真真令人憤死也。[……]（切
齒扼腕介）安能再與若輩為伍呢？寧赴湘流葬於江魚之腹中。（拍口介）
亦不願以皓皓之白。而蒙世俗之塵埃哩！（臉上氣得一陣青。兩眼直迫漁
夫。唇筋亂。全身震顫。）」最後結局也是屈原邊說邊哭：「白視國之將
亡……（哭的欲絕。拜了三拜。把一塊大石縛在身上。將身一躍。入汨羅
江以死）」

　　以此悲劇作為新婚紀念頗為特殊，陳梗文後備考也並未多作解釋，僅
說明以屈原為主題，是因為前人戲曲未見：「而於傳奇戲曲一面。據宗元
戲曲史。上自周秦五代。下至元明之盛，雖洋洋乎不下數千部。而關於屈
原之作。不可見。是以只仰材於史記。加之以鄙見。表之以劇體。擱筆一
瞥。瑕瑾滿紙。只得姑待讀者指正。」

　　而若就現代劇本格式而言，〈屈原〉一劇只是大量減少唱詞，但古典
戲曲之表演方式仍深刻影響劇本寫作。

二、羅秀惠

　　羅秀惠（1866～1942）以書法家之名流傳於後世，其在自己發行《梨
華報》所發表的〈新劇大羅天〉（1925）[103]，雖名為新劇，較之陳梗的〈屈
原〉，更偏向古典戲曲歌舞。觀之《梨華報》其他期數，多可見「花鑑」、
「菊部瑣評」之文章，故此〈新劇大羅天〉應僅是新的編劇作品之意。短
短數頁，應該只是他搭配選花魁的活動，而改寫了之前劇本，以讓選花魁
更具趣味。劇本是以「鼓吹開場髯生上」，最後以「鼓吹收場」完。角色

103── 花花世界叟（羅秀惠），〈新劇大羅天〉，《黎華報》第5期，1925年10月，第35版。

有天官、八仙、眾花神、以及一「狗怪」的小狗，場面貌似熱鬧，似又夾敘夾議。若以今日觀點評述，可能類似「新編戲曲」或者搭配典禮的餘興節目。

三、林茂生

林茂生（1887～1947？）於1916年取得東京帝大文學部學士學位，1929年取得哥倫比亞大學哲學博士學位，返臺後曾在臺南地區的各級學校任教。因父親受巴克禮洗禮成為教徒，林茂生也是基督徒，曾翻譯題為〈路得教改〉的劇本，1924年刊登在《臺灣教會報》第476-479卷。呂美親認為此劇本可謂是臺灣文學發展上相當重要的臺譯劇本，不過未註明原著出處，「或也可說是林茂生以馬丁路得的宗教改革故事為底本所創作出的臺語劇本。」[104]然因林茂生消失於二二八中，其所留下之文學資料稀少，後世對其相關著作也極為陌生。

四、黃金火

據黃金火（1895～？）媳婦洪淑美的口述回憶，黃金火曾資助蔡培火的文化協會活動經費，也曾與韓石泉醫師組話劇社，登台演出文明戲。1926年組「文化演藝會」，當時年約30歲的黃金火，在自宅訓練演員，希望「擺脫當時文化協會用的單調講演，採取話劇形式發揚文化運動」[105]。此描述與呂訴上記載類似，「當時是根據五點信念為號召：1. 言語需用方言，2. 服裝現代化，3. 劇情要有提醒教化，4. 舞臺裝飾要現代化，5. 演員要有教養。他們採取這幾點信念的原因是受文化協會講演會的影響。」[106]1927年，首次在南座演出（洪淑美回憶錄疑口誤植為「南都戲院」）。

104—— 請參考《臺南文學史·臺語文學卷》。呂美親亦引用了此劇本文字，分析林茂生對於當時臺灣社會體制的批判意義，值得參照。

105—— 洪淑美口述，吳妮民、張輝潭撰稿，《府城一世情》，臺中：白象，2014年，頁16。書中並註地址為「本町（現民權路234號）」，但並未標明路段，故暫存疑。

106—— 呂訴上，《臺灣電影戲劇》上下，影印本，臺北：東方文化，1961年，頁302。

黃金火編導《愛之勝利》、《非自由之自由》、《憨大人》，內容為打破迷信，黃金火兼演一老人丑角。僅相隔數月，即與新竹南光社合併，於南座舉行第二回公演。在《臺灣民報》的新聞中，因為「每日觀眾人山人海，中南部與鄉村婦女特意來觀賞的也很多，故大博好評」[107]，編劇黃金火覺得好意難推卻，隨即加演。節目包括《封神臺》、《月下鐘聲》、《民眾聲》、《春夢》、《新的生活》、《淚海孤舟》，內容是反對金錢主義、賣身葬母的故事、年輕人不知死活、舊式家庭、後母虐子、日人壓迫臺灣人等，借此呼籲改良封建制度。上述《臺灣民報》文中稱這些劇作「多是黃金火氏特手所編成的」，惜今已未能得見。

「文化演藝會」在 1927 年第三回公演時改名為「臺南文化劇團」，也下鄉巡迴各地方。黃金火親手編創這些劇本，只可惜至今僅存劇目，未見劇本原文。而這些自創劇本的突破，被認為是新的改變：「屬於臺灣新劇草創時期的鼎新社所使用的劇本幾乎全部取自中國。到了臺南文化劇團，大多上演臺灣人寫的劇本，可見臺灣創作劇本的能力已臻成熟，標示了臺灣新劇運動的蛻變。」[108]

此外，雖未見劇本創作紀錄，但「臺南文化劇團」的核心人物林占鰲（1901～1979）及林宣鰲（？～？）兄弟也值得一提。兩人共同經營漢文書局的「興文齋」，是臺南文協成員聚集的主要場所，莊松林就是在此買書相識。兩兄弟同時也是臺灣民眾黨外圍組織「赤崁勞働青年會」的核心成員，而弟弟林宣鰲似乎更擅長登臺演講，不僅參與臺南文化劇團演出，1928 年南門外公墓搬遷抗議、赤崁勞働會聲援 1928 年高雄淺野水泥

107——〈臺南文化劇團 豫定開演三天〉，《臺灣民報》第177號，1927年10月9日，第4版。

108——白春燕，〈日治時期臺灣文化協會新劇運動系譜（1921-1936）〉，國立清華大學博士論文，2021年。

109——〈反對強制遷塚 開有緣者大會〉，《臺灣民報》，1928年6月10日，第二版。

罷工，都可見到林宣鰲的司儀或辨士身分。[109]漢文書局「興文齋」也是重要的刊物《赤道》、《反普特刊》發行據點，也可能因為兩兄弟的積極活動，「文化演藝會」改名為「臺南文化劇團」後可說是民眾黨的附屬劇團，真正的文學創作事實上有限。不久即因官方壓力、演員非專業等問題而停演，前後活動歷時僅約一年餘。1929 年擬在宮古座的演出暫停之後，未再見到演出相關報導，但引起的討論始終未歇。

五、盧丙丁與林氏好

盧丙丁（1901～1932？）參與黃金火（1907～1991）「臺南文化劇團」的成立，後也成為臺灣民眾黨的主要幹部，多次遭捕又釋放，最後不知所終。雖並未留下劇本，但其妻林氏好，以流行歌手及女聲樂家的身分，將盧丙丁於被拘捕或逃亡時期的詩詞，先後錄製成流行唱片。另林氏好雖僅僅唱過十六首歌曲，詞曲卻多是由當時文壇要人執筆，備受禮遇。如其演唱的〈咱臺灣〉，是由蔡培火度詞譜曲；〈春怨〉一曲的詞曲作者為黃金火及施澤民；最暢銷的〈紅鶯之鳴〉則由蔡德音改編填詞。[110]日治時期，蔡德音這些文人紛紛投身臺灣話的歌詞創作，或許源於彼此的友情交誼，部分亦是因其認為歌詞寫作是文學的一環，甚至認為流行歌曲可以引領大眾，朝向進步的文明。[111]而這樣的展望，與黃金火等對「文化劇」的嚮往相似，以至於「投身戰前流行音樂的知識分子人數之眾，應是舉世少有」。[112]相關資料可另參看〈日治時期現代文學〉篇章。

110—— 洪芳怡從臺灣唱片中，十分立體地描繪出林氏好與文藝青年投身流行音樂產業的演唱及詞曲面貌，值得參考。《曲盤開出一蕊花》，臺北：遠流，2020年，頁134-140及248-249。

111—— 原始論述請參見毓文(廖漢臣)，〈新歌的創作要明白時代的課題〉，《先發部隊》，1934年7月15日，頁15。後續研究可參考上述洪芳怡及陳培豐，〈聽歌識字創新文：做為識讀工具的臺語歌謠〉，《思想》第24期，2013年，頁77-99。

112—— 洪芳怡，《曲編開出一蕊花》，頁202。

六、林延年（林嘯鯤）

　　生平尚待深入考證，目前亦未發現劇本留存，然而多處戲劇史資料指林延年 1927 年在臺南組成「安平劇團」，顯見是重要事件。[113]《臺灣省通志・卷六・學藝志藝術篇》中，疑似誤以「林延平（林嘯鯤）」指稱林延年。[114] 較早期的呂訴上寫著：「先是由廈門留學生林延年（即林嘯鯤）等歸臺，在臺南組成安平劇團演出「自由花」，並由林氏男扮女裝任女主角」。[115] 較晚近的鍾喬，則引用前人資料繼續指出，1927 年安平劇團曾演出〈自由花〉，同年為響應高雄罷工事件，在三塊厝演出〈憨大哥〉一劇。接著高雄罷工團後援會組成「臺南勞働青年演藝會」，也演出〈封神臺〉一劇。[116]

　　另查閱日治漢文報紙資料，林延年在廈門留學時，曾代表歡迎林獻堂到訪 [117]，也曾參與臺南海外留學生的「黎明俱樂部」[118]，的確頗為活躍。

　　但林延年後續資料卻稀少，關係密切的「臺南文化劇團」再也未見其名。在一則〈南部印刷工演藝部預備會〉[119] 報導中，來賓匯集了赤崁勞働青年會及臺南文化劇團，並決議劇本選舉委員為吳耀爵、林朝對及侯舜如，以及後續有關戲劇與社會的講演中，依然不見林延年之名。此外，有關赤崁勞働青年會及安平勞工會的新聞中，仍可見主要人物如盧丙丁、黃金火、韓石泉等，亦不見這位安平劇團的創團者林延年之名，猜測旋即已遠離相關活動，或改換他名，以至於難以追索。

　　另補充，在白春燕最新研究中，已仔細比對當時演出劇目，對安平讀報社遊藝部、臺南文化劇團與民眾黨活動之間的綿密考察，非常值得參考，但也未得見林延年或安平劇團更新的相關資料。[120]

113—— 數篇關於臺灣劇場大事記的整理皆可見安平劇團的成立資料，如林鶴宜《臺灣戲劇史（增修版）》，臺北：國立臺灣大學出版中心，2015年，頁195。

114—— 張炳楠監修，李汝和主修，廖漢臣整修，臺灣省文獻委員會纂修，臺北：眾文圖書出版，一九七〇年，頁22。

115—— 呂訴上，《臺灣電影戲劇》上下，影印本，臺北：東方文化，1961年，頁301。

116—— 鍾喬，〈從「怒吼吧！花岡」到「怒吼吧！中國」—追溯日據時期臺灣新劇的流脈〉，頁19。

117—— 《臺灣民報》第74號，1926年10月11日，頁6。

七、陳天順

安平地區的另一位戲劇活躍人物陳天順（1904～1955），則因投入勞工運動，較少見於劇場史料中。簡秀珍在檢索宜蘭地區戲劇活動時，曾指出隨著文化劇熱潮，1928年黃天海在宜蘭組織「民烽劇團」，並成為文協宣傳部門，而後1932年「宜蘭街的陳天順與林本泉、陳銀生、許素梅等人也組織『醒民劇團』。由於資金與缺乏熱心會員的關係，這兩個劇團維持的時間都很短暫。」[121]這是陳天順難得出現在戲劇學者的研究中，但此時是以宜蘭人的身分登場。白春燕將其放在民眾黨系統中比對，尋出陳天順參與成立安平讀報社、安平民眾俱樂部、安平勞工會，1929年起轉往北部活動，曾任民眾黨宜蘭支部書記。白春燕故推論陳天順因從臺南移居北部，「意外扮演了戲劇傳承的角色，將臺南文化劇團的戲劇經驗傳遞到臺北維新會。」[122]而參照簡秀珍的研究，陳天順從臺南攜帶的養分的確一路持續到宜蘭，不斷傳遞。

換言之，雖然演出劇本皆未得見，但這些時而斷裂卻又綿延不斷的史事，也呈現了文協以戲劇啟蒙的模式，隨著成員分裂、交流、遷徙，並沒有完全隨著被取締而結束。

八、黃欣

相較於其他劇本多未見演出，黃欣（1885～1947）於報端登載的相關新聞極多，不過現今劇本所存最為完整也僅有收於《固園文存》其二的〈破滅的危機〉一劇。此劇為1933年發行，但首演時間應該更早，至少在1929年的報端已見此劇目於嘉義南座演出。

118——《臺灣民報》第118號，1927年8月15日，頁9。

119——《臺灣民報》第258號，1929年4月28日，頁7。

120——白春燕，〈日治時期臺灣文化協會新劇運動系譜（1921-1936）〉，頁211-217。

121——簡秀珍，〈環境、表演與審美—日治時期境外劇團在宜蘭地區的演出〉，《文資學報》第1期，2005年，頁54。

122——白春燕，頁227。

黃欣在此劇引言中，認為劇本足以「語挾風霜，針砭末俗，事傳奇警，振起頹風」[123]，因此對劇本寄予厚望。但如上文所討論，黃欣的劇本演劇活動，與我們一般所認知的文化協會和黃金火頗為不同。此分歧在各自劇目上看不出來，故除了劇本，仍需透過各自所參與的活動及往來人士進行更深入分析。

〈破滅的危機〉第一幕場景在東京，由一群實業家在咖啡廳的聚會開場，點出了人生乍起乍落的隨時破滅危機。第二幕場景回到臺灣，進入王家姊弟翠霞乃誠突然喪父後的貧困生活、以及富家少爺蔡少英流連妓院的荒唐，兩邊故事的主角皆呈現破滅的危機。兩邊故事交織在王氏兄妹欲投水時，蔡少英撞見，深受感悟並留下大筆資金。六年後，姊弟以此筆資金經營文具店有成，後在公園與蔡少英相遇，少英對翠霞生戀慕之情，至此危機完全破滅、眾人相視而笑收場。

據黃欣自述，是黃欣的太太生病，黃欣於照顧病榻之時所作，為了共勵會演劇才拿出表演。在劇本中，角色上下場經過「花道」等用語，可見受日式劇場影響頗深。黃欣也很了解劇本與詩詞創作不同，謙稱「余於藝術，毫無造詣，故於材料之搜尋，人物之配置，對話之選擇，動作之形容，均不能描寫入神。是以成後二載，秘而不宣。」[124]

其實黃欣對於扮演一直有興趣，一張 1914 年「南社春會」的合照，流傳頗廣，即可看出黃欣與會社員喬裝打扮成各樣角色，合影題為「南社嬉春圖」，其中可看到打扮成幼童的黃欣、男扮女裝的連雅堂、打扮成和尚的黃溪泉等等。[125]

123—— 《固園文存》其二，頁1。在此特別感謝施懿琳老師提供《固園文存》原稿影印本，始得見原本。而關於黃欣及相關漢詩作品，亦請參閱本系列施懿琳所撰之日治下臺南古典文學之篇章。
124—— 同上，《固園文存》其二，頁1。
125—— 莊建隆，《台南莊黃兩個家族》，頁102-3。
126—— 同上，頁112。

1923 前後年黃欣入股「大舞臺」的經營，並與志同道合者組文化劇團，如「南光演劇團」。同年 9 月發生「關東大地震」，報端上可看見赴臺北、臺中、高雄等地巡迴，並將票房所得捐募善款做為救災用。[126]

　　1927 年黃欣將「南光瑄（演）藝團」擴充發起「臺南共勵會」，下設社會教育部、講演部、體育部、演藝（劇）部、音樂部等部分以擴大藝文活動。雖然共勵會組織多次演變，但「演劇」一直是未曾消失的活動，可見黃欣透過劇場募款，進一步發揮社會教化的功能持續未間斷。

　　1933 年共勵會的「共勵義塾」成立後，仍有演劇部演出文士劇，即直言是為了替義塾募款。亦有學藝部，迎合不同慶典場合，例如照宮成子內親王殿下御命名奉祝學藝會，讓學生一起排練公演。

　　由當時的照片中可看出表演是經過精心排練，但規模較小。演出項目也包含戲劇、音樂、舞劇等，可惜均無法得知演出的詳細內容。另就報端廣告及新聞看來，當時四處巡演的劇目，多是喜劇、輕鬆歌舞再加上較為嚴肅的正劇同在一晚演出，以調劑舞臺冷熱。或許因多個活動同台，演出時間較短，劇本多數並不長。

　　而初步整理共勵會「文士劇」演出資料，依次為〈勞心勞力教育家〉（1927）、〈虛榮誤〉（1927）、〈女子非玩物〉（1927）、〈為志終生〉（1928）、〈異色鴛鴦〉（1928）、〈偽君子〉（1928）、〈（是）誰之錯〉（1928）、〈大悟徹底〉（1929）、〈破滅的危機〉（1929）、〈玉潔冰清〉（1930）、〈糟糠之妻〉（1931）、〈火之跳舞〉（1931）、〈暗夜明燈〉（1933）、〈人格問題〉（1933）等。除了〈破滅的危機〉演出多次，並特別宣傳為黃欣所作。其餘未特別註明劇作者，也未見文稿。

九、邵禹銘

邵禹銘（1897～1984？），可能被誤植為邵雋銘，或曾刻意以藝名邵雨銘、邵有明等化名登臺，日治末期曾正式改日本名為松本道明。邵禹銘曾擔任黃欣共勵會演藝部主任，並於一九四〇年代接任蔡祥，擔任「國風戲院」（原大舞臺）的經理，也是臺南興信社書記。[127]邵禹銘似乎並不編寫劇本，主要工作是協助黃欣籌備演出。例如中部震災，於大舞臺演出文士劇助捐，「劇目為大悟徹底、潑婦等社會人情劇」[128]。

若依據《臺灣省通志》所描述，那麼一九二〇年代的邵禹銘參與了共勵會的每一次公演：「第一次，在南座公演：〈復活的玫瑰〉及〈一串珍珠〉。第二次在臺南大舞臺公演：黃欣〈誰之錯〉及曹雪沂編譯之〈少年維特之煩悶〉。前者由邵有明及謝士癸，分任男女主角；後者由鄭明、王雨卿分任男女主角。以上兩次公演均由鄭明演出。第三次在宮古座公演：〈火之舞踏〉，由邵雨明演出，並由邵雨明及吳宗煌分任男女主角。第四次在宮古座排演：黃欣之〈破滅的危機〉，由邵雨明演出，謝士癸男主角，林宗翰為女主角，主要演員尚有；游振鴻、蔡滄洲、邱炎煌珠人。至民國22年1月11、2日，一行三十人在臺北市新舞臺舉行第六次公演。在鄭明導演之下，第一天夜場排出：〈暗夜明燈〉及〈復活的玫瑰〉。第二天日場之劇目同前，夜場排出：〈人格問題〉及〈破滅的危機〉。主要之演員有：余曉生、邱炎煌、邵雨明、林秀雲等，演技均精湛，而獲觀眾普遍之佳評。」[129]

此段描述除了邵禹銘以演員身分參與了每一次公演值得注意之外，導演鄭明的名字也一再出現，應即為作家「廢人」，其劇本〈鎖在雲圍的月亮〉（1936）將於下方介紹之。

127—— 《臺灣人士鑑昭和18年版》，東京：湘南堂書店，1986年，頁375。

128—— 《臺灣日日新報》，1935年5月6日。

129—— 張炳楠監修，李汝和主修，廖漢臣整修，《臺灣省通志・卷六・學藝志藝術篇》，頁22。

130—— 呂訴上，《臺灣電影戲劇》上下，頁303。

十、鄭明

　　生卒年不詳，筆名廢人，其餘尚待考證。1928 年前後密切參與黃欣的演出活動，又編又導又演，直到 1932 年共勵會在宮古座公演時，「鄭明因與內部觀點不同而暫脫離該會」。[130]但從《臺灣省通志》對臺南文士劇的記載看來，已可見鄭明對本地創作參與極深，另呂訴上的記載則還多加了鄭明曾改編上海電影《一串珍珠》（1928）、名著《少年維特之煩惱》（1929）以及田漢《潑婦》（1931），相較於文協文化劇的運動色彩，此時期的鄭明舞臺作品似乎更勇於嘗試，豐富而多樣。

　　不過，1936年後鄭明與莊松林、趙櫪馬等人共組「臺南藝術俱樂部」，似乎轉向黃金火系統的文人圈，但此時莊松林等人逐漸脫離社會運動，更投入寫作、翻譯及民俗研究，社團成員作品多發表在楊逵創辦的《臺灣新文學》，因此也可在此雜誌中看到鄭明發表的劇作〈鎖在雲團的月亮〉（1936），改編自《愛力圈外》，共連載五回。此原劇似乎受易卜生《玩偶之家》啟發，以女性出走家庭為結局。但直至本書截稿仍未得見此劇本，故難以得知原文受影響程度。鄭明另發表漢語小說〈牛話〉、〈三更半暝〉，民間故事有〈呂祖廟燒金〉，請參閱另冊介紹。

十一、楊逵

　　相較於其他日治時期劇作的散佚，楊逵（1905～1985）劇本雖也有難尋或版本不一的問題，但整理留存及相關研究較多。楊逵在日治時期的日文劇本有《豬（知）哥仔伯》（1936），以及後期《父與子》（1942）、《撲滅天狗熱》（1943），再加上改編本《怒吼吧！中國》（1943）。

　　戰後的漢文劇本約十篇，但唯一在楊逵生前所發表的僅有《牛犁分家》（1979），其餘《光復進行曲》、《勝利進行曲》、《豐年》、《睜

眼的瞎子》、《真是好辦法》、《婆心》、《牛犁分家》、《豬八戒做和尚》、《赤崁拓荒》大多寫於綠島坐牢時期（1951～1961），經後人整理打字出版，目前收在彭小妍主編《楊逵全集第一卷・戲劇卷（上）》（臺北：國立文化資產保存研究中心籌備處）。另有部分標明街頭劇者，如《駛犁歌舞》、《漁家樂》、《國姓爺》等，因為底稿不存，無法得見劇本原貌。

而楊逵的原創劇本迄今只有兩齣戲做過演出，日文劇本《撲滅天狗熱》在日治時期以宣揚衛生教育名義下鄉演之外，中文劇本《牛犁分家》曾於綠島由獄中政治受難人演出，1980年又由高雄大榮高工搬演，並在全臺巡演30場。[131]

楊逵出生於今日的新化，他就讀於日本大學文學藝術科夜間部期間（1924-1927），曾參與佐佐木孝丸的「前衛座演劇研究所」，接受築地小劇場要角田中是也的訓練，參與舞臺製作及演出。因返臺後活動地多在臺中州，與臺南劇界直接互動較少。

十二、劉燦波（劉吶鷗）

劉燦波（1905～1940）雖是新營人，但主要在上海活動，「首位在中國介紹現代主義小說的文學家」，亦是個實際參與實際作品製作的電影人。據稱是因參與日本軍的電影活動，被當成「漢奸」於1940年的餐局中被暗殺。1943年，李香蘭到臺灣拍片《沙鴛之鐘》，她曾特別抽空到新營，祭拜劉燦波。

十三、黃鑑村（青釗）

黃鑑村（1906～1982）曾就讀臺南一中，畢業於廈門集美中學、南京中央大學電機系，也曾赴日留學，先後創辦中華無線電傳習所及《無線電界》

131── 吳曉芬，〈楊逵劇本研究〉，國立臺灣大學戲劇研究所碩士論文，2000年，頁231-33；邱坤良，〈文學作家、劇本創作與舞臺呈現 ── 以楊逵戲劇論為中心〉，頁118。

期刊。黃鑑村以青釗為筆名在《臺灣民報》陸續刊登兩齣劇本〈巾幗英雄〉（1928）、〈蕙蘭殘了〉（1929），迄今亦無演出紀錄，相關研究稀少。

〈巾幗英雄〉註明「贈南一中畢業諸鄉學友」，與〈蕙蘭殘了〉皆以女性為主角，故事雖然不同，但有趣的是女主角皆名為「蕙蘭」：前者是高女學生施蕙蘭，後者是小姨太盛蕙蘭。兩劇本編寫手法相似，角色多是坐在廳堂中對談，彼此直接說出自己內心所想。

〈巾幗英雄〉的衝突放在施蕙蘭本要在畢業式中述答辭，但因為曾講了一句臺灣話被校長聽見，所以主任認為施蕙蘭不應該有此榮譽擔任此職。施蕙蘭甚為憤恨，對著友人聲淚俱下：「你看這破碎地山河蹂躪到什麼田地！我們還能算是受人權保障的人嗎？天啊！還我們的自由啊！」（淚瑩瑩下）。此劇本最後結束在施蕙蘭悲憤質問、校長道歉、及主任下跪辭職的場面。[132]

〈蕙蘭殘了〉劇本較長，分了五次連載。劇情的衝突則是富紳的小姨太盛蕙蘭為求愛情自由，在富紳女兒及友人的協助下，藉由假意親吻，讓目睹的富紳在盛怒之下，寫下脫離夫妾關係的字據。然最後劇情直轉急下，盛蕙蘭終於獲得自由身，但卻得知心上人從日本娶了日本太太回來，失魂落魄，盛蕙蘭以手槍自盡氣絕，眾人措手不及。〈蕙蘭殘了〉最後註明「1929.2.8 於南京中央大學」，應是黃鑑村當時求學之處。[133]

近年自中國來清大就讀的研究者顧振輝，就從青釗的劇作出發，聯繫起黃鑑村精采的一生。根據顧振輝考證，黃鑑村出身臺南望族，祖父黃年淮與父親黃藏錦都與臺南戲曲界關係密切，黃年淮名列振聲社先賢圖，黃藏錦也屢次參與臺南正音的登臺演出。邱坤良在顧振輝的專書序中，評述

132—— 青釗，〈巾幗英雄〉，《臺灣民報》第211號，1928年6月30日。
133—— 此劇於戰後再次刊載於《中央日報》，1959年2月22-25日，11版。

這兩齣劇本「反映一九二〇年代的現代思維，表現手法直白，劇場性薄弱，一般臺灣現代劇劇研究者未予以重視，倒是這些年中國大陸學界研究臺灣文學史者常會提到這兩部劇作」[134]。另顧振輝亦指出，科幻小說〈五十年後寶島奇談〉在1957年與2001年先後兩次刊載於黃鑑村創辦之《無線電界》期刊，該小說應為陳大川原創、經黃鑑村編輯潤色後發表的作品，被視為臺灣科幻小說的先聲。[135]

十四、蔡德音

筆名德音、音的蔡德音（1912？～1994），本名蔡天來。據後輩的回憶，蔡德音為臺南私塾老師之子，赴廈門留學時，適逢一位北京南下的大學生，故習得標準北京話，曾被日本政府派往中國擔任中日翻譯官。[136]也許因為長年旅外，戰後返臺定居桃園，故與臺南劇場往來較少。其在流行歌曲界的貢獻更為卓著，流行歌作品至少15首，甚至也唱歌，據洪芳怡研究，蔡德音「唱臺語歌曲時用蔡德音為名，唱中國歌則用蔡建華，是個才華洋溢的人物。」[137]1933年還曾參與也是臺南出身、後定居臺北大稻埕的王雲峰自導自演的臺語電影《怪紳士》，在片中飾演惡漢。[138]

1935年蔡德音的劇本〈天鵝肉〉發表於《臺灣文藝》，即充分顯現蔡德音的填詞功力。此劇本短短分成兩幕，輕快呈現只求美貌女子而迅速成婚的男子有成，新婚洞房時才發現新娘夏珍奇醜，鬧得夏珍差點自殺、有成悔過進而和好的喜劇。開場、轉場皆以歌曲呈現，如開場歌曲即點題「那知鄉庄好景致　圳水清々流不離　何處阿娘這標緻　洗衫纖手幼綿々」，或者「芙蓉花開未結子　著受狂風折斷枝　僥倖父母來主意　要送香魂往上

134—— 邱坤良，〈序〉，收入顧振輝，《電波聲外文思漾——黃鑑村（青釗）文學作品暨研究集》，臺北：蔚藍文化，2021年。

135—— 顧振輝，〈臺灣戰後科幻文學的新先聲：論小說〈五十年後寶島奇談〉〉，《臺北文獻（直字）》，212（2020.6），頁219-266。

136—— 蔡烈輝，〈說說我自己〉，《台美人西遊足跡》，取自https://tajourneytothewest.wordpress.com/芝加哥個人文集/蔡烈輝，2023年5月29日。

137—— 洪芳怡，《曲盤開出一蕊花》，頁247。

天」[139]，文詞流暢，既有歌仔戲七字的調子，也有琅琅上口的流行感。

　　另與妻子林月珠共同翻譯，日本作家山本有三的劇本〈慈母溺嬰兒〉，發表在臺灣文藝協會的機關刊物《先發部隊》第一期。此劇本雖是翻譯，但藉由劇情也可感受貧病交織的難受，而角色的臺詞，也可一窺當時的臺灣文人的漢文語感：「我無論怎麼想、無其讓他活在這麼辛苦、無情的世上、不如在不知道的當兒死了的好」[140]

　　〈慈母溺嬰兒〉也成了蔡德音的歌詞素材，如〈夢愛兒〉及〈慈母溺嬰兒〉皆有無奈殺嬰的指涉。據洪芳怡觀點，蔡德音中晚期的創作，呈現的是一位新式知識分子以戒慎恐懼的眼光看待自由戀愛：「對他來說，愛情不只危險，且與萬惡的金錢糾葛難分。他最賣座的詞作〈紅鶯之鳴〉強烈的指控，現代的戀愛走得是金錢買賣的老路線，而戀愛是為了滿足肉慾的手段。」[141]

十五、趙啟明

　　趙啟明（1912～1938）亦有筆名趙櫪馬、櫪馬、馬木歷、李爺里、黎巴都等，是《赤道》同人，也是上述《三六九小報》的主要供稿者。《三六九小報》是一九三〇年代重要的漢文通俗文藝小報，趙啟明在此發表多篇白話小說。1934年成為泰平公司文藝部負責人，邀集多位臺灣文壇人士參與歌詞創作，與蔡德音、廖漢臣等人，寫出多首臺語流行歌作品。1936年與莊松林等友人共同成立「臺灣新聞學臺南支社」，並於同年組織「臺南藝術俱樂部」。

　　1932年以筆名蘭谷在《三六九小報》連載劇本〈戀愛的背景〉，陸續刊登19集，每集都如同極短篇，首篇僅讓劍榮躺在搖床，僕人進場驚問少爺回來、有什麼不舒服等對話，旋即結束此場。後續也以同樣快速的

138── 此段描述來自莊永明，〈「稻江音樂家」王雲峰（上）〉，正確來源待進一步查考。取自2020年2月18日，http://jaungyoungming-club.blogspot.com/2020/02/blog-post.html。

139── 德音，〈天鵝肉〉，《臺灣文藝》第二卷五號，1935年5月5號，頁38-40。

140── 山本有三，德音及林月珠譯，〈慈母溺嬰兒〉，《先發部隊》1期，1934年7月15日，頁56-57。

141── 洪芳怡，《曲盤開出一蕊花》，頁320。

節奏展現情節，劍榮失業、家被貼封條、鶯鶯拜訪憤而離去、找工作不順、最後蓬頭垢面流落公園。

〈戀愛的背景〉背景設定在 1930 年，也讓我們看到當時的社會環境變化。第一幕是劍榮宅，格局似仍是典型的平房，但已有現代設備：「左右隅皆有戶可通後面。中央置圓卓（疑為桌）。卓上有電話」[142]。第二幕是 K 印刷廠，場景描寫：「由北透南的縱貫道路便是橫在 K 場的面前。」[143]，僕人阿棟帶著劍榮來找印刷廠工作，並苦心勸導劍榮不應有輕生念頭也不要再幻想銀行家的榮華。第三幕是公園一角，場景描寫著五六張椅子上：「都是有路無厝的人橫倒著。這是午後五點鐘辰光」[144]。最後就結束在與浮浪者（遊民）為伍的劍榮，目睹鶯鶯與另一名男子游根攜手經過，忍不住大罵卻也無濟於事，浪遊者雖嘲笑卻也鼓勵地唱：「人跡絕滅的荒路！是我一生的墳墓。嗚呼哀哉時也命？可憐落魄的半生。」「我們只要有覺悟！大家提攜相互助！我們要緊握著手。喊醒夢中的朋友！（餘韻餘歇，繼而幕徐々下）」[145]

十六、莊松林

莊松林（1910～1974）署名 KK 的獨幕劇〈誰之過〉，收錄在興文齋書局發行的反對普度宣言《反普特刊》（1930）中。〈誰之過〉反映迷信現象，角色各自代表道教、佛教、基督教不同信仰，事件為媳婦將生子，請道士作法，最後孫兒仍往生的一場簡潔有力鬧劇。莊松林生平事蹟留存較多，亦請參閱「漢語現代文學」介紹。

1927 年前後，莊松林與黃金火及其劇團活動來往密切，初時以演員身分登臺，而編寫〈誰之過〉時，臺南文化劇團已休止，此劇本與林占鰲

142—— 蘭谷（趙啟明），〈戀愛的背景〉（一），《三六九小報》第217號，1932年9月16日。
143—— 蘭谷（趙啟明），〈戀愛的背景〉（九），《三六九小報》第225號，1932年10月13日。
144—— 蘭谷（趙啟明），〈戀愛的背景〉（十四），《三六九小報》第230號，1932年10月29日。
145—— 蘭谷（趙啟明），〈戀愛的背景〉（十九），《三六九小報》第235號，1932年11月16日。

林宣鰲兩兄弟的赤崁勞働青年會更為密切。[146]此劇雖未有正式上演紀錄，但從事社會運動，欲破除迷信的宣傳主軸明確。莊松林自述相識經過是因為少年時為準備到廈門留學，先向石雪滄補習國文，同時也因為喜愛閱讀上海出版的新書刊，常常至興文齋書局看書買書，因此認識主人林占鰲，並進而參與黃金火的臺南文化劇團。

1929 年後，雖然臺南文化劇團未再登臺，但當時的團員們與北部民眾黨彼此相應，尤其在演講宣傳、工人運動的抗爭上有密切合作。黃信彰指出，臺南文化劇團成員們持續是臺南民眾黨的靈魂人物，是罷工活動展開時舉辦慰勞演劇和幕前演出時的舞臺主角，兼具戲劇演員與工運領導人的雙重身分。[147]

1936 年莊松林與鄭明、趙啟明等人組織「臺南市藝術俱樂部」，分為文藝、演劇兩部，並附設「臺灣文獻整理委員會」。一般認為，莊松林也差不多在此時把其心思慢慢由社會政治運動轉變為民俗及藝文，其成果多在《臺灣新文學》上發表，但演藝部分資料未見。

其與戲劇相關的最後記載是自編的年表上，於 1939 年 5 月 4 日，糾合演劇同好，草擬成立「新劇同好者集合趣意書」漢、日文兩種，但響應者太少，機構未組成。[148]

莊松林戰後投身於民俗文獻的整理，1958 年並與眾人共同創立臺南市文史協會以及《文史薈刊》，與劇場活動更是漸遠。

146——陳祈伍，〈激越與戰慄：台南地區的文化發展—以龍瑛宗、葉石濤、吳新榮、莊松林為例（1937-1949）〉，中國文化大學史學系博士論文，2011年，頁331。
147——黃信彰，《工運歌聲反殖民：盧丙丁與林氏好的年代》，臺北：臺北市文化局，2010年，頁49。
148——陳祈伍，〈激越與戰慄：台南地區的文化發展—以龍瑛宗、葉石濤、吳新榮、莊松林為例（1937-1949）〉，頁347。

第三章

二十世紀中期至晚期 (1945～1990)

在邁入戰後臺南戲劇文學史之前，讓我們先回望更早之前的臺南文人對於新劇的看法及著力，感受漢文劇本創作方式及風格的轉變。前文提及的臺南文人羅秀惠所編寫的〈新劇大羅天〉（1925）[150]，縱使自稱新劇，但即使以當時的觀點評述，仍可能只被歸於艷體詩或搭配典禮的餘興節目。當然，臺南眾仕紳們也在嘗試其他方式的戲劇創作，力求呈顯社會現實，如黃金火編導了多僅存劇目的〈愛之勝利〉（1927）、〈非自由之自由〉（1927），或者黃欣〈破滅的危機〉（1929～1933）。這些故事中的角色不再是神仙古人，而以當時的時空為背景，敘說當代的奇聞軼事，主旨多是訴求戲劇在大眾教育或社會運動上的功能性，因此往往以社會劇名之。也因為劇中角色場景多是當時的社會，舞臺布景也就強調寫實風格，整體表演風格也趨向生活動作，較有摩登感，有時或以新劇指稱其非傳統的特質。

即使與社會運動密切結合的演出活動持續被打壓，這些充滿文明氣息的「新劇」，到了一九四〇年代，不僅有商業巡演，再加上結合皇民劇的刻意鍊成，全臺各地都有新劇團籌備設立。如彰化呂訴上「臺灣銀華新劇團」（1937）招考約八十名演員訓練後，巡迴公演；臺北歐劍窗組織或投資的「星光新劇團」（1939）、「鐘聲新劇團」（1940），也一樣各地巡演，演員臺籍日籍皆有，著名的宋非我（宋獻章）及妻子月桂也都是長期合作的演員。但這股營業為主的劇團熱潮，呂訴上自己描述當時的起伏：「如雨後春筍簇出，在臺灣新劇界出現空前的盛況。惟一般民眾對之頗冷淡，因為他們的戲沒有內容，而且演技拙劣，修練不夠，所以不久又趨於消沉，僅存有銀華、星光、鐘聲、國風四團〔……〕獨有國風則堅持到最後，至光復後尚繼續活動。」[151]

150—— 花花世界叟(羅秀惠)，〈新劇大羅天〉，《黎華報》，第5期，1925年10月，第35版。

151—— 呂訴上，《臺灣電影戲劇》上下，頁320。

這堅持到最後的「國風」，如前文所討論，尚無法百分之百確認就是上一章討論的臺南邵羅輝組織之劇團。但若再加上王育德也曾參與國風劇團巡迴，並以「國風劇團」為例，讚賞裝置、布景、道具都很現代化，「作為皇民化運動的一環，要說演劇報國，那麼就只有這一派了」[152]。無論如何，都無法忽略戰後臺南劇場所占的位置，以及原有的資源與理念，因為政權變遷被迫進入再次分配的階段。

第一節　從「新劇」到「話劇」

就目前的研究資料及當時報端廣告，可看到以漢文為主要語言的「新劇」，在戰後曾經極為熱絡，無論日本人、臺灣人或者巡迴來臺的中國劇團，皆在此時結合不同演出方式，提供了多采多姿的演出。

然而榮景僅有數年，邁入一九五〇年代之後的新劇，已不再是日治時期的文士劇、文化劇或仕紳的創作新嘗試或社會事業。過往的文明戲、文士劇、文化劇等幾個互相重疊又各有特色的社會劇形式，這些以「漢語」（臺語）為主的新式戲劇演出，在戰後多被歸類於以營利為主，與歌仔戲、布袋戲同被視為臺灣地方戲劇中廟會或營利事業的一環，進而與主流的「國語」戲劇界成為截然不同的兩種生態。[153]如果說日治時期的漢文新劇推展者，多數以無政府主義、社會運動、助捐宣傳作為其思想之架構與前導，形成報紙新聞的熱潮；那麼戰後臺南文人士紳，至少在現代戲劇創作上的勢頭消退許多，甚至自身也不熱中，已逐漸被文學界遺忘。

夾在政權轉移之中，臺南最具代表性的創作者，即是前文論及的邵羅輝、王育德與黃昆彬，以及蔡德本。回顧1941年的王育德認為「國風劇團」

152—— 王育德，〈臺灣演劇的今昔〉，頁151。
153—— 邱坤良，《飄浪舞臺：臺灣大眾劇場年代》，臺北：遠流，2008年，頁123。

需要大規模的準備，臺詞是臺灣白話加上三成日文，有時候也會全以日文演出，只有這派才真正是戲劇的將來。但如今此劇團的相關資料，幾乎已完全消失在臺灣劇場史中。縱使日本政府投降，1945 年底及 1946 年秋天，王育德陸續編導了讓葉石濤及王育德未來妻子都記憶深刻的〈脫走兵〉與〈新生之朝〉等作品，也獲得呂訴上的好評，「演出成績很好，為光復後青年戲劇的首次最好演出。」[154]但劇本未留存，至今仍未看到劇本原稿。

王育德在回憶錄中，描述〈新生之朝〉的結構是兩幕，以歌仔冊式的漢字寫成，排練時，還需先以漢語（臺語）讀一遍給演出者聽，他們用日文的假名注音。同時，〈脫走兵〉則委請黃昆彬編導，王育德登台演出。亦如同前文所述，這些演出，包括稍晚的〈青年之路〉，不僅是臺南學生自發性的光復慶祝活動，也可看到新劇活動此時仍持續與時事密切接合。

北上就讀師範學院的蔡德本，也描述自己 1947 年在校內成立社團「臺語戲劇社」，其實當時擔任社長的他：「完全不會講『中國話』，而且連『臺灣話』也還不太會講，只會講日語而已。」[155]那時候，是抱著介紹祖國名劇以及學習母語的心情，募集社員，沒想到獲得熱烈響應，差不多師院三分之一的人都曾來參加過這個戲劇社。[156]曾將曹禺《日出》改成《沒有太陽的街》（1949），又再以《天未亮》為名重演，甚至返回當時屬於臺南州的朴子重演。當時臺語戲劇社還召開關於「臺語」表現法的座談會，楊逵也北上參與討論，可惜沒多久發生「六四事件」，戲劇社就解散了。

上述這些貌似在現代劇場史上邊緣的事件，仔細檢視後可發現這些熱情的臺南創作人曾具有重要的轉折位置。但這種對戲劇的理想性執著，使

154—— 呂訴上，《臺灣電影戲劇》上下，頁334。
155—— 藍博洲，《天未亮——追憶一九四九年四六事件（師院部分）》，臺中：晨星，2000年，頁256。
156—— 關於臺語劇社的組織，可參看前註藍博洲，頁256 - 62。

得青年工作者面臨的挑戰從未因為政權轉移而減少。臺灣島上的政權轉移，不斷造成斷裂紛擾，王育德潛逃日本，黃昆彬移居花蓮任職法界，蔡德本後來受四六事件牽連，邵羅輝則轉拍臺語電影，不再提起劇團經營的過往。

另一方面，各地出現不同背景的創作者也逐漸轉變了劇場的風貌。例如，多個大陸話劇團體來臺演出，如「新中國劇社」（1946）、「上海觀眾戲劇演出公司旅行劇團」（1947）及「國立南京劇專劇團」（1948）等，加上來臺之外省劇人所組織之業餘劇社、軍中話劇隊及熱絡的校園演劇活動，大批五四以降中國優秀劇作展演在臺人面前，特別是曹禺的劇本更是演出多次。除了上述蔡德本他們對曹禺《日出》的改編，另外在臺南一帶也曾由中國劇團上演《雷雨》。受臺灣糖業公司邀請來臺的「上海觀眾戲劇演出公司旅行劇團」，於麻豆「電姬館」、車路墘糖廠招待所禮堂（仁德糖廠）等地演出《雷雨》。[157]又或者福建來臺的陳大禹，不僅組織「實驗小劇場」，還改編莎士比亞等劇本，也陸續發表內外省人溝通不良的相關劇本，如在〈新生報橋副刊〉上發表劇本〈臺北酒家〉：「以酒家為場景，劇情是兩位說國語的酒客指名要找一位叫美紅的酒家女而與店家發生了爭端，對白夾雜日語、臺語、國語」，引起不少迴響與討論。[158]陳大禹曾在他評述臺灣戲劇發展的〈破車胎的劇運〉一文中，描述上述「上海觀眾戲劇演出公司旅行劇團」的影響：「只要是看過《清宮外史》的，沒有不承認他們的劇團在本省是樹立了一個新的水準。」[159]

同時在臺南宮古座，緊接著王育德等人轟動的〈脫走兵〉與〈新生之朝〉，〈幻影〉以及黃昆彬的〈鄉愁〉的漢語（臺語）嘗試，國語話劇也

157—— 關於此段歷史，請參考徐亞湘，〈進步文藝的示範：戰後初期曹禺劇作於臺灣演出史探析〉，《戲劇學刊》第16期，2012年，頁37-56。

158—— 方慈安，〈戰後語言轉換時期的翻譯——以《臺灣新生報》副刊《橋》為例〉，國立臺灣師範大學翻譯研究所碩士論文，2016年，頁54。

159—— 引用自徐亞湘，〈戰後初期中國劇作在臺演出實踐探析〉，《戲劇研究》第12期，2013年，頁137。

在城內造成影響。1947年元旦,「臺南實驗劇團」(臺南市民眾教育館實驗劇團)演出了宋之的、老舍合著的抗戰名劇《國家至上》,學者徐亞湘說明「臺南實驗劇團」演員皆為臺南各機關本外省公務員,而觀眾中除了外省籍的公務人員之外,大部分皆為本省人。此為戰後南部第一次大規模的國語話劇演出,且為籌募臺南地震救濟金,1月17至18日該團再於臺南市「全成戲院」演出同劇。此劇後續還被高雄國聲劇團改為臺語演出。1947年11月,另有「新青年劇團」在臺南演出《大明英烈傳》以及1948年《結婚進行曲》、《裙帶風》。[160]《裙帶風》是由洪謨、潘子農合編的三幕諷刺喜劇,因生動描寫中國官場群帶風氣,不僅臺大學生在臺北市「中山堂」演出此劇,青年軍第二〇五師新青年劇團亦於4月1日起在高雄「大舞臺」、4月20日起在臺南「全成戲院」演出。[161]可以說,這些優秀的現代劇場演出大幅度地擴大了「國語話劇」的影響範圍,讓「國語話劇」的熱潮逐漸取代了「漢語新劇」在文人心中的位置。

　　1949年局勢丕變,中國大陸撤退來臺的劇人,不再是旅行巡迴,而是長久駐留的推展,更是讓臺灣劇運的主力陣營轉換舵手。陸續成立的文藝機構及獎項,如由張道藩、羅家倫等組成的「中華文藝獎金委員會」,其中亦徵稿獨幕話劇,「每年所發出之獎金及稿費,為數至鉅,因而多數青年作家均有獲選機會,此舉對於提高寫作水準,裨益反共宣傳者,實至深且鉅。」[162]而這些受到官方讚揚的劇本,在名單中較難尋到臺南出身作家的身影。呂訴上書中描述此段時間的劇目轉變:「從二二八以後的話劇運動,除了公給薪餉的劇團外,民間話劇團誰也不敢輕易動手。俗話說得好:『砍頭生意有人做,虧本生意沒人做,誰敢冒險動手呢?』」於是

160—— 以上資料皆來自呂訴上,《臺灣電影戲劇》上下,書中記載《裙帶風》作者為洪謨、潘子農,1948年4月20日起在全成戲院上演,參見頁363。《大明英烈傳》參見頁358,但皆未知情及其生平。

161—— 同上,徐亞湘,〈戰後初期中國劇作在臺演出實踐探析〉,2013,頁149。關於《裙帶風》的臺南演出,亦可參見莊曙綺,〈臺灣戰後四年(1945-1949)現代戲劇的發展概況〉,《民俗曲藝》151,2006年3月,頁236。

162—— 向誠等編,《繁榮進步的臺灣》,臺北:世界書刊社,1959年,頁337。

1949 年之後見諸臺南的演出，已是軍方的海馬隊〈反攻大陸〉話劇[163]，以及勞軍演出，如聯合報的報導：「軍人之友社台南縣分社應烏樹林建國營房駐軍之請，特發動正在新營新舞臺公演之孔雀歌舞團於廿九日前往義務勞軍。」[164]

故雖然與劇本創作較無關係，但值得一提的是臺南人蔡瑞月，少女時期觀賞石井漠舞蹈團的演出而心生嚮往學舞，後來在臺北開設的「蔡瑞月舞蹈研究所」，課程包含芭蕾及民族舞蹈等，因為聲譽卓著，當時學生規模多達數百人，成為頗具規模的舞蹈中心。

臺南文人仕紳的隱退流離，的確使得本來就相對少見的漢語新劇劇本更加稀少。尤其隨著新一批藝文界人士的語境，多以中國大陸當時的「話劇」一詞指稱現代劇場，也加速了新劇以及其所含納的社會精神消逝。那種日治時期的文士劇模式：文人呼應社會需求，號召或搭配活動寫出劇本，眾仕紳一起上臺，從此在一九五〇～一九八〇年代的臺南極少看到。

臺灣整體現代劇場的系統性解釋，也被更宏大的中國文化傳統覆蓋，發展出中國文藝復興的運動。從戒嚴體制乃至冷戰架構，所謂現代、話劇等知識分子的嘗試、焦慮與困惑，在自由中國的寶島招牌下，若不是被攻訐過於晦澀或蒼白，就是傳統或西化的文化戰場。臺南本地的新劇創作，特別是仍以臺語為主要觀眾的演出，亦皆一併融入於中國傳統文化中。但總是有創作者試圖嘗試不一樣的途徑，若我們仔細觀察，不僅會發現符合國策的反共臺語劇本，使得新劇參與者們得以棲身；也會從一些新興媒體，例如電影電視中，發現臺南劇人們曾經努力的蹤跡。

163—— 此條演出資料請參見呂訴上，《臺灣電影戲劇》上下，頁386。
164—— 〈新營訊〉，《聯合報》1952年11月3日，第4版。

雖然「話劇」一詞逐漸取代「新劇」，成為戰後的現代劇場慣用語，但「新劇」本身的創作及製作變化仍持續，特別是以臺語為主的演出，也產生了不同的應對脈絡。

在官方的支持下，1950 年臺北的劇人呂訴上、張徹及陳文泉等起草「臺語劇團組織規程草案及預策」，在臺北籌備組織臺語劇團工作（後改為組為省黨部文化工作隊），排演反共抗俄劇本《還我自由》，在各地國民黨團體配合協助下，巡迴至臺南等地。呂訴上自詡：「這次演出後，影響到各地巡演中的商業劇團，使他們開始排演著反共抗俄劇本，以及各地機關團體，重新估價，認識著地方劇的宣傳與社會教育工作。」[165]

但事實上，留在臺南或臺南出身的劇人們，雖曾嘗試著以營利模式演出，但多已逐步轉向電影電視的創作。我們會看到戲劇的演進，不僅是因為政權更迭，無法掌握劇運的脈動，也因為戲劇與電影都各自朝向更專業分工的方向邁進。

當時的臺南演出其實並非完全沉寂。邵守利的「梅芳玉」曾演出《木蘭從軍》及《歌舞祭典》，但不確定演出地點。邵守利就是邵羅輝，更早之前的紀錄是 1947 年 8 月在臺北臺灣戲院放映〈不了情〉時加演歌劇，由邵羅輝自編自演〈孟姜女〉與〈木蘭從軍〉的古裝短劇，縱使後來的重修通灣省通志註腳：「邵羅輝即後來的臺語片開拓功臣」[166]，但當時呂訴上卻寫了一個相當負面的評語：「劇情是很卑俗的。」[167]且於後文再補述，1949 年元月，「又有臺南市人邵守利（又名邵羅輝藝名梅芳玉）組織梅芳玉歌劇團，巡迴各地上演〈木蘭從軍〉〈孟姜女〉等劇，由梅本人處演

165—— 同上，呂訴上，頁402。

166—— 黃仁等編纂，《重修臺灣省通志·卷十·藝文志藝術篇》，南投：臺灣省文獻委員會，1997年，頁890。

167—— 同上，呂訴上，頁353。

女主角，歌舞古裝話劇的混合戲，但是演出效果不好、不久因經濟困難就解散了。」[168]

前後文的年代頗為混淆，若再加上前文所述的「國風劇團」則更是一段人員相互來往繽紛多彩的時代。據莊曙綺翻閱當時的報刊資料，1946年4月，國風劇團在「戎館」的演出，是戰後首度見到的職業新劇團演出廣告，但莊曙綺的資料比對此團負責人為許成宗，並非前文提及的邵羅輝。在莊曙綺研究中，1949年邵羅輝結束了自己的劇團而加入「廣愛歌劇團」，擔任歌舞劇導演，編導《出水芙蓉》一劇，強調電影舞臺化，號稱「滿臺真水」的「水上樂舞集」，也讓劇團的風格產生變化。[169]

無論國風劇團是否為邵羅輝所主導、或者邵羅輝何時結束梅芳玉之名，從上面的繽紛的人物往來大致可推測出，在日治時期戲院建築出現，極為迅速地成為除了廟口及私人宅邸之外，提供戲劇、電影、和各式表演的舞臺。經過多年發展，使得劇院建築已成為各種營利節目的匯集點。於是若試圖在此演出，就得製作出能吸引大眾口味的作品；否則就是在官方政策支援中，始能無後顧之憂地持續創作登台。而如今看來，此時期的臺南劇人們皆無力改變時代的樣貌。

1955年，邵羅輝因歌仔戲生意差，廈門片受歡迎，決心利用劇團每天下戲時拍片。當時邵羅輝找到有一架愛摩攝影機的拱樂社合作，利用每天夜晚散戲後，團員們不下妝，續演《六才子西廂記》拍成電影，每晚一段，拍了一個多月才完成。用十六釐米正片拍攝，部分彩色，不能印拷貝，經沖洗剪接後可以直接放映。邵羅輝特找當時影評人黃仁、白克等觀賞，後於臺北市大觀戲院首映，可惜未引起觀眾興趣，只映三天就下片，研究

168—— 同上，呂訴上，頁394。
169—— 莊曙綺，〈臺灣戰後四年(1945-1949)現代戲劇的發展概況〉，頁221。

者王振愷說：「但證明臺灣歌仔戲團可以拍電影，臺灣也能自製臺語片，因此邵羅輝雖然賠了 25 萬元，仍然十分值得。」[170]

逐步來到一九六〇年代之後，電影變得更趨向大眾娛樂，而舞臺演出也變得更專業，一般戲院裡的簡單放映設備難以應付複雜的舞臺技術，也較難負擔龐大的演出經費。因此，這時期的劇院紛紛縮減或裁撤舞臺演出的節目，成為專門播放電影的電影院：「全成將表演部門收起來，東門圓環的光華戲院於 1970 年 5 月結束營業，海安路上專演布袋戲的慈善社改為放電影的成功戲院，而南台大戲院則由南都戲院老闆買下，舊址重建為改為同名電影院營業，於 1970 年 7 月 16 日開幕。」[171]

這些老牌的戲院紛紛停止營業或改為專門的電影院，明顯看出此時期電影院、現代劇場及傳統戲曲，逐漸分成不同的展演空間。如此的分道揚鑣，一方面是現代劇場實際上的演出設備要求已漸趨複雜精緻；另一方面，官方的「國家劇院」與「文化中心」陸續落成，則起了推波助瀾之效。

官方如此政策性、建設性地奠基劇場及演出，可謂是二戰後現代劇場的另一特色。二十世紀初，旅行的普遍改善使得各地的聯繫更為便利，巡迴劇團的賣座擴大了有利可圖的開發，演出不再僅依附於祭儀或重要節慶。於是日本的戲院系統，加上臺人的商業活動，以及流行音樂、電影等產業的發展，催生了臺南地區的商業售票演出，日、中、臺混雜的各式活動一起來到觀眾眼前。這些演出的活躍雖也有賴於官方的各種基礎建設，但仍未到興建專門劇場以供表演創作使用的程度。一九二〇到一九三〇年代臺南仕紳文人的粉墨登場，亦多是以自身之財力與聲勢來支持演戲活動。

170—— 黃仁等編纂，《重修臺灣省通志‧卷十‧藝文志藝術篇》，頁800。

171—— 王振愷，《大井頭放電影：台南全美戲院》，臺北：遠足文化，2021年，頁 84。

但來到一九六〇年代，全世界無論是剛脫離殖民或藉由戰勝而凝聚國家精神的地區，陸續著手大型劇院的建造。[172]臺灣的「國家劇院」則是隨著中正紀念堂規畫，1975 年開始籌劃，1987 年正式落成使用，成了一九七〇邁入一九八〇年代戲劇人的競技場。於是，更專門的室內舞臺型塑了現代劇場的特徵，使得劇本的書寫更強調舞臺感，藉此區分自己與電視電影的不同。

　　而在臺南，最重要的是一九八〇年代興建的臺南市文化中心及新營文化中心，是現代劇場與戲院分道揚鑣的新推手，幾乎完全取代了往昔「戲院」或「大舞臺」。二十世紀前半期，那些一直處在傳統漢文化、日本帶來西方的進步文明拉鋸之間的創作者們，那些未臻成熟的文人劇的作品、詞彙語法的運用總是日中臺語交雜的作品，到了此時，開始全面迎接專業現代劇場時代的來臨。黃欣、蔡德音、趙櫪馬等投身文士劇、流行歌創作及音樂產業的文人，當時一定極難想像接下來數十年間的劇烈空間變化。例如，劇本編寫是以大幕升降作為故事換景區分，不再是進出場鑼鼓點或登場亮相，演出時也不是一連串折子短戲，而是較為長篇的故事情節。

　　另外較隱而未顯的影響是，文化中心及社教館演藝廳等公共文化機關的建設，推動官方文化政策體系正式進入建置，且是以首都臺北為中心向外輻射的思考。例如 1992 年文建會（今文化部前身）正式推行「社區劇場輔導計畫」，正式將臺南定位為「社區劇場」的重點發展區域。或可說，臺南劇場的確邁入現代化階段，但再也不是漢人戲劇文化的中心位置了。甚至，到了二十一世紀，另一個更具當代風貌的高雄衛武營宏偉落成，這些鄰近的藝文建設變化，都使臺南劇場不斷調整聲勢與領導位置。

172—— 關於以劇院代表國家認同或外交方法的討論，可參見Ododo, S.E. (2022). Promoting Cultural Diplomacy: Nigeria's National Theatre and the National Troupe in Perspective. In: Afolabi, T., Ogunnubi, O., Ukuma, S.T. (eds) Re-centering Cultural Performance and Orange Economy in Post-colonial Africa. pp97-108.

第三節　劇場人物及劇本簡介

一、邵羅輝（邵守利）

　　邵羅輝（1919～1993）是臺灣電影史相當重要的導演。根據國家電影及視聽文化中心蒐集之資料，邵羅輝東京帝國影劇學校畢業，進入松竹映畫當基本演員，另取藝名為中村文藏。能演能唱也能跳踢踏舞。

　　依據一些研究者書中所稱，邵禹銘及邵羅輝為父子關係，但仍需更明確的資料佐證。例如，據1990年報導，「邵羅輝原籍臺南市，原名邵守利。〔…〕父親邵禹銘是位讀書人，閒來喜歡拉拉胡琴，唱唱京戲，高齡八十八歲才過世。他幼小時期父親一度不見容於日本統治者而去到大陸，等他稍大一些，父親又回到臺灣，然後舉家移居到日本關西地區。」[173]這段描述似乎並不吻合邵禹銘籌畫文士劇以及以松本道明為名管理「大舞臺」的樣貌，但比對邵羅輝的經歷，又的確與大舞臺關係密切。

　　邵羅輝應曾以中村文藏之名為「國風劇團」演出舞臺劇，但不知詳細資料。報導描述其曾經衣錦返臺參加舞臺劇《木蘭從軍》的演出，受到當局干涉。回到日本後又因徵兵令逃亡，去偏僻鄉村賣藝討生活時，日本投降。旋即在日本組「梅芳玉劇團」，團名有意沾取日本擁有盛名的梅蘭芳之光，演出內容偏重現代劇及歌舞。[174]

　　而後他離日返臺，再次組「梅芳玉劇團」，卻因不堪賠累而解散。但相對地，當時影視舞臺生態丕變，電影也給劇團、編導、演員新的空間，以邵羅輝多才多藝的背景，應該是經歷的一段遊走在不同劇組之間的時光。1955年邵羅輝應「都馬劇團」團主葉福盛邀請，以16毫米攝影機拍攝歌仔戲電影《六才子西廂記》，至今影片佚失不可考，然而此舉證明國

173——宇業熒，〈銀海浮生錄——邵羅輝一輩子的愛〉《中國時報》，1990年12月8日。

174——葉龍彥，《日治時期臺灣電影史》，頁160。

175——國家電影及視聽文化中心，〈邵羅輝｜臺灣電影數位博物館〉，2021年。 https://tfi.openmuseum.tw/muse/digi_object/b46d74db021ec72d9e84da5d57ad057f.

176——此劇本收錄於王育德，邱振瑞等譯，《王育德全集：創作及評論集》，臺北：前衛，2002年，頁127-150。

人自製臺語電影的可能性，也被多本電影史稱之為臺灣首次臺語電影製作。1956年，以鐘聲新劇團為班底，邵羅輝導演了非常賣座的《雨夜花》，被稱作第一支時裝電影，甚至是臺語片熱潮的開端。一九六〇年轉拍初興的國語片，一九七〇年代改以演員身分與香港武俠片合作，一九八〇年代《我這樣過了一生》（1985）與《媽媽再愛我一次》（1988）也可以看見他客串的身影，直至1993年過世。[175]

二、王育德

劇本創作包括1945年演出的〈脫走兵〉、〈新生之朝〉及〈十年後〉、1946年的〈鄉愁〉、〈幻影〉、及〈青年之路〉，還有赴日之後的〈僑領〉（1985）。[176]

在前衛出版的《王育德自傳暨補記》中，中學少年的王育德，為探訪嫁到日本的姐姐而遊覽了寶塚，竟然愛上寶塚少女歌劇，前後去了三、四回。他寫：「若是能夠和當中任何一位寶塚少女結婚的話，該是多麼美好啊！」[177]

葉石濤描述王育德熱衷戲劇運動，「劇本是由他來寫，對白都是用臺灣話。」王育德也常粉墨登場，「只記得裡面有一場戲，叫做〈脫走兵〉（逃兵），王育德扮演了一個老和尚，維妙維肖，在場的我也就拚命鼓掌。」[178]甚至據妻子王雪梅回憶，當年相親之前看了王育德在「臺灣光復演藝大會」上〈新生之朝〉（1945），飾演陳老爺，非常有印象，自然就成了。[179]按照目前史料，〈脫走兵〉與〈新生之朝〉是同一天登台，王育德一人擔當編導及演出，吃重又出色的表現，難怪演出成功後，王育德「一躍成為市內名士。不論散步或到鬧市吃點心，一定有人回頭多看一眼，而邊還可以聽到有人嘟嚷著：『陳老爺！陳老爺！』」[180]

177── 王育德、王明理，《王育德自傳暨補記》，頁165。
178── 葉石濤，《葉石濤全集10隨筆卷5》，臺南：國家文學館，2008年，頁72。
179── 鄭曉駿，《認識王育德口述紀錄片《回鄉》Huê-Hiong》，臺南：臺南市政府文化局，2019年。
180── 同上，王育德、王明理，頁265。

根據王育德自己回憶，這兩齣戲創作起因，乃是「臺南學生聯盟」的邀請：「九月末左右，臺南高工的幾位學生來找我，拜託我寫劇本。」[181]這跨學校的學生組織，認為王育德是臺南市唯一到過東京帝大文學部的，而之前文化協會曾經舉辦演劇的老先生們年齡已有一段差距，往往看不起年輕一輩，想法也不同。故提出希望以林獻堂赴南京致敬團的演說為主題，來編寫約一小時的劇本。林獻堂到南京演說，提到臺灣人光復後的全民心聲：「臺灣的命運，就像被送出去的養女，被欺負，而終於又被帶回家的感覺。」[182]

　　雖然知道主題，但可惜至今尚未看到劇本原稿。王育德曾描述〈新生之朝〉的結構是兩幕，以歌仔冊式的漢字寫成，當時排練時，王育德還教他們臺語發音，先讀一遍給演出者聽，他們用日文的假名注音。劇情大綱：

> 第一幕是臺灣女兒在養父母家遭到欺負，第二幕則是被帶回親生父母家中的情況。養父母家中有兩位同齡的女兒，欺負叫惠珠的這位姑娘。街中一位叫張媽的婦人找到被虐待惠珠，告訴音訊全無的父親已經成功回到街裡。以此作為伏筆，在第一幕結束時，陳老爺出現，實現了感動的婦女相見。他出手大方地付給養父母贖身錢，將女兒帶回去。
>
> 第二幕大致情節是，回到親身父母家中，惠珠過起自由放縱、進而自甘墮落甚至害病的生活，這當然有諷刺當時社會的意思。幫她治病的庸醫則為丑角腳色，引觀眾發笑。有一名叫志中的年輕人，對惠珠表示好意，讓惠珠嘗到愛情，並使她重生。[183]

181—— 同上，王育德、王明理，頁261-262。

182—— 王育德，《王育德自傳》，臺北：前衛出版社，2002年，頁240；陳祈伍，〈激越與戰慄：台南地區的文化發展——以龍瑛宗、葉石濤、吳新榮、莊松林為例（1937-1949）〉，頁157。

183—— 王育德、王明理，《王育德自傳暨補記》，頁262-63。

而另外同時登臺的〈脫走兵〉則因無暇他顧，委請學弟黃昆彬編導，但自己仍然協助演出。而這兩齣讓葉石濤及王育德未來妻子都記憶深刻的〈脫走兵〉與〈新生之朝〉，也被呂訴上讚賞是戰後演出效果極好的新劇。

此演出頗為重要，不僅是臺南學生自發性的光復慶祝活動，也可看到新劇活動此時仍持續與時事密切接合。呂訴上記錄該日節目如下：「國民禮儀，致詞第一部 1. 鋼琴獨奏〔人名略〕。第二部舞蹈〔人名略〕。第三部話劇，1. 偷走兵（獨幕）編導：黃昆彬，演員：黃磐石（高工）等七名。2. 新生之朝（第一幕在劉家，第二幕在陳家），編劇：王育德，導演：陳汝舟，演員：郭雲娥等十一名。」

在葉石濤的回憶中，王育德曾邀葉石濤及黃昆彬寫劇本，但葉石濤自敘未被採納。但王育德與另一位合作夥伴黃昆彬，除了〈脫走兵〉與〈新生之朝〉的合作，後持續合作數齣，1945 年底及 1946 年秋天，演出包括：

〈十年之後〉（一幕，史蒂芬生原作）

〈鄉愁〉（一幕，黃昆彬作〔？〕）

〈幻影〉（一幕，黃昆彬作〔？〕）

〈青年之路〉（二幕原作）

其中，〈鄉愁〉與〈幻影〉由王育德以前的店員出資上演，日夜場都是超級客滿。而〈青年之路〉則於 1946 年 10 月 10 日在臺南一中與臺南女中的聯合文藝會上演出，主要宗旨是針對那些對「光復」感到幻滅而自暴自棄地青年們，要他們重燃起希望之作。

另外，王育德自述曾在國民黨市黨部演出間諜戲〈野玫瑰〉，同時擔任主角，也曾為南一中遊藝會寫出〈獎學金〉一戲，但其後由於王育德逃

亡到日本，結果此戲沒有上演。[184]之後，北上求學的夥伴黃昆彬也因四六事件牽連，放棄文學，到臺灣東部任職司法界。

三、黃昆彬

黃昆彬在臺南的劇本創作與王育德關係密切，數齣創作可能都是以彼此支援的方式完成。1946年，黃昆彬赴臺北入臺灣省立師範學院英語學系（今臺師大英語系），與蔡德本同班，林曙光則為同校歷史系同學，並同為「臺語戲劇社」成員。當時作品則多刊登於《新生報》的〈橋〉副刊，而且多以日文寫成，再經由翻譯協助整理成中文，但多為小說及散文，未見劇本。

雖然研究者陳祈伍指出黃昆彬他們在臺南的「演出〈新生之朝〉、〈偷走兵〉、和〈青年之路〉等話劇，嚴厲地批判陳儀的苛政，諷刺臺灣人過度天真的解放感」[185]，但因未見原稿，實難以判斷具體內容以及演出形式。

1949年，在臺北就讀師大的黃昆彬參加新生報主辦「〈天未亮〉演出座談會」，眾人評述此場由學生主導的演出，而黃昆彬發言內容顯見其對歐陸的劇場頗為熟悉：「易卜生之後的近代劇幾乎不見採用獨白。莎士比亞當時的反現實的方法不該襲用。柴霍夫的〈櫻園〉的空虛是有效的，但這次第三幕的空虛我覺得未免冒險。使我們感到時代錯誤。我認為劇中人的出入應有必然性才好。但很少演員能演大眾劇，因為它必須刻劃出真實。」[186]

1949年之後，黃昆彬等多位活躍於「橋」副刊的作家，均因為「四六事件」遭逮捕入獄，「臺語戲劇社」也隨之四散。黃昆彬於1951年出獄

184—— 同上，王育德、王明理，頁266。

185—— 陳祈伍，〈激越與戰慄：台南地區的文化發展-以龍瑛宗、葉石濤、吳新榮、莊松林為例（1937-1949）〉，頁162。

186—— 座談會紀錄原載〈橋〉副刊203期，此處文字引用自藍博洲，《天未亮——追憶一九四九年四六事件（師院部分）》，頁293。

後即考取書記官，轉職法界。在法界退休前，他曾為自己打了一場冤獄賠償，以清當時未經審判就被羈押兩年的冤獄。[187]

四、蔡德本

　　蔡德本 1946 年入師範學院英文系，曾在臺南一中、東石中學等處任教。蔡德本其實未有原創的劇本發表，但他籌組師院「臺語戲劇社」，雖因「四六事件」而解散，不過期間於 1949 年 1 月 15 日改編曹禺〈日出〉為《天未亮》演出兩天，又於 1 月 18 日舉行上文提及的「天未亮演出座談會」，且至當時臺南州朴子重演，十分具有歷史性的意義。蔡德本當時並未入獄，後來赴美國留學，1953 年返臺時另案被捕。

　　回顧蔡德本當時對於曹禺改編的說明，或可一窺 1949 年時的演出狀況。最受討論的是蔡德本刪除了《日出》的第三幕，重要角色幼女也沒上臺，而且舞臺幾乎沒有換景。而這樣改動的最大原因是無法找到演員，僅有十位的限制。林曙光補充說，因為「叫女同學來演這個角色好像一種人上的污辱，所以只好刪掉非常重要的一幕。」[188]

　　此座談會的紀錄是難得一見的臺灣現代劇場討論，讓我們得以窺見當時的劇場樣貌以及各方觀點。上海復旦大學新聞系畢業的歌雷（史習枚）批評，場面調度上，演員固定在同一點的時間多，活動性太少，道具也妨礙了演員的動作。或許這些缺點都是因為需適合學校場所又需適合臺灣環境，在當時的物質條件下，甚至燈光強弱也做不到。但深感語言的複雜，歌雷也鼓勵：「在一個短時間內把一個這麼難以上演的劇本改編成臺語演出實在不是一件容易的事情。〔……〕所以在臺語的演出方面，重要的要努力使觀眾對臺語劇有一種新的估價，新的認識。我不懂臺語，所以不敢

187── 簡東源，〈傳奇黃昆彬 中風寫小說復健〉，《中國時報》，2006年11月3日。
188── 〈天未亮〉演出座談會紀錄，藍博洲：《天未亮─追憶一九四九年四六事件（師院部分）》，頁292。

另外多批評。」[189]呼應蔡德本自己描述的：「我搞這個戲劇社也不是只有演戲而已，同時，我也在研究『臺語』要怎麼表現的問題。」[190]

五、蘇雪林

蘇雪林自1956年定居於臺南，但她劇本創作均屬於早年作品，皆發表於尚未來臺灣定居之前。而且相較於蘇雪林的散文或相關的研究之豐厚，戲劇相關著作數量較少。

目前所見兩個劇本《玫瑰與春》（1927）年及《鳩那羅的眼睛》（1935），前者以類似童話的角色構築心碎的愛情，後者則是印度佛教故事。書寫方式皆以大段優美的獨白闡述角色的痛苦與矛盾，蘇雪林對自己劇作的曾做說明：「《玫瑰與春》（獨幕劇）與《鳩那羅的眼睛》（三幕劇）都是用唯美文學的體裁寫成。」[191]但研究者吳珊珊則認為，這些劇本是試作，若放在中國現代劇壇的發展來看，「蘇雪林自評《鳩》是唯美劇，但我們看到「唯美」，「劇」的意義寡而淡。」[192]

蘇雪林對於中國現代戲劇的評論，則散見在不同的選集中，不同時期也曾稍加更動以不同篇名重新刊行。《新文學研究》（1932）中蒐錄有武漢大學授課時期的〈論戲劇〉，評述了熊佛西、田漢、袁昌英、丁西林、洪深等人作品，後續再為袁昌英及李曼瑰寫過評論。[193]《青鳥集》（1938）內收有〈孔雀東南飛劇本及其上演成績的批評〉、〈演劇問題答向培良先生〉、〈我怎樣寫鳩那羅的眼睛〉。另為傳教士善秉仁編之《中國現代小說戲劇一千五百種》（1500 Modern Chinese Novels and Plays, 1948）文選，於書內以英文撰寫〈中國當代小說和戲劇〉（Present Day Fiction & Drama In China），文內除了作家介紹，也簡介了當時的相關文學社團，頗具參考價值。

189—— 同上，〈天未亮〉演出座談會紀錄，頁288-289。

190—— 莊曙綺，〈臺灣戰後四年（1945-1949）現代戲劇的發展概況〉，《民俗曲藝》151，2006年3月，頁185-252。

191—— 蘇雪林，《我的生活》，1967，臺北：文星書店。頁154。

192—— 吳珊珊，〈蘇雪林戲劇創作之價值與影響〉，《蘇雪林研究論集》第三章，2012，臺北：學生。頁149。

193—— 此兩篇後續評論收錄於《蘇雪林作品集‧短篇文章卷》第六冊，2011，臺南：成功大學。頁260-266。

六、閻振瀛

　　1985 ～ 1995 年左右任教於國立成功大學外文系教授及文學院院長。舞臺劇創作方面，有〈黑與白〉、〈毒杯〉、〈倉洋嘉錯〉等作品，並結集為《閻振瀛的戲劇》（1985）出版，但未見於臺南的演出紀錄。閻振瀛為自己的作品立論為「非戲劇」，意即其劇本裡的舞臺，「所呈現的是一個心靈的層次，是一個『形而上的世界』，而不是一個『形而下的世界』」[194]，因此他的劇本是對傳統劇場的突破，不再執著古典主義的時間、空間、事件的統一，突破了故事必須發生在單一的地點規定。因此他的劇本中的人物多無名字，僅以男女代稱或身分指稱，故事的發生也沒有明確的時間背景。閻振瀛亦強調他的非戲劇不是「荒謬劇場」的遺緒：「我厭惡那些什麼『荒謬大師』，把近代劇場弄得形容枯槁，[……] 年來我時有所感，我感到一些原本屬於中國文化方面的好東西，像是一些傳統的中國劇場藝術，都很值得我們對人類的投資，這也是我創作的動機之一。」[195]

　　如今回顧 1950 ～ 1980 年之間的臺南劇場，似乎在王育德、邵羅輝、蔡德本等各自退隱之後，劇場創作顯得固滯，戲劇傳統並沒有得到較好的傳承發展。另一位在日治時期就熱衷劇場與社會議題的莊松林，甚至曾經組織「臺南藝術俱樂部」（1936），也轉向以臺南為核心的舊文獻搜抄整理，參與臺南市文史協會，對於臺南風土的研究功不可沒，更成為系統化研究臺南的濫觴，但卻極少再創作劇本。

　　雖然一九七〇年前後，北部知識界出現了《劇場》或《歐洲雜誌》這一類大量譯介貝克特、品特等西方現代戲劇電影的雜誌，「一九六五年，

---

[194]——閻振瀛，〈我的「黑與白」-「非戲劇」劇場形式的詮釋〉，《閻振瀛的戲劇》，1985，臺北：時報。頁5。

[195]——同前註，〈毒杯（非戲劇）前言〉，頁102。

沉寂的臺灣戲劇圈匪夷所思地冒出兩件奇事：一是《劇場》編輯部同仁在耕莘文教院禮堂演出貝克特的《等待果陀》；一是姚一葦在《現代文學》發表夾雜濃重的現代／後現代色彩的三幕喜劇《孫飛虎搶親》。兩者都太新奇、太超前了，人們幾乎來不及反應或不知該如何反應。」[196]

但上述人物及劇場活動，與當時的臺南知識青年似乎缺乏互動，可以說實驗之風並未吹拂到臺南。或許稍有關係的是，葉石濤曾為當時是小說家的林懷民作序，林懷民在他1967年出版的小說《變形虹》扉頁上，感恩葉石濤的文學牽引。雖然嘉義出身的林懷民，1973年創立「雲門舞集」後曾帶團南下，開創出一個時代的舞蹈觀賞經驗，但這些與仍在各地戲院巡迴流浪的劇人或拍片的創作者們，都難以交會。

直到一九八〇年代，華燈劇團成立、《歐洲雜誌》主要人物馬森及劇場學者汪其楣等著名人士陸續至臺南任教，臺南劇場才又再次激盪，或者說與臺北有了更頻繁的呼應互動，為臺灣現代劇場史增添另一番風景。

196—— 林克歡，〈《紅鼻子》陳玲玲〉，《表演藝術雜誌》第235期，2012年7月。

第四章

二十世紀末至今

（1990～）

1987 年，「華燈劇團」（1997 年之後改名「臺南人劇團」）成立，為臺南揭開一段光彩熠熠的現代劇場史頁，數年間「那個劇團」（1992）、「花心人劇團」（1992）、「魅登峰劇團」（1993）、「集心劇團（青竹瓦舍）」（1995）等，或許驚鴻一瞥，但紛紛開始各種形式的質量俱佳演出。再加上劉克華、卓明帶領工作坊，重要劇作家馬森及汪其楣前後至成功大學任教，也引進學術討論，使臺南成為全臺灣劇場界的重要地點。當時印象是「臺南一地，戲劇活動頻繁，以全臺範疇論，堪稱大臺北以外全臺戲劇活力最旺盛的地區。」[197]

另一方面，此時期新推手是公共文化機關及戲劇科系，各地方文化中心陸續興建落成，如新營文化中心（1983）、臺南市文化中心（1984）、以及稍晚的歸仁文化中心（1998），還有近年的台江文化中心（2019）。更具人才影響力的是 2003 年後臺南大學成立專業的戲劇創作與應用學系，更是逐步培育了以應用戲劇為主軸的劇場新生代，使得臺南參與劇場的群體產生了變化。於是，場地、人才與劇本創作不斷分芽增殖，從拔得頭籌的第一批社區劇場計畫、個人創作的前衛實驗、到以城市為舞臺的藝術節，不同於高雄工業化的城市印象，臺南以文化古都的底蘊，逐漸形塑了臺南與北部城市品味的差異。

為了較為清晰地描述臺南劇場史，本篇的史事以「臺南人劇團」辦公室搬到臺北的 2010 年前後為分水嶺，大致歸納出解嚴之後的第一代及第二代。1987 年到 2010 年是第一代，以當時稱之「華燈劇團」和「那個劇團」的青年為主，以及極具特色的「魅登峰老人劇團」；第二代的活躍團體多是第一代的學生輩，例如呂毅新「影響新劇團」（2012）

197—— 紀慧玲，〈以肢體為女人說話：那個劇團演出臺南腔的〈妒婦津〉〉，《民生報》，2000年5月12日。

以及臺南大學的畢業生為主、主要活動遍於南臺灣的「阿伯樂戲工場」（2014）、「斜槓青年創作體」（2020），還有從成大鳳凰劇展發芽的「鐵支路創作體」（2003）等。雖然很難給出確切的歷史節點，因為劇場發展不是全然直線前進的，往往一段時間喧騰、一段時間沉寂、再一段時間萬花齊放、彼此爭豔。但兩代之間最大的變化是，越來越多專業工作者參與劇場，戲劇被更尊重地學習對待，相關技術被更廣泛地應用，特別是在跨域的藝術連結及共伴結構，故也造就劇場、票房與政策之間的角力關係。

　　本章便將以這兩代的差異為軸，依序介紹影響臺南劇場活動的人物及觀點。首先將從劇場人彼此的對史觀的爭議開始，以突顯臺南劇場位在邊緣卻馬首是瞻的力量。接著以「社區劇場」及「應用劇場」為關鍵字，介紹臺南劇場從上世紀末至今發展過程中所累續出的豐厚經驗，以及此刻在學院教育與地方精神交織中，構築出許多特別注重環境空間的劇場演出。最後逐一整理此段時期相關劇場人物及團體的作品，為本章作結。

第一節　　「社區劇場」與「小劇場」並肩而行

一、一九九〇年代的南北糾葛

　　當時第一代臺南劇場創作者掀起對現代劇場的熱愛，其實是呼應著解嚴、小劇場運動、兩廳院開始營運，那正是全臺灣劇場一起風起雲湧的重要時刻。翻開當年臺南文化中心的節目彙整，令人目不暇給地，1986 年蘭陵劇坊來臺南演出《荷珠新配》、1988 年《明年我們空中再見》，陸續還有表演工作坊《圓環物語》、《暗戀桃花源》、《這一夜誰來說相聲》，以及屏風《半里長城》、《民國 78 年備忘錄》等。這些就在「華燈劇團」

成立前後來到臺南的演出，被放在滿場或幾近滿場的列表中，可推測也為當時臺南藝術青年們帶來一些刺激。[198]

而從 1980 年「華燈藝術中心」成立到 1987 年再成立「華燈劇團」，其實也顯現出當時社會青年的藝術活動，從電影欣賞會或攝影活動等較靜態的活動，逐漸轉成以社會青年為主的肢體活動。就目前資料，華燈劇團的第一次較正式呈現是 1988 年 2 月，「李維睦還清楚記得，劇團第一次公演，是在小放映室裡，藉著日光燈一開一關，來推動劇情更迭進行。」[199] 值得注意的是，華燈劇團雖然是教會相關組織，但並沒有以宗教劇或宣揚教義為主旨，他們在創始時也像當時的年輕人，從世界名劇賞析開始，類似一般的電影欣賞會。直到因為曾待過蘭陵的蔡明毅、正在臺南教書的劉紹爐等人的帶領，也受當時盛行的小劇場及相關的荒謬或肢體表演影響，如「不扮演角色」「抽象的肢體語彙」的觀念，因而這些作品的嘗試與摸索，與後來華燈劇團傾向大規模製作的演出頗不相同。

當時，青年們一起排練做戲，彷彿 1927 年前後的臺南仕紳再次湧現，讓人回憶起黃金火「臺南文化劇團」與北部文化協會的互相影響、或者黃欣「共勵會」以文士劇巡迴的助捐活動，甚至也彷彿重現 1945 年戰後的短暫熱潮。只不過，此時用以指稱新式、新觀念的劇場關鍵詞不再是「新劇」，而是「小劇場」，而且當時臺南劇場界很快注意到，劇場史所討論的聲名俱佳創作都在臺北，臺南劇場創作不是未見諸歷史、就是被放在邊陲另記。

於是，在 1995 年「那個劇團」印行的《葫蘆樂園》刊物上，主編吳幸秋及楊美英即針對當年在臺北的「臺灣小劇場研討會一九八六至

198——編輯組，〈台南市立文化中心歷年演藝活動滿場或幾近滿場一覽表（73.10-80.6）〉，《台南市立文化中心季刊》第4期，1991年，頁49-52。

199——孫昭業，〈聖包你發還要包你好看〉，《中國時報》，1994年3月28日，寶島版。

一九九五」，這個以整個臺灣現代劇場為主題的研討會，竟沒有一篇論述或者交流者來自臺北以外地區，寫下了疑惑：「在這漫長的十年間，外臺北地區真的沒有小劇場發生，還是其他的因素使臺北人看不到新店溪外的劇場風景？天曉得！」[200]無可諱言，當時許瑞芳、吳幸秋、蔡明毅的嘗試，與臺北劇場之間充滿了各式各樣互動的仿擬、對立、吸收與延續。吳幸秋及楊美英在專題中，更列出一串發生在臺南的劇場史實，除了華燈劇團 1987 年成立，接著 1991 年臺南市文化基金會開辦劇場藝術研習營，催生了「那個劇團」的成立。還有劉欣怡主導的《迷・路》街頭演出、葉根泉編導的《走失一個外國女生》等機動式創作群組。在此專題中，除了臺南的劇團，甚至邀請了屏東的「黑珍珠表演工作室」、高雄「南風劇團」、臺東「臺東劇團」以及臺中「頑石劇團」，一起思考為什麼外臺北的作品被忽視？若再翻閱小劇場史紀錄，與「華燈」1987 年幾乎同時成立者，有臺中的「觀點劇坊」（1987，後改名「頑石劇團」）、臺北「優劇場」（1987，1988 年改名「優人神鼓」），晚一點則有「果陀劇團」的創團作《動物園的故事》（1988）、「臨界點劇象錄」成立首演的《夜浪拍岸》（1988），所以「華燈」在臺灣的小劇場史上，的確是被忽略的先鋒。

另一個較少被論述的熱鬧層面也是在 1987 年的臺南，馬森來到成功大學中文系客座任教，同年並接任《聯合文學》總編輯。當年報端上關於馬森的新聞極為頻繁，不只擔任教授的相關新聞，〈馬森毅然回國 將在成大教戲劇〉[201]〈馬森「魅力」上漲〉[202]，彷彿明星一般，連〈馬森兒女歡度中國年〉[203]也成為新聞。

200——此文後收錄於楊美英，《筆記光影—楊美英戲劇論述集》，臺南：臺南市立圖書館，2003年，頁205。

201——〈馬森毅然回國 將在成大教戲劇〉，《民生報》，1987年8月19日，第9版（文化新聞）。

202——〈馬森「魅力」上漲〉，《民生報》，1987年10月30日，第9版。

203——〈馬森兒女歡度中國年〉，《民生報》，1988年2月13日，第9版。

十多年後，1999 年汪其楣從臺北藝術大學至成大中文系任教時，也一樣登上報端。馬森、汪其楣兩位創作者其實早已有連結，在《文訊》雜誌整理的年表中，1979 年「文化學院戲劇系汪其楣教授指導該系研究所戲劇組學生分兩梯次演出八個『實驗性很強』的現代劇，計有馬森的〈獅子〉、〈一碗涼粥〉、和王禎和的〈春姨〉」[204]。

　　然而必須說明的是，馬森獨幕劇作大約是一九六〇～一九七〇年代所完成，任教臺南期間已幾乎無出版劇本創作。而汪其楣則是與「臺南人劇團」合作《一年三季》（2000），於臺南社教館首演，隨後巡演南部地區；又以臺南出生的蔡瑞月為主角，自編自導自演《舞者阿月》（2004），於當時位在長榮路的誠品臺南店讀劇。在如此脈絡下，馬森及汪其楣等居住臺南的教師，不僅是學者，也是當代劇場的引介者及在地劇場的創作者。如此深遠卻又隱沒的變化，搭配上述《葫蘆樂園》的不平之鳴，對照觀察，可看出自一九九〇年代邁入二十一世紀的臺南劇場的發展，深受臺北影響、又要發出自己聲音的渴望與兩難。

　　而《葫蘆樂園》的專題首先提出了臺灣「小劇場」史觀的缺失，其實，亦可見臺南劇場在臺北以外地區的頗有馬首是瞻的地位。換言之，「小劇場」一詞的出現，使得話劇等詞彙顯得相對地陳舊，也更難以看到日治臺南文人常見的「社會劇」或「文士劇」等描述。往昔如此豐富多元的作品呈現，卻完全不見於小劇場史，也難怪會發出不平之鳴。而這樣對於被看見與尊重的渴求，回到臺南在地面對自己時，則轉為更切身的專業能力與美學獨特性的追尋，寫出更貼身的語言與文字，並期望能演出不負鄉親的作品。

204──王淳美，〈臺灣現代戲劇史大事紀要─1900-1999〉，《文訊》169，1999年11月，頁45。

除了對小劇場的探索與渴望，此時期瀰漫在臺灣的另一個新詞彙是「社區劇場」，許瑞芳以及眾多臺南劇場工作者的作品與此詞交互影響甚深，成為臺南現代劇場的重要特質。故以下先暫且拋下「小劇場」一詞，改以「社區劇場」為代表，逐步延展至 2000 年之後的「應用劇場」，以補充本地創作者彼此投射、聯繫與承繼的那一面，更希望藉此指出臺南自身的累積，以回溯至「文士劇」時期的蓬勃熱情。

二、一九九〇年代文化政策與臺南現代劇場

從另一個角度觀察，雖然第一代臺南劇場創作者對南北、中央核心之史觀的差異不斷挑戰，臺南劇場的興衰與中央文化政策卻也互相呼應、彼此支援。在 1992 年文建會（今文化部前身）正式推行「社區劇場輔導計畫」之前，華燈劇團已經「承蒙文建會的器重，選拔該團為優良『社區劇團』，並將予重點贊助支持」[205]，而當時華燈提出的其實是一份以關照布袋戲沒落所編寫的戲劇計畫。在此計畫書中（執行期間為 1991 年至 1992 年），實施要領是組成編劇小組，編寫〈布袋戲公仔〉一劇，也辦理布袋戲研習，巡迴公演。此劇後來以《封劍千秋》（1992）之名，背景是關廟黃順仁演師的故事，公演巡迴臺南之廟宇廣場或鄉鎮社區，補助經費為二百萬。[206]

於是在執行計畫中，華燈劇團逐漸茁壯，成為臺南最大也最具影響力的現代劇團，也累積了與臺南在地的密切關係，逐漸形塑華燈劇團創作的基本配置：述說臺南環境、生長於臺南的角色、以臺語為主要語言，都成為華燈每一齣新作品的不變元素，也是當時劇場界對華燈的既成印象。尤

205——江佩芳彙整，〈本市第一個「社區劇團」問世了〉，《台南市立文化中心季刊》第4期，1991年，頁29。
206——胡秀美，〈封劍千秋，說掌中戲〉，《台南市立文化中心季刊》第6期，1992年，頁54-56。或許值得參考，此篇文章中列有《封劍千秋》劇本綱要。另此文內提及此劇編導為許寶蓮、李維睦等，後許瑞芳指出編導是蔡明毅。

其在《台語相聲》（1991）及《帶我去看魚》（1992）接續至國家劇院實驗劇場演出，頗可稱為當時劇場界盛事，也造成一般對其美學風格的描述是大致偏向傳統風土人情、表達對土地與生活的關懷，內容多關乎臺南地區的婚嫁禮俗，或大臺南家庭發生的親情故事。[207]也因為如此在地形象，華燈於 1997 年，脫離教會以專業劇團運作時，幾乎是毫無懸念地便正式改名為「臺南人劇團」。

華燈劇團給外界本土印象影響極深，幾乎讓所有人都忽略他們初開始也是一群喜歡藝術的年輕人自己摸索，以肢體及即興去呈現自己的生活觀察和生命困惑。[208]這群不斷探索的年輕人，成為解嚴後第一代臺南劇場工作者，而隨著時光推進，縱使上述人物日後各奔東西，參與不同劇團，但皆可見到此時彼此支援的痕跡。如首屆團長蔡明毅以臺語相聲成名後，除了灌錄唱片，成立了「白鷺鷥工作室」，專門研究台語相聲與廣播劇；吳幸秋後來是「那個劇團」的一分子；還有「那個劇團」的蔡櫻如、林白瑩，前後還有杜惠萍、邱書峰與晁瑞光的參與，甚至「青竹瓦舍」的陳俊傑，都曾是「華燈」的一分子。1998 年前後加入華燈藝文中心工作的呂毅新與羅謹文，後來也分別在臺南成立了「影響‧新劇場」及「稻草人舞集」。實至名歸地，一九九○年代的華燈，的確開拓出繽紛的「臺南劇場圈」。

而持續留在華燈劇團的許瑞芳，以及改名「臺南人劇團」後的團長李維睦等人，則讓華燈的創作持續在文化政策的扶植下拓展，也試圖與更多不同面向的創作者合作。但是，從華燈到「臺南人」時期，力圖訴說的本地生活形態、歷史和情感，到了呂柏伸加入則起了本質性的變化，尤其呂柏伸導演了以臺語、由恆春民謠串起的《安蒂岡妮》（2000），大獲好評

207——許瑞芳自己曾寫過一些看法，覺得離真正與地方結合仍有點距離。許瑞芳，〈社區劇團在臺灣〉，《台南市立文化中心季刊》第8期，1995年，頁44-47。

208——相關演出劇目可參考《如此台南人-台南人劇團30年紀念冊》，臺南：台南人劇團，2017年。頁9-11及文末的年表。

之後循著類似途徑，改編西方名著，一連串地將歐美作品以臺語演出，更是將「臺南人」的觀眾及劇評推展到全臺灣。也因此，當 2011 年，「臺南人」宣布要將辦公室及排練移往臺北，縱使宣示劇團所有的製作仍都會回到臺南演出，所引起的質疑至今仍是暗潮洶湧。然而，北移之後的「臺南人」，在呂柏伸與其所執教的臺大戲劇系畢業生持續耕耘之下，的確呈現出扎實又完全不同於以往的專業劇場製作。更不可忽略的是，李維睦仍以「臺南人」團長身分，持續於南臺灣工作，其所帶領的另一群學生，讓「臺南人」的足跡仍遍布各場館及演出之中，並未脫離。更精確地說，臺北的臺南人劇團彷彿另成家立業卻仍關係深厚，李維睦則是在老家維護家業，不改「臺南人」在地辨識度，進駐 321 巷（2013 ～ 2022 年左右，已因政策改變撤離），致力協助新創作者在南臺灣推出新作品。而此時，外界及「臺南人」自身也完全不再以「社區劇場」為自己宣傳歸類。

三、小型工作坊與外聘師資的相生相成

除了南北糾結的劇場史觀、充滿本土在地的故事印象，另一個值得觀察的角度是戲劇創作的方式。

事實上，在這些具有名氣的大型的製作之外，另有更多小品呈現，廣泛且多樣的分佈在各劇團的作品中，不僅華燈，特別是稍後成立的「那個劇團」，更是從不放棄以隨機而自由的精神創作。如今我們傾向接受從「華燈」到「臺南人」劇團的本土性是臺南劇場歷史的必然，但在引人注目大型演出的本土訴求中，或許這些緊密又輕巧的小品才是引爆一九九〇年代劇場一片熱鬧的關鍵。

小品呈現不斷出現的原因之一，源自於臺南劇場對新知識的需求，不間斷地邀請外來師資進行工作坊。除了上文提到的光環舞集劉紹爐，又如

劉克華南下指導一年，為華燈團員們建立了專業劇場的工作觀念，也開始有搭臺、調燈的具體舞臺工作概念，所謂專業導演的工作也逐漸成形。之後無論是「那個」或「魅登峰」，幾乎都曾辦理過工作坊，並以呈現做結業成果。

這樣的模式，使得人才養成上形成一個特殊的軌跡。臺北小劇場藉由國外或藉由學院裡戲劇科系知識的傳遞，學習到新觀念，激發他們創作的欲望與才能，而臺南則再透過他們獲得資源。第一代臺南小劇場工作者，大多不是劇場科系畢業，因此似乎對所謂的專業更具憧憬，不斷的邀請知名人士帶領活動與訓練。而如果前文提到的馬森與汪其楣是學者型的介入，那麼這一群以工作坊為途徑的，則較像是業界技術的傳遞與交流。

南下工作的師資中，影響最大的，應該就是卓明了。「根據卓明老師的回憶，1989 年夏天，臺南的吳幸秋與許瑞芳上臺北參加蘭陵劇坊開設的課程，當時即邀請卓明老師南下授課，但礙於團務繁忙，要到兩年後才實現。也是從那場研習營開始，他離開劇場活動相對蓬勃許多的臺北，正式開始往後二十多年在南臺灣的劇場工作。」[209]臺南，是卓明的劇場轉折點，之後才轉往高雄的「南風劇團」，及「臺東公教劇團」，也深度影響了高雄「辣媽媽」及屏東「黑珍珠」，幾乎東南臺灣都曾接受過卓明的調教，對南臺灣的劇場影響極深。

卓明以蘭陵的演員訓練，加上心理與肢體的種種概念，與臺南參與者共同活動了將近一年，結業演出《錢字這條路》（1992）。《錢字這條路》演出的本身並非大製作，也沒有特別盛大的宣傳，但卻極為有趣地影響了臺南另一個悠久的「那個劇團」成立，其基本班底就是戲劇研習營的參與

209——吳思鋒，〈逃逸與自由－略介卓明的南臺灣戲劇工作〉，《Art Plus》第36期，2014年。

者。「那個劇團」成立後，因為主要成員吳幸秋當時在臺南市文化基金會工作，觀察到全臺各式劇場團體，獨缺老人劇團，於是在 1993 年與沈秀燕一起推動了「魅登峰老人劇團」成立。

　　無論是「那個劇團」或「魅登峰」，基本上都是以業餘者的熱情與愛好在推動，然而也正是這些團體的「業餘性」，得以與生活構成一種看似鬆散實則緊密的互動。它們彼此也不是競爭的，如同當時記者江世芳的觀察：「其主要的參與者和觀（聽）眾群的互動並不只是基於消費的理由，更有情感上的默契及信任，也就是一種熟悉、溫暖的感覺。這是其他地區罕見的特殊現象，其原因就在於前面所說，由於都市的形態飽滿，使得居民容易形成社區性的互動，因而社區性的團體也就蓬勃滋長了。」[210]

　　類似因為工作坊、讀書會或某次演出就誕生的團體，例如中廣臺南台「即興劇場」（1995）成立，開辦三個月廣播劇演員訓練課程，成為「集心劇團」（後又改名「青竹瓦舍」）前身。1995 同一年，陳德安因崑山工專戲劇社的實驗劇展，於崑山工專足球場、露天舞臺、臺南花心田生活空間獲得迴響，成立了「弄劇場」。在此我們更看到臺南劇場多采多姿的一面，當時臺北仍是以傳統西方美學框架為主的演出為主，但臺南卻早以社區劇場以及民眾劇場為中心，論壇、被壓迫者、一人一故事、過程戲劇等新詞彙及相關技巧陸續引進，各式各樣展演也不斷在活動中心、廣場、街道等空間發生，連結起不同年齡層、不同語言的群體。

　　於是，更多元的工作坊、與更多不同面向的創作者合作，各式成果持續在臺南發酵。「魅登峰」在「那個劇團」的全力支援下，自正式立團後就是一連串的名師工作坊及演出，從卓明、彭雅玲、孫麗翠、到田啟元，

210——江世芳，〈舊牆綻新枝 台南表演藝術團體概況〉，《表演藝術雜誌》第31期，1995年。

一方面合作的演員訓練，一方面排練演出。例如，那個劇團的楊美英協助行政事務，林白瑩、邱書峰參與演出，陸續產生了彭雅玲導演《鹽巴與味素》（1994）、田啟元導演《似水年華》（1995）及《甜蜜家庭》（1996）等作品。而當時「魅登峰」，因為各個名導演的栽培，縱使只是臺南地區團體，很快成為全國知名團體。馬森對魅登峰的描述還參雜了與「小劇場」的比較，充滿期許：「到如今，我們有不少小劇場，但尚缺乏社區的戲劇活動。其實，每一個社區都該成立一個『老人劇團』，以俾使年長的人也有繼續扮家家酒的福份。作為社區的文娛活動，我們期望魅登峰劇團會成為未來社區戲劇活動的一個光彩的榜樣。」[211]

第二節　全臺南皆是舞臺

　　出現在一九九〇年代的劇場實踐，不難看出臺南劇場對於所處當下社會著力之深、對史觀批判力道之猛。同時，也可感受到臺南劇場與中央政策的互動頻繁，藉由政策的補助留下了製作扎實又具地方特色的演出。

　　概略而言，第一代劇場工作者或許並非劇場科系出身，但卻透過訪談、田調、工作坊、編劇及空間經營等，逐步建構出臺南劇場自身的歷史敘述。到了 2010 年前後，「臺南」在南臺灣劇場中的樣貌及重要性，隨著附近縣市新表演場館設立，如高雄大東文化藝術中心落成（2012）、國家級「衛武營文化中心」正式開幕（2018），臺南在南臺灣劇場界馬首是瞻的聲量也隨之日趨分散。尤其「臺南人劇團」於 2010 年將辦公室及排練遷至臺北，那些具地方特色的精神，伴隨著藝術形式及主題的多元化，

211——馬森，〈老人劇團與社區戲劇〉，《表演藝術雜誌》第23期，1994年。

由第二代的劇場工作者所承繼。同時，隨著時代更迭，人們對藝術參與社會的渴求越來越深，例如戲劇治療、教習劇場、特殊團體劇場、博物館劇場、發展劇場等等，這些往昔較少被劇場研究者注重的技術與美學，也慢慢成為專業知識的探討對象。臺南也在往昔社區劇場等累積之下，逐漸轉化成為應用劇場的重鎮。

2006年臺南大學戲劇與劇場應用學系正式成立是重要里程碑，其宗旨「擴大『戲劇應用』之範圍，從『學校』發展至『社區』及『文化』，以兒童、青少年及家庭與社區大眾為創作或合作對象，結合戲劇與跨領域之多元藝術媒介，創造展演出新時代的應用戲劇，同時配合國家創意文化產業的發展，培育具備創造力、整合力及行動力的學生。」[212]

而如此擴大戲劇範圍的演出，早期是華燈劇場創團成員、如今是臺南大學戲劇與劇場應用學系老師的許瑞芳，其《一八九五開城門》（2009）製作及演出頗具指標性意義。此製作與王婉容《草地郎入神仙府》（2009），皆是國立臺灣歷史博物館合作，帶領學生以活化史料為目標策畫，運用各種問答、服裝、論壇等技巧，讓觀眾從陌生到了解，參與在歷史之中，可說是帶領出一系列新的劇場嘗試，十分獨特於臺灣其他劇場科系。隨著畢業學生離校而開枝散葉的製作，亦可見他們仍擅長利用各式各樣的非制式劇場空間演出，與各式各樣的人們合作，更是豐富了臺灣劇場的面貌。例如「阿伯樂戲工場」，如2016年一系列的古蹟導覽劇場《遊鯤島‧戲金城》、《戲話王城》及《赤崁傳奇》，以及在麻豆的《糖甘蜜甜》（2017）及《記憶的編織》（2020）。另外登記在屏東的「斜槓青年創作體」（2020），成員多是台南大學畢業，也以

212——〈系所簡介〉，國立臺南大學戲劇與劇場應用學系，擷取於2022年9月28日，http://www.drama.nutn.edu.tw/ch/about.asp

類似的嘗試，將戲劇運用在地方、社會與藝術教育之中。作品有《半島風聲相放伴》、《香蘭男子電棒燙》、《公寓》、《富貴 Hù-Kuì！大旅社》等。

此外，相較於戲劇專業科系在臺南大學的成立，「府城文學獎」於1998 年第四屆開始徵件舞臺劇本以及 2010 年後改為「臺南文學獎」的各年度劇本作品，也是另一個值得觀察的活動累積。據曾擔任多屆評審的馬森所言：「第一屆府城文學獎的評審會議上，我已提議增加現代戲劇創作獎一項，獲得所有評審委員的一致同意 [⋯⋯] 終於在第四屆成為事實」[213]，可見舞臺劇本的徵件共識並不完全那麼順利。雖然馬森樂觀地繼續說：「幸好成大中文系的『戲劇選讀與習作』開課多年來培養了一批能夠執筆的青年寫手，可以成為基本的參賽者。」[214]但這也形成歷屆獲獎者多為成大學生以及稍後湧現的臺北藝術大學研究生，而侷限了此獎的寫作社群。

第四屆正獎為當時就讀成大研究所鄭又諭的〈自由 PUB〉；第五屆（1999）正獎為成大會計系畢業、當時就讀成大藝術所的廖瑩芝，作品〈兩人沙發〉以獨角戲呈現女同志的心路轉折，語言活潑自然，頗為難得；第六屆（2000）正獎為成大中文系畢業、當時就讀臺北藝術大學的陳昱成，作品〈路燈之舞〉。相較於其他地方文學獎相繼地被設立，各縣市作家作品集、地方文學獎、區域文學史編纂等文學活動逐漸興盛，形成「地方文學寫作社群多由國中小教師組成、寫作類型以散文和兒童文學為主之特性[215]」，但回顧府城文學獎舞臺劇本組歷屆得獎作品，縱使仍以學生投稿為占多數，仍可觀察到得獎者們在劇場界的後續合作，且偶見資深劇場工作者之投稿。

213——馬森，〈劇本仍是戲劇的靈魂——舞臺劇本組評審感言〉，《第四屆府城文學獎得獎作品專集》，臺南：臺南市立文化中心，1998 年，頁472。

214——同前註，馬森，頁473。

215——張浥雯，〈「縣市文學」之誕生：臺灣 1990 年代以降地方文學的位置與意義〉，國立臺灣大學臺灣文學研究所碩士論文，2019 年。https://hdl.handle.net/11296/24rfp3。

例如陳昱成也以筆名若驩及 KIMILA 創作，出版詩集《英國王子來投胎》（2001）、《甜蜜並且層層逼近》（2002）以及新合集《可口樂園》（2022）。另外，目前擔任「雞屎藤舞蹈劇場」舞蹈導演的胡紫芸，2001年也曾以〈禁忌無限〉獲獎。還有，2000年就讀於臺北藝術大學的楊美英，則以〈無限18〉獲獎。多次以戲曲劇本獲得「臺南文學獎」的洪瓊芳，也曾是臺南秀琴歌劇團行政要角，作品結集為《蝶飛夢舞——洪瓊芳劇作集》（2020）。

府城文學獎第七屆（2001）林盈志〈念你如昔〉、第八屆魚果〈充氣娃娃憂鬱C〉、第九屆何秉修的〈私房記〉、第十三屆蔡柏璋〈木蘭少女〉等得獎作品，都曾與「臺南人劇團」合作呈現。而若探查此時期劇本的演出空間，多是在如今已消失的台南人戲工場（原位於勝利路85號3樓），更易興起歷史變遷之感。

另一個約同時期的劇場空間變化是誠品臺南長榮店在2013年的撤遷。誠品長榮店因為當時主管杜惠萍（曾是華燈團員）及陳德安（曾創立弄劇場）的背景，地下室內的黑盒子空間一直是各表演節目的熱門首選，不僅邀演外來劇團巡迴，在地團隊的呈現也全力支持，如呂毅新的《啾古啾故事——海・天・鳥傳說》（2011）在此首演，也成為「影響・新劇場」（2012）創團作品。

在劇場空間的消失撤遷中，新的舞臺也不斷出現，這不僅限於嶄新的藝文空間，也牽涉了我們對於戲劇的定義不斷變革及創新。表演已從鏡框式舞臺，跳至黑盒子式的劇場空間，再擴張至各種生活空間。「臺南藝術節」自開辦以來就有「城市舞臺」單元，邀請劇團在臺南各種古蹟或街頭展演，以成為獨特的藝術風景。更進一步，劇本也隨之從純文字書寫，融入身體、多媒體等互文參照。就主題性而言，隨著時間軸線的發展及世代

交替，性別、空間及科技等等也逐漸成為創作及學術界關注的新興議題，尤其文化政策的重心也移轉向地方藝術及地方創生，品味也出現了時代上的轉捩點。

易言之，第一代到第二代的種種承繼與轉變，也可在 2010 年之後的「臺南文學獎」劇本得獎作品中窺見。一方面，文字劇本撰寫更趨獨立專業，使得對劇本創作所需統整能力也提高，創作較為困難，劇本類首獎因此從缺多年。一直到 2018 年吳昱錡〈畢業〉才開始又有首獎得主，接著 2019 年、胡錦筵〈夏天好美麗〉、2020 年沈台訓〈洗衣機吐，洗衣機吐〉、2021 顏千惠〈Zào〉、2022 柯志遠〈彼年的蝴蝶〉以及 2023 年劉勇辰〈所以我們點燃火焰〉，這些得獎劇本，已不再是因為臺南劇團為了某個專案或集體即興而成的文字創作，多位作者的主要作品呈現舞臺也不一定在臺南。另一方面，新世代重視環境、身體、多媒體等互文參照的作品，則較難在以文字創作為主的文學獎中浮現。

這些劇場史的遞變，都將成為千絲萬縷的臺南關聯。第二代的臺南創作也隨著劇場美學更趨向團隊合作以及舞臺技術的提高，雖然劇本文字的主導地位不若以往，但劇場技術也推展了新的劇場創作方法以及觀眾觀戲方式。在各個不同的劇本創作中，或許難以被歸類的新穎創作將出現，我們也將持續閱讀往昔隱而未顯的故事或者對未來的期待，不斷邁進。

第三節　劇場人物及劇本簡介

本節蒐羅 1980 ～ 2023 年之間活躍於臺南或者原籍臺南的劇作家及相關團體，大致以活躍年代依序排列介紹，並且以已出版劇本者或擔任編劇為主要介紹對象。而數個近來成立的劇團，因未有編劇或原創劇本，故僅於整體劇場發展時提及，期待未來可再發展探討。

一、「華燈劇團」及「臺南人劇團」

　　「華燈劇團」是在華燈藝術中心的支持下成立，故早期團員與藝術中心成員多所重疊。「華燈藝術中心」在 1980 年成立，負責人是臺南天主教會紀寒竹神父。「華燈劇團」在 1987 年立案，也是在紀寒竹神父的支持下成立。華燈劇團也因此在臺南市區有數度搬遷，從勝利路、友愛街、樹林街，再回到勝利路，皆與藝術中心及教會關係密切。1997 年改名為「臺南人劇團」，正式脫離華燈藝術中心及教會獨立運作。

　　成立初期仍是由紀神父致力培養成員們的策劃能力，而曾在蘭陵受訓的蔡明毅則成為當時的團長。華燈一成立即頗受重視，當時的輔導小組委員有陳永源（時任臺南市立文化中心主任）、閣振瀛（成大文學院院長）、馬森、李國修等，可見受重視的程度。[216]也曾陸續邀請劉紹爐、劉克華等擔任指導老師，這段期間完成多次對外呈現，目前可見的劇目有吳幸秋的《肢體即興》、許瑞芳、高祀昭的《婚事》、蔡明毅的《四重奏》、許瑞芳的《一個不上班的早上》、《我是愛你的》、集體合作之《記憶與成長的交集》等，多為團員實習或集體即興之作，因此並未有文字留下，發表時間則大約介於 1987 ～ 1990 年之間。[217]

　　蔡明毅以臺語說相聲，並以《台語相聲—世俗人生》參與國家實驗劇場後，造成一陣風潮，與謝雅琳合組的「白鴒鷥台語藝術研究室」（1994）於臺北市知新藝術生活廣場展開「台語相聲—答嘴鼓」巡迴。並受到唱片及電視公司青睞，開始錄製錄音帶《阿嬌阿炮答嘴鼓》。[218]不僅跑遍全臺各地，也轉向電視媒體，連帶「答嘴鼓」一詞也受到矚目，但也與劇場日漸疏遠。日後演出多以電視劇為主。其

216——江佩芳彙整，〈本市第一個「社區劇團」問世了〉，《台南市立文化中心季刊》第4期，1991年，頁32。

217——可參考《如此台南人-台南人劇團30年紀念冊》頁9及文末的年表。

218——蔡明毅，〈用台語來說相聲「阿嬌阿炮答嘴鼓」〉，《台南市立文化中心季刊》第9期，1995年，頁35-37。

劇本曾正式出版的有《台語相聲》（1993）及《台語相聲：阿嬌／阿炮答嘴鼓（精選集）》（1995）。

約在 1992 年前後，華燈開始有專職行政，而許瑞芳的編導角色也逐漸加重，華燈劇團也是在此時真正開始茁壯。接續著《封劍千秋》的成功模式，在「社區劇場輔導計畫」連年經費支持下，共製作了《青春球夢》（1993，王友輝編導）、《鳳凰花開了》（1994，許瑞芳編）數齣戲。約莫同一時期，正值文建會將「文藝季」的主辦企畫權力交予各地的文化中心，於是華燈與臺南文化中心再接續合作製作了《漁鄉曲》（1992，黃美津編）、《剪一段歷史的腳蹤》（1993，改編自林梵及林宗源作品）、《Illio Formosa！美麗之島》（1995，許瑞芳編）、《風鳥之旅》（1996，許瑞芳改編自劉克襄作品）。上述作品多配合每年文藝季主題，產製了一系列與臺南地區相關的製作，並有大臺南地區的巡迴。例如，《Illio Formosa！美麗之島》是因為文藝季以「發現安平」為題，華燈劇團以此出發，重新思考荷蘭人、鄭成功對臺南的種種開發，《風鳥之旅》亦是配合文藝季的主題「發現北汕尾」，觀察臺南四草的自然環境、鳥類生態，並搭配漁村生活的環境變化，「配樂以許多鄉土民謠為主，堪稱本土風味濃郁之劇展」。[219]《風鳥之旅》後續發展出室內劇場版，曾北上時報廣場演出，形式已與文藝季完全不同。[220]

一九九〇年代華燈劇團時期也不斷製作一些小品呈現，以做為團員訓練及嘗試可能性。如陳慧美編導的《心囚》（1994）及汪慶璋的《你·的·我的·他·的·人》（1994），陳慧美以其擅長的多媒體，從攝影者的角度去討論兩性角色的問題，汪慶璋的戲同樣是以男女關係為主題，並出現

219——藝術組，〈發現北汕尾〉，《台南市立文化中心季刊》第11期，1996年，頁90-92。

220——劇評請參閱林鶴宜，〈「風鳥」的寫意之旅〉，《表演藝術雜誌》第49期，1996年12月號。

了熱吻鏡頭，劇評是：「演員對手戲出現臺南少見的熱吻戲，二者均屬新人新作，適與《鳳凰花開了》標示出華燈強調本土性、接近臺南地方文化精神的同時，亦未放棄嘗試新風格的發展。」[221]

　　1997 年更名為「臺南人劇團」，劇團也慢慢開始有專職演員的加入。此階段許瑞芳邀請合作的劇作家還有陳世杰《辭冬》（1998），導演黃詩媛、汪慶璋及林明霞，以及以導演身分製作一系列「西方經典台語翻譯計畫」的呂柏伸。此時期亦曾成立華燈兒童劇團。

　　約在 2002 年前後，許瑞芳與眾創作者製作了視覺風格極為不同的《櫃人——二十一世紀的音樂雕塑與展演》，隨著貨櫃巡演各地之後，許瑞芳亦正式交棒。於是呂柏伸擔任藝術總監、李維睦則任團長，此組合維持至今，期間蔡柏璋曾擔任聯合藝術總監。在 2010 年搬遷臺北之前，曾於勝利路的台南人戲工場舉辦新劇展，陸續徵選推出了 2003 年魚果《充氣娃娃憂鬱 C》及《18 歲的約定》；2006 年許思賢《拾荒者》、蔣韜《今天的心情有點藍》、王宏元《GO！正益晚會戰士們迎向發達之路》；2008 年趙啟運《吻在月球崩毀時》及鄭光廷《亡／網友》，以上劇本再加上曾於此劇展中演出的林盈志《念你如昔》（曾獲 2001 年府城文學獎戲劇類正獎）及何秉修《私房記》（曾獲 2003 年府城文學獎戲劇類二獎），結集成《臺灣新劇劇本集：愛情篇》（2008）一書出版。呂柏伸先後於高雄中山大學及臺灣大學任教，故也為「台南人」引入兩校戲劇系的資源，頗有一新耳目之效。然作品多以改編之導演工作為主，原創劇本較少，故暫略。

221——楊美英，〈鑼響上戲，春風已綠？試看臺南近年劇場活動的發展與狀況〉，《臺南市立文化中心季刊》，1996年，頁10。

二、馬森

　　馬森以小說家、劇作家、評論家等多重身分來往於仍是戒嚴時期的臺灣與歐美之間，以筆名文也白、牧者、飛揚，在 1982 ～ 1984 年前後密集的在中國時報人間副刊以及聯合副刊撰寫專欄。[222]生活在臺南的時段，大約是 1988 ～ 1996 年於國立成功大學任教期間。

　　馬森劇本創作的高峰時期是一九六七～一九七〇年代初期，特色是篇幅形式皆較短，不再是傳統三幕劇，皆是獨幕劇，也不是人物眾多、關係複雜。從〈蒼蠅與蚊子〉（1968）到《蒼蠅與蚊子》、《一碗涼粥》、《獅子》、《弱者》、《野鵓鴿》、《朝聖者》、《在大蟒的肚裡》、《進城》、《花與劍》、《蛙戲》等，多為短小篇幅及腳色精簡，而此特色也使得馬森多齣戲以多種形式組合、分冊、重新命名或結集成書出版，影響廣泛。而到了 1980 年之後，馬森劇本創作銳減，目前可查僅有五齣。其中〈美麗華酒女救風塵〉及〈我們都是金光黨〉後結集成書於 1997 年出版，還有未以專書形式出版的〈陽台〉（刊於《中外文學》30.1（2001.6））、〈窗外風景〉（刊於《聯合文學》201（2001.7）），以及曾與臺南人劇團合作的〈蛙戲〉的歌舞劇版（《自由時報‧自由副刊》（2002.5.19-20））。

　　除了較為人熟知的劇作家及小說家身分，馬森和朋友所辦的《歐洲雜誌》對歐美戲劇的翻譯與介紹也頗值得一提。[223]這份由留歐學生編輯，以臺灣讀者為對象的《歐洲雜誌》，第一期的封面便是法國劇作家阿諾義的畫像：「1965 年由臺灣留法同學創辦的《歐洲雜誌》和另一批熱愛戲劇、電影的年青人創辦的《劇場》，介紹像貝克特（Beckett）、阿諾義

222——以牧者為筆名，大約見於1982-1984年的中國時報，及1986-1988年在聯合副刊；以文也白為筆名，則約是1983-1985年之間。上述年代及資料來源，是以牧者及文也白為關鍵字，於國家圖書館進行電子資料庫之查詢結果，若有興趣進一步比對，請以「新聞知識庫」（http://readopac。ncl。edu。tw/ncl9/newspaper）為主要查詢資料庫。

223——《歐洲雜誌》的創辦始末，可參見金恆杰，〈《歐洲雜誌》：兩代留法知識分子的交集〉（發表於「一九七〇年代保釣運動文獻編印與解讀」國際論壇，國立清華大學，2009）。文章中，金恆杰說明，從1965年5月創刊於法國，「在三年左右的時間，一共出了九期」（頁9）。而相較於《歐洲雜誌》廣泛地含括政經分析文章，《劇場》則是專注於純文藝的前衛刊物。

（Anouilh）、品特（Pinter）等『荒謬劇場』（Theatre of the Absurd）作家和作品給臺灣的讀者和觀眾，使臺灣劇場出現了不同的聲音。」[224]

三、許瑞芳

　　許瑞芳是「華燈劇團」1987 年的創團團員，1991 年赴國立臺北藝術大學戲劇研究所讀碩士後，更成為華燈劇團最重要編劇，後擔任華燈劇團藝術總監直至 2003 年呂柏伸接任。也因為 2006 年左右至臺南大學任教，作品多與學生或學校合作，逐漸較少出現在「臺南人劇團」的專業劇場活動。2014 年與學生一起成立「阿伯樂戲工場」，擔任藝術總監（2014-2019），對於「教習劇場」及其相關形式的思考和創作始終不墜。

　　許瑞芳是被持續出版劇本的少數臺南劇作家，除了個人創作《非國民》（1994）、《帶我去看魚》（1995）、《鳳凰花開了》（1995）、《風鳥之旅》（1999）在一九九〇年代已印行，另有編導作品《一八九五開城門》（2009）、《彩虹橋》（2009），以及共同編寫《在那湧動的潮音中：教習劇場 TIE》（2001）、《應用劇場專題》（2008）等。其中，《鳳凰花開了》以英文 The Phoenix Trees are in Blossom 為譯名，收錄於 John B. Weinstein 主編 ”Voices of Taiwancsc Women: Three Contemporary Plays”（2015）。另外，獲選實驗劇展的《帶我去看魚》（1992 年首演），乃延伸自團員集體即興的《我是愛你的》（1990 年首演），也是華燈劇團首次登上臺南市立文化中心的大舞臺之作品，可以說是華燈從小製作到中大型製作的里程碑作品。

　　許瑞芳早期作品與華燈劇團密不可分，接著重心多放在臺南大學的教學製作演出。到了「阿伯樂戲工場」成立，許瑞芳則是退居幕後，期待提

224——黃美序，〈臺灣現代戲劇的發展〉（發表於第六屆華文戲劇節，香港中文大學，2007）。

供畢業學生的發表管道。「阿伯樂戲工場」是因為臺南大學校花「阿勃勒」的諧音，並自許成為伯樂的用意。首演《我是死胖子》（2014）是當時的研究生劉尉楷，選擇臺南知名老屋欣力咖啡廳 aRoom 作為表演空間。之後各地的演出磨練，已培養出一批分散在臺灣各地方的劇場種子。許瑞芳於 2020 年將「阿伯樂戲工場」交棒給年輕一輩接手掌舵，基本的工作方式不變，如田野調查過程或者追尋史料，再轉化成為有機而多元的劇場互動模式，仍持續與各機關合作推廣。

四、吳幸秋

吳幸秋參與了「華燈劇團」的成立過程，也是「那個劇團」的基本成員，接著又協助「魅登峰老人劇團」的籌設，可說是一九九〇年代臺南劇場界的重要靈魂人物。而得以參與這些團體的籌設，與其曾在華燈藝術中心以及臺南市文化基金會工作密切相關。吳幸秋雖然在臺北劇場界較少人知，但因與臺南劇團的成立皆關係密切，曾被雜誌文章冠以「臺南小劇場教母」的稱號。[225]目前旅居法國，從事華語文教學推廣。

吳幸秋的個人創作多從即興出發，著重肢體及意象的營造，作品並未正式出版，因此難以文字論述。目前可見劇目，華燈時期包括《肢體即興》（1988）、《X＋Y 的變奏》（1989），以及與魅登峰合作的《魅力曼波—魂縈夢醒》（1996）、《有春天ㄟ所在》（2001）等。另有多齣改編既有劇本或小說的演出，如《小王子》（1992）、《情人 The Lovers》（1996）、《巧夕吟》（1999）、《荔鏡記》（1999）、《妒婦津》（2000）、《孽女：安蒂岡妮》（2001）、《2608》（2006）、《草迷宮之夢》（2011）

225——此稱號請參見廖俊逞，〈台南劇場小教母 吳幸秋 戲說女子 幽映古都鄉愁〉，《PAR表演藝術雜誌》236期，2012年，頁88-89。

等。演出地點偏佈臺南各角落，從早期的華燈藝文中心、新生態藝術館、到戶外的吳園水謝樓臺、孔廟、大南門城等。

在《草迷宮之夢》的節目單中，介紹吳幸秋：「其編導手法充滿女性語彙並藉由臺南人對事物的深沉觀點融和身體的肢體表現，進而運用典雅文言的母語—閩南話—及在地環境場域，讓她的作品在文化城市的古老建築光影中，與歷史的過往今昔呼應。」這段文字中，除了女性語彙及在地環境場域之外，值得再多著墨的是典雅文言閩南話的使用。吳幸秋的《妒婦津》與《孽女‧安蒂崗妮》是與方耀乾合作劇本，特別是《孽女‧安蒂崗妮》將法國劇作阿努易《安蒂崗妮》重新改寫為臺語劇本，2001 年 10 月在大南門城演出，是此一級古蹟首次被現代劇場使用。湊巧地，2001 年 11 月呂柏伸也在「臺南人劇團」執導了《安蒂崗妮》，由許瑞芳等從原著索福克里斯改編劇本，於延平郡王祠演出。同一年演出的兩個安蒂崗妮，各自結合了不同面向的工作者，也留下了不同的影響。王友輝評述：「由呂柏伸執導、臺南人劇團演出的希臘悲劇《安蒂崗妮》，秋末在臺南府城延平郡王祠的夜空下搬演，12 月初並且移師北上，到臺北藝術大學戶外劇場演出，不僅僅宣示了劇團拓展創作領域的雄心，也呈現了南方在地劇團追趕甚至超越北部藝術水平的旺盛企圖。」[226]

而吳幸秋執導的《孽女‧安蒂崗妮》，仍持續著重大南門城的「甕城」形式，暗喻女性子宮，留下的影響是較為內化、在地的波浪。例如，當時擔任表演者的羅文瑾因此開始離開制式舞蹈空間，多次於大南門城編排舞作：「2001 年秋冬，那個劇團於台南市大南門城搬演《孽女—安蒂崗妮》一劇，其跳脫劇場模式，將表演場域移至戶外的作法，獲得諸多

226——王友輝，〈悲劇，在戲裡滌淨戲外燎燒-評台南人劇團《安蒂崗妮》〉，《表演藝術雜誌》。

肯定和讚揚，也激勵藝術總監羅文瑾有了在大南門城裡編排一齣完整舞作的想法。」[227]

五、王友輝

王友輝在臺南的首齣大型製作是《青春球夢》（1993），受到華燈劇團許瑞芳、也是臺北藝術大學戲劇研究所的學妹的邀請，走訪了臺南有階梯的廣場，讓這齣關於棒球的演出，真的在臺南至少十個戶外階梯場地巡迴演出。王友輝當時已是十分活躍著名的年輕編劇，發表《天堂邊緣》、《風景Ⅲ》、《鳳凰變》、《貓城物語》等，後結集出版《獨角馬與蝙蝠的對話》（2001）。

王友輝與臺南的淵源不只限於華燈劇團，於他任教於臺南大學期間，亦與臺南秀琴歌仔戲團共同合作，參與秀琴歌劇團《血染情》（2004）的排演指導，為其量身編寫《范蠡獻西施》，《玉石變》、《安平追想曲》等多齣劇本，被譽為「將原屬外台戲班常見的粗礪質感替換為骨瓷般秀緻精巧，並且鏨刻以詩情洋溢的唱詞於其上」[228]。王友輝轉任臺東大學後，與秀琴歌劇團的合作一直持續至今，《鳳凰變》（2023）成為國立傳統藝術中心年度旗艦製作，劇本從鄭經之妾陳昭娘視角出發，被賜死之後的魂魄回望鄭氏王朝。

六、陳雷

本名吳景裕，長年旅居在外，祖居為臺南麻豆。本業為醫生，作品涵蓋詩、散文、小說各類型。其創作多以臺羅或臺文書寫，似乎與臺南劇場創作氣味相近，但因較少與臺南劇場界互動，也較少見諸臺灣劇場史。《陳

227——古羅文君，《足in動與感之境遇：稻草人現代舞蹈團特定空間舞蹈創作演出》，臺南：稻草人現代舞蹈團，2021年。

228——紀慧玲，〈文人筆下的新歌仔氣味《安平追想曲》〉，表演藝術評論台，2011年12月30日。

雷臺灣話戲劇選集》（1996），收集了 1994 ～ 1996 年間創作的 12 齣短劇本，有廣播劇也有舞臺演出。

七、「那個劇團」、《葫蘆樂園—劇場發聲報》及相關人物

「那個」的團員，結識於臺南市文化基金會 1991 年所辦的「劇場藝術研習營」，由於共同工作將近一年，卓明也給予他們相當程度的影響，因此在研習營結束後，幾個感情較好的朋友，又聚集起來，由吳幸秋主導，先是以偶發藝術的概念，在戶外執行了《游·戲》，接著在非洲咖啡廳及文化中心廊道演出《小王子》（1992）。《小王子》發表之時，他們對外的宣稱只是「一群愛好戲劇的年輕人」，當時的成員有蔡櫻茹、楊美英、許麗善、林白瑩、陳嘉之、黃淑雲、鄭政平、趙虹惠等十餘人。[229]

演出之後，經過熱烈討論，決定組一個劇團，名稱顯得十分即興隨意：「那個」（1993 年立案）。吳幸秋當時人在法國，回國後才加入了「那個」的陣容。而如此略顯鬆散又隨意的氛圍，隨著藝文環境及文化政策起伏變遷，一直持續至今，製作能量從未特別攀高，也從未完全消失。目前團長為楊美英，但過往參與主力人物來去各有時，例如《游於藝—春日戲》（1997）由葉瓊霞、蔡蕙如、呂毅新、楊美英合力編劇，蔡櫻茹導演，於臺南孔廟大成殿前紅磚廣場演出；兩年後又由呂毅新重新整理編寫成《春日戲——月夜愁》（1999），改由吳幸秋導演，還邀請了十鼓的創辦人謝石，以及來自魅登峰的演員如徐秀、李秀等一起巡迴全臺灣。此處可見呂毅新大學剛畢業時不僅在華燈藝術中心工作，與「那個」的合作亦甚多，後才另組「影響·新劇場」（2012）。

229——此段歷史紀錄參考自楊美英，〈嘉南屏現代劇場活動年表（1987-2017）〉，收錄於〈北回歸線以南、中央山脈以西/ 追記一九九〇年代臺南、屏東在地小劇場發展階段〉，https://gourd1996.com/2020/03/01/791/。首刊於《臺灣當代劇場發展軌跡四十年論壇》，臺北：遠流，2019年。

吳幸秋亦曾立案「南島十八劇場」（2001），但同年即移居巴黎，未發表正式創團作品。2012 年曾在林白瑩、角八惠（趙虹惠）合力催生下，以《草迷宮之夢》重啟運作，以日本文學家泉鏡花的奇幻之作《草迷宮》為靈感起點，演出一九八〇年代臺南合作大樓裡王子戲院、王后戲院等一去不復返的景物。之後由陳怡彤主導，製作了《剪花微笑》（2015）及《鯨之驛》（2017）以及《偷窺：夢十夜》（2014）。但隨之又沉寂至今。

近來另一備受矚目的「耳邊風工作室」（2018 年立案，又稱耳邊風工作站），則是早期重要成員趙虹惠新創設。趙虹惠以角八惠為名，曾參與「南島十八」的運作，更為不同的舞團及劇團設計出特異的服裝，視覺效果令人印象深刻。「耳邊風」亦以視覺美學見長，《女誡扇綺譚》（2021）、《班女》（2022）皆以日本文學作品為中心，也都在臺南的日式屋舍中演出，風格為非敘事性肢體意象劇場，並致力其自述的「地誌劇場」多元表演形式。

仔細回顧「那個劇團」的作品，會發現幾乎所有臺南劇場人皆曾與其相關，尤其以表導演專長或個人呈現為主的創作非常豐富，但因未有劇本留存，較難以追溯。

此外，1996 年 5 月創刊，與那個劇團密切相關的紙本刊物《葫蘆樂園——劇場發聲報》雖已不再發行，但也必須提及。此紙本刊物原名《葫蘆樂園》，由吳幸秋的提議，郭冠妙及楊美英等接續投入。1996 年 6 月的第二期，刊名加上了副標「劇場發聲報」，發行至 17 期，大約在 2001 年吳幸秋赴法之後暫停。當時發行方式是放置於藝文相關空間或寄送給讀者，內容包含固定的「專題視窗」「演員筆記」「南臺灣劇場小短波」等單元，成為關討論當時劇場生態的一份重要刊物。2020 年在楊美英規畫

的「望南藝評」活動參與者劉悉達及廖哲羚共同努力下，再次以網站及 podcast 的形式重現，但持續經營方式未明。[230]

八、楊美英

楊美英的發表形式多樣，近年以戲劇評論見長，個人的劇本創作並未結集出版。文字作品散見各報章平臺，已出版個人著作為《筆記光影：楊美英戲劇論述集》（2003）、《城市散步‧美味劇場：悠遊府城三十三帖》（2015）。編輯或合著的《艷遇府城聲動藝花園：93 年度台南市傑出演藝團隊專輯》（2004）、《高雄表演藝術叢書：現代戲劇》（2005）。另有編劇演出作品但未正式版的《情境‧對話 II——你說我愛你》（1996）、《無限 18》（2000）以及編導作品《以人為尺——關於 K 城的 N 種感覺》（2005）、《夢之葉》（2008）、《竹行‧蟬》（2009）等多齣。

蕭瓊瑞在《筆記光影：楊美英戲劇論述集》中的序言，頗能描繪楊美英從一九九〇年代初期開始觀察臺南劇場界的資深又接觸面多元的資歷：「小劇場運動在台南，楊美英是一位重要的見證者與參與者。從早期記者身分，到之後的畫廊參與，乃至全身投入劇場文本創作、舞臺監督、編劇、導演、親自演出，以迄劇團推動、理論研究，包括劇場評論、歷史重建等等工作，在臺南府城的劇場運動中，涉及方位之全面與深入，楊美英應是少數人中的第一人。」[231]

楊美英於 2002 年取得臺北藝術大學戲劇碩士後，觀察的觸角更延伸至北部，特別是與環境劇場或社區劇場相關的創作，除了擔任重要獎助機

230——此段資料請參見〈關於「葫蘆樂園：劇場發聲報」〉，網址: https://gourd1996.com/。

231——蕭瓊瑞，〈鑼聲蕩漾-展讀楊美英的戲劇論集〉，《筆記光影-楊美英戲劇論述集》，臺南：臺南市立圖書館，2003年，無頁碼。

制的委員，另外以講師身分，與學生、民眾、戲劇愛好者等各式工作坊合作展演成果，更是累積了眾聲喧嘩的各種呈現作品。

九、「魅登峰」

「魅登峰」在 1993 年成立時的所屬頗為特殊，其全名是「財團法人台南市文化基金會專屬魅登峰劇團」。雖強調僅能老人加入，但劇團正式正式名稱並未出現老人、長青、或銀髮，「就是要提醒觀眾這並不是老人俱樂部，或老人聯誼會，而是一個由老人組成的專業劇團。」[232] 由當時的基金會總幹事沈秀燕構思推動，籌措補助經費。如此運作方式，資金相對地較為無虞，團員們也較不需負擔行政營運工作。然而歷經人事更迭及文化政策更新，至今魅登峰已脫離基金會，自稱 2001 年是「獨立後」，目前與臺南人劇團、那個劇團、秀琴歌劇團等臺南在地劇團相同，皆是在臺南市文化局立案的演藝團隊。[233]

沈秀燕曾多次說明，當時成立以老人為主的劇團，是與方圓劇團的彭雅玲聊天時得到的靈感，而彭雅玲也成為第一位與老人們工作的導演。[234] 彭雅玲邀請卓明一起合作，持續參與者約有 15 位，《鹽巴與味素》的臺南及臺北公演時，列於名單上的則有路琦、吳文城、李秀、蔡素璃、林麗花、陳茂、鄧理枝、葉登源、林麗雲[235]，以及未見於名單但實質上扮演重要角色的吳煥文。當時另一位與沈秀燕推動魅登峰成立的重要人物，是負責行政運作的吳幸秋。相較於沈秀燕後轉而經商，如今兩人皆已淡出劇場工作，但當時總幹事沈秀燕肩負規劃之責，加上吳幸秋的對劇場嫻熟，兩人奠立了魅登峰的運作模式：邀請外來導演執導一齣戲並負責訓練演員，而演員必須是年齡 55 歲以上。[236]

232——此名稱尚難確定正式出處，不過當時尚未有文化局，劇團應未正式立案，故也難以釐清正式名稱。事實上，魅登峰仍在多處以老人劇團自稱，故習慣用法多為「以老人為主的魅登峰劇團」或簡稱「魅登峰老人劇團」。此段不以長青為命名之說法，參見王亞玲，1994，〈台南「魅登峰劇團」台北「表演工作坊」都演老人心事〉，《中國時報》33 版藝文生活，8月11日。

233——魅登峰劇團：〈劇團簡介〉，2011年3月21日，https://madefun.pixnet.net/blog/post/50794625.擷取於2022年11月21日。

234——此外補述，彭雅玲在《鹽巴與味素》演出結束隔年，返回臺北創立也是以老人演出為主的「歡喜扮戲團」(1995)，此團名是「張照堂取的名字，王亞維題的字，馮明秋刻的章，在卓明及一群好友熱

2001 年離開臺南市文化基金會之後的魅登峰，仍維持以年長者合作演出的主軸，但呈現偶而演出的半休息狀態，楊美英曾撰文描述：「頓失倚靠的魅登峰，費了一段時日適應自主營運的狀態，學習繼續推動創作與表演的計畫，可說是略顯慌亂失措，一直到 2006 年資深團員廖慶泉身兼編導，帶領團員協力完成年度大戲《屋簷下》」[237]，才慢慢開始以一年一個製作的運作著。但在 2001 年吳幸秋曾與其合作編導了「獨立後」的第一齣演出《有春天ㄟ所在》，也曾與何乾偉合作《橘色的天空》（2003），資深團員也試圖自己編導，如《厝邊ㄚ婆隔壁ㄚ公》（2002）。甚至團員們舞臺特質被他人相中，陸續出現在一些大製作或電視電影中，如李秀與吳煥文演出臺南人劇團製作、貝克特劇本《終局》（2004）。

2010 年前後，合作最多的編劇為李鑫益，其出版劇本集《足跡》（2014），內有與魅登峰合作的作品〈小丑與天使〉、〈我愛茱麗葉〉、〈浮生青花夢〉、〈秀秀出嫁的那一天〉、〈冰綠美人心〉。

十、「弄劇場」

成立於 1995 年，由一群當時就讀崑山技術學院話劇社的同學組成，當時應該是立案在高雄。1997 年推出第二屆「弄劇展」，上演《我愛我自己》及《是！我的，戲》。根據當年節目宣傳文字，《我愛我自己》是關於一個惡魔和單純的學生，惡魔良性泯滅，想掠奪單純學生的肉體，殺人噬肉，當學生面對血腥、質疑惡魔，卻更迷惑於人跟人之間的攻訐及內在隱藏的獸性。《是！我的，戲》是關於一個想完成演出作品的女孩，一個角色和現實相疊、自導自演的主角，對戲的詮釋加上自己生活中所遇到的問題感到迷惑。其中主導人物是陳德安，後自英國里茲大學獲得當代

誠的祝福下」成立，而其以口述歷史為中心「臺灣告別」系列是著名作品。

235——演員名單請參閱周美惠，1994，〈嚐嚐鹽巴與味素〉，《聯合報》第35版，7月12日。另相關新聞多篇，多以此戲形式特殊為重點：觀眾坐在正中央、演員繞著觀眾演出。

236—— 此年齡限制多處文獻不同，推測臺南市文化基金會也並未強加規定限制。另外或許值得多作說明，一九九〇年代初期臺南市文化基金會曾是補助各劇團的重要單位。但之後因人事變化、2000臺南市文化局成立以及縣市合併等政策，至今雖仍持續運作，但其與臺南現代劇場的關係已不密切。

237——楊美英：〈看見魅登峰的自我風格-從2006-2007年度新作說起〉《戲劇學刊》，2007年，頁249-252。

表演藝術碩士，2005 年前後為誠品書店南部地區的主管，其中誠品臺南長榮店（已遷移）地下室的藝文空間小劇場，催生培育了當時的眾多劇場創作者。陳德安目前為俠客行文創顧問有限公司執行長，持續以臺南為基地，多面向地與不同藝術領域合作各式專案及活動。

十一、「集心劇團」與「青竹瓦舍」

　　1996 年成立的「青竹瓦舍」，緣起於 1995 年初，中廣臺南台「即興劇場」的演員訓練課程，錄製「街頭奇怪俠」系列廣播短劇，學員們先是以「集心劇團」之名組團，後改成「青竹瓦舍」，初期活躍於各式晚會之中，主導人物是陳俊傑及張雅鈴，目前可見的公演資料是在紅城文化館及華燈藝文中心的《西門武潘》（1997）。[238] 旋即沉寂，1997 年之後留有劇評紀錄的僅見於葉子啟的劇作《嗚、吾、舞、悟》（1999），劇評描述：「以具體和抽象、嚴肅和幽默相互交融的呈現方式，巧妙地探討一個禁忌地爭議性問題：身體地壓抑和解放。」[239] 而葉子啟似乎也因為此劇的好評，開啟了行為藝術的探索之路，之後多以行為藝術為主要創作形式。另外，當時演出此劇的羅文瑾（現為稻草人現代舞蹈團藝術總監），也演出了許瑞芳的《風鳥之旅》，這些雖必是文學劇場史的重點，卻也再次驗證臺南劇場人士的密切交流往來。

十二、汪其楣

　　1999 ～ 2005 年於成大中文系任教，汪其楣的作品與臺南最直接相關的是與「臺南人劇團」合作了《一年三季》（2000），此劇以做洋裁的女子為主角，背景就放在海安路，演出時也以台語發音。巡迴臺南社教館、

238——參考自楊美英，〈嘉南屏現代劇場活動年表（1987-2017）〉，收錄於〈北回歸線以南、中央山脈以西/ 追記一九九〇年代臺南、屏東在地小劇場發展階段〉，https://gourd1996.com/2020/03/01/791/。另刊於《臺灣當代劇場發展軌跡四十年論壇》，臺北: 遠流，2019年。

239——蔡淑芬，〈身體解放的迷思」——評葉子啟的舞臺劇「嗚、吾、舞、悟」〉，《婦女與兩性研究通訊》第53期，1999年，頁15-16。

嘉義、鳳山、中山大學、靜宜大學、東海大學等地。另外，汪其楣自編自導自演的《舞者阿月：臺灣舞蹈家蔡瑞月的生命傳奇》（2004），也是在臺南期間的重要作品。

汪其楣的創作多齣以女性為主角，《記得香港》、《複製新娘》、《招君內傳：女書之一》、《月半女子月半：女書之二》、《謝雪紅》等也重看女性的另一面。而更早就回頭翻看過往歷史忽略的人事物，例如帶領當年藝術學院及劇場表演者的《人間孤兒》（1987）及《大地之子》（1989），闡述近代臺灣史，甚至原住民傳說的《海山傳說環》（1994），被認為是開風氣之先，影響當時一代劇場人。

另外，也致力於障礙者的表演，早在一九七○年代以「臺北聾劇團」（1977）演出聾劇《飛舞的手指》，後又創辦了「拈花微笑聾劇團」（2008），以手語同步與口語表演多齣製作。毅持續關心愛滋議題，編寫了愛滋病患為主題的《青春悲懷》（2016）。

汪其楣不止創作，其創作已整理出版《汪其楣劇作集》（2017）三冊。此外，汪其楣早期編選的臺灣劇作家的劇本，不僅為當時不重視劇作的文壇留下重要資料，更是研究臺灣當代劇作必備的參考書目，如「戲劇交流道－劇本系列廿五種」、「現代戲劇集」、「遠流戲劇館」以及國民文選《戲劇卷 I》、《戲劇卷 II》等。

十三、魚果（陳俊豪）

麻豆人，2000 年前後極為活躍的詩人兼表演者魚果，曾與臺南人劇團、臺東劇團、臨界點劇象錄、臺灣渥克劇團、臺灣身體氣象館、體相舞蹈劇場等團體合作，也在「鳳凰劇展」展現長才，曾獲得府城文學獎及鳳凰樹文學獎編導詩劇《夢遊花》以及《充氣娃娃憂鬱 C》，作品散見各文學獎及現代詩選集。

十四、許正平

　　新化人，初期創作以小說散文為主，就讀臺北藝術大學戲劇研究所後，開始大量而精采的劇本創作。以劇場為主的編劇作品有：《旅行生活》（2000）、《家庭生活》（2000）、《愛情生活》（2008）等，並結集為劇本集《愛情生活》（2009）一書；《花園：三則現代與聊齋》（獲臺灣文學獎舞臺劇本獎，2005 年）。另外，除了一些改編劇本，許正平與不同劇團合作的原創劇本有《阿章師的拉哩歐》（臺南人劇團）、《家的妄想》（阮劇團）、《雙城紀失》（香港劇場空間劇團）、《城市戀歌進行曲》（阮劇團）、《禁區》（九天民俗技藝團＆阮劇團）、《水中之屋》（阮劇團）、《禁止使用2.0》（阮劇團）、《皇都電姬》（阮劇團＆劇場空間）。另有電影劇本《盛夏光年》（2006）。

　　許正平曾自述劇本的寫作，初期對於寫實的對話較為注重，直到《愛情生活》做了改變：「一開始我採取非常寫實的手法，讓兩個戀人對話，寫著寫著開始很不耐煩，剛好為了一場讀劇，我試著讓角色跳出來說旁白，最後一場還讓兩個演員評論自己剛剛飾演的角色，讓結尾的詮釋變得豐富和開放。」[240]詮釋變得豐富開放，也是許正平的劇本創作越來越明顯的特質，尤其從早期環繞著個人經驗，到近期探討政治的壓迫與記憶的消失，例如《皇都電姬》（2020），劇本其中一條線是以台南麻豆戲院的消失，逐步發現被掩埋的歷史以及家族秘密，深刻結合了被壓迫的個人與大歷史的糾結。

十五、「鐵支路邊創作體」

　　「鐵支路邊創作體」（2004 年立案）當年是由一群南二中畢業同學們，在就讀臺北藝術大學戲劇系的林信宏的主導下成立，而催化應該是

240——孫嘉蓉，〈那些寫劇本的事 許正平來解讀〉，《AQ廣藝誌》，2018年11月9日，https://medium.com/qbo藝文頻道。

「那個劇團」林白瑩至該校任社團指導老師的契機。成團後，隨著成員的喜好、就業、申請補助以及各式變遷，作品從電玩漫畫、歷史劇、親子劇等，較為多變不一。另外，以臺南體育公園日治時期舊蒸汽火車頭的型號成立子品牌「劇團CT251」（2021年成立），主要以兒童劇或商業活動之演出為主。

林信宏劇本曾結集為《黑盒本事》（2017）出版，內含〈本事〉、〈如徐礦坑〉、〈先寫完劇本2－總統夫人要上臺〉、〈十六歲劇場〉、〈吳園隨想曲－戲說臺南導演文本〉、〈向土方巽致敬〉。

較重要且長期合作的編劇還有柯勃臣，其首齣《鮮血·玩具·本》（2004）便是「鐵支路」作品，另有《王子徹夜未眠》系列。其他劇本包括《花人》（2005）、《鮮血·玩具·本2喬克的新娘》（2006）、《瓦斯筒》（2007）、《室町浪漫奇譚：雪蝶恨訣錄》（2009）、《怪客黑桃G》（2010）、《結什麼什麼婚》（2011，與魅登峰合作），部分劇本結集出版為《紫夢春迴雪蝶醉》（2013）。此外，除了劇本，小說《老千》（2010）獲府城文學獎小說類的佳作。柯勃臣於新化國中任教時，曾與蔡諪任成立「楊逵文學戲劇團」，每年固定演出楊逵作品，例如〈送報伕〉（2013）。

偶有合作的是陸昕慈，其劇本結集則是以《築城》（2017）為名，內含〈離開曼特寧的幸福〉（府城文學獎第七屆劇本貳獎）、〈遠方的燈塔〉（府城文學獎第十四屆劇本佳作）、〈灣生（希望之樹）〉（鐵支路邊創作體製作）、〈田川氏〉（鐵支路邊創作體製作）、（2016教育部文藝創作獎劇本優選）。陸昕慈除了參與多齣電視電影編劇工作，另與「古都木偶劇團」合作，編有《府城傳奇心海迷蹤》（2016）、《戰火波瀾》（2018）等偶戲劇本。

最新之編劇合作為劉勇辰的《猛瑪象牙》（2021）、《水妖記》（2022）。劉勇辰作品自鳳凰樹文學獎便開始不斷獲獎，包括教育部文藝獎、俞大綱文學獎、新北文學獎等，並參與多齣影視劇本寫作。部分劇本由新北市結集出版《平行線》（2013）。

十六、呂毅新及「影響・新劇場」

呂毅新於 2012 年正式創立「影響・新劇場」。在此之前，一九九〇年代就讀成大中文系的她，已開始劇本創作，畢業後也陸續在華燈藝術中心及臺灣文學館工作，同時參與了南臺灣各劇團的編劇活動。呂毅新於美國蒙大拿大學及東密西根大學獲得兩個劇場相關的碩士學位，出版《呂毅新戲劇作品集》（1999）。此劇本集收錄了呂毅新自大學以來的創作〈里長伯的一百桌喜宴〉、〈華里耶傳奇〉、〈春日戲—月夜愁〉、〈河變—老婦獨白〉、〈河變—說運河〉、〈紅唇西施〉、〈流浪三部曲之惡質好人〉、〈戲夢人生〉共七篇作品，除了呈現她與不同創作者合作的歷程，也特別說明：「在語言運用方面也嘗試多元，特別對於台語的寫作方式，由一開始的使用注音符號、同音國字到後來的漢羅拼音，我在生活與創作的寫實與翻新中尋找紀錄的方法，雖然整個冊子並沒有統一標註方式，但也記錄了在每一段創作過程中，對於書寫標記的嘗試與用心。」[241]

對語言的多元嘗試是呂毅新作品的不變特色，雖然成立「影響・新」之後，逐漸發展成以「做十六歲」的青少年劇場系列（2017 年至今）最為人所熟知，而呂毅新也不再單純以編劇身分參與，往往同時擔任導演及製作人一職，但每一齣作品仍可看到對語言細節的敏銳與注重。被列為「影響・新」的創團作品是《啾古啾故事—海・天・鳥傳說》（2011），

241——呂毅新，〈自序〉，《呂毅新戲劇作品集》，臺南：臺南市立文化中心，1999年，頁8。

此劇蒐集口述傳說，定位為三歲以上的兒童所設計的作品；而接續進行臺灣文學館委託創作的《一桿稱仔》（2012），則以賴和故事為本，轉化為臺語、白話文、日語多語混雜的詩意舞臺演出。再加在不同單位委託或補助中發展而出的工作坊及作品如「游‧戲計畫」（2012）、青年創藝平臺（2018-2022）、《女子戲：流轉歲月》（2020），「影響‧新」已成為「台南人」搬至臺北後，臺南在地連結甚深也最富創作力的中型劇團。

十七、「鳳凰劇展」

　　從 1978 年開始至今仍持續的「鳳凰劇展」則另具有非常獨特又悠遠的影響。由當年任教於國立成功大學中文系呂興昌及吳達芸規劃促成，以學生自導自演這個概念，為鳳凰劇展奠定了基礎樣式。於是多位就讀於成大中文系的學生，就以創作與實踐的熱情，孕育出豐富多樣的劇本。因為身為呂興昌及吳達芸的長女，呂毅新回憶鳳凰劇展第一屆時她就是坐在台下第一排最小的觀眾。而她第一次真正動筆也是因為大一時，在導師陳昌明的督軍之下完成《戲夢人生》（1992）。[242]

　　身兼導演編劇及演員多重身分、且不斷獲獎的徐麗雯，亦從鳳凰劇展而開始接觸戲劇：「那時班上要做一齣戲參加學校辦的鳳凰劇展，大家就分配工作，結果我莫名其妙地被推為導演。」[243]之後一連串的客家電視台等工作，更累積了她多面向的戲劇能力。

　　另外因《刺蝟男孩》獲得金鐘獎戲劇節目編劇獎的詹傑，也是因為系上的「鳳凰劇展」以及戲劇相關必修課程，讓他開始接觸劇場，成為極受矚目的新生代專職編劇，跨足舞臺、影視及串流媒體。[244]

242——同前註，呂毅新，頁6。

243——賈亦珍，〈徐麗雯：演過舞臺劇才算真正演員〉，《禾劇場部落格》，2011年10月14日，http://hotheatre.blogspot.com/2011/10/blog-post_14.html。

244—— 廖祐慶，〈書寫，是因為還有話想說——詹傑〉，《AQ廣藝誌》，2018年11月29日，https://medium.com/qbo藝文頻道/30劇場-書寫-是因為還有話想說-詹傑-fc80b3d4d8b。

此學生劇展再加上「鳳凰樹文學獎」中的舞臺劇本類徵選，更是推波助瀾了眾多編劇的誕生。劇本獲選於北臺灣文學選集出版的劉勇辰，描述他就讀成大中文大二時，為了鳳凰樹文學獎的晚會，改編夏宇的詩《帶了一籃水果去看她》而獲第三十五屆（2007年）舞臺劇本首獎。

最後，成大校園內的鳳凰樹劇場於成立初期也是臺南重要的演出場所，包括華燈劇團的重要作品《鳳凰花開了》（1994），「那個劇團」利用其戶外階梯空間，演出《暗戀桃花源》（1995）。其他還有「臨界點劇象錄」的《白水》（1993）、「密獵者劇團」鴻鴻導演的《課堂驚魂》等。「鳳凰劇展」及相關活動隱隱累積屬於南臺灣的獨特記憶，可說是除了華燈劇團之外，另一股從一九八〇年代末就不斷激發臺南戲劇人才的伏流。

本書的劇場史書寫也在此暫告一段落。從文士劇、新劇、話劇、小劇場、到社區、環境、應用、青少年等詞彙之間的夾纏，臺南劇場持續變動，往前邁進。藉由此書的書寫出版，我們看到臺南劇場與現代戲劇之間的自我反思，也就是，雖然「臺南」的地理概念隨著時間變遷而有不同的建構，但通過種種各種劇場空間裡的演出和發聲，我們回望了臺南劇場參與者們，包括觀眾，如何提供新的參與方式，賦予臺南劇場新意義。

更具意義地，對於「現代」的不斷嘗試，也在許多層面上讓「傳統戲曲」不斷演進，所謂現代與傳統的合作並因此發揮長才的例子也越來越多。特別是戲曲劇本的新編，這樣的合作，究竟是誰改變了誰？傳統改變了現代嗎？雖然本書並未深入介紹此部分，故僅能在此簡單提醒本書的缺乏。同時也再次強調，或許劇場事物都是互為搭配，無論現代或傳統，其實一體兩面，皆會持續幻變。

另一個值得說明的本書缺乏，則是對於「劇評」之忽略。作為藝術批評類型之一，劇評努力地以文字深入分析劇場各方面，其形式、功能和運作方式也在二十一世紀迅速發生變化。雖然劇本創作也受到網路主導位置影響，但劇評的發表特別顯著，幾乎全面傾向網路新聞台及個人劇評的趨勢，而這些也都在改變劇場呈現的重點和目的。雖然本書幾乎未提劇評的歷史，但希望未來對於臺南戲劇的評論，以及延伸而出的劇場，將以立體又複雜的樣貌補足本書的不足。

無可否認，對於臺灣劇場歷史縱深的挖掘，至今仍多以首都臺北為中心輻射出去討論各時期變化。希望本書對於臺南劇場的介紹，增添了更多層次的史觀與視野，能讓讀者看到在地的盎然，卻又不必然意味著狹隘的世界觀。

第一章

緒論

一、兒童文學關於「兒童」和「文學」的指涉界域

兒童文學（本篇行文常予簡化為「兒文」）在本「臺南文學史」中獨立成一卷，很明確意謂兒童文學與成人文學有別。就文學類型來說，兒文作品同樣都有詩歌、散文、寓言、小說等，何以需要把兒童文學獨立成一卷另外敘介，主要是在於作品訴求的對象是心智發展尚未成熟的兒童。作家創作給兒童看的作品，通常在取材和表徵手法（特別是語言）上會有不同的考量。有無為兒童創作的讀者意識，是本兒文史在檢視判定是否為兒文作品時的一個重要考量。在非兒童版的報紙副刊和文學雜誌非兒童專欄上發表的作品，固然也有一些適合兒童閱讀的作品，但這類作品基本上都是缺乏為兒童創作的讀者意識，本兒文史基本上不予列入敘介。而本兒文史納入介紹的兒文作家，除了是否為重要兒文創作獎的得獎者外，坊間有無個人單行本兒文作品出版、個人作品有無在兒文作品選集中被選介，也是重要取捨依據。至於高中以下在學學生所發表或出版的作品，是屬成長階段「習作」性質的作品，本兒文史概不納入敘介。

兒童讀者的「兒童」如何界定，檢視學界、民間（如做十六歲），乃至法律層面，可發現各自對兒童的界域並不盡然一致。年齡最常被用來作為區隔的方式，但兒童包括零一二歲的嬰幼兒、三四五歲的學齡前幼兒和青少年嗎？還是僅指六到十二歲的學齡兒童？兒童界域區隔的分歧，在 1989 年 11 月聯合國通過「兒童權利公約」（Convention on the Rights of the Child，CRC）後，各國大體上才有比較一致的區隔指標，該公約第一條明文規定兒童是指「未滿十八歲的自然人」。然而作為兒童文學讀者的「兒童」，也是以聯合國的兒童權利公約規範為依歸（從出生到十八歲）

嗎？還是兒童文學的「兒童」另有不同的指涉界域？比如坊間出版不少給嬰幼兒看的所謂前文學期 012 圖書，主要供識字和認識日常生活一些基本概念用詞或語句，這些圖書的作品也是兒童文學嗎？不是，那有給嬰幼兒閱讀可稱為文學的讀物嗎？沒有，那兒文的兒童顯然不該包括嬰幼兒。同樣，臺灣幾乎沒有特別針對十七八歲青少年開發的讀物，那兒文史論述的讀者兒童也要包括十七八歲青少年嗎？基本上，本兒文史敘介的兒文作品所訴求的讀者，是定位在三歲以上到國中畢業十五六歲，也即不包括零一二歲的嬰幼兒和高中以上未滿十八歲的青少年。

又兒文作品的「文學」屬性究竟指的是什麼？看法更為紛歧。首先文學只限於純文字表述的作品嗎？兒童文學作品與成人文學作品最大的一個差別，就是常配有插圖，甚至只有圖象而無文字。那兒文作品中的圖象，是否也該視為兒童文學的一部分，是否也應納入兒童文學的範疇？特別是兒童喜歡的漫畫、卡通（動畫），乃至兒童電影，這些以圖影象而非線性文字表述為主的作品是否也可歸屬在兒童文學的範疇？這對認為作家是文字藝術家、文學是指純文字作品的人來說，恐很難認同圖影象敘事的作品也是文學。而即使是純指文字作品，文學也包括知識性讀物的作品嗎？臺灣童書有一大半都是非虛構類的知識性讀物（包括傳記、自然與人文科學圖書等），這一部分算不算兒文作品，要不要納入兒文史論述範圍？本兒文史對兒文作品指涉的「文學」是採較寬廣的定義，也包括知識性的讀物，以及著重圖象表徵的圖畫書（如「南瀛／臺南之美圖畫書」系列）。但不包括 012 圖書和與圖畫書表徵方式不同的漫畫，也不觸及非紙本的兒童卡通、電影和電子書。畫家如純粹只是為童書作插畫，而不是完整一本圖畫書的創作（自寫文本又自己繪圖，這類創作者或可稱為「畫作家」），本兒文史也不納入敘介。還有，目前臺灣市面上的童書有一大半是翻譯的外

版書，這些被臺灣兒童普遍閱讀的外版童書，即使為籍隸臺南、具臺南情緣的作家所翻譯，本兒文史也是不納入敘介。

此外，臺灣本地創作的童書固然大部分都用華語（國語）創作，但也有一些作品是用臺灣其他法定的國語——閩南語（臺語）、客家語、原住民語創作的，這些非用主流華語表達的兒文作品也是臺灣兒文嗎？就接近性來說，這些用各自母語創作的兒文作品，反而是道地的本土兒文，本兒文史不用說，當然會予納入。

二、「時空」界域問題

不論要建構的是臺灣或臺南的文學史、兒文史，「時空場域」都得優先確定。歷史常有所謂「當代」、「現代」、「近代」、「古代」的區分，這些指涉的都是時間場域。至於「臺灣」、「臺南」則是空間場域。臺灣由於歷史的因素，前後曾受荷蘭、明鄭、清朝、日本及國民政府的統治，形成不同的歷史時期。當前要建構臺灣文學史或兒文史，要不要包括日治時期，就會涉及「時間」、「空間」場域的取捨問題。如時間場域要包括日治時期，必然涉及臺灣文學的「臺灣」身分界定問題，因為日治時期臺灣是日本的殖民地，臺灣文學基本上是屬於日本文學的地方文學，臺灣文學作家、作品怎麼判定，就引生「臺灣」身分界定問題。

落實到臺南兒文史的建構，同樣涉及時空場域的確立問題。例如時間是設定在戰後國民政府領臺迄今，還是要向前延伸到日治時期？空間的「臺南」是純指臺南市區，還是大臺南？日治時期的「臺南州」（包括現在的雲林、嘉義）與二次戰後國府重新調整的「臺南市」、「臺南縣」行政轄區，以及 2010 年底臺南縣市合併成「臺南都」，此三時期冠指的「臺南」，其空間場域並不相同。時空場域關聯敘介範圍，任一事類史的建構

都必須先予確立。由於兒文的發展與國民基本教育普及息息相關,臺灣有普及性的國民教育是始於日治時期,因此本兒文史敘介,也前推到日治時期,但主要仍以戰後國民政府領臺迄今(1945～2022年)為主。空間場域則以現今新合併的「臺南都」行政轄區為基準,也即二次戰後原本分治的臺南縣、臺南市合在一起的大臺南。

三、具光耀「臺南兒文」的「臺南人」身分認定

縮小回到「臺南」兒文史的建構,它與臺灣兒文史的差別,在於一是地域性,一是全國性。兩者建構差異,應不在兒文作品和內容類別屬性的界定上,而是在如何篩選出有關臺南兒文發展的重要事蹟,和具備「臺南人」身分的卓越兒文作家暨推動者的資料。作家、推動者的籍隸身分,臺灣兒文以是否具有臺灣本國籍為依據較好判斷,但臺南兒文的「臺南」身分,究竟要怎麼認定就很難拿捏。

此外,如以兒文運作場域來看待兒文的發展,除了作家、畫作家外,兒文作品的出版者、童書閱讀的推廣者或推廣單位,乃至研評社群的兒文理論研究、評論者,對兒文的整體發展都有貢獻。從而臺南在地的童書出版社、閱讀推廣社團以及兒文理論研究者,要不要納入臺南的兒文史介紹,同樣會給立史者引生是否具備「臺南」身分的判定困擾。

「臺南」的身分認定,是否要具足「臺南出生」和「久居臺南」才算,還是只要在臺南出生者就算?或不在臺南出生已入籍臺南並在臺南久居者也算?還是不論是否為臺南本地出生或入籍臺南,只要曾在臺南正式工作或就讀,具有「臺南情緣」,就可算是具備「臺南人」的身分?出生且久居最為明確不致引生爭議,但如此界定可能太過狹隘,不足以彰顯「臺南人」為臺灣兒文所綻放的光彩。如,在臺南出生長大,後來工作居住一直

都在外縣市，「南瀛之美圖畫書」的策畫者蘇振明教授（臺北）、兒文作家王淑芬（新北）、李光福（桃園）、嚴淑女（臺東），以及屏東出生，一直在臺南國教界服務的陳正恩校長等人，要不要視為臺南兒文作家？還有參加臺南文學獎兒文組的獲獎者不是臺南本地人，是否也要列入？這些都是作家的臺南身分確認難以拿捏又必須給判定的。本兒文史原則上採具「臺南情緣」濃度較高者為選介考量，除了在臺南出生長居的道地臺南人外，在臺南出生或就學但工作服務都在外縣市，或非臺南出生但曾在臺南就學或工作服務，只要在兒文界表現亮麗者，都納入敘介。但非臺南出生，也未在臺南就學或工作服務，只是臺南文學獎兒文類組的得獎者，本兒文史視為臺南情緣薄弱，不納入敘介。

第二節　敘介方式

從上述有關兒文史涵括界域問題，本臺南兒文史卷採如下方式敘介：

一、以「文學運作場域」作為敘介主軸：敘介論述採取「文學運作場域」的觀點，不只是敘介各類兒文作家暨作品，促成兒文發展的出版者、推廣者、研評者等有彰顯臺南兒文聲譽者，均納入敘介。

二、內文章節先敘介傲視全國、光耀「臺南兒文」的作家與事蹟，並對臺南兒文整體作一剪影素描後，再聚焦敘介兒文史歷史分期的核心問題。臺南兒文歷史分期依據與各分期（五期）特色，分別各立一專章介紹。最後則就臺南兒文作家群像，先統觀群體，再依類別，分別作剪影式介紹。

三、整體行文敘介，原則上只敘介不作評論。

四、卷末附有「戰後臺南兒文發展五歷史分期大事年表」、「榮獲全國性兒文創作獎臺南兒文作家暨其獲獎別匯總表」等四項附錄，由於體式與篇幅較長，為方便閱讀，未隨介紹的相關正文一起擺放而改移置卷末。

第二章
臺南兒童文學之光

二次戰後，臺灣脫離日本統治，雖然仍經歷國民政府戒嚴統治近四十年，但臺灣兒文相對於日治時期，畢竟是有自主發展的空間。尤其在1971年我退出聯合國後，國內出現一股自立圖強的聲浪，進而引發民主化、本土化的籲求，最後導致1987年的解嚴，以及鄉土教育正式納入國小課程（1993）。七〇年代是臺灣兒文開步走的年代，八〇年代後期到千禧年後智慧型手機問市前約二十來年，則是臺灣兒文發展的黃金時期。從七〇年代臺灣兒文開步走迄今，臺南鄉親締造了幾項傲視全臺兒文界的事蹟，堪稱為臺南兒文之光，值得在本兒文史卷優先敘介。

第一節　全國亮眼的臺南兒文作家、推廣者

一、連獲「洪建全兒文創作獎」三屆第一名，獲頒特別獎的全才作家陳玉珠

　　「洪建全兒文創作獎」（1975～1992）是帶動臺灣兒文起步走的第一個創作競技平臺。新營出生、臺南師專美勞組畢業的陳玉珠老師（1950～，筆名陳熒），她是獲得該獎類別最多、獲第一名次數最多，榮獲洪建全教育文化基金會頒給連獲三屆第一名（第三、五屆童詩、第四屆少年小說）的特別獎。在師範、師專體系畢業的小學老師成名作家中，她是少數未接受省教育廳「兒童讀物寫作班」洗禮的傑出兒文作家；而且是全才型的女作家，童詩、少年小說、童話、圖畫書乃至兒童戲劇與臺語文學，都有作品出版。她寫的《兒童歌舞劇 水晶宮》（省教育廳「中華兒童叢書」，1980），連劇本中歌詞的配樂也都是自己譜曲（該書在1999年文建會委請臺東大學兒文所承辦的「臺灣兒童文學一百」評選活動，榮獲入選兒童戲劇組）。她能寫、能畫、會譜曲，創作兼跨多種文類，國內少有。1980年，她以兒童文學專長獲調高雄市國小服務，協助時任高市教育局長陳梅生，組織成立臺灣第一個兒文社團「高雄市兒童文學寫作學

會」（1981）。回任臺南縣服務後，也協助縣教育局辦理兒童文學教師研習活動，提攜後進。1997 年臺南縣政府文化處首創地方政府出版鄉土童書先例，籌編「南瀛之美圖畫書」，她更是積極投入撰寫多冊，甚至一度還擔任總編輯，而近幾年更用心投入臺語創作（獲 2017 年第四屆台文戰線文學獎——台語短篇小說優等獎），關懷家鄉、關懷臺灣土地之情充分流露。正由於她的傑出表現，2018 年臺南市文化局也特別邀約出版她的童話自選集《陳玉珠的童話花園》，列入「臺南作家作品集」第八輯。她創作能量之大、創作類別之多及幕後協助推動臺灣兒文的努力，堪稱臺灣兒文界戰後新生代第一人。她巾幗不讓鬚眉，十足是臺南兒文之光。

二、首先為臺南兒文界摘獲國家文藝獎兒童文學類桂冠的謝武彰

臺南將軍出生的謝武彰（1950～），是一才子型的兒文作家。他沒有傲人的學歷（高雄復華高中畢業），但他剛出道就平地一聲雷，與資深詩人作家黃基博老師同獲第一屆洪建全兒文創作獎詩歌組首獎（1975），自此投入兒文創作迄今。他在 1982 年又以《大家來唱ㄅㄆㄇ》（啟元，1981，後轉由親親出版發行）與插畫者董大山共同獲得兒童文學類國家文藝獎[1]，是臺灣兒文界第一位獲國家文藝獎者。他除獲國家文藝獎外，也以《池塘真的會變魔術嗎？》（光復書局，1990）獲中國第十屆（1990）「陳伯吹兒童文學獎」（中國的陳伯吹如同臺灣的林良）和高雄市文藝獎（1993）。除了創作，他也從事改寫和編輯，作品以兒歌和散文最為傑出。他的兒歌和散文節奏明快，充滿童趣喜感。最值得稱道的作品，當是他的「創作閩南語兒童詩歌」：繞口令《傀儡偶仔》和四季兒歌《春天的花仔布》、《尾椎翹上天》、《白雲若海湧》、《冬節人搓圓》（小魯，

---

[1] 國家文藝獎係由國家文化藝術基金會（1974年5月1日成立）所頒發，有新舊制之別。舊制1975～1997年共辦二十二屆，舊制依文藝類別當年度申請者最傑出作品給獎，新制則較重視終身成就，未必與當年成就有關。謝武彰所獲的是舊制第七屆國家文藝獎。又兒文作品常配有插圖，插圖欠佳不可能獲獎，因此《大家來唱ㄅㄆㄇ》的插畫者董大山也與謝武彰同獲當年兒文類國家文藝獎。

2000），和國語兒歌《布娃娃的悄悄話》（中華兒童叢書，1983），以及他寫童年生活的散文《赤腳走過田園》（1985）、《布袋戲》、《天霸王》（1994，三本均民生報社出版）。他這三本寫童年生活的散文，可說是五、六〇年代，臺南乃至大部分臺灣兒童童年生活的寫照。他自己創作及改寫、主編的書，迄今逾三百多冊，是高能量的多產斜槓作家。他首先為兒文界摘下國家文藝獎的桂冠，是臺南子弟的光彩。

三、兒童詩歌、鄉土圖畫書的發展推動，蘇振明教授享譽全臺

　　童詩、圖畫書是戰後臺灣兒文發展軍容最壯盛的兩大文類，不論是童詩或圖畫書，臺南善化籍的蘇振明教授（1951～）都扮演著重要的推動者角色。蘇教授是臺南善化的子弟，臺南師專畢業後，曾在淡水水源國小任教（1971～1974），後又進師大美術系進修，之後轉到臺北市立大學（原為市立女師專）視覺藝術系任教，直至2014年退休。蘇振明教授對臺灣兒文的貢獻有三方面，一是在倡議「兒童詩畫合一教學」理論，對臺灣的兒童詩歌發展起了不少推波助瀾作用。二是偕同鄭明進老師參與編輯「漢聲精選世界最佳兒童圖畫書」媽媽手冊，開闢「親子美術教室」，介紹許多跟圖畫書欣賞相結合的藝術創作活動，幫助家長乃至教師更深層認識圖畫書的價值，對臺灣圖畫書的普及與欣賞能力提升，貢獻甚大。三是建議臺南縣文化處（當時位階是處）出版「南瀛之美圖畫書」，為縣市文化局出版鄉土圖畫書的先鋒，增添臺南文化局不少光彩。

　　蘇教授在臺南師專美勞組畢業後，在淡水任教時，為突破傳統刻板兒童藝術教育，即嘗試努力推廣兒童詩畫合一教學。1974年，將軍出版社成立「新一代兒童益智叢書」編輯部，美術主編鄭明進老師邀請蘇

振明參與編輯，是蘇老師跨入兒文界的開始。之後，蘇老師又與鄭明進老師一起參與「漢聲精選世界最佳兒童圖畫書」媽媽手冊的編輯工作，此後即轉向致力藝術教育與圖畫書創作推廣。他參與「漢聲精選世界最佳兒童圖畫書」媽媽手冊，寫了不少配合圖畫書可衍伸的藝術創作遊戲活動，方便家長、老師應用於圖畫書的閱讀指導，也引導他們對圖畫書教育價值有更深層的認識。這是蘇振明教授對臺灣圖畫書發展的貢獻。在參與漢聲圖畫書媽媽手冊的編輯工作之後，1992 年蘇教授又與鄭明進、曹俊彥、馬景賢等人，參與農委會的「田園之春」編輯，對於臺灣鄉土產業有更深一層的認識，促成他在 1997 年向臺南縣文化處提出出版「南瀛之美圖畫書」的建議，開啟縣市出版鄉土圖畫書的先河，為其他縣市乃至金馬地區所仿效。[2]蘇振明教授光是倡議領頭出版「南瀛之美圖畫書」，就值得在臺南兒童文學史、臺灣兒童文學史記上一筆。

　　戰後一直到一九八〇年代，臺灣兒文發展最熱絡的是兒童詩歌，不論是創作，或創作教學指導，或評介乃至詩論，都呈現百家爭鳴態勢。當時校園充滿一片推廣童詩熱潮，更有不少美術教師也參與推廣，提出兒童詩畫合一教學的理論，南師體系畢業的徐士欽、藍孟祥、蘇振明等，都是其中佼佼者。尤其是蘇振明教授，除了推介在將軍「新一代兒童益智叢書」出版三冊兒童詩畫[3]外，更在《百代美育》月刊開闢「兒童詩畫」專欄[4]，扮演著兒童詩畫教學旗手的角色，對臺灣童詩的發展起了不少推波助瀾的作用。

　　蘇老師深具本土意識，在藝術教育本行上，他專注臺灣藝術史，尤其是對受難藝術家的關注與研究。除了藝術理論外，他同時也是一個畫家，一位喜歡以本土題材創作的畫家。他關心鄉土、人權，他親自書寫、親自

2——有關「田園之春」和「南瀛之美圖畫書」的關聯及蘇教授參與的情況，可參閱林武憲，〈從《田園之春》和《南瀛之美》說起——臺灣鄉土圖畫書的探討〉，《全國新書資訊月刊》43期（2002.7），頁6-8。

3——這三冊均在1975年10月出版，分別是《兒童詩畫選》（上冊）（下冊）、《外國兒童詩畫選》，其中《兒童詩畫選》上冊是蘇教授自己指導編選的作品，下冊為黃基博指導編選，《外國兒童詩畫選》則為鄭明進編選。

4——蘇振明教授在《百代美育》月刊第8期（1974.4）起闢「兒童詩畫」專欄。另參見張素妹（新北淡水國小退休教師），〈啟動右腦的想像力 訪蘇振明教授談兒童詩畫創意教學〉，《美育》212期（2016.7），頁89-95。

插繪的《滾鐵環》（林氏圖書，2003），他寫的《三角湧的梅樹阿公》（青林國際，2001）、《正義與勇氣——湯德章》（南市文化局、青林國際，2020）等圖畫書傳記，都顯示他非常關心鄉土和人權。在臺南兒童文學史、臺灣兒童文學史上，蘇教授都是臺南之光。在2020年元月，臺南文化局邀請他在文化中心舉辦「故鄉@風景——蘇振明2020迎春邀請展」，正是對蘇振明教授成就與貢獻的肯定。

四、少年小說《我是白癡》被韓國改編為電影的
　　校園生活第一寫手王淑芬

　　臺南左鎮出生現居新北的女作家王淑芬（1961～），臺南師專、國立臺灣師大教育系畢業，自師專時代即開始創作，也是未受「兒童讀物寫作班」洗禮的小學老師名作家。她創作量驚人，並曾榮獲洪建全兒文創作獎、臺灣省兒文創作獎、國語日報牧笛獎、信誼幼兒文學獎文字創作組首獎、聯合報讀書人周報年度好書等多種獎項。她創作散文、少年小說、校園生活故事、童話、詩歌、傳記乃至圖畫書，多種類型作品，也是難得有的全才型女作家。由於豐富的教學經驗，更由於她充滿愛心，懂得入微觀察校園生態、懂得如何貼近孩子的心，她幾乎把從前做學生，以迄現在自己當老師的校園生活百態寫盡。她是臺灣寫校園生活的第一把手，作品富幽默、喜感又總帶點揶揄表露自己的心聲。她的「君偉上小學」系列六冊（1993年推出第一冊）[5]——《一年級鮮事多》、《二年級問題多》、《三年級花樣多》、《四年級煩惱多》、《五年級意見多》、《六年級怪事多》，

5——「君偉上小學」系列首冊原名《新生"鮮"事多》，是王淑芬首次出道之作，最初是在《兒童日報》連載（篇名〈今天起，我讀一年級〉），後小兵出版社爭取出單行本（1993），並陸續出版二至六年級各冊（1994～2001，第一、第二、第三至六年級分別由吳開乾、呂美華、徐建國插圖），首冊出版一年多即再刷四次，是當時國內首創專為小學各年級寫校園故事，寫實記錄臺灣小學校園生活的作品。後作家出版社以「君偉上小學」套書重新出版（2006），請賴馬插圖；2012年套書再改由親子天下出版，兩次改版都有增刪修改。另2009年韓國藝林堂出版社（YeaRimDang）也出版韓文版。該套書出版二十週年（2013）時，銷售已達三十萬冊，後又陸續推出特別篇三冊：《君偉的節日報告》（2020）、《君偉的誤會報告》（2021）、《君偉的怪奇報告》（2022），和最終回《君偉的機智生活》（2023）一冊，系列合共十冊。參見王淑芬，

和《童年懺悔錄》（民生報社，1998）、「怪咖教室」系列四冊（國語日報社，2010、2013、2014、2016），頗受兒童讀者乃至家長的歡迎。她的《我是白癡》（民生報社，1997）、《我的左手筆記》（幼獅，1999）等更是流露出她那關懷弱勢、護生的愛心。尤其難得的是，在 2020 年武漢肺炎疫情氾濫學校停課期間，她也發起「童書作家講故事」，利用臉書直播，獲三十位作家響應，接力完成在臉書講故事的行動，具足童心與愛心。此外，她也教人做手工書，2004 年她架設臺灣第一個手工書網頁，獲邀參加 2008、2009 年韓國國際 Book Art 大展、2018 年香港書藝節展覽，被臺灣媒體封為「手工書女王」。她那本寫一弱智少年的感人小說《我是白癡》（獲 1997 第十屆中華兒童文學獎），也出版有韓文、泰文和簡體中文版。韓文譯本（2004）還獲得韓國文化觀光部兒童部門推薦圖書獎，2007 年更被韓國電影公司 Tiger Pictures 改編為電影《飛吧！水班長》，在韓國上映，是臺灣第一本被改編為韓國電影的少年小說。她多才多藝的創作能量，她那關懷校園弱勢學習者的作品被改編成電影為臺灣增光，在在是臺南子弟的榮耀。

五、博士作家林哲璋是臺灣兒文界校園人氣王

臺大中文系畢業，同時也是臺東大學兒文所的博士林哲璋（1972～），是住居高雄路竹的善化籍兒文名作家。他是國內少數有兒文博士學位不走學術研究而專事創作的人，而且專攻給國小中年級閱讀的橋梁書。[6]更難得的，他已躍為近二十年臺灣國小校園最受讀者青睞的人

<hr />

〈《兒童日報》為我導航〉，《中華民國兒童文學學會會訊 火金姑》2022秋季號（2022.9），「《兒童日報》與我」特集，頁56-58。

6──「橋梁書」是臺灣兒文出版界、閱讀推廣界，指稱引導兒童由圖畫書閱讀進入文字較多、乃至純文字書閱讀的過渡階段閱讀書籍，大體是供國小中年級生閱讀，文長約二千五百到四千字左右。由圖象閱讀進展到文字閱讀含有「橋梁」過渡之意。其實國外並無此一術語，而國內各家出版社對橋梁書判準也不一，但都強調此類書的橋梁中介性，是近一二十年臺灣圖畫書出版熱絡後出現的用語。參閱洪文瓊，〈閒話橋梁書：兒童圖書分類小透視〉，《中華民國兒童文學學會會訊 火金姑》2019冬季號（2019.12），「出版與兒童文學（二）橋梁書篇」特集，頁10-22。

氣王之一，校園「與作家有約」的演講，終年邀約不斷。他的童話《用點心學校 4 學生真有料》和《用點心學校 5 香蕉不要皮》，分別連獲 2013、2014 年「誠品書店兒童文學類暢銷書 TOP20」第一名，《用點心學校 6 神氣白米飯》則獲 2015 年第二名（三本均小天下出版，2013、2014、2015）；而《用點心學校 3》也獲得中國華潤怡寶杯「2016 我最喜愛的童書」兒童文學組金獎（由中國十四個省市的專家和兒童評選）。如此受兒童讀者青睞的程度是臺灣兒文界難得有的殊榮。此外，他的《神奇掃帚出租中》（小天下，2010）也被翻譯成斯洛伐克語，在捷克、斯洛伐克出版發行（2020）。在創作方面，林哲璋也創作少年小說，但他最喜愛、最拿手、最受歡迎的作品是童話橋梁書，「屁屁超人」系列（親子天下，2007.9 推出第一冊，至 2020.7 共出九冊）、「用點心學校」系列（小天下，2009.10 推出第一冊，至 2023.3 共出十四冊）、「仙島小學」系列（小天下，2010、2014，共兩冊）、「不偷懶小學」系列（小天下，2013、2014、2015、2017，共四冊）已成了他的招牌，也是臺灣高榜的暢銷書。他的作品充滿奇幻，行文則擅用語詞的聯想、聯結（如「用點心」、「仙島」、「超人」）衍生寓意，內容取材則喜用拼貼組合釀造驚奇，頗能引生兒童想閱讀的欲望與引發讀後討論的話題。他獨樹一幟的風格、專攻橋梁書，以及他在臺灣小學校園超人氣，又擁有博士學位，在在為臺南兒文綻放出難以倫比的光彩。

六、給臺灣兒文界帶來圖畫書新視野的留英兒文博士幸佳慧

英年早逝的兒文研究兼創作者幸佳慧（1973～2019），也是一位彰顯臺南兒文榮光者。她臺南市出生，成大中文系、藝術所畢業後再留學英國，獲得兒童文學的博士學位，返鄉即積極投入圖畫書推廣閱讀，並接受

邀約演講，是非常另類的兒童文學社會運動家。在英國留學時，她十分鍾情瑞典阿思緹・林格倫（Astrid Lindgren, 1907-2002）的《長襪皮皮》。長襪皮皮是一位頑皮不妥協、有自己想法的小女孩，幸佳慧就是以扮演臺灣林格倫長襪皮皮使者自居。令人感動的，2010 年底她回臺灣修改博士論文期間，即與朋友籌組「台南市葫蘆巷讀冊協會」，2011 年 4 月 24 日正式舉行成立大會。大會後，趕回英國完成博士論文口考，6 月 2 日即又回臺展開一連串的演講。11 月 1 日，她們的協會爭取到臺南市立圖書館總館兒童閱覽室的委外經營權，創全國兒童圖書館委外經營的第一個案例。她希望兒童圖書館不只是 studying 而已，也不只是 reading，還應該有 playing、writing、thinking 和 developing。在臺灣，她利用圖畫書引導關心弱勢者；她扮演長襪皮皮，引導家長和兒童思考人權、性別、平等、土地、多元文化與身體意識，從而常被媒體形容為愛放火、愛管閒事的俠女。她的努力與堅持，獲得相當多的掌聲與肯定。2019 年 6 月，她獲得行政院金鼎獎的特別貢獻獎，可惜當年 10 月 16 日就辭世。逝世之前，她還完成《新說台灣民間故事──虎姑婆》（玉山社，2020）的文稿，重新詮釋臺灣家喻戶曉的古典童話〈虎姑婆〉，強調〈虎姑婆〉是個關於勇敢、關於女權的故事，故事中的妹妹就是不盲從、勇於相信自己，才獲得勝利。為這本新改寫《虎姑婆》插畫的潘家欣給佳慧的悼辭，說她是「永遠頑皮笑著的叛逆女孩」。幸佳慧和她的葫蘆巷讀冊協會，在臺灣兒文界展現出前無古人的活力和光芒。她的努力，給臺灣圖畫書閱讀推動帶來一股新風潮，拓展了圖畫書閱讀與推廣的視野，十足是臺南兒文之光。

第二節　臺南是臺灣兒文重要發祥地

一、臺南師專的林守為教授首開兒文課程

　　臺灣教育體系兒文人才的培育，是始於 1960 年起三年制師範學校改為五年制師專，改為師專後在專四設有兒童文學的選修課程。臺南、臺中、臺北三所師範學校率先改制。臺南師專林守為教授（1920~1997）是開授兒童文學的先鋒之一，他最先著手編寫《兒童文學》教科書（1964.3 自費出版）；1969、1970 年獲得中山學術文化基金會獎助，又分別自印出版了《兒童讀物的寫作》（1969.4）和《童話研究》（1970.11）。臺南師專畢業，後來在臺北市立師院擔任教授、系主任，開授兒童文學，同時也是兒文創作名家的陳正治，就說他踏入兒童文學是就讀南師專時，受惠於林教授的啟發。[7]那時，同在南師專教圖書館學兼臺南師專青年刊物指導老師的趙雲教授（在林守為教授退休後，也曾代林守為教授開授兒童文學課程一年），也極力鼓勵學生投入兒童文學創作，陳玉珠就說趙雲教授是她的第一個兒童文學啟蒙老師。[8]同樣南師專畢業的王淑芬，也說在就讀師專時，就開始在校刊《南師青年》投稿。從這些事例，顯示臺南師專／臺南師院在臺灣兒童文學人才培育上具開拓性地位。師專升格改制為師院，張清榮博士應聘到臺南師院，張是臺灣兒文界學養、創作俱佳的重量級人物，在臺南發光、發亮同樣不輸其他地區。

二、籍隸臺南、具臺南情緣的兒文學者多

　　臺灣唯一設有兒童文學碩、博士班的臺東大學，它的兒文所與臺南子弟也是關聯密切。一方面是所方教授臺南出身的多，共有杜明城（第二任

7——林守為教授在南師專開授兒童文學、編寫兒文理論專書，可參閱陳正治，〈臺灣兒童文學的開拓者 ── 林守為教授的著作及生平簡介〉，《兒童文學學刊》創刊號（1998.3），頁195-205。

8——參見陳玉珠，〈我的兒童文學時光列車〉，《中華民國兒童文學學會會訊 火金姑》2021冬季號（2021.12），「洪建全兒童文學創作獎與我」特集，頁52-63。該文敍介她在兒文旅程各站所遇到的貴人。

所長）、吳玟瑛（第三任所長，後轉任成大台文系）、藍劍虹教授三位都是臺南子弟，而現任所長王友輝是先在臺南大學戲劇創作與應用學系任教而後轉任臺東大學兒文所的，也是跟臺南相當有情緣。另一方面是兒文所培育的博士生，臺南籍子弟多：有專職創作的林哲璋、王宇清，戲劇專業的黃美滿、陳晞如，專攻圖畫書的嚴淑女、周見信，研究兒童傳記的林慈鳶，關注女性文學與閱讀推廣的黃愛貞，還有尚待提論文的林杏娥、呂毅新，以及肆業未提論文的黃培欽等。如再加上麻豆出生留學美國獲有兒文碩士與傳播學博士的孫晴峰、留學英國獲兒童文學博士學位的幸佳慧，說臺南兒文界具兒文高學位人才濟濟並不為過。此外，在大學開授兒童文學，有理論著作又從事兒文創作的，臺灣最具盛名的有兩位：一是臺北市立師院（市北大前身）的陳正治教授，一是繼林守為之後在臺南師院（前身為臺南師專，後又升格為臺南大學）任教的張清榮教授。兩人有「北陳南張」的美稱，陳是臺南師專畢業，張雖原籍嘉義，但入籍、長居臺南三四十年，已是道地的老臺南人。就臺南情緣來說，他們兩位教授當然也是臺南兒文的光彩。

第三節　童書出版、推廣，臺南鄉親貢獻不凡

　　兒文發展除了作家創作外，最重要還是要能出版成書，才能被閱讀、評介。在童書出版方面，臺南鄉親同樣有傲視全臺的貢獻。

一、第一屆新聞局金鼎獎兒童讀物類組獲獎讀物「新一代兒童益智叢書」，出版者將軍出版公司是道地臺南將軍人士吳豐山所創設

　　臺灣獎勵出版最著名的獎項是金鼎獎，榮獲第一屆兒童讀物類金鼎獎（1977）是「新一代兒童益智叢書」共四十冊，出版者將軍出版社是道地臺南將軍人士吳豐山所創設。吳先生曾任職自立晚報二十七年（從記者、採訪主任、總編輯、社長、董事長到發行人），後又擔任監察委員、公視

董事長等，是新聞傳播界極為知名且重要的人士。將軍出版社出版此套叢書，是當時民間出版社最具魄力的創新開發投資（投資金換成今日幣值至少兩千萬以上，依然是空前的創舉）。該套叢書強調時代性、本土性與多元性，內容包括文學類、科學類、史地類、美育類四大類。林良先生的《小紙船看海》、《小動物兒歌集》，就是此套叢書最先出版的兩本。就知識類來說，它是臺灣最早介紹電腦（當時還稱為計算機）、生態學、人類學的童書。它的寶島系列四冊：《寶島的山水》、《寶島的風情》、《寶島的動物》、《寶島的植物》，是國內最早完整介紹本土自然和人文環境的童書。而美育類四冊：《音樂趣談》、《音樂與你》、《奇異的色彩》、《美術的世界》，同樣是當時國內所欠缺的童書。該套叢書的精裝版式，和每冊有八頁彩色，一半雙色套印，除了當時官方的中華兒童叢書可匹比外，是當時民間首屈一指。它出版後，在國立中央圖書館臺灣分館舉辦為期十天（1976.3.29 ～ 4.7）的「新一代兒童書畫展」，除了展出該套叢書四十冊外，也展出兒童讀物編印過程和世界二十六國兒童畫，更是首開國內舉辦童書展的風氣，在國內兒文發展史上極具開創性。

二、信誼基金會是全國幼兒圖書出版龍頭，
　　經營者為臺南安平何傳、何壽川家族

　　幼稚園生或國小低年適讀的圖畫書，是當前臺灣童書的最夯圖書，出版量最多、匯聚人才也最多。臺灣最大、投資最多的圖畫書出版社，是永豐餘集團的信誼基金會。永豐餘集團的經營者是臺南安平何傳、何壽川家族。除了出版童書外，信誼對兒童文學最大的貢獻，當是 1987 年創辦「信誼幼兒文學獎」，它為臺灣幼兒文學帶動發展風潮。臺灣的幼兒文學、圖畫書變得足以媲美歐美先進國家，成為當前臺灣軍容最壯盛的一支隊伍，

信誼功不可沒（何壽川夫人臺大歷史系畢業的張杏如女士是負責掌舵的關鍵人物）。而 2008 年，信誼更是洞燭機先，率先在幼兒文學獎之下增設「兒童動畫獎」，2014 年開放世界各國參賽，以迎合數位時代閱讀視聽化的到來；增設國際組第四年（2017）就有七十六個國家參賽[9]，使臺灣兒文又多了一項可跟世界接軌的管道。

三、國內出版小學國語科教科書三大家，
臺南鄉親經營的就有南一、翰林兩大家

兒童文學與國民教育關聯最大，特別是國語科教科書。1996 年臺灣全面開放國小教科書可由民間編印出版，後經二三十年來的競爭淘汰，國小教科書市場最後只剩三大家：康軒、翰林、南一，其中南一和翰林兩家，就是由臺南鄉親所經營。由於國語教科書課文大多是選用兒文名家作品，因此各家出版社都擁有自己的作家群；加上 2000 年後，教育部積極在中小學校園推廣閱讀，三家教科書出版商也都投入童書出版。而學校常舉辦「與作家有約」的閱讀推廣活動，大體都透過自己學校採用教科書版本的書商，邀約作家到校演講，與學校師生互動，如林哲璋就是深受歡迎的作家，終年邀約不斷。這也是臺灣近一二十年，促進兒文發展的一股力量，南一、翰林的貢獻自然值得記上一筆。

四、兒童文學與地方文化結合，臺南在全國領居鰲頭

臺南在地的學者和市縣文化局、教育局，均重視本土習俗文化的傳承、延續。南瀛文學獎、臺南文學獎設有兒童文學類，府城文學獎最後兩屆設有「臺語兒童繪本」類，在全國地方文學獎中都是開路先鋒。2012

9——2018年共八十一國，迄至2022年都維持在七八十個國家參賽，參見「信誼兒童動畫獎」官網，及張杏如，〈動畫・兒童・教育 共創兒童新視界〉，《信誼好好生活誌》8期（2018.12，冬季號），頁0-3。

年第十一屆亞洲兒童文學大會在東京召開，主題是「亞洲兒童文學的未來」，設定的第一個副主題是「兒童文學與地方文化」。它十分貼切反映一個全球化時代趨勢，即由於電腦與通訊科技的結合，使整個世界縮短了時間與空間的距離，在此全球化（或者說美國化）的浪潮下，地方文化更值得世人重視，努力加以保存、發揚。聯合國通過「世界母語日」（2月21日）、「世界原住民日」（8月9日），正是呼籲全球化的當下要更重視地方文化的保存、發揚。日本在亞洲兒童文學大會「亞洲兒童文學的未來」主題下，也把地方文化納為討論的主題，正是反映此種趨勢。針對這個主題，出身佳里的林慈鳶博士（時為臺東大學兒文所博士生）在大會發表了〈兒童文學與地域文化的結合思考——從臺灣近二十年的鄉土童書獲得的啟示〉一文。1997年臺南縣政府文化處，在臺南師專畢業善化籍的蘇振明教授策畫建議下，開始編輯出版「南瀛之美圖畫書」，臺南縣市併為臺南都以後，同樣繼續出版「臺南之美圖畫書」。出版鄉土圖畫書，正是反映重視地方文化與兒童文學結合的具體措施。而也因南瀛之美圖畫書開創了先例，引起其他縣市文化局相繼仿效，迄今各縣市政府乃至金門、馬祖，無不出版各自縣市的鄉土童書，豐富了臺灣的地方文學。

地方兒文方面，臺南還有一項「兒童家鄉故事繪本」創作的倡導是各縣市所不及。2015年4月臺南市教育局為落實鄉土教育、強化校本位課程，推出「話我家鄉故事繪本」計畫，資助經費，鼓勵各國小參與此一師生共同創作家鄉故事繪本的活動。此一計畫難得的是獲得「財團法人兒童文化藝術基金會」（董事長為臺東大學兒文所榮譽教授林文寶）長年支持，尤其該基金會執行長盧彥芬（臺東大學兒文所碩士，現任公視董事）更是傾全力協助，除了幫忙爭取芝蘭基金會等公益團體資助印刷經費外，還不辭辛勞親自參與策畫課程、協助編輯和舉辦推廣活動。迄今（2023年

3 月）該計畫創作成果所出版的「臺南兒童家鄉故事繪本創作系列」，已多達 78 本（臺南市 37 個行政區有 35 區都出版有師生共作的家鄉故事繪本），非常難得，而且有不少是國臺語對照，甚至是純臺語的版本。地方文化繪本雖然其他縣市也有推動，但內容、版式與印刷的精美都無法跟臺南相比，這一項「兒童家鄉故事繪本」也是臺南兒文傲視全國的地方。

第三章
臺南兒文屬性
與發展歷史分期

整體來說，臺南兒文是臺灣兒文的一環，是所謂的「地區兒文」，它含有臺灣兒文的本質，又具有自己的地域特色。基本上，臺灣由於幾度淪為殖民地的歷史境遇，官方主流語言的轉換，深深影響臺灣兒文的發展，臺南兒文自然也不例外。戰後，臺灣／臺南的本土兒文作家，一直到一九七〇年代才陸續冒出頭來，就是語言轉換的因素。

其次，兒文作品主要閱讀對象為兒童，與國民教育關連最為密切，尤其兒童圖書又非民生必需消費物品，在民間經濟尚未活絡以前，會對兒文關切應是教育廳局和第一線的小學教師。日治時期迄今，小學教師以及培育小學教師的師範教育體系、主管教育的廳局，一直是帶動臺灣兒文發展的主力，臺南兒文同樣反映如此發展軌跡。

除了教育外，政治與經濟外在環境同樣影響兒文發展。政治方面，國府治臺為了抗共、防共，長期戒嚴，臺灣出版自由、言論自由大受限制，成人文學如此，兒童文學同樣無法例外。經濟是促使創作、出版活絡的條件，臺灣在一九七〇年代才由農業經濟轉向工商經濟，到一九八〇年代政府才開始把文化建設列入。1981 年 11 月 11 日行政院成立文化建設委員會，此後藝文活動轉由獨立的文化單位掌管，而不再由教育廳局與新聞局主導，運作主軸由意識形態控制，轉為資助輔導激發民間藝術與文化的創造活力。在各縣市成立文化局、啟建文化中心後，兒文推廣活動朝向跟藝術和文化結合，不再只是教育局社教課的事務，不再以語文學習、增進知識為導向。文化局成立促使臺灣各縣市兒文發展呈現多元化，活絡了地方多樣態的文化社團，臺南兒文的發展也不例外。

撇開外在的政治經濟社會環境因素，影響兒文發展最為關鍵的因素在於人才的培養與提供創作競技發表的舞臺。兒文人才最核心的是創作人

才，也即所謂「作家」。作家當然有些是靠自我摸索、體悟，但要壯大成群還是得要透過體制培養。迄今臺灣兒文作家，仍是以中小學教師出身者居多，這和政府教育體制兩大措施不無關係：一是省教育廳國校教師研習會，從 1971 至 1989 年陸續舉辦十一期次「兒童讀物寫作班」[10]；一是師範學校改制為師專，師專改制為師院，在師專、師院開授兒童文學課程，最後又核准承辦最多兒文研習活動的臺東師院設立兒童文學研究所碩士班、博士班，是國內唯一設有兒童文學研究所的大學。這兩項措施都深深影響臺灣兒文創作與研評人才的養成。

創作不只是人才的問題，更需要讓創作者有發表的園地，最能提升與激勵創作欲的，當是有提供獎金的「兒童文學創作獎」競技平臺。帶動臺灣兒文發展、幫忙淘育臺灣兒文創作人才，貢獻最大的是 1974 年由國際牌企業體系「洪建全教育文化基金會」所創設的「洪建全兒童文學創作獎」（1975 年第一屆頒獎）。該獎是臺灣第一個兒文創作獎，徵文類別主要是詩歌、圖畫故事、童話、少年小說，含括幼兒到少年適讀的四個文類。因有企業的支持，且基金會本身辦有一家聲譽不錯的《書評書目》雜誌，在有心和用心下，洪建全兒文創作獎辦得有聲有色，除了隆重的頒獎典禮外，還辦專題講座和研習，為臺灣兒文發展的起步提供一個非常優質的發展環境。尤其得獎的作品都有出版成書的機會，獲獎者常視為躋身臺灣兒文作家的門票。更重要的是洪建全兒文創作獎提供的競技是全國性的，參賽者也不限於教師，從獲獎名單可看出全臺灣和各縣市兒文創作的優弱勢，不論是臺灣兒文或臺南兒文發展，都極具觀察指標性。從歷史的長流來看，1974 年洪建全教育文化基金會創設兒童文學獎，當是戰後臺灣兒

10—— 國內兒文界常將省教育廳國校教師研習會舉辦的這一寫作研習各期次稱為「兒童讀物寫作班」，其實結業證書正式名稱是「兒童讀物寫作研究科」。關於寫作班各縣市參加學員名單與往後創作獲獎情況，可參閱彭素華，《後「兒童讀物寫作班」（1971-1989）時代之研究》，碩士論文，國立臺東大學兒童文學研究所，2020。由於受訓的都是在職的小學教師，而且都必須對兒童文學有創作經驗或興趣，負責講授的大部分又都是老一輩的兒童文學作家或編輯，因此，此兒童讀物寫作班實具有傳承的意義。又研習會在1973、1974年也曾接受「中國戲劇藝術中心」（民間團體）結合臺北市政府的委託，辦了三期次「兒童戲劇班」，這三期次同樣也是有關兒文創作人才的培育。

文史起步走的分水嶺。在這之前，可說是官方主導的時代，之後則是民間大企業導引兒文走向的時代。

　　官方主導兒童文學發展，上述師範學校改制和開辦兒童讀物寫作班兩項措施，影響臺灣兒文發展甚大。小學師資培育由師範學校改制為師專、師院。改制為師專，兒童文學列為語文組選修課程；師專改制為師院，則兒童文學列為全師院各系必修；師院升格為大學後，兒文又變成選修。師專、師院生畢業後到小學服務，由於在學時修過兒童文學課程，可說是為國內兒文培養了一批又一批會關注兒文或想投入創作的人才。在改制開授兒文課程方面，臺南師專的林守為、臺南師院的張清榮教授，都是國內領頭開拓的先鋒。然而，讓人有點訝異的是，兒童讀物寫作班的參與，在全國二十三縣市外加金門，共二十四個行政區中，臺南縣、臺南市調派老師參加，竟然是位居後段班。臺南縣、臺中市是唯二沒有派老師參與的墊尾縣市，臺南市有九名參與，名列第十五[11]。究竟是縣市教育局不重視，還是教師無意願參與，實在有點令人不解。但是在臺灣第一個兒文競技平臺的洪建全兒文創作獎，臺南縣作家表現卻是非常傑出，除了有非教師出身的謝武彰、陳肇宜外，還有未參加兒童讀物寫作班的陳玉珠老師，和兩位參加過兒童讀物寫作班的南縣籍鄭文山（楠西）和毛威麟（六甲）（兩位老師獲調派參加時在高雄縣國小服務）。臺南市獲獎的只有徐士欽老師和後來入籍臺南在南師院任教的張清榮教授（兩位都未參加寫作班）。從洪建全兒文創作獎獲獎情況，臺南縣籍的兒文作家顯然比南市籍的多，這也是臺南兒文的一個特色。

11—— 十一期次各縣市調派參與教師名額，見彭素華，《後「兒童讀物寫作班」（1971-1989）時代之研究》，碩士論文，國立臺東大學兒童文學研究所，2020，頁22-23，名冊見頁114-129。臺南市獲派參與寫作班的教師共有陳朝陽、曾金木、黃淑惠、邱蕾錦、邱淑榕、張金線、張小玲、陳正恩、曾玄坑九位。九位中除了陳正恩校長（屏東縣籍，時在臺南安順國小服務）有繼續投入兒文創作外，其餘參與者大體都專注教學本業止步兒文創作。另陳朝陽校長雖未投入兒文創作，卻非常熱忱努力為臺南市辦了好幾場次的兒文研習，也出版《新南童聲》校刊，對臺南兒文發展貢獻不小。

再就洪建全兒文創作獎來說，參賽獲獎者除有出書的機會外，更難得的是會獲邀參加頒獎典禮，在會場聆聽專家講評、與名家相互交流之餘，有被專家或應邀出席的出版社編輯認識的機會。省教育廳兒童讀物編輯小組編印的第一、第二期「中華兒童叢書」三百種中，臺南縣市的作家都沒有人被邀約出書。第三期以後，陳玉珠、謝武彰接連獲邀出書，就是由於獲洪建全兒文創作獎的關係。[12]陳玉珠更說她的中華兒童叢書《兒童歌舞劇 水晶宮》（1980）一書，就是因為參與洪建全兒文創作獎，作品被評審潘人木（時任省教育廳兒童讀物編輯小組總編輯）欣賞，而被直接邀稿撰寫的。[13]總之，洪建全兒文創作獎使臺南在地的兒文作家脫離邊陲的地位，打破戰後臺灣兒文一直以北臺灣為主場的局面，促使臺灣兒文融合為一整體向前邁進。臺南兒文作家因洪建全兒文創作獎的創設而得以站上全國舞臺，臺灣兒文因洪建全兒文創作獎而得全臺匯流成一體，洪建全兒文創作獎最重要的歷史意義在此，值得特別先予指出。

第二節　臺南兒文發展歷史分期

一、臺南兒文發展歷史分期的依據

　　兒文發展的歷史分期主要涉及時間和空間的區隔問題。一方面，臺灣由於歷史的境遇，先後受過荷蘭、明鄭、日本、國民政府的統治，要以哪個時期作為敘介論述起始點，必須給予界定；一方面，臺南是一地方行政轄區的名稱，也是一熱鬧都市市區的指稱，即使純指行政轄區，也存在過「市」的臺南、「縣」的臺南和「州」的臺南。時間的長短、空間的大小

12—— 省教育廳兒童讀物編輯小組自1964年成立，至2002年裁撤，共執行八期「中華兒童叢書」編印計畫，每期五年。第一期出書165種，第二期135種。各期出版的書目（書名、作者、類別及出版日期），參見林文寶、趙秀金，《兒童讀物編輯小組的歷史與身影》，國立臺東大學兒童文學研究所，2003.10，頁225-273。臺南師專教授趙雲沒有語言轉換跨越問題，她第一本中華兒童叢書《開天闢地 中國神話故事》（1981.5）也是在第三期才納入，比陳玉珠同樣納入第三期的《兒童歌舞劇 水晶宮》（1980.10）還晚，跟謝武彰的《變變變躲危險》（1981.6）差不多同時。趙教授受邀在中華兒童叢書出書，也可能是跟臺南兒文作家在洪建全兒文創作獎崛起有些關係（陳玉珠強調踏上兒文受趙雲影響）。

13—— 參見陳玉珠，〈我的兒童文學時光列車〉，《中華民國兒童文學學會會訊 火金姑》2021冬季號（2021.12），「洪建全兒童文學創作獎與我」特集，頁52-63。見該文第八站小節（頁59-60）。

都關聯要敘介論述的範圍。本臺南兒文史卷，時間含括日治時期以迄現在，因為臺灣有現代意識的兒童文學始於日治時期；空間則以戰後先是分治的臺南縣、臺南市，民國百年後併合為「都」（院轄市）的大臺南作為基準。

　　純就統治權的更迭和行政轄區分合來觀察省視臺南地區的兒文發展，明確可區分為三個時期：一為日治時期（1895～1945），二為戰後臺南縣市分治期（1945～2010），三為縣市合併為臺南都期（2011～）。臺南縣市分治期歷時最長，超過半個世紀，這之間，臺灣經歷由威權體制邁向民主、由農業普遍貧困邁向工商業富裕的不同發展階段，或可再以一些指標事件作為小分期，比較容易看出發展的脈絡。

　　就整體大環境來說，1971 年 10 月 25 日臺灣退出聯合國與 1987 年 7 月 15 日臺灣解嚴，可說是影響戰後臺灣追求自立、自強，走向民主化、本土化最具關鍵的兩件大事。很巧的，1971、1987 這兩年，同樣對臺灣兒文、臺南兒文發展具有指標性的意義，本兒文史卷即以這兩年作為戰後臺南縣市分治兒文發展分期的指標年。

　　促成聯合國兒童基金會資助省教育廳成立「兒童讀物編輯小組」（1964 年 6 月），出版「中華兒童叢書」的陳梅生博士，1970 年接掌省教育廳國校教師研習會。為培養兒文創作與推廣人才，他就任次年，即在 1971 年 5 月、11 月連續舉辦兩梯次各為期四週的「兒童讀物寫作班」，學員由各縣市推介調派有寫作專長或興趣的國小教師參加。受訓的學員返校後，都成為各縣市推動兒文的骨幹，臺灣兒文可說是在 1971 這一年才正式全面啟動。一九七〇年代不少縣市陸續創刊全縣／市校際性或自家校園《〇〇兒童》之類的刊物，乃至一九八〇年代後期各縣市教育局支持舉辦兒文研習會與資助出版年度性的《〇〇縣／市兒童文學創作選集／專輯》，背後可說都是寫作班的學員在動員支持。

而 1987 年 7 月 15 日臺灣解嚴、1988 年 1 月 1 日解除報禁，對臺灣更具歷史意義，是戰後臺灣走向民主化、本土化的分水嶺。就臺灣兒文來說，1987 年同樣是激引臺灣兒文邁向多元發展的指標年。這一年元月，永豐餘集團信誼基金會繼洪建全兒文創作獎之後，宣布創設臺灣民間第二家兒文創作獎──「信誼幼兒文學獎」，開啟臺灣兒文進入以圖畫書為主流的多元競逐新時代。二月省教育廳也宣布創設「臺灣省兒童文學創作獎」（1988 年第一屆頒獎），開官方設置兒童文學創作獎的先河，徵文對象不限國小老師，也包括社會人士，充分顯示省教育廳要推展兒童文學的決心。此外，師專改制為師院，將「兒童文學」列為全院各系必修課程也是在 1987 這一年，它除了標誌「兒童文學」在臺灣正式進入大學殿堂（師專時代，兒文課程只是語文組選修，而且師專是隸屬中教司，師院則隸屬高教司）成為一個專業學科外，更促成一九九〇年代起，臺灣小學校園增加不少具有兒文素養的教師，適巧為一九九〇年代臺灣兒文邁向多元化、國際化的黃金時代提供極為重要的發展動力。

　　而極為巧合的，1986 年、1987 年也正是臺南市／縣教育局配合省教育廳指示[14]，針對小學老師及學生，舉辦兒文創作研習會和年度兒童文學創作徵文，並出版獲獎作品專輯：《台南市第〇屆鳳凰城兒童文學創作選集》（1986 年第一屆）、《小麻雀 臺南縣兒童文學創作專輯》（1987 年創刊號）的起始年。可惜《鳳凰城》只出版兩集，《小麻雀》則持續逐年出版到縣市合併，又改以《小黑琵 臺南市兒童文學創作專輯》為名，繼續舉辦年度校園兒文創作徵文，一年出版一輯迄今。《小麻雀》、《小黑琵》年度校園兒文創作徵文專輯能持續出版，意謂臺南縣／市政府均肯

14── 臺南市教育局長林金悔在《台南市第一屆鳳凰城兒童文學創作選集》（臺南市政府編印，1986）的序言〈真情鼓舞向上 創思激勵興趣〉末段，説「目前教育廳指示推展兒童文學，各縣市辦理研習或徵文比賽、刊物交流，各展所能，集合群力，『台南市第一屆鳳凰城兒童文學創作徵文』便是一項有力的佐證，……」。

定、認同兒童文學的重要，將兒文推廣視為重要政策在推行。就臺南兒文發展來說，這兩份小學校園兒文創作專輯每年持續出版，可說是在為臺南兒文長期進行在地化扎「根」。專輯的徵文獲獎作品比南瀛文學獎、臺南文學獎兒文類徵文得獎作品，更道地彰顯出臺南兒文的地域特色，是臺南兒文彌足珍貴的資產，更為臺南的兒文發展蓄積能量。

　　唯各縣市文化中心成立初期，以推廣藝文展演活動為主，較少與地方作家結合。九〇年代起，文建會為配合六年國建成立現代文學資料館，開始要求各縣市文化中心舉辦「週末文藝營」、整理「當代作家檔案」、出版「作家作品集」，促成各縣市文化中心與當地作家產生較綿密的互動。1993年臺灣第一個地方文學獎——南瀛文學獎就是在此背景下產生的。臺南縣文化局創設的南瀛文學獎、出版縣籍作家作品，都把兒童文學納入。臺南兒文因南瀛文學獎的設置，進一步擴大開放、鼓勵社會大眾參與，使兒文推動不再侷限於小學校園。此外文化局也補助開放性的專業性兒文創作研習、童書欣賞講座，以及社區型的親子讀書會或說故事團體的閱讀活動，促成臺南兒文發展更為熱絡、多元。

二、依時空環境與兒文發展狀況的差異，臺南兒文發展歷史可區分為五期

　　本兒文史卷即依時空環境的差異與臺南兒文本身的發展狀況，將臺南兒文發展的歷史長河區分為五期。除日治時期、2011年南縣市併都後，可明確各為獨立一期外，戰後南縣市分治逾六十年，則分別以省教育廳開辦「兒童讀物寫作班」（1971），引發臺南縣市兒文熱愛者自發、自力出版《南縣兒童》季刊（1973.10），以及「信誼幼兒文學獎」、「臺灣省兒童文學創作獎」創設（1987）和《小麻雀 臺南縣兒童文學創作專輯》

創刊（1987），作為不同階段起始指標，將戰後臺南縣市分治期再區分成分治前期（1946～1970）、分治中期（1971～1986）、分治後期（1987～2010）三小期。也即本兒文史卷把臺南兒童文學發展區分為五個時期：「日治時期」、「臺南縣市分治前期」、「臺南縣市分治中期」、「臺南縣市分治後期」、「臺南縣市併都期」。

　　日治時期（1895～1945）為兒文萌芽期，由日人主導引入童心主義、兒童本位的現代兒文觀，坊間、校園盛行童謠創作、傳唱及口演童話、廣播童話。縣市分治前期（1946～1970）為邊陲沉潛期，兒文創作、出版主場在臺北，蓄勢待發於邊陲臺南。分治中期（1971～1986）為自力崛起期，一方面，熱愛兒文的國小教師未獲官方或縣府支持資助，跨校際聯合出版《南縣兒童》低中高年級三式季刊（1、4、7、10 月發行）；一方面縣市籍子弟因參加洪建全兒文創作獎競技傑出，使臺南兒文破繭站上全國兒文舞臺，融入臺灣兒文大洪流。分治中期，兒文軍容最盛的是童詩，其他文類則同時在起步發展。

　　分治後期（1987～2010）為兒童文學與地方文化結合期。一方面由於鄉土教育正式進入國小課程（1993 年納入國小課程標準，1996 年正式實施），促成兒文與地方文化結合，鄉土童書、母語童書受到重視；一方面分治後期臺灣的經濟發展已到一定程度，兒文大環境則洪建全兒文創作獎已準備退場（1986 年洪建全教育文化基金會董事長洪敏隆過世，最後 16、17、18 三屆委由中華民國兒童文學學會辦理後，1991 年畫下句點），但緊接著卻迎來更多專類兒文獎設立，為國內有志兒文創作的好手提供更多管道的競技舞臺。而縣市教育局也配合省教育廳指示，針對小學老師及學生舉辦校園年度兒童文學創作徵文並出版獲獎專輯－《鳳凰城》、《小麻雀》。也即分治後期，臺灣兒文已開始邁入圖

畫書、少年小說、童話多類作品競逐的時代，是兒文好手百家爭鳴的時代，也是臺灣童書出版難得有的黃金時代。而不論是圖畫書或童話、少年小說，臺南兒文寫手均不缺席。

臺南縣市併都期（2011～），臺灣已全面進入數位時代，也是數位原民開始當道的新世紀。此期是世代交錯、閱讀和訊息傳播大轉型的時代，是讀者與作者混同不分的時代，是紙本書在救亡圖存的時代，是 AI 介入生活、告別傳統生活方式，人人都得調整腳步、調整生活方式、調整學習方式、溝通方式的時代。尤其是 2019 年尾全球爆發 COVID-19 武漢肺炎疫情後，更促使全世界，從政府到人民無不要各顯神通尋求因應圖存之道，是一個全然有別於傳統、考驗人類智慧走出新局的大淬鍊時代，目前似乎還只是在盤整中的起始階段。兒文的創作、出版、閱讀推廣的各層面，在在受到新的挑戰。

然而，不論是日治或戰後各期，不論各期時代環境是如何不同，基本上教育單位、文化單位和國小教師都還是扮演兒文發展的重要角色。這是我們對臺灣兒文、臺南兒文發展應有的認識。

第四章

日治時期（1895～1945）

　　國民教育普及和經濟發展程度是影響兒文發展的關鍵因素，臺灣真正有制度化的普及國民教育，是始於日治時期。早期漢人受教育都是進私塾（書房），目的是為了考科舉，女子幾無受教育機會，以促進兒童身心發展為導向的現代意涵兒童文學，根本未被意識到有存在的價值和需要。日本 1895 年領臺後，1898 年就制定臺灣公學校令，展開設置供漢人子弟就讀的公學校，1905 年並開始設置番人子弟的學校，日本內地的兒童文化勢所必然引進臺灣，影響臺灣各地的兒文發展；也即日治時期的臺灣兒文是在日本殖民教育體制下，由日人主導逐漸發展起來的。日治時期，童謠、童話在臺灣特別興盛，背後仍是殖民統治因素。

　　語文是影響兒文發展最重要的一個環節。日人領臺時，臺灣本島民眾大多數是不識字的文盲，廣泛使用的語言是臺語（閩南話），少數知識分子流通使用的是所謂漢文（文言文）。日人要遂行殖民統治，率先從設置國民學校（公學校、小學校）開始，就是為了日後統治的需要。撇開政治因素，兒文作品（童書）出版需要有高語文素養的創作人才，流通閱讀同樣需要有足夠的語文能力。日治時期的國語是日語，日語與漢語是不同的語系，創作與閱讀對臺灣本地人來說，都涉及語系轉換問題。透過教育，是培育熟練語文的最佳管道，要熟練另一個語系的語文，從小學到中學大概十到十二年的養成磨練恐怕是最低限度。日治時期一直到一九二〇年代，臺灣本土能用日語創作的作家才陸續冒出頭，就是語文轉換的關係。從而一九二〇、三〇年代臺灣本土興起的新文學運動，也涉及創作語言的選用論爭，應是不難理解。當時，除了使用主流的日語創作外，文學界其實還有中國白話文和臺灣話文的倡導者與實踐者，宗教界甚至有基督教長老會系統，以已在臺灣使用多時的白話字（臺語羅馬拼音），藉《臺灣教

會公報》的發行，在教徒間流行使用。日本領臺遂行殖民統治，以普及國民教育為優先實是深具遠見的策略。

兒文發展除了語文、教育普及的因素外，也與社會經濟發展程度有關。日治時期，臺灣大體仍是農業社會，農業勞力的需求大於其他行業，人民求溫飽第一，現代意涵的童書是屬文化消費品，就當時的臺灣社會來說，尚未構成市場需求的條件。兒文基本上仍是教育界，尤其是國民教育界才會關心的事，因此，從事國民教育的教師是童書創作與推廣的主力。

提供兒文作品發表園地、促進兒文作品廣泛流通、最能彰顯市場需求的是兒童期刊。日治時期在臺灣流通除了日本內地的兒童雜誌外，也有在臺灣創刊的兒童雜誌，共約十餘家[15]，全是日人經營主編，最具盛名的是吉川精馬創辦的《子供の世界》、《學友》。這也是日治時期臺灣兒文尚在萌芽，處於譯介引入期的佐證。臺灣本地兒文作家特別是國小教師，發表作品大多是在《臺灣教育》或《民俗臺灣》兩份月刊，而不是兒童雜誌。

第二節　童謠、口演童話盛行

日治時期在臺灣盛行的兒文是童謠創作、傳統童謠蒐集和口演童話（為兒童說故事），之所以在臺灣盛行，其實仍是根源日本想順利統治臺灣的需要，也即背後關鍵因素還是日本的教育政策。臺灣總督府在 1921年 4 月，把公學校「唱歌」科目由選修改為必修。因為必修，成為全校必須重視的科目。日本教育決策者認識到透過童謠兒歌的教唱，除了傳遞日本文化的殖民意識外，也是讓兒童熟稔日語語調的良好途徑，有助於深化對日語的學習。1934 年 7 ～ 8 月，日本名詩人北原白秋來臺灣，即是應

15── 參見李雀美，〈光復前的台灣兒童期刊〉，載於鄭明進主編《認識兒童期刊》，臺北：中華民國兒童文學學會，1989.12，頁34-39。

總督府的招聘，為寫「國語（日語）普及政策」的宣傳歌訪臺，創作了〈臺灣少年進行曲〉、〈臺灣青年之歌〉，和臺灣童謠〈快活的白頭翁〉（朗らかペタコ）、〈紗帽山〉、〈水牛〉等七首。北原白秋的盛名助長臺灣島內童謠的熱絡，是不難理解的。另日本童謠民謠詩人野口雨情兩度訪臺（1927 年 4 月、1939 年 11 ～ 12 月），除了演講和演唱外，也隨時蒐集童謠創作的題材，留下以臺灣動植物為名的〈白頭翁〉、〈水牛〉、〈木瓜〉等作品，同樣對島內童謠的傳唱與創作有推波助瀾的作用。[16]此外，一九二〇、三〇年代，新興起的傳播工具廣播及黑膠唱片逐漸成為社會的新寵，對童謠以及童話，尤其口演童話、童話劇的熱絡，不可忽視也有促進的作用。

一九一〇、二〇年代大正時期，日本童心主義盛行，童話作家巖谷小波三次訪臺（1916、1925、1931）做口演童話及演講，久留島武彥 1915 年、1928 年兩次訪臺分別進行童話口演、童話行腳，掀起臺灣口演童話的發展，加上島內有以推展童話事業為職志，長住臺灣的實業家西岡英夫（小波姻親），居中熱心牽引配合，促使口演童話、童話劇與童謠成為日治時期臺灣最熱絡的兒童文學。[17]

日治時期，因受日本童話作家巖谷小波與詩人北原白秋等人訪臺推動口演童話與童謠，對童謠的影響特別大。在臺灣的公學校、小學校的教師，乃至學童間興起一股創作、傳唱的浪潮。臺灣籍的公學校教師和民間詩人也有一些投入創作的行列，其中臺南州籍的教師莊傳沛（學甲人，曾教過吳新榮）、陳保宗（後營人）、黃五湖（臺南人，服務於北門），和詩人莊月芳（學甲人）、漂舟（本名黃耀麟，臺南市人）等人，都有童謠作品

16—— 參見游珮芸，《日治時期台灣的兒童文化》，臺北：玉山社，2007.1。

17—— 參見前註《日治時期台灣的兒童文化》，以及邱各容，〈臺灣口演童話的開創者——西岡英夫〉，《臺北文獻》直字193期（2015.9），頁59-67。

18—— 此處所提及莊傳沛、莊月芳、陳保宗等五人作品均見於臺北市文化局出版的《寶島留聲機：日治時期臺灣童謠讀本1》（2018.10）。

發表。[18]漂舟甚至是以臺灣話文（臺語）創作，他的〈海水浴〉[19]今天讀來仍然十分鮮活，毫不過時。

〈海水浴〉
禮拜日　天氣好
海水浴場好迌迌
泅的泅　倒的倒
海面起白波　海墘水濁濁。

泅過來　泅過去
深的所在有插旗
真危險　愛張弛
泅得親像魚　看著真歡喜。

海風涼　日頭炎
海水食著真正鹹
挖海沙　來曝鹽
日頭親像針　曝得身會粘。

第三節　臺灣本土仍缺乏原創性童話，
　　　　也無專為少年創作的少年小說

為統治臺灣，日本除了積極展開資源調查外，也進行社會人文各方面的調查，以了解掌握臺灣的風俗民情，包括語言、民族、民俗、慣習、民間文學（歌謠、童謠、謎語、傳說故事）、原住民（時稱為番人）的傳說

19—— 漂舟這首〈海水浴〉原刊於《臺灣新文學》1卷5號（1936.6.5），頁86。此處文本摘自前註《寶島留聲機：日治時期臺灣童謠讀本1》，頁72。

等等。日人在民間文學這方面調查蒐集，也觸動引發臺灣本地人士的民族自尊與憂心。[20]有人開始積極蒐集整理，進而改寫自己家鄉的民間文學，其中以王詩琅、李献璋、黃得時、黃連發、廖漢臣、郭秋生等人貢獻最為卓著（這些名家都不是臺南地區人士），甚至也肇生了「臺灣文學少女」黃鳳姿（1928～），發表許多關於臺灣民俗的散文、民間故事和傳說，集結出版了《七娘媽生》、《七爺八爺》。日治時期跟兒文最有關的就是此一民間文學的蒐集整理，但除了引發童謠有較多的創作作品外，日治時期臺灣本土仍是缺乏原創性童話。

口傳民間故事富民族色彩，經採錄後常成為許多「改寫童話」的來源或「自創童話」的觸媒，如格林童話的源頭就是民間故事，安徒生則是先援用民間故事而走向自創童話。臺灣兒文的童話、兒歌發展，也不外先採集後走向創作這樣的方式。但民間故事並不就是童話，基本上它仍屬於成人文學的一環。採錄的民間故事要成為兒童適讀的童話，是需要經過整理改寫的。熱衷民俗文化、戰後被聘任為臺南市文獻委員會委員的莊松林（1910～1974），在日治時代也響應李献璋集編《臺灣民間文學集》（臺灣文藝協會，1936），寄了六篇他所蒐集到流傳在赤崁地區的民間故事給李献璋，被選入四篇。[21]然更值得一提的是，他也用臺灣話文記錄創作了兩篇童話〈鹿角還狗舅〉和〈悉虎〉（按「悉」即為「戀」）[22]，雖屬改寫創作，但在日治時期來說，實是臺灣兒文很難得的創舉。

日治時期一九〇、三〇年代的新文學運動既是臺灣作家冒出頭，也是喚起臺灣文學意識的年代，新詩、小說都出現不少優秀的作家與作品，臺南鹽分地帶尤其是人才輩出。但就日治時期的社會文化情境來省視，當時

20——1931年1月1日，彰化籍作家黃周以「醒民」為筆名，在《臺灣新民報》345號發表〈整理「歌謠」的一個提議〉，為臺灣民間孩子唱日本童謠而不唱自己的童謠感到憂心，呼籲徵求臺灣的鄉土歌謠，獲賴和、廖漢臣（毓文）的響應，各寫了一首童謠〈呆囝仔〉和〈春天到〉。參見吳翠華，〈日本童謠運動對日治時期的台灣之影響〉，《玄奘人文學報》8期（2008.7），頁327-346。

21——李献璋編印的《臺灣民間文學集》選用莊松林所蒐錄的四篇民間故事（以筆名「朱鋒」發表），分別是〈鴨母王〉、〈林投姊〉、〈賣鹽順仔〉、〈郭公侯抗租〉，另有兩篇〈鼓吹娘仔〉和〈和尚春仔〉未被選入。

臺灣本土作家並未有意識到要為兒童創作些小說作品，應是客觀事實。換句話說，純就兒文來看，日治時期臺灣的兒文，除了童謠與民間故事之類的童話作品外，其他文類幾乎並未萌芽。日治時期有考慮到兒童權利，從兒童本位談兒童文學與童話創作的，是臺北師範學校教諭張耀堂（1895～1982）[23]，但他是研究者不是作家，當時臺灣並無奉此理念創作的兒文作家與作品。

總的來說，儘管一九二〇、三〇年代，臺籍作家的小說創作已有不錯的成績，但基本上都不是為兒童讀者創作的。縱然有不少作品是以兒童或少年為主人翁，但是否就可定位為少年小說，是值得討論的學術問題。例如臺北市文化局選編的《春風少年歌：日治時期臺灣少年小說讀本》（封德屏主編，2018），就選有臺南籍的作家楊逵三篇作品〈泥偶〉、〈水牛〉、〈頑童伐鬼記〉；遠流出版公司委請許俊雅策畫、導讀的「台灣小說‧青春讀本2」《鵝媽媽出嫁》（連翠茉主編，2005），選的也是楊逵的小說；另外，國立編譯館策畫主編的「青少年台灣文庫──小說讀本1」《穿紅襯衫的男孩》（陳芳明編著，五南印行，2006），也選了楊逵〈鵝媽媽出嫁〉的作品，則楊逵顯然可視為日治時代臺南籍（新化）的兒文少年小說作家。如再加上臺南文化局2018年編印的《臺南青少年文學讀本》六卷，除兒童文學卷外，另有小說卷，也收錄有日治時期的臺南作家林芳年、葉石濤、黃靈芝等人的作品，則日治時期臺南就有好幾位少年小說名家。然而，這些被選入上述四種小說讀本，原非為兒童創作的作品，與臺南文化局《臺南青少年文學讀本 兒童文學卷》中的少年短篇小說選作品，如何區隔？都可算是兒童文學的少年小說嗎？還是青少年小說應從兒童文學獨

22──〈鹿角還狗舅〉、〈忝虎〉這兩篇童話，莊松林以筆名「進二」先後發表於《臺灣新文學》1卷5號（1936.6.5），頁68-72，和2卷3號（1937.3.6），頁73-78。

23──參見邱各容，〈被遺忘的一方天地──張耀堂〉，《全國新書資訊月刊》106期（2007.10），頁8-16。

立出來另立一類？還是要以創作時有無「為兒童創作」的讀者意識作為區辨考量？這是一耐人尋味難解的兒童文學界域問題，可能是要由讀者自行取捨判定了。

　　且再就府城許丙丁（1899～1977）的作品〈小封神〉略作討論。1931年起，許氏開始在《三六九小報》連載〈小封神〉[24]，他採章回體寫此篇小說是為了破除迷信、諷刺世俗愚昧，並不是為兒童而創作。戰後他修改成適合兒童閱讀的華語版[25]，甚至有人把它「翻譯」成純臺語注音版。[26]但純就作品來說，〈小封神〉原始版除有過是否為臺語小說爭論外[27]，在兒童文學方面，它也可歸為少年小說嗎？基本上，筆者認為在《三六九小報》發表的原作，許丙丁並不是以兒童讀者為訴求，實在不宜視為少年小說。但戰後他自己重新修改希望給兒童讀者閱讀，可說具有濃烈的讀者意識，也即作者定位是要修改給兒童讀者閱讀，歸屬在兒文較無疑慮。至於它是否為好的少年小說、適合兒童讀者閱讀，則屬另一層面的問題。非為兒童創作的作品但適合兒童閱讀或兒童喜歡閱讀，是否就可歸為兒文作品？在兒文史書寫，如嚴肅看待，是很難拿捏，也容易發生撈過界的現象。

　　另外，許地山（1893～1941）是清季臺南進士許南英的兒子，臺灣割讓給日本那年（1895），跟父親內渡廣東，寄籍福建龍溪，後往北京就讀燕京大學，後又前往美國、英國留學，1935年應聘到香港大學中文系

24—《三六九小報》1930年9月9日創刊，八開四面，是以府城文人為主的文學園地。該報自第50號（1931.3.26）起開始連載許丙丁以章回體寫的〈小封神〉（以筆名「綠珊盦」發表，並題作「滑稽童話」），第112號（1931.9.23）起暫停連載，第166號（1932.3.26）又繼續連載，至第202號（1932.7.26）連載完畢，全部共二十四回。

25—關於〈小封神〉戰後有多次的修訂改版，請參閱1996年臺南市立文化中心出版，呂興昌編校的《許丙丁作品集》（上）（下），卷末〈許丙丁先生生平著作年表初稿〉，頁647-689。

26—1996年陳憲國、邱文錫依據1956年的華語版，用臺語ㄅㄆㄇ音標翻注譯成臺語注音，由臺北永和的樟樹出版社出版。陳憲國也是臺南人，有感臺語在年輕世代的流失，發心用臺南腔臺語翻注此書，是一本很有歷史意義的臺南臺語鄉土童書。

27—有關〈小封神〉的版本及作品是否為臺語小說的討論，參見臺南市文化局出版的《臺江臺語文學季刊》創刊號（2012.3），許丙丁文學專題，頁18-125；以及真平企業（金安文教機構）2001年出版的《許丙丁台語文學選》。

任教。港籍作家黃慶雲，1941 年時負責主編《新兒童》半月刊，曾拜謁許地山並向他邀稿。黃氏認為受許地山啟發很大，一直認為許是引她走入兒童文學創作的恩師。許地山 1941 年 8 月就往生了，但他病逝前仍然為《新兒童》寫了兩篇童話：〈螢燈〉、〈桃金孃〉，先後在《新兒童》1 卷 1～5 期連載（以筆名「落華生」發表，該兩篇童話，1941 年由香港進步教育出版社列為「新兒童叢書」第 6、7 種出版）。[28]許氏除了出生地籍隸臺南外，成長受教育、發表文章、成家立業都不在臺灣，也可視為具有臺南情緣的兒文作家，而且是大咖的兒文作家嗎？由於臺南市文化局也出版有《許地山作品選》（臺南作家作品集 16）（2014），本兒文史卷也循例視許地山為具臺南情緣的跨域兒文作家。

28── 許地山〈螢燈〉、〈桃金孃〉這兩篇童話，臺灣出版的許地山選集幾乎都未提及。臺北縣文化局出版的《台灣文化菁英年表集》（秦賢次，2002），頁146-147，有記述這兩篇在香港連載、出版的情況。有選刊文本的，在臺灣只有業強出版的《青少年許地山讀本》（陳平原編選，張新穎導讀，1992），選刊了〈螢燈〉這篇（頁184-202）。中國則北京人民文學出版社編印的《許地山選集》（上下冊，1958），兩篇均有收錄。

第五章

臺南縣市分治前期
（1946～1970）：
邊陲沉潛期

第一節　戰後政權交替語言更換，童書著重語文推廣，是學科輔助讀物，缺乏原創作品

　　戰後國民政府治臺，為了抗共、防共，實施長期戒嚴，文教方面強力推行國語，禁止使用日語和所謂的方言，使得臺灣的文人在戰後一二十年幾乎失聲，即戰後臺灣文學，包括兒童文學受戒嚴體制與語言政策的影響，本土作家遲至一九七〇年代才陸續冒出頭。此外，戰後臺灣大環境，可說自 1954 年國府與美國簽定共同防禦條約才穩定下來，而臺灣也在美國經濟援助下走上復甦，從而美國強勢文化逐漸取代日本。

　　本時期可說是戰後臺灣官方語言由日語轉換為華語（國語）的交替期，這個階段官方系統出版的作品，語文推廣成分重於文學表達，兒文作品富教訓意味，強調民族精神教育。國語日報社、台灣省教育會出版的作品，大概可以作為代表。兒文作品發表園地，民間系統的兒童雜誌《學友》和《東方少年》、《良友》、《王子》則呈現濃厚東洋味，但有較豐富的本地題材。尤其裡面刊載的漫畫廣受歡迎，間接促成坊間漫畫雜誌、成冊的單本民間故事和武俠漫畫出版活絡，是戰後民間出版活力所在。官方系統，除了刊物《小學生》雜誌、《小學生畫刊》，以及較後創刊的《正聲兒童》、《新生兒童》外，報紙（《國語日報》、《中央日報》、《新生報》、《中華日報》等）也都闢「兒童版」周刊，這些兒童雜誌和報紙兒童版周刊，大體上是由新移民作家掌控，較配合政策走向，偏重傳遞中國傳統文化，同時也譯介不少美國的兒童文學作品。此外，在香港出版的《兒童樂園》半月刊（1953.1.15 創刊，友聯發行），以及亞洲出版社 1956 年起陸續出版的「亞洲兒童叢書」（分為初、中、高年級讀物）、「兒童叢書」（童話）和「亞洲少年叢書」（有「科學故事」、「民間故事」、「歷史故事」、「名人傳記」、「文藝創作」五大類），都是受美國亞洲基金

會資助，也在臺灣坊間大量流通，因印刷精美（《兒童樂園》全部彩色），甚受歡迎。

1968 年 9 月政府才開始實施九年國民義務教育，在這之前，國小畢業生要讀初中都需經過考試，名額有限，因此補習盛行。校園推廣的閱讀都是偏重字義理解的閱讀，而非欣賞的閱讀。市面上充斥著各種作文指導的專書，兒文雜誌社常常也標榜語文學習中心（補習班的美名）。在洪建全兒文創作獎之前，各類型原創性作品的創作，基本上不被重視，也缺乏出版管道。民間的《學友》、《東方少年》雜誌和單本漫畫，雖然在坊間聲勢勝過官方配發給各國小的《小學生》雜誌和《小學生畫刊》，但刊登的幾乎都是改寫的民間故事、俠義小說，或轉口由日文版翻譯的各國童話乃至少年小說。一九五〇、六〇年代，在臺南以出版童書為主的現代教育出版社，出版最多的也是改寫的民間故事，尤其是陳定國編繪的臺灣民間故事、中國民間故事等插畫本（非漫畫），都是由現代教育出版社出版。[29]

小學老師一直是臺灣兒文發展的骨幹，南師體系（師範、師專、師院而臺南大學）是臺灣培育小學師資的名校，且是日治初期就已創設[30]，說南師是臺灣和臺南兒文發展的搖籃並不為過。日治時期童謠作家陳保宗曾任臺南師範學校音樂教諭，戰後臺南師範改制為臺南師專，林守為教授率先開授兒童文學，且有專著出版。南師體系的畢業生分發到小學任教，對

---

[29] 按現代教育出版社是當時南臺灣出版插畫本臺灣民間故事、中國民間故事最多的出版社。陳定國的鳳眼帥哥美女造型插畫最讓兒童瘋迷，他自己寫自己插繪的近百本注音民間故事、寓言故事、成語故事，就是由現代教育出版社出版。1965年（民54）進入臺南師專就讀的陳正治老師說，現代教育出版社（當時社址在臺南市中正路131巷16號，後搬到屏東市中華路103號）在1966年曾委託林守為教授主編「現代兒童故事叢書」，林教授也用「林田山」筆名編寫了《白手成家》（1967）、《童年的故事》（1968）等十多本（參見陳正治，〈臺灣兒童文學的開拓者——林守為教授的著作及生平簡介〉，《兒童文學學刊》創刊號（1998.3），頁195-205），現代教育出版社此一舉措，顯然也想做一些突破。

[30] 南師創校於1899年6月30日，校名為「臺南師範學校」，1919年改稱為「臺灣總督府臺南師範學校」，戰後1946年校名改為「臺灣省立臺南師範學校」。1962.8.15改制為師專——「臺灣省立臺南師範專科學校」，1987.7.1改制為師院——「臺灣省立臺南師範學院」，1991.7.1正式改隸國立——「國立臺南師範學院」，2004.8.1升格為「國立臺南大學」。

於臺南乃至臺灣的兒文發展，起不小的作用。李滄浪、徐士欽、陳義男、李慶章、陳玉珠、楊寶山、姜天陸、李益維、蘇振明、王淑芬、劉臺痕等臺南籍知名兒文作家，他們都是南師體系畢業的校友。

　　1971 年省教育廳開辦兒童讀物寫作班、1974 年洪建全兒文創作獎設置，在臺灣兒文界具有帶動風潮的作用。前面第三章第一節已述及寫作班臺南市有九位教師參加，臺南縣參與人數則是掛零（有任教外縣市國小的臺南子弟參加）。但就洪建全兒文創作獎獲獎情況，則臺南縣籍的陳玉珠、謝武彰、陳肇宜、毛威麟、鄭文山等多人先後獲獎，臺南市籍只有徐士欽獲兒童詩歌類獎。這是很有趣的現象，似乎在兒童文學方面，臺南縣籍作家比臺南市籍作家多且動力強。正是因為有洪建全兒文創作獎的競技考驗，臺南兒文作家在戰後，遲至一九七〇年代才得以站上了全國舞臺，參與塑造臺灣兒文發展的行列。也即洪建全兒文創作獎讓臺南兒文作家破繭而出，脫離邊陲沉潛期。

第二節　兒文推動主場在臺北、臺中（省教育廳所在），少有南縣市藝文人士參與

　　在洪建全兒文創作獎設立之前，臺灣兒童圖書出版基本上是由官方在主控。戰後除省教育廳創刊《小學生》雜誌、《小學生畫刊》外，官方啟動兩回合大型童書出版計畫，一是 1953 年教育部國教司副司長司琦主持籌編的「新中國兒童文庫」[31]，從內容及實際出版的圖書，可以說是以學科為導向，屬於輔助性的學習讀物，未具備現代童書的意識。另一是 1964 年省教育廳獲聯合國兒童基金會資助成立「兒童讀物編輯小組」，

31── 該文庫依國小學科、年級規畫徵稿，低中年級各30冊、高年級40冊，合共100冊。1953年正式籌編，1955～1957年出齊。

以五年為一期，推動出版「中華兒童叢書」，取代發行《小學生》雜誌、《小學生畫刊》兩份官方刊物（兩刊分別在 1966 年 10 月和 12 月停刊）。

　　「中華兒童叢書」由於有美國專家的協助（包括提供豐富的美國童書和百科參考資料），加上禮聘專業作家如林海音、潘人木主持編務，才促使臺灣兒文邁入現代化，或更確切地說是美國化取代日本化。中華兒童叢書第一期執行期滿，次年（1971 年）10 月不幸臺灣被迫退出聯合國，國內出現一片自立自強的呼聲，兒童讀物編輯小組也自力繼續維持運作，一共執行了八期，到 2002 年 12 月才裁撤。而無論是新中國兒童文庫與中華兒童叢書第一、第二期作品，受邀撰稿有幸出書的，都未見南臺灣本土作家族群，直至洪建全兒文創作獎，南臺灣兒文作家參賽得獎冒出頭後才改觀。

　　戰後縣市分治前期的兒童圖書或刊物，大體仍沿襲傳統視為學科的輔助讀物，沒有什麼創新。1957 年 11 月教育部國民教育司、國立中央圖書館編的《中華民國兒童圖書目錄》，仍是以國小學科作為分類基準，更是顯示當時仍把童書視為輔助學習教材，尚無現代童書的概念。此時期較多的作品是兒童歌謠、童話、改寫的民間故事或民族英雄故事，以及教訓意味乃至反共色彩濃厚的生活故事。另外，由於收音機的普及，此時期也盛行兒童廣播劇，林良在《小學生》雜誌，就寫了一百多篇可供播出 15 分鐘的兒童廣播劇[32]。在坊間，最受歡迎的是《學友》、《東方少年》、《良友》與《兒童樂園》雜誌，尤其裡面刊載的漫畫更是廣受歡迎。至於單冊兒文作品，民間摒除香港亞洲出版社出版的童書外，大體以東方出版社出版的「東方少年文庫」（1953）、「世界偉人傳記」（1961）、「世界少

32—— 林良在《小學生》雜誌發表的兒童廣播劇，小學生雜誌社曾選出二十篇，以《一顆紅寶石 兒童廣播劇第一集》為名列入「小學生叢書」，出版單行本（1962.10初版，1965.3再版）。此書榮獲教育部優良兒童讀物獎。

年文學精選」（1962）、「中國少年通俗小說」（1962）、「世界推理小說名作」（1962）、「亞森羅蘋全集」（1966）和「福爾摩斯探案全集」（1966）等最受歡迎。官方則以司琦主編，正中書局（隸屬國民黨中央黨部）印行的「新中國兒童文庫」一百冊，以及省教育廳小學生雜誌社出版的「小學生叢書」三十冊[33]流通最廣。

　　由於語言轉換因素，此時期活躍的兒文作家幾乎都是戰後新移民作家，而且男士為多，女作家以林海音、潘人木、嚴友梅最為著名。少數臺灣本土傑出兒文作家如王詩琅、施翠峰、林鍾隆都在北臺灣，本土女作家則掛零[34]，要到洪建全兒文創作獎創設後，本土新生代兒文作家，尤其是女作家才冒出頭。從《小學生》雜誌創刊十四、十五週年出版兩冊紀念特輯——《兒童讀物研究》（1965）、《童話研究「兒童讀物研究」第二輯》（1966）的撰稿者，多少可看出此時期活躍作家分布梗概。

　　正由於語言轉換因素，受完整國語教育的新世代尚未躍上臺面，加上兒文推動主場在北臺灣，位處邊陲的臺南本土兒文作家，在一九五〇、六〇年代能有作品發表、出版的可說屈指可數。一九五〇年代官方出版的「新中國兒童文庫」，只有擔任過（1950.2～1952.7）臺南師範校長的吳鼎（1907～1993）受邀參與撰稿，撰寫了生活故事《活潑的鳥》，詩歌《有趣的遊戲》、《好月亮》，及常識《吃的東西那裡來的》、《衣從那裡來的》共五冊。另外是高雄岡山籍，留日後回國任教於長榮管理學院（長榮大學前身）的何瑞雄（1933～），一九五〇年代在臺北就讀臺灣省立師範學院（臺師大前身）藝術系時，也給香港亞洲出版社撰寫一本童話《流

33—— 「小學生叢書」係小學生雜誌社將在《小學生》雜誌連載的作品選出，另出單行本的系列名稱，前後共出版三十冊。林鍾隆的少年小說《阿輝的心》（1965）、嚴友梅的童話《小仙人》（1966）、林良的《一顆紅寶石 兒童廣播劇第一集》（1962）、蘇樺（蘇尚耀）的《臺灣民間故事》（1965），可說是最具代表性的四冊。

34—— 苗栗出生的林海音（1918～2001）成長於中國北平，戰後才回臺灣，通常不視為道地本土女作家。

35—— 吳鼎的五冊均為低年級適讀，何瑞雄的為中年級適讀，書目分別見於教育部國民教育司、國立中央圖書館編，《中華民國兒童圖書目錄》（正中書局印行，1957.11），頁84、10。

星的故事》（亞洲兒童叢書，1956）。[35]唯在一九六〇年代，兒文創作量比較多的，可能要推林守為教授了。1966 年，臺南的現代教育出版社，邀請南師專林守為教授主持編寫「現代兒童故事叢書」，他自己也以筆名「林田山」編寫了《白手成家》（1967）等十幾本[36]，並且邀當時在南師專進修的三專生（都是已當過老師的優秀師範畢業生）參與撰稿。

吳鼎、何瑞雄、林守為都不是道地的臺南本地人士，最道地的是臺南佳里人林佛兒（1941 ～ 2017）。他自小喜愛寫作，沒有高學歷，完全靠自己努力而在創作和出版方面有傑出的成就。《王子》半月刊是 1966 年才創刊的兒童雜誌，是《學友》、《東方少年》、《良友》停刊後一九六〇年代繼起最當紅的民間兒童雜誌，更以支持臺灣新興起的少棒比賽而聞名，臺灣的棒球熱是因臺東的紅葉少棒隊打敗日本少棒隊而引發。林佛兒年少北上投入出版行業，進入《王子》雜誌當編輯是他起首生涯之一，1969 年臺灣金龍少棒隊首次贏得世界冠軍，全國沸騰。在此背景下，林佛兒寫下少年小說〈獻給母親的全壘打〉，1969 年 10 月發表於《王子》雜誌。[37]或許這是南縣市分治前期，最道地為臺南本地作家所寫、最具時代代表性的兒文作品。

此外，在前面第四章第三節提及的臺南府城在地藝文家許丙丁，以他的漢文基礎，在戰後也算是沒有語文障礙的。戰後他把日治時期發表在《三六九小報》的章回體小說〈小封神〉改為適合兒童閱讀的華語版，就文類來說，雖仍不脫古典文學的窠臼，但就讀者訴求來說，也可視為在洪建全兒文創作獎之前，臺南本地作家的少年小說作品。

36—— 林守為所編寫的《白手成家》，選介了藝術家、科學家、文學家等20位白手成家的名人。筆者曾親自持《白手成家》一書向陳正治教授求證「林田山」是否為林教授筆名，獲證實，並獲告知當時他也受邀撰寫了《世界名音樂家故事》。

37——該篇作品寫紅葉少棒隊因缺乏經費到臺北比賽，獲王子雜誌社資助得以成行並榮獲冠軍的辛酸事，故事感人，後被收錄於臺南市文化局2018年出版的《臺南青少年文學讀本 兒童文學卷》少年短篇小說選，頁367-396。2017年林佛兒病故，《鹽分地帶文學》69期（2017.4）推出「林佛兒懷念特輯」，許多藝文界人士撰寫懷念專文，未見有人提到林佛兒也曾創作兒文，並主編過《火鳥兒童雜誌》（該雜誌資料參見洪文瓊箸書主編《中華民國台灣地區兒童期刊目錄彙編（民國卅八～七十八年，西元1949-1989年）》，臺北：中華民國兒童文學學會，1989.12，頁71）。

第六章

臺南縣市分治中期
（1971～1986）：
自力崛起期

第一節　洪建全兒文創作獎在國府退出聯合國後，
適時帶領臺灣本土兒文開步走

　　本期或許由於國府退出聯合國，之後又遭受日本、美國與國府斷交（日 1972，美 1979）重大挫折的關係，全國各界普遍激發出一股自強、求變的呼聲，促成臺灣社會開始起結構性變化，是臺灣求變，追求民主、走向本土化的轉型期。幸運地，臺灣在 1969 年 8 月金龍少棒隊贏得世界冠軍，給國內帶來一股激越的士氣，延續到整個一九七〇、八〇年代這段期間。

　　此期不論政府或民間都努力在追求自我突破、自我成長。政府方面，1973 年開始推動十大建設，坊間 1978 年先後創刊了《民生報》和第二家企業性報紙《工商時報》。《民生報》創刊，象徵臺灣文化消費已趨向多元，《工商時報》創刊則意謂臺灣的經濟發展已到了一定程度（為亞洲四小龍之一）。關聯兒文發展較大的國民教育，則自 1968 年實施九年國民義務教育以來，全國各縣市所屬鄉、鎮、區都已設置國中，相對的幼稚園也隨之普及（1979 年已逾千所），就消費市場來說，已為臺灣兒文提供分化發展條件。在兒文專業人才方面，本期起始階段，師專修過兒童文學課程已有好幾屆畢業生到小學服務，省教育廳也針對小學教師舉辦過兩期「兒童讀物寫作班」（1971）。此外，《國語日報》在 1972 年 4 月 2 日闢「兒童文學周刊」，正反映兩個事實，一是國內兒文工作者已成長到相當的數量，一是國內兒文工作者已意識到需要有可供交流意見的專屬平臺。

　　民間方面，則以洪建全教育文化基金會創辦《書評書目》雜誌（1972.9）、設立兒童文學創作獎（1974.4.4）、設立視聽圖書館（1975.9），並配合設獎，盛大舉辦頒獎典禮與兒童文學巡迴專題講座等大手筆舉措，

最具開創性。一九七〇、八〇年代這段期間，可說是洪建全兒文創作獎獨領風騷的時代，它為臺灣兒文界提供競技舞臺所掀起的熱潮，促成全臺兒文發展產生聯動，為臺灣現代兒文開啟全面發展的大道，活絡了臺灣本土兒文創作，是帶領臺灣現代兒文開步走的第一道虹光。而在上一章已述及在第一期、第二期「中華兒童叢書」，地處邊陲的臺南兒文作家都無緣受邀撰稿出書，幸好有洪建全兒文創作獎的競技考驗，臺南子弟表現傑出，臺南兒文作家終於在一九七〇年代得以站上了全國舞臺，參與塑造臺灣兒文發展的行列。也即本期因有洪建全兒文創作獎，讓臺南兒文作家破繭而出，脫離邊陲沉潛期。

進入一九八〇年代，臺灣兒童文學也開始有較激烈的市場競爭。這市場競爭首先出現在幼兒圖畫書。幼兒圖書的競爭，由信誼學前教育研究發展中心在 1981 年 4 月創刊《小袋鼠》幼兒月刊揭開序幕，隨後 1984 年英文漢聲出版公司推出「漢聲精選世界最佳兒童圖畫書」把市場（委由台英社套書行銷）帶入高潮。1987 年信誼基金會創設高獎額的「信誼幼兒文學獎」，更進一步把臺灣兒童文學的熱潮推向幼兒文學（圖畫書）創作，為臺灣的幼兒文學開啟發展的大門。本期興起的童詩熱潮，到八〇年代中後期，隨著戒嚴解除、隨著洪建全兒文創作獎進入尾聲、隨著信誼幼兒文學獎創設，臺灣兒文開始邁入百家爭鳴，幼兒文學取代童詩成為新浪潮的時代。

此時期的臺灣兒童文學，最值得重視的是二次大戰後在臺灣受完整教育的年輕一代，開始成為兒童文學創作、編輯的第一線尖兵，他們不但是現代臺灣兒童文學的開拓者，同時也是臺灣新文化的傳遞者。此時期新創刊的《兒童月刊》、《小讀者》（均在 1972.5.1 創刊），就都是由新生代負責編輯，不論在行銷、編排都展現充分的創新。尤其是《兒童月刊》最讓人驚喜

注目，它是由我留美學生響應國內自覺求變，集資支持創刊的，帶有回饋家鄉的用意在。它的創刊可視為啟動本期臺灣兒文創新求變的先鋒。

第二節　跨校際《南縣兒童》季刊自力出版發行

　　1971 年省教育廳開辦兩屆兒童讀物寫作班，是促成全臺灣各縣市兒文創作者、推廣者聯動的肇始。很感人的，首兩屆的學員返回服務的學校後，都很有使命感成為各縣市推廣兒文的先鋒，推動出版自家校園或縣／市轄跨校際兒童刊物[38]。難得的是，此時期各縣市校園兒童刊物都是自發性的，並未獲得縣市教育局處的資助支持。本期給稱為「自力崛起期」，就是指此階段全國各地區兒文的推動都是兒文熱愛者，尤其是參加過兒讀寫作班的學員，自發自力在推動。其中第一屆學員林順源老師（任職臺北市五常國小）尤其熱心，他邀集兒文工作者成立「長流兒童文學發展中心」（1977.9），後來甚至也開起「長流出版社」（1977.11）。當時兒童刊物流行加附注音，尤其如由國語日報社承印，更視為正宗道地，林順源老師因居臺北之便，透過寫作班學員同學關係，串聯各縣市，鼓吹出版自家校園或跨校際兒童刊物，並表示願意幫忙安排國語日報社承印。臺南縣雖然沒有派教師參加寫作班（有任教外縣市國小的臺南子弟參加），但仍有不少熱愛兒文的國小教師和校長，同樣不落人後，希望縣內小學也能有自己的刊物。《南縣兒童》季刊就這樣在未獲教育處資助的情況下創刊了（1973.10），且至少一直發行到 1988 年。而《南縣兒童》從催生到出版發行，就是得力於林順源背後鼓吹，和幫忙請人繪製封面及內頁插圖乃至編輯。[39]甚至《小麻雀》創刊號到第五集（1987～1991）都還是由林順

38—— 自家校園刊物，如南市陳朝陽在自己服務的新南國小出版《新南童聲》，花蓮的黃郁文在平和國小出版《小雲雀》、《春天》等都是。縣／市轄跨校際兒童刊物如《桃縣兒童》、《南縣兒童》、《高市兒童》、《屏東兒童》等，有關這四家同屬性童刊資料，參見洪文瓊策畫主編，《中華民國台灣地區兒童期刊目錄彙編（民國卅八～七十八年，西元1949～1989年）》，臺北：中華民國兒童文學學會，1989.12，頁79、65、75、64。

源主持的長流兒童文學發展中心安排承印，可見《南縣兒童》與《小麻雀》創刊仍有些許的關聯。

　　《南縣兒童》季刊（每年 1、4、7、10 月出刊），32 開本，每期依國小低、中、高年級分別編印，每冊都大約在 50 ～ 60 頁左右，封面彩色、內頁單色，與市面兒童刊物相比，可說相當簡樸。低年級除少數幾期外大體全部刊載小朋友作品；中高年級部分，除小朋友作品「兒童園地」的稿件外，另一半篇幅則刊載史話、歷史故事、童話、寓言、生活故事、生物常識、衛生常識等（每期沒有固定類目）。這些成人的作品大多未具名或用筆名，很難窺知常供稿的是哪些充滿愛心的大德，是否都是來自縣內小學熱愛兒文的老師、校長。就我手頭掌有的少數幾期，作品有具名的，我只發現第 9 期（1975.10）低年級版封面裡有一篇〈校長的話〉，是具名「玉井國小校長吳有變」，其餘的並沒有我所熟知的臺南兒文界人士，倒是有臺北的楊平世、王效岳、郭立誠等名人，因而《南縣兒童》的非兒童作品部分，「臺南」自製純度似乎不是很高。但它的可貴就是持續十幾年，縣內一直有一批熱愛兒文的老師、校長，自發努力想為兒童提供閱讀資源、提升兒童語文能力而費心，再如何，在臺南兒文史中仍然值得記上一筆，也期待能找到完整各期的資料，補足《南縣兒童》的史實。

第三節　兒童詩歌創作熱潮，
　　　　「詩畫合一教學」的推動臺南子弟有一席之地

　　從兒童文學創作來看，洪建全兒文創作獎徵獎主要有詩歌、圖畫故事、童話、少年小說四類，四類兒文作品的創作都受到帶動。但歷屆應徵

39── 《南縣兒童》季刊於1973年10月創刊，至少發行到第60期（1988.7──筆者個人收藏），臺南市各圖書館及小學，均無典藏。筆者特別專程去請教陳玉珠老師，她竟然也說不知有此刊物。筆者為求證，親自電話詢問為《南縣兒童》繪製封面插圖的曹俊彥老師（省教育廳兒童讀物編輯小組美術編輯，曾任教臺北永樂國小，與林順源太太同事），曹老師甚至說，印象中刊名「南縣兒童」請省主席謝東敏題字，也是出於林順源的安排求得的。

作品最多的都是兒童詩歌，這一現象正好也可以佐證此時期是臺灣兒文發展的童詩蓬勃期。一九七〇年代臺灣兒文不論是創作量或創作人口，童詩都是居於領先的地位，且是創作出版、研究評論唯一較具「軍容」的。就整個臺灣兒童文學發展歷史長河來看，帶領臺灣兒童文學開步走（成長期）的是童詩而不是童話，這是我們無從否認的事實。它可能跟此時期現代詩在臺灣藝文界風行有些許關係，但促成童詩發展蓬勃因素很多，日治時期的童謠熱潮，以及戰後屏東黃基博老師在 1970 年率先嘗試指導兒童創作童詩獲得校園回響、成人的《笠》詩刊第 45 期（1971.10）設「兒童詩園」刊登國中小學生所寫詩作、《國語日報》「兒童文學周刊」第 29 期（1972.10.15）刊登「徵求兒童詩」啟事、林鍾隆創辦《月光光》兒童詩集雙月刊（1977.4）、省教育廳陸續舉辦「兒童讀物寫作班」（1971 年起），以及「洪建兒文創作獎」創設（1974）提供競藝舞臺，在在是促成的誘因。

　　一九七〇、八〇年代，在此風潮下，臺南縣市兒文作家創作不令人意外，也是以童詩居多。薛林、李滄浪、徐士欽、陳玉珠、謝武彰、陳義男等，都從童詩兒歌的創作起步。謝武彰獲得洪建全兒文創作獎第一屆（1975）兒童詩歌組第一名（與黃基博同獲），1982 年還以《大家來唱ㄅㄆㄇ》的兒歌集，獲兒童文學類國家文藝獎。另外，張清榮、鄭文山（楠西人）分別在洪建全兒文創作獎第三屆、第十四屆獲「兒童詩」類首獎；徐士欽在第十五屆獲「兒歌」類優等獎、第四屆「兒童詩」類佳作、第六屆創作獎入選（童詩二首）。如再加上戰爭世代的李滄浪（本名李補，1922～），也從事童詩創作[40]，可以說在戰後南縣市分治前期、中期，大臺南地區的兒童詩歌創作相當熱絡，南縣出身者又多於府城南市。

40── 臺南縣立文化中心出版有李滄浪的童詩集《微笑的小湖》（1994.5）。

而在洪建全兒文創作獎得獎作品中，別具殊榮的是鄭文山的〈童詩30〉（第十四屆兒童詩類首獎），獲得評審林鍾隆老師極為難得的讚賞——不以「討好」兒童、「娛樂」兒童為能事，不流於以「比喻、想像」為詩。……在這本詩集中，找不到好玩的，也找不到好笑的，但是確確實實是作者很認真地為孩子們所寫的詩，是作者要孩子們和他分享他的「心」和「情」的詩。[41]

　　在兒歌童詩方面，另值得特別一提的是臺南市立人國小的徐士欽老師（1936～1993）。他雖是美術老師，也投入兒童詩歌教學與創作，唯他著重的是兒歌而不是童詩，而且身體力行自己也創作兒歌。他認為兒歌、童詩「同屬韻文，學習兒歌又比童詩容易消化吸收。究其原因：詩多歧義，多意象，多抽象的情境和特殊的詩語。……一般孩子僅能接受一些聯想簡單的比喻詩，這類童詩大多美感不足，多讀無益。兒歌則不然，它既簡潔透明，又玲瓏可愛，在『樂語』的刺激下，記誦兩易，旨趣也一點即通。」[42]他並且把兒歌區分為「無機兒歌」和「有機兒歌」兩大類型，有別於一般研究者常依內容題材區分為遊戲歌、計數歌、動物歌、急口令等多種類型。他說「無機兒歌，往往出自童稚之口，埌埌相傳，各得其樂。有機兒歌，則有賴於大人的熱心倡導，然後讓孩子去傳誦，去感染。」[43]在有機兒歌創作上，他追求兒歌的原創性，既寫國語兒歌，也寫臺語兒歌，取材極具草根性與鄉土味。而正是他側重兒歌的創作與教學，或可視為日治時期重視童謠創作與教學的延續，李滄浪的童詩創作也可比照看待。

　　此外，本期國內兒童詩歌教學曾風行過一種「兒童詩畫合一」教學法，徐士欽老師即是此教學法的倡導者與實踐者，而且是自己真的既能寫又能

41—— 參見林鍾隆，〈「曬穀」序——稍微不同的見解〉，載於鄭文山《童詩30》，臺北：書評書目社，1988.6。

42—— 參見徐士欽著，陳昌明編校，《徐士欽童詩集》，臺南：臺南市立文化中心，1997.5，序文〈創作兒歌話甘苦〉之六。

43—— 同前註序文〈創作兒歌話甘苦〉之三、之四。

畫的人[44]。此一兒童詩畫教學法的實踐者，另有兩位臺南師專美勞組畢業的藍孟祥教授（南市籍，臺東大學教育系退休）和蘇振明教授（善化籍，臺北市立大學視覺藝術系退休）更有盛名。兒文學者徐錦成教授在他的大作《台灣兒童詩理論批評史》提到，傅林統校長以筆名「林桐」在《國語日報》「兒童文學周刊」，洩露「兒童詩畫」源起的天機：「我的同事藍孟祥老師，對於兒童畫頗有研究。也很熱心指導兒童，……。藍老師經過很多方式的嘗試，終於找到了一種很有效的方法，那就是兒童詩和兒童畫互相配合，互相聯繫的教學法。……」[45]。蘇振明教授除在自己服務的淡水水源國小實施詩畫合一教學外，也在《百代美育》月刊第 8 期（1974.4）起闢「兒童詩畫」專欄，接著在 1974 至 1976 年參與將軍出版社「新一代兒童益智叢書」編務時，又建議在文學類出版國內的兒童詩畫選集。新一代兒童益智叢書文學類 3 和 4《兒童詩畫選》上冊和下冊，正是蘇振明教授和黃基博老師分別指導編選的。兒童詩畫合一教學法的實踐與推廣，對臺灣兒童詩歌的發展不無推波助瀾的作用，這一部分，就臺南兒文史來說，當然也是值得記上一筆。

兒歌方面，本期還有一位另類的創作者齊玉（本名毛齊武，湖北漢陽人），時任成功大學電機系教授。他 1949 年隨軍來臺，1959 年臺南二中畢業，獲保送成大電機系，服兵役後任教成大電機系逾四十載，任教期間曾留學美國、西德，先後共五年。他重視基礎英、數、理的教育外，對編寫兒歌也有濃厚的興趣。齊玉留學德國時，看到德國漫畫大師 E. O. Plauen 的著名漫畫《父與子》（*Vater und Sohn*）原書 —— 該無字漫畫被譽為德式幽默的象徵，線條簡單、筆觸溫馨。齊玉覺得既有趣又深具教育

44—— 徐士欽老師的文圖創作彩色精印本《小精靈兒歌創作集》（精選26首），財團法人大牛兒童城文化推廣基金會予贊助刊印，於1992年出版（臺南：久洋）。

45—— 參見徐錦成，《台灣兒童詩理論批評史》，彰化：彰化縣文化局，2003.9，頁101～102。林桐發表在《國語日報》「兒童文學周刊」（1973.7.1，第65期）的篇名是〈兒童詩和兒童畫〉。

價值，希望分享給自己的孩子，同時為中華民族幼苗的教育盡點心力，因此親自替每篇漫畫撰寫韻文兒歌，並配合華人文化，另將書名取為《公公和寶寶》，共編著了四冊，由三民書局子公司東大圖書公司出版（1981～1982 年出齊；2008 年修訂彩色版）。不是翻譯而是就所欣賞的漫畫創作兒歌搭配，用心非常良苦，也非常另類。

　　另一位在童詩創作方面也有不少貢獻且較多作品的是薛林（本名龔健軍，1923～2013），他是四川萬縣人，1947 年應聘到臺南新營糖廠服務，兼任《新糖簡報》總編輯等職務，落籍定居新營，1983 年退休。來臺後，他也投入現代詩的創作，晚期才轉向創作童詩，是早期臺灣童詩的推動者之一。1980 年 4 月，他與林煥彰、舒蘭合創《布穀鳥》兒童詩學季刊。晚年（1993 年元月），自己創辦《小白屋幼兒詩苑》季刊（發行至 2000 年 10 月第 32 期止，自 2001 年 4 月第 33 期起，改為《小白屋幼·少兒詩苑》），致力推廣「六歲以下孩子可聽讀的詩」，以選刊父母、師長代為採錄的兒語作品為主，同樣非常另類。他發表在《滿天星》兒童詩刊（後改為《滿天星兒童文學》）的鄉土小詩系列，被集結為南瀛作家作品集 23《泥巴味·草根香》[46]，可說是他的童詩代表作。在這一本，他自己說是以「反哺」之心寫他留下腳印的這片「蕃薯」地臺灣，忠心寫它憨厚樸實的風采，寫盡早期臺灣農業社會的「泥巴味·草根香」。

46—— 《泥巴味·草根香》係由臺南縣立文化中心出版（1997）。臺南縣文化局後又出版薛林的《不墜的夕陽 薛林的兒童文學及其評論》（2000）。又《滿天星》兒童詩刊為台灣省兒童文學協會會刊。

第四節　童話、少年小說、兒童傳記等多類臺南兒文作家 也表現不凡

　　此時期的兒文作品，官方系統以兒童讀物編輯小組自力編印的第二至四期「中華兒童叢書」，民間系統自創性的，以將軍出版社的「新一代兒童益智叢書」40冊（1975～1976）、國語日報社出版「兒童文學創作選集」（童話）10冊（1973）、成文出版社出版許義宗主編的「兒童文學創作專輯」30冊（包括詩歌、童話、少年小說、生活故事）[47]和光復書局出版的「世界兒童傳記文學全集」25冊（1984）等最具代表性。很明顯此時期不再侷限於民間故事、經典文學的改寫，藝術成分較高的少年小說創作已開始受到關注，相呼應的是屬救國團系統的《幼獅少年》月刊也在此時期創刊（1976.10）。此時期，本土新生代作家開始冒頭，不但傅林統、黃郁文、徐正平、林武憲等諸多兒讀寫作班的本土學員躍為兒文創作的生力軍，更難得的是本土女作家也在此時期出場參與競技且表現特別亮眼。如洪建全兒文創作獎首屆少年小說由失語世代的林立（本名林玉敏，1933～2022）奪得首獎，南師專畢業的陳玉珠連獲三次首獎（第三、五屆兒童詩、第四屆少年小說），屏師專畢業的曾妙容也是連獲三次首獎（第三、五屆少年小說，第四屆童話），輔大畢業的方素珍獲五次童詩創作獎（其中第四、第十屆皆首獎），打破本土兒文女作家掛零的紀錄，殊為難得。

　　洪建全兒文創作獎（1975～1992）的少年小說、童話類，臺南子弟也是表現亮眼。陳玉珠在第四屆以〈玻璃鳥〉獲得少年小說首獎，接著又在第十屆、第十三屆獲得少年小說佳作和第十二屆獲得童話佳作。另最特

---

[47]── 此專輯共發行三輯，每輯十本，1979～1983年間出版，均為原創性作品，呈現一九六〇～八〇年代臺灣兒文作家作品的本土風貌。第一輯十冊出版（1979.12）後，即獲1980年行政院新聞局兒童圖書金鼎獎。

[48]── 陳肇宜是淡江英文系畢業，屬非師範體系。他的得獎作品〈跑道〉收錄在《洪建全兒童文學獎作品集8 少年小說3》（頁87-215）。〈跑道〉是相當被讚賞的運動小說，2004年8月小兵出版社把它納為「小兵成長系列10」出版單行本。陳肇宜除創作寫實少年小說外，也創作少年適讀的奇幻小說和推理小說。

別的是該獎第八屆、第九屆分別只以少年小說、童話為徵獎文類，第八屆少年小說獲獎者四位，臺南子弟就占了兩位，一是陳肇宜（學甲人）以〈跑道〉獲得第一名[48]，一是毛威麟以〈珊瑚潭畔的夏天〉獲得佳作；第九屆的童話徵獎，毛威麟又以〈小魔鼓〉獲得佳作。如再加上陳玉珠在少年小說、童話也多次獲獎，可說臺南子弟在臺灣本土兒文開步走初期，除兒童詩歌外，少年小說、童話也占有一席之地。而且或許更值得特別指出的是，陳玉珠、謝武彰、陳肇宜、毛威麟這幾位洪建全兒文創作獎的臺南子弟獲獎者，迄今一直持續投入兒文創作和推廣未曾間斷，他們可說是戰後臺南現代兒文第一世代的建構、奠基者，同時也是戰後全臺現代兒文匯融成一體的促引先鋒。

此時期另有兩位無語言轉換困擾的新移民作家，發表不少非童詩類作品，一是佳里國中林樹嶺老師（1932～），一是南師專趙雲教授（1933～）。臺南佳里的林樹嶺老師，是戰後隨軍來臺的新移民，退役後就讀花蓮師範特師科，畢業後到臺南七股三股國小任教六年，後通過「中等教師檢定初中公民科」轉任佳里國中，一直到退休，入籍臺南佳里已逾半世紀。林老師早期是以作文教學起家，但未加入童詩創作陣容，而致力在散文和改寫中國古典文學與民間故事、臺灣民間故事，和名人傳記、寓言乃至笑話等多種類型作品。[49]他是戰後臺南兒文創作量最多的作家[50]，在臺南兒文發展史上是重要的開拓人物。或許因為他投入教小學生作文的關係，他改寫的各類作品，都非常貼近兒童具相當的可讀性。如他也寫了一本《鄭成功》（光田，1999），就以「克服困難」的形象來取材介紹鄭成功，比起其他作家常以民族英雄來定位描寫鄭成功，顯然較具有貼近兒童的讀者意識。

---

[49]── 林老師1953年就開始投稿寫作迄今未曾間斷，常用筆名「樂信」，臺南縣立文化中心有出版他的散文集《試著改變自己》（南瀛作家作品集33）（1998）。兒童讀物方面，他編寫有《國小兒童讀唐詩》（一～六集）、《國小兒童讀童詩》、《兒童幽默笑話選集》、《西遊記》等「兒童文學名著」全套50冊（以上皆金橋出版），以及兒童傳記數10冊，如《鄭成功》、《胡適》（中國名人傳記，光田）、《華德迪士尼》、《托爾斯泰》（世界偉人傳記，啟仁）等。

[50]── 林老師在《小麻雀 臺南縣兒童文學創作專輯》第12輯（臺南縣政府，1998）擔任評審，寫了一篇〈徵文怎樣才能獲獎──一位評審的話〉（頁6-7），自稱「千萬字翁」。

任教臺南師專的趙雲教授是戰後才從越南來臺的新移民，她也是沒有語言轉換的困擾。在南師專她常鼓勵學生創作，但她的八本中華兒童叢書：《開天闢地 中國神話故事》（1981）、《中國傳奇故事》（1983）、《南柯太守傳》（1984）、《美的小精靈》（1994）、《綠色的朋友》（1994）、《兵馬俑與唐三彩》（1998）、《無尾熊的故鄉》（1999）、《天馬的傳說》（2001），都是在第三期（1976～1981）之後才出版，比陳玉珠、謝武彰的還晚。這也是早期，至少在洪建全兒文創作獎設獎之前，南臺灣兒文作家普受忽略的現象。趙教授的兒文作品，大體仍是偏向中國史料去取材，比較有自創風格的是類童話敘事詩《美的小精靈》，跟她較早給信誼出版的《音樂的小精靈》（1982.12），屬同樣風格，當是她較為代表性的作品。

　　此外，曾任《幼獅文藝》編輯，後轉任文建會科長、處長的黃武忠（1949～2005），是臺南將軍的子弟，一生熱愛文學和鄉土文化。在膺任文建會重責之前，也曾先後在《國語週刊》（1982）和《工商時報》（1983）發表兒文作品「民間傳奇」系列各七篇、六篇。在1984年還為光復書局的「世界兒童傳記文學全集」撰寫《李白》，很湊巧光復也請南師張清榮教授撰寫《杜甫》，且兩本正好併合裝訂成一冊（全集第22冊）出版。而光復這一套「世界兒童傳記文學全集」（共二十五冊，每冊有兩位名人傳），另有成大中文系畢業後又留學日本的李雀美（現任中華民國兒童文學學會理事），也受邀撰寫《史懷哲》（第12冊）和《安徒生》（第16冊）。而比這更早（1971），何瑞雄也曾為臺灣商務印書館的「全知少年文庫」撰寫《托爾斯泰》（第二輯第17集第6冊）。如再加上藝術家王家誠（1932～2012，與趙雲教授為夫妻檔，同在臺南師專任教），

此時期省教育廳的中華兒童叢書，也出版了他寫的兩本藝術家傳記《唐伯虎與桃花塢》（1982）、《揚州畫家——鄭板橋》（1983）[51]。顯然兒童傳記也是此時期臺南兒文作家較有表現的一類。

　　綜觀本南縣市分治中期的臺南兒文，從選派教師參加省教育廳舉辦的「兒童讀物寫作班」在各縣市殿後、對《南縣兒童》季刊也未予輔導協助，顯然南縣市對兒文的推動並不怎麼重視。而臺南子弟卻能在全國性的「洪建全兒文創作獎」闖出一片天，促成臺南兒文脫離邊陲融入戰後臺灣本土兒文塑造的洪流，當然要歸功參與洪建全兒文創作獎競技獲獎的戰後第一世代臺南兒文作家。

51—— 王家誠教授致力於藝術家傳記寫作，2003年以《溥心畬傳》獲得中山文藝創作獎。中華兒童叢書除這兩本外，還出版有他另本藝術家傳記《臺灣美術家——郭柏川》（1998）。

第七章

臺南縣市分治後期
（1987～2010）：
兒童文學與地方文化結合期

第一節 　解嚴後臺灣兒文發展蓬勃，
　　　　電腦科技影響藝文力道加大

　　臺灣 1987 年解嚴後，整個社會展現無比活力，朝民主化、本土化
在發展。尤其 1987 年文建會開始推動社區總體營造政策、倡導建立書
香社會，調整傳統文化政策由上而下的執行方式，改採由下而上、民眾
參與、地區自主作為主要執行策略，促使地方主體意識逐漸形成，漸漸
發展出地方特色。而正好各縣市文化中心在 1986 年都已陸續興建完成
啟用，文化局（各縣市先後改設文化局／處，把文化中心歸屬文化局）
開始成為各縣市推動藝文活動的主力。尤其給專業兒童劇團提供較佳演
出空間，為臺灣的兒童戲劇締造有利的發展環境。

　　兒文方面，一向主導臺灣兒文發展的省教育廳，在本分治後期較之
以往似乎更為積極在推廣兒文。1986 年 5 月 23 日省教育廳第五科於臺
中省立圖書館召開「縣市推廣兒童文學」座談會，並擬定「推展兒童文
學實施要點」，指示各縣市配合推行。這是南市／縣教育局針對小學老
師及學生舉辦「兒童文學創作徵文」，並出版《鳳凰城》（南市）、《小
麻雀》（南縣）年度徵文創作專輯的由來。同年（1986），省教育廳並
責由兒童讀物編輯小組在 10 月創刊供送發給各小學閱讀的《兒童的雜
誌》，如同早期的《小學生》雜誌、《小學生畫刊》再度復刊；次年 2
月又宣布創設「臺灣省兒童文學創作獎」（1988 年首屆頒獎）。解嚴
之際，主導臺灣兒文發展的省教育廳，即推出這兩項舉措，確是本期起
始的好兆頭。

　　創作、研評乃至推廣人才的培育，影響兒文發展甚大。進入一九九
〇年代，臺灣在兒文人才培育方面，也有體制上的改變，基本上不再仰

賴過去培養國小師資的師院系統，而是將兒童文學提升位階成為一個獨立的系所學門——1996年教育部正式核准國立臺東師範學院設立兒童文學研究所碩士班（1997年正式招生），2003年臺東師院轉型升格為臺東大學，兒童文學研究所同時獲准設立博士班。「兒童文學」獲准在大學獨立設所，正是表示兒童文學學術化的需求，在臺灣已趨於成熟，同時意謂兒童文學理論建構與解釋權將逐漸由民間社團（兒文學會）回歸學術單位。由於目前臺灣兒文所只有一所，臺東大學兒文所畢業的招牌，在兒文界不論是作家或理論研究者，都是炙手可熱。千禧年後，兒文界呈現兒文所取代從前以師專、師院出身為正統的趨勢。很巧的是，臺南子弟與臺東大學兒文所關係，也是情緣緊密，不但兒文所碩士、博士畢業生臺南子弟多，在兒文所任教的教授、所長同樣與臺南關聯密切。而在臺南，除了臺南師院／大學持續開授兒童文學課程外，1991年9月，成功大學外文系施常花教授也正式開授「兒童少年文學」課程，且在外文系成立「兒童少年文學研究社」（1992年6月3日正式成立）。施教授為非師院體系開授兒童文學課程先鋒之一，十分難得。

　　創作需要發表或出版的園地，一九七〇年代為臺灣兒文帶來創作熱潮的洪建全兒文創作獎，得獎作品都給出版，最令兒文作家欣羨。可惜，在洪建全逝世（1986.9.3）後，洪建全教育文化基金會對兒文活動資助熱潮不再，最後三屆（第十六、十七、十八屆）委由中華民國兒童文學學會承辦後，就宣告終止（1992）。南縣市分治後期，正是在洪建全兒文創作獎退潮之際。幸而，托解嚴之福，坊間陸續創設了多個專類的兒文創作獎，為臺灣兒文迎來第一個黃金時代。新創設的專類兒文創作獎，在1987年就有三個：一是東方出版社的「東方少年小說獎」（只辦了四屆）；二是永豐餘集團旗下的信誼基金會首先創設「信誼幼兒文

學獎」，分圖畫書創作和文字創作兩類；三是省教育廳創設「臺灣省兒童文學創作獎」，以童話或少年小說為徵獎文類，每兩年輪換一次，第一、二屆首輪為童話，2000 年精省後，由文建會接辦兩屆（第十三、十四屆）後正式停辦。1992 年九歌文教基金會創設「九歌現代兒童文學獎」（2002 年第十屆起更名「九歌現代少兒文學獎」），設定以適合九到十四歲兒童及少年閱讀的小說為徵獎文類。1993 年台灣英文雜誌社創設「陳國政兒童文學獎」，第一至三屆徵獎文類為圖畫故事、童話、童詩，以新人為徵獎對象，第四屆起新增社會組，以圖畫故事和兒童散文為徵獎文類，可惜只辦了九屆。1995 年國語日報社創設「國語日報兒童文學牧笛獎」，分童話、圖畫故事兩類徵獎，第八屆起停辦圖畫故事類，單辦童話類。這六個全國性兒文獎，可說是繼洪建全兒文創作獎之後，提供更為多元的專類兒文競技平臺，促使臺灣兒文在圖畫書、童話、少年小說方面，都發展得相當活絡，特別是圖畫書，更已是躍上世界舞臺，與世界接軌。而童詩、兒歌也因未單獨立類徵獎，兒童詩歌的創作熱絡逐漸走向沉寂。不令人意外的，臺南子弟在這些新興起的文類創作，依然表現亮麗。

　　除了專類兒文創作獎陸續增設外，較特別且值得一提的是，1988年 1 月 1 日報禁解除後，臺灣兒文界也有四家道地每天出刊的童報——《國語時報》（1988.5.1 ～ 1992.2.18）、《兒童日報》（1988.9.1 ～ 1998.2.28）、《兒童時報》（1988.11.20 ～ 1989.6.5）、《小鷹日報》（1989.1.1 ～ 1989.6.8）。

52—— 如客寓臺北的臺南籍兒文名作家王淑芬即坦承是《兒童日報》培育出的新秀。參見王淑芬，〈《兒童日報》為我導航〉，《中華民國兒童文學學會會訊 火金姑》2022秋季號（2022.9），「《兒童日報》與我」特集，頁56-58。

其中光復書局創辦的《兒童日報》標舉嶄新的「兒童文化」編輯理念，革新傳統童書編排，重視閱讀美感，大膽留白，採用富啟發思考的新類型作品，導引創作風向、培養創作新秀[52]，大大影響一九九○年代臺灣兒文發展的走向，可惜《兒童日報》只存活近十年。[53]

　　綜觀解嚴後，臺灣兒文發展的最大變革，乃是幼兒文學的圖畫書成為主流，導因多少要歸功永豐餘集團信誼基金會創設了「信誼幼兒文學獎」。信誼舉辦幼兒文學獎的聲勢、舉措、格局，都不下於洪建全教育文化基金會，正好取代了正要退場的洪建全兒文創作獎。而 1989 年 4月，日本福武書店看中臺灣的幼兒圖書市場有利基，到臺灣創辦幼兒雜誌《小朋友巧連智》，大為成功，也是幕後助長臺灣兒文進入以圖畫書為主流的趨勢。這一趨勢，其實反映著臺灣經濟發展已到一定程度，經濟影響兒文發展，這是觀察兒文發展應有的認知。

　　解嚴後是臺灣社會大變革的年代，電腦科技正好也是在 1988 年開始進入所謂多媒體的時代。電腦不僅是取代打字機而已，電腦已成為文字、圖影象、聲音的整合工具，傳統的紙本圖書出版面臨新的挑戰。挑戰起始是編輯作業工具的革新，電腦打字取代了傳統的鉛字排版，儲存載具也由磁碟片進展到光碟片，取代了傳統的錄音帶、錄影帶有聲讀物。儘管九○年代仍是紙本書盛行，但光碟片的電子圖畫書、百科已躍為新秀。九○年代中期以後，電腦科技進一步與通訊科技結合，瀏覽器（browser）、搜索引擎（yahoo、google）相繼問世，千禧年後可說全球都已全面邁入網路化的雲端時代。尤其到 2007 年以後智慧行動裝置

53——《兒童日報》1988年9月1日創刊，創刊前曾發行十次試刊。以「兒童文化」為編輯理念，重視版面閱讀舒適，內容擺脫傳統說教方式，重視思考與遊戲，加上採立即風乾高速印刷，閱讀手不沾油墨，影響兒文界相當大，老牌《國語日報》也被迫改版與調整內容。可惜後來光復書局發生財務危機，《兒童日報》於1998年2月28日正式停刊。2022年9月1日～9月25日國立臺灣圖書館舉辦「兒童日報回顧展」，並舉辦八場演講與座談，探討兒童文化、兒童新聞、兒童文學在臺灣發芽生根的問題。

iPhone、iPad 相繼問世，傳統紙本圖書從創作到出版、行銷、閱讀等各個環節，已開始面臨 e- 化、多媒化的挑戰，非轉型運作不足以生存。[54]唯臺灣兒文、臺南兒文大體到全臺行政區域調整、南縣市併都以後，出版業界才深切感受到雲端時代 e- 化帶來的威脅。可說雲端時代促使本期告終，也結束臺灣紙本童書的黃金時代。整體上，本期臺南兒文的推展，仍是在以傳統紙本書為主流的環境下在運作。

第二節　文化局與教育局合力推展兒文

　　解嚴後，南縣市分治後期的兒文，就在上述的藝文大環境下邁步向前。兒文與教育關聯較為密切，但它也是社會藝文的一環，各縣市成立文化局／中心後，文化局成為地方藝文活動的推動單位，從而各地區兒童文學的推展，都有賴文化局與教育局協力合作。大體上，研習部分仍由教育局負責[55]，文學獎、作家作品出版以及藝文活動，改為文化局負責，將原本側重語文學習的導向擴展為閱讀素養、藝術欣賞導向。更由於文化中心有較大的圖書館展示中心與演出場地，可供舉辦較大型的書展、研習活動乃至戲劇演出，藝文活動朝向多元化。一九九〇年代以後，臺南縣市都有許多場次的兒童戲劇演出與故事說演、書展等活動，都是具體的例證。這些活動對兒童文學來講，都是發展的助緣。而在地區藝文推動上，臺南縣市文化局、教育局確實都有可傲人的表現。

一、文化局致力將兒文與地方文化結合，
　　創辦文學獎、出版「南瀛之美圖畫書」

　　各縣市文化中心成立初期，以推廣藝文展演活動為主，較少與地方作

54── 網路世紀對兒童文學的影響，參見洪文瓊，〈電子童書對傳統童書的挑戰──網路世紀下的兒童文學〉，《中華民國兒童文學學會會訊 火金姑》2018夏季號（2018.7），頁19-38。

55── 如1986.8.11～17臺南縣府教育處社教課，假縣立文化中心演講廳舉辦暑期教師兒童文學創作研習班，課程包括作文指導、童詩兒歌、童話、兒童創作與刊物編輯等，講師有林良、林樹嶺、張清榮、陳玉珠、徐士欽等人。1989.2.16～21臺南市教育局於新南國小舉辦「七十八年度教師組兒童文學研習班」，臺南師院張清榮教授擔任講座。

54── 網路世紀對兒童文學的影響，參見洪文瓊，〈電子童書對傳統童書的挑戰──網路世紀下的兒童文學〉，《中華民國兒童文學學會會訊 火金姑》2018夏季號（2018.7），頁19-38。

55── 如1986.8.11～17臺南縣府教育處社教課，假縣立文化中心演講廳舉辦暑期教師兒童文學創作研習班，課程包括作文指導、童詩兒歌、童話、兒童創作與刊物編輯等，講師有林良、林樹嶺、張清榮、陳玉珠、徐士欽等人。1989.2.16～21臺南市教育局於新南國小舉辦「七十八年度教師組兒童文學研習班」，臺南師院張清榮教授擔任講座。

家結合。九〇年代起，文建會為配合六年國建成立現代文學資料館，開始要求各縣市文化中心舉辦「週末文藝營」、整理「當代作家檔案」、出版「作家作品集」，促成各縣市文化中心與當地作家產生較綿密的互動。1993 年臺灣第一個地方文學獎──「南瀛文學獎」就是在此背景下產生的。臺南縣文化局創設的南瀛文學獎、出版縣籍作家作品，都把兒童文學納入。臺南兒文因南瀛文學獎的設置，進一步擴大開放、鼓勵社會大眾參與，使兒文推動不再侷限於小學校園。此外文化局也補助開放性的專業性兒文創作研習、童書欣賞講座，以及社區型的親子讀書會或說故事團體的閱讀活動，促成臺南兒文發展更為熱絡、多元。

南瀛文學獎，一至四屆只有「南瀛文學獎」與「南瀛文學新人獎」兩獎項，李慶章、陳義男分別在第二、第四屆以童詩集《給我們一盞燈》、《想念的季節》獲兒童文學類新人獎。1999 年第五屆起增設「南瀛文學創作獎」，但一直到 2001 年第九屆起，創作獎才增一項「兒童文學」類，持續到最後第十八屆（2010，併都前一年）。

1995 年臺南市也設立「府城文學獎」，但未設有兒童文學類，倒是在最後兩屆（十五、十六），增設了「臺語兒童繪本」類，頒給正獎和貳獎。2011 年臺南縣市合併成都後，南瀛文學獎、府城文學獎停辦改設「臺南文學獎」。新改設的臺南文學獎，「臺語兒童繪本」類獎並未保留，兒童文學類則第一屆未設獎徵件，第二至第五屆均有設獎徵件，第六屆未徵件，第七屆（2015）起改為隔年設獎徵件，也即臺南文學獎，2011 年創設迄至 2022 年，僅有第 2～5、7、9、11 共七屆有兒童文學類徵件。從這兩個文學獎來看，兒童文學設獎徵件並未受到文化局充分重視。（參見附錄二：南瀛、府城、臺南文學獎兒童文學類組得獎者名錄暨其獲獎作品資料匯總表）

此外，1993 年教育部頒布新課程標準，把鄉土教育正式納入體制。2001 年開始實施新的九年一貫課程綱要（不再稱為課程標準），以學習領域取代學科，雖未把鄉土教育列為學習領域，但強調尊重多元文化、強調母語教育，把閩南語、客家語、原住民語列入語文學習領域中，顯示多元文化的尊重已成為我國民教育重要的一環。從而鄉土童書的開發已形成小學校園的需要，南縣文化處（當時位階）洞燭機先，規畫出版「南瀛之美圖畫書」[56]，道道地地也是扮演領頭羊的角色。

南瀛之美圖畫書的出版，開創兒童文學與地方文化結合的先例。除了縣府、文化局有關單位深具眼光給予支持外，更難得的是要有人策畫動議。這得感謝善化籍臺南師專畢業、有強烈的本土意識，在市北師任教的蘇振明教授。他最早是跟鄭明進老師一起參與編輯將軍出版社「新一代兒童益智叢書」，後來兩人又獲邀一起參與行政院農委會「田園之春」叢書的編務。正是由於田園之春叢書的參與，又適巧政府在 1993 年正式把鄉土教育列入國小課程，他在 1997 年就策畫動議請縣府支持出版南瀛之美圖畫書，版式均比照「田園之春」（20 開近正方形），採政府與民間共同投資的策略，也是現在各縣市政府乃至機關（包括國立臺灣文學館）出版圖畫書採行的模式[57]。南瀛之美圖畫書由於獲得縣府充分支持，又有地方文史工作者如黃文博校長、縣籍作家陳玉珠、謝安通、李慶章、利玉芳、謝武彰、嚴淑女等人的參與，迄今仍是地方鄉土童書的標竿。1999 年第一輯六本出版後，即榮獲 2000 年行政院新聞局金鼎獎，可見相當受到肯定。尤其第六輯的《玉井芒果的祕密》（許玲慧／文，陳盈帆／圖，青林國際，2008）更是榮獲 2009「第一屆國家出版獎——優良政府出版品獎」，

56——「南瀛之美圖畫書」1997年成立編審委員會，聘鄭明進、蘇振明為編輯顧問，林武憲、陳玉珠、黃文博為文編，陳麗雅為美編。共區分為鄉鎮、名勝、產業、民俗、生態、人物六大系列，原預計出版100冊，至2010年南縣、南市合併前只出版45冊。第一輯至第五輯各6冊，第六輯為8冊（1999年陸續出版，2008年出齊），第七輯七冊為2007、2008兩年度「讀南瀛‧畫南瀛‧寫南瀛」圖畫書創作競賽社會組（2本）和兒童少年組（5本）得獎作品（2009年出版）。

57——「南瀛之美圖畫書」第一至第三輯由臺南縣立文化處自行編印，第四至第六輯則委由青林國際公司編印推廣。

並被推薦參加 2008「法蘭克福書展」。另外張良澤教授也把它翻譯成日語版《玉井マンゴー物語》（青林國際，2010），極為難得。

二、台南市文化基金會舉辦童書閱讀推廣社團培訓

兒文發展的主要動力當然繫於作家的創作，但作品發表出版後，需要流通、需要有人閱讀才足以帶動創作的活力。書局、圖書館、兒童閱讀中心等都是圖書流通的地方。兒文作品訴求的讀者是兒童，一般來說，兒童的獨立閱讀能力需要培養，有了獨立閱讀能力，也要導引、鼓勵形成閱讀嗜好、閱讀習慣，這就需要學校老師和閱讀團體的閱讀活動來帶動激引。文化局當然不會忽略社區的親子讀書會或說故事團體等對激引兒童閱讀很有幫助，文化局屬下的「台南市文化基金會」，在 1999 年 10 月就邀請專門負責培訓全國讀書會、說故事團體的毛毛蟲兒童哲學基金會，於臺南市東區崇明國小舉辦為期八個月（1999.10.28 ～ 2000.6.13）的說故事培訓與實作活動，全部共有 64 位學員參加。這一次培訓促成日後「台南市府城故事協會」、「南瀛故事人協會」、「台南市智慧森林兒童閱讀文化學會」等兒童文學閱讀推廣團體相繼成立。甚至在 2000 年 12 月，「故事媽媽」培訓結訓的 20 位成員，還特別於崇明國小，發起成立「台南市府城故事團」（隨後改登記在社會局下，成為故事協會）。這些在社區致力推動閱讀的社團，對臺南兒文的活絡助益不小。

三、教育局舉辦兒文研習、出版兒童文學創作專輯

雖然兒童文學設獎徵件並未受到文化局充分重視，但或許是受省教育廳指示的關係，臺南縣／市教育局一直把在小學校園鼓勵兒童文學創作和推動童書閱讀，列為重點工作。1986 年 4 月臺南市教育局配合省教育廳指示，舉辦第一屆「鳳凰城兒童文學創作徵文」，分國小學生及國小教師

兩組。徵文類別有童話、兒童故事、寓言、兒童詩歌、兒童戲劇五類，每類各錄取前六名及佳作若干名。得獎作品於當年七月集結，冠名為《台南市第一屆鳳凰城兒童文學創作選集》予出版。1987 年 6 月臺南縣政府也出版了《小麻雀 臺南縣兒童文學創作專輯》創刊號。可惜臺南市的《鳳凰城》只出版兩屆，臺南縣《小麻雀》則第一集「童詩童話選集」、第二集「少年小說選集」、第三集「兒童劇本選集」……逐年持續出版到 2010 年南縣市併都。併都之後《小麻雀》則改為《小黑琵》取代，仍是由教育局資助出版。唯《小黑琵》比以往較偏重學生習作與閱讀徵文，且強化封面徵圖，教師的兒童文學類別創作徵文似乎有點陪襯性質。但總的來說，在臺南的小學校園，《小麻雀》、《小黑琵》持續出版，對臺南兒文的發展仍不無促進作用。由於《小麻雀》專輯發行正好是與南縣市分治後期相始終，所以本南縣市分治後期的臺南兒文或可稱為「小麻雀」期，南縣市併都後可稱為「小黑琵」期，從而南縣市分治中期則可稱為「南縣兒童」自力發展期，意謂縣府未正式介入。

　　不論是《南縣兒童》、《小麻雀》或《小黑琵》，其實在內容上一大半都是學生作品。上一章提到，《南縣兒童》編者都是標示南縣聯合編委會，但未見列有名單，而且編輯信箱為臺北「長流兒童文學發展中心」，似乎《南縣兒童》的編輯承印大體上都是由長流負責，南縣國小老師、校長並未參與實際編務。從《小麻雀》版權頁發現，在第五集之前，也是由承印《南縣兒童》的「長流兒童文學發展中心」安排承印，可見《小麻雀》前五集編排多少是《南縣兒童》的過渡轉型。還有，前四集《小麻雀》可能還有出版經費的問題，在版權頁的出版單位除臺南縣政府外，仍有「臺南縣文復會」具名。

《小麻雀》由於有縣政府的支持，相對於南縣分治中期自力發行的《南縣兒童》，在氣勢上就有如商家的光鮮與農戶樸素的差異。《小麻雀》前五集都有編輯委員和編輯小組名單，第六輯起則改列總編、主編、執行編輯、美編等人員。執行編輯應是實際負責的編輯，《小麻雀》從一至二十四輯，陳義男校長擔任執行編輯的期數最多，顯然陳校長應是南縣市分治後期（「小麻雀」期）幫忙推動小學校園兒文的主要人物。

　　坊間出版的兒童刊物，大體上都是刊登成人作家為兒童寫的作品，《南縣兒童》、《小麻雀》、《小黑琵》一大半都是刊登兒童的作品，嚴格來講，不能歸為道地的兒童刊物（這是兒童文學的範疇問題）。而單就兒文的閱讀對象來說，《南縣兒童》、《小麻雀》、《小黑琵》都忽略了國中這一區塊。從兒童閱讀發展的層次來說，大體上是由親子共讀到獨立閱讀，相對配合提供的童書是由圖畫書而橋梁書而文主圖輔或純文字的少年小說。兒文界一般定義學生有「獨立閱讀能力」是指有能力、有興趣自己讀完一本近萬字的完整小說，才算是有獨立的閱讀能力。國小高年級、國中階段正是以少年小說為主的發展期，從南縣市的兒文獎和《小麻雀》、《小黑琵》的徵文對象、閱讀對象，竟然都忽略了國中這一區塊，這多少是臺南兒文在推展上的缺憾。如能把市轄各國中也能納入《小麻雀》、《小黑琵》的徵文對象，而不侷限在國小校園的老師和學生，則兒文的訴求讀者對象會比較完整。如擴及國中部分，則不妨設定在校園小說。至於文化局的臺南文學獎第四屆（2014）起已增設的青少年組，限定十二到未滿十八歲的青少年投稿，宜調整為高中、大學，把原十二歲以上改為十四或十五歲到未滿二十歲。同樣已設有的「臺南鹹酸甜」保留為青少年組徵文類別。（九歌現代少兒文學獎設定徵求的作品是要給九到十四歲的兒童閱

讀，以及許玉蘭主編的《臺南青少年文學讀本 兒童文學卷》閱讀年齡層設定在十五歲以內，或可參考。）

第三節　展現自家特色的兒文發展走向

一、府方兒文類徵獎仍偏愛童詩，少年小說受忽略

　　由於《小麻雀》、《小黑琵》是南縣市教育局藉以在校園推動兒童文學的讀物，且都是年度兒文創作徵文的優秀作品，我們或可再從教育局設定的徵文類別，看看教育局重視的兒文是什麼，它與文化局的南瀛文學獎兒童文學類徵獎文類有何差異，縣／市府主導定調的臺南兒文是否具地方特色，是否也反映臺灣兒文發展的大脈動。

　　舉辦兒文創作徵文暨出版專輯，具有鼓勵、激發、培養創作人才的作用，而從徵文類別則可看出當時藝文界是重視、風行乃至想帶動哪些文類。撇開《小麻雀》、《小黑琵》有一大半是國小兒童習作性的徵文獲獎作品，純就各集（年度）所設定的教師組徵文類別來觀察（參見附錄三：《小麻雀》、《小黑琵》兒童文學創作專輯教師組徵文類別匯總表），《小麻雀》共發行 24 輯／年度，設定的教師組徵文類別，基本上兒文的重要文學類型都納入了，但特別重視韻文體的童詩（共 20 集／年度）和兒歌（7年度），其次是童話（10 年度），而少年小說（4 年度）、寓言（4 年度）、散文（2 年度）、兒童劇本（1 年度）則少了些。可喜的是，第 17 集（2003年）起才增設的報導文學「寫我家鄉」（6 年度）、「南瀛行腳」（2 年度），一直到併都，每年度（合共 8 年度）都設有此類徵獎，它最能彰顯臺南的意象。如要與全國性的兒文創作獎作區隔，當是最值得強化提倡的。這一徵獎類別，與臺南文學獎於 2021、2022，第十一、十二屆起分別增設「臺南鹹酸甜」組、「漫話臺南」組，搭配圖片或照片敘介臺南的風土民情和

人物，可說是相呼應，當是比較能與全國性的各類文學獎作區隔，而且能彰顯臺南意象的。此外，如從對在校師生較有參照、激勵價值來看，則是「校園故事」，這一類徵文未見於《小麻雀》，是《小黑琵》出版後增設的，可惜沒有每屆都列入徵文。如要區隔校園兒文創作徵文與一般兒文徵獎的差異，「校園故事」也是值得校園兒文徵文加以開發深耕的。

二、小學國語教科書革新受關注，投入臺語囝仔詩／歌創作者熱絡

　　解嚴後，臺灣邁入奔放、民主化、本土化的時代，屬於藝文一環的臺灣兒文，也開始進入百家爭鳴的黃金時代。不令人意外的，臺南兒文作家也獲得更多顯露身手、躍上全國舞臺的機會。唯本期最足以代表臺南兒文成就、對臺灣兒文發展有貢獻當是「南瀛之美圖畫書」，它是解嚴後課程改革落實鄉土教育需求下所促成。課程改革要落實，跟教科書選用的課文關係甚大。校園要落實鄉土教育，是否需要教科書特別是國語課本，多選一些本土兒文作家的作品，是否多選一些有文學美感的作品？1996 年臺灣小學教科書已開放民間可選編，教科書內容相對成了教育界、兒文界關注的議題。這方面，有一位原本任教臺南建興國中的老師，後來留學日本，並留在日本大學任教的陳順和教授[58]，非常值得特別一提。陳老師因學教育的關係，他很關心國內的小學教科書，尤其是國語課本。他頗希望國內的國語課本，能像日本一樣多採用兒文名家的原作（千禧年後臺灣各家小學國語課本都做到了）。他針對日本 1989 年新修訂小學校學習指導要領（1992 年開始實施新教材教學）的精神，譯介新教材的作品，編成 12 冊「親子劇場」[59]，1998 年委由臺南的寶島少兒出版社（世一系統）出版。世一還特別出版一本陳順和改編的大版本繪本《非洲鼓聲》（郭錦鳳繪圖，

58—— 依寶島少兒出版社1998年出版的「親子劇場」介紹，陳順和是臺南縣六甲鄉人，高師大國文系畢業，日本大學文學研究科博士課程修畢，東京大學教育學研究科博士課程研究。曾任臺南市建興國中教師、訓育組長、臺北駐日經濟文化代表處橫浜處職員，日本大正大學講師。後又任教日本東海大學、國士館大學、日本教育映像協會國際理解教育講師。

59—— 這十二冊分別是：1.《小狐狸阿坤》，2.《蕾娜多》，3.《雁蛋的祕密》，4.《哽心梨》，5.《斯依米》，6.《迪克和達克》，7.《小鬼阿泰》，8.《我的小烏鴉》，9.《兩張明信片》，10.《火男》，11.《白氣球》，12.《秋天的風鈴》。

2003），即是取自「親子劇場」8《我的小烏鴉》中的一篇，改寫的文本淺顯流暢，是相當好的低年級適讀作品範例。陳教授關懷家鄉的用心，總覺得他也在擂「府城鼓聲」。

再者，或許是解嚴後鄉土教育正式列入國小課程（1993）的關係，本土語言的閩南語、客語、原住民語都列為國家語言納入語文學習領域，促成母語兒文創作，特別是兒童詩歌方面，許多喜愛臺語文創作，尤其是保存母語使命感強的兒文作家，堂而皇之投入母語兒童詩歌的創作。相對其他地區來說，臺語囡仔詩／歌的創作，臺南似乎比其他地區來得熱絡，不但有專門的推廣社團[60]定期在討論臺語兒文，也有臺語文學期刊經常會刊登或出版臺語囡仔詩／歌作品。[61]臺語囡仔詩／歌的創作蓬勃，也是臺南兒文的特色之一。黃文博、徐士欽、謝武彰、陳義男、白聆、黃金汾、謝安通、黃勁連等，都是值得記上一筆的臺語囡仔詩／歌名家。其中，白聆尤是全力專注在這一區塊的耕耘。

正因為臺南藝文界較關懷自家的鄉土文化，本期臺南兒文界關注的走向，似乎與臺灣兒文大走向有點不同。一九七〇、八〇年代南縣市分治中期洪建全兒文創作獎所帶來的童詩熱潮，由於本期全國性專類兒文獎沒有童詩類，童詩熱潮不再。但臺南的年度校園兒童文學創作徵文，《鳳凰城》、《小麻雀》兒童文學創作專輯，都有童詩類徵獎。而南瀛文學獎第九屆起也增設兒文類創作獎，自第十一屆起連續每屆都把童詩列入（徵獎文類為「童詩、故事、童話、寓言」），且第二屆、第四屆的兒文類新人獎，李慶章、陳義男都以童詩獲獎，顯然臺南藝文界似乎對童詩兒歌有所偏愛。而一九九〇年代已躍為主流的圖畫書，則未見有此類徵文[62]。雖然

60—— 如「鄉城台語文讀書會」（1996年5月創會，創會會長董峰正），後改名為「府城台語文讀書會」，於2001年3月2日正式成立，附屬國立臺南社會教育館，推選原「鄉城台語文讀書會」會長、副會長周定邦、黃金汾繼續擔任會長、副會長。該會自2002年起每年出版一冊《府城台語文讀書會文集》（許正勳主編），每期均刊有臺語囡仔歌詩的作品。

61—— 最具代表性的是2001年2月創刊的《海翁台語文學》，每期都會刊登囡仔詩、囡仔古的作品。

62—— 按直至南縣市併都後，南市環保局為推動環境教育，自2020年起至2022年已舉辦三屆「環境教育繪本」創作徵獎。

有封面設計/封面徵圖，但都不是圖畫書。如再輔以文化局的兒文類徵獎來看，南瀛文學獎兒文類徵獎幾乎每屆都是設定為「童詩、故事、童話、寓言」，故事類指涉並不明確，全部共十八屆都未把少年小說列入，反而每年都列入寓言，結果是各屆幾乎都沒有寓言作品應徵（參見附錄二：南瀛、府城、臺南文學獎兒童文學類組得獎者名錄暨其獲獎作品資料匯總表）。而童詩原限定五首而後調整為十首，且以詩集為要件，並限定有一首要十行以上，成效同樣不佳，如此設定徵獎大體是受成人提倡組詩的影響。總之，在南瀛文學獎十八屆次中，兒文類是比較弱的一環，臺南文學獎的兒文類組徵文雖有改變，但相對於全國性兒文類徵獎仍然失卻吸引力。地方文學獎，包括地方性兒文獎，如何與全國性文學創作徵獎作區隔，似乎是值得學界去嚴肅思考的問題。

三、兒童劇演出多，但無在地的專業兒童劇團

兒童戲劇也是兒文的一環，通常是指專業演員演給兒童看的戲劇活動，以兒童為演員演出的戲劇，是戲劇教育活動，不是兒文所指涉的兒童戲劇。而光有劇本而沒有演出，那是無生命的「案頭劇」。一地的兒文發展，基本上也是要有專業的兒童劇團（成人專業演員、公演售票維持運作財源）成立才算真正發展到位。沒有專業兒童劇團，兒文還是有缺角不圓滿的遺憾。臺灣第一個專業兒童劇團「魔奇兒童劇團」是在 1986 年才成立[63]，適巧也是臺灣經濟發展已有一定程度，各縣市文化中心都已興建完成，正好為兒童戲劇締造很好的發展環境——演出空間與消費族群。或許正好處於臺灣兒童戲劇開始發展的浪潮，本期臺南兒文推展活動另一個特色是兒童戲劇演出多。自 1987 年 2 月 15 日魔奇兒童劇團到臺南文化中心

63—— 臺灣專業兒童劇團的興起發展，參見黃美滿，〈魔奇的夢——記台灣專業兒童劇團的起點「魔奇兒童劇團」〉，《美育》159期（2007.9），頁4-15。

演出後，全臺灣有名的兒童劇團，從魔奇到蒲公英、九歌、鞋子兒童實驗劇團、如果兒童劇團、杯子劇團、偶偶偶劇團、紙風車劇團、蘋果劇團，甚至美國多多龍雷射兒童劇團都先後到臺南演出（參見附錄一：戰後臺南兒文發展五歷史分期大事年表，四、1987～2010：臺南縣市分治後期）。這一現象，反映臺灣兒文的發展趨勢，同時彰顯臺南兒文界也重視兒童戲劇，也有一群較高消費能力的基本觀眾。較可惜的是迄今臺南未見成立在地的專業兒童劇團。

第八章

臺南縣市併都期
（2011 ～ 2022-）：
e- 化淬鍊全民期

第一節　世代交錯、閱讀和訊息傳播方式遽變的藝文大環境

本期由於網路與應用軟體 AP 技術的成熟，加上智慧型手機和平版電腦的普及，整體藝文大環境已全面為 e- 化、多媒化所籠罩。紙本書閱讀人口遞減，數位原民世代[64]已成為社會主流。傳統紙本版書外，搭配 e-Pub 版電子書同時出版，或紙本書加附 QR Code 供線上欣賞影音，或幼兒書刊加附點按筆可聆聽語音，已逐漸成為童書出版新型態，這是網路世紀給傳統紙本出版帶來的新挑戰。從遠流有聲望的《科學少年》月刊、幼獅發行逾四十年的《幼獅少年》月刊都先（2020.2）後（2021.1）宣布停刊，已充分顯露端倪。這一波 e- 化的衝擊，對臺灣兒文發展影響如何，臺灣童書出版業者會如何調適、會起如何的變化，可能還有待觀察。

多媒化對傳統童書引生兩方面的挑戰，一是將面臨喪失更多讀者的危機，一是作家（文字文本作者）獨尊地位消失。讀者喪失方面，傳統童書早在民六七十年代電視和錄影帶放映機逐漸普及後，就已面臨挑戰。兒童課餘花在電視和錄影帶的時間，比看印刷的讀物多得太多，這已是不用爭辯的事實。e- 化時代這一波，電子童書透過超文本（hypertext）、超媒體（hypermedia）的連結技術，使得內容同時具有可供遊戲和輔助學習的特質，對兒童更具吸引力。不用說電子讀物會使傳統童書的讀者再度流失。而由於 e- 化時代，網路既是傳播工具，也是出版工具，是人人都可以成為作者的時代，是播客（Podcast）盛行的時代。加上優質的多媒化電子讀物，常是不同專長團隊合作下的產品，在在使文字文本作者喪失獨尊地位，無法獨享光采。

64——「數位原民世代」是一個統稱詞，源自Marc Prensky於 2001年創用「數位原民」（Digital Natives）稱呼1980年以後出生者，之前出生者為「數位移民」（Digital Immigrants）。近十來年，坊間、學界常聽到的「X」世代、「Y」世代、「Z」世代，或「i」世代、「APP」世代，其實也都是在指稱不同的數位原民世代。數位原民世代使用電腦方式也有世代差別，如至少可再區分為三個世代：前網路世代（鍵盤）、開始有網路（1995）的世代（滑鼠）、有智慧型手機（iPhone 2007年問世）的世代（手滑）。

本期面臨的藝文大環境正是這種 e- 化影響加劇的時刻，非常戲劇性無人預料到的，2019 年尾 12 月竟然爆發武漢肺炎（COVID-19），疫情肆虐全球至 2023 年才緩解。疫情導致學校停課在家網路學習、商家關門，更加速 e- 化影響的力道。實體書店一家一家消失、各路播客當道，社會可說已全面進入 e- 化的新時代。處於如此邊變的藝文大環境，本期的臺南兒文推動發展，當然也需有許多不同以往的新措施。

第二節　因應 e- 化時代文化局創新推廣措施

處於 e- 化的新時代，文化局在本期除繼續舉辦臺南文學獎和出版市傑出作家作品集外，也有兩項創新推廣措施。

一、「非讀 Book 臺南愛讀冊」電視讀書會、「線上故事屋」聯播平臺開播

南縣市併都後，賴清德市長提出「書香大臺南」的政策，市政府文化局結合教育局、新聞及國際關係處，跨局處合作嘗試用新的傳播媒體來推廣閱讀教育。促成「非讀 Book 臺南愛讀冊」電視讀書會，於 2011 年 9 月正式在有線電視第三公用頻道開播，委由臺南市立圖書館錄製，聘請臺南大學附設實驗小學溫美玉老師主持，以「主持人與作家對話」、「作家與學生座談」、「導讀老師對學生的引導」等面向，為孩子進行最佳的書籍導讀。2019 年童書作家黃文輝加入主持的行列，2020 年全新大改版，邀請南方講堂王美霞擔任新主持人，以「整座城市都是我的圖書館」為主軸，拍攝地點走出戶外，除延續親子共讀外，更開啟新鮮的多元話題。[65]這個節目其實受益最大的是家長、老師，對於臺南兒文的推廣影響不小。

65—— 有關「非讀Book臺南愛讀冊」電視讀書會的開播、錄製，可參閱臺南市立圖書館編印的《臺南市立圖書館百年書香》（2020），頁120-125。

2019 年年底爆發武漢肺炎疫情後，因疫情擴散，為防群聚感染，學校停課，孩子在家學習，世界各地的作家陸續在網上朗讀、說故事，陪伴在家防疫者。本市籍旅北的兒文作家王淑芬，不落人後，在 2020 年 4 月也發起「童書作家講故事」，獲三十位響應，接力完成在臉書講故事的行動。同樣因應疫情，臺南市政府文化局轄下的臺南市立圖書館，於 2021 年 6 月也特別錄製「阿哲陪你帶小孩：線上故事屋」聯播平臺，陪孩子在家學習。新營文化中心「袋鼠媽媽故事團」臨危受命參與錄製，袋鼠媽媽們選文化局及青林出版社合作出版的「南瀛之美圖畫書」，包括《少年西拉雅》、《曾文溪的故事》、《我家在下營》、《西港燒王船》和《憨番的秘密》等，共拍攝 16 支影片。「線上故事屋」每周一至五每天下午 5 時於「藝遊臺南」FB 粉專首播，同步串聯南市有線電視第三公用頻道，並於「臺南藝文吧」YouTube 頻道重播。很難得的，南市圖錄製的這一「線上故事屋」，入選美國圖書館協會（ALA）「世界圖書館 2022 年最佳實踐」案例。活動照片刊載於美國圖書館協會網站展示櫥窗，向全球展示臺南市圖書館在後疫情世界中的創新服務。（臺灣共有國家圖書館及新北、新竹、苗栗、臺中、臺南、臺東等六縣市公共圖書館獲選。）

二、出版《臺南青少年文學讀本 兒童文學卷》

或許受不少縣市都已出版各自縣市青少年文學讀本的影響[66]，又恰巧擔任《雲林縣青少年臺灣文學讀本》計畫主持人的陳益源教授，被借調出任國立臺灣文學館館長（2016），陳館長趁雲林縣的青少年文學讀本出版，安排在臺文館舉行一場新書發表會暨各自縣市青少年臺灣文學讀本的編輯

---

[66] —— 在 2018 年《臺南青少年文學讀本》出版前，苗栗縣、臺中縣、彰化縣、高雄縣、雲林縣、屏東縣均有出版各自的青少年文學讀本。參見陳益源，〈《臺南青少年文學讀本》顧問序〉，載於《臺南青少年文學讀本》各卷，臺南：臺南市文化局，2018.7。

理念說明會，觸動了臺南文化局也決定編《臺南青少年文學讀本》，委請陳昌明教授召集籌畫，確定全系列包括小說、散文、現代詩、臺語詩、民間故事、兒童文學共六卷，於 2018 年 7 月正式出版。兒童文學能被列為一卷，顯示兒文在臺南仍受到文化局的肯定和重視。給本地青少年出版文學讀本雖不是領頭創舉，確是一項有意義的新措施。

負責兒童文學卷主編的是許玉蘭校長，她是臺東大學兒文所畢業的，本身又是小學校長，是極為適合的主編人選。她把兒文卷的閱讀年齡層設定在 15 歲以下，頗符合學界的看法。在內容上她分成童詩選、散文選、童話選、少年短篇小說選四部分，大體上把兒文的主要文類都納入了。唯有關幼稚園、中低年級適讀的兒歌（與童詩不同），尤其有代表臺南兒文特色之一的臺語囝仔歌，未見別立一類選文，似乎有點可惜。至於選入哪些作家與作品，涉及個人鑑賞觀點應給予尊重，何況還要徵求作者同意。只是筆者有點好奇，臺南兒文作家在全臺灣頗享盛名的謝武彰、楊隆吉、林哲璋三位，竟然未有作品被選入。

關於《臺南青少年文學讀本》有一文類區隔的問題，或許值得一提。兒文卷有「少年短篇小說」一類，小說卷也有「少年小說」一類，兩者如何區隔？是長短篇，還是適讀年齡的區隔，還是成人作家的小說被後人挑選出適合青少年閱讀的，不得而知。另在兒文卷「少年短篇小說」類，收錄姜天陸的〈收驚阿媽〉，這篇是 2007 年第十五屆南瀛文學獎兒文類首獎作品。該屆兒文類徵獎文類為童詩、故事、童話、寓言，並無少年小說。姜天陸也自認為該作品是童話，不知何以收錄在「少年短篇小說」內。這又涉及童話與少年小說的區隔問題。

教育局在本期，除了持續主導資助出版兒童文學創作專輯《小黑琵》外，在推動兒文方面，同樣也有很另類的參與式新舉措。

一、K-12「布可星球 Book Planet」閱讀平臺

因應十二年國教新課綱強調素養導向，為了提升學生的閱讀理解力，很難得的，南市教育局以創意遊戲的概念打造 K-12 年級（幼兒到高中）的閱讀理解平臺：「布可星球」（https://read.tn.edu.tw/），於 2010 年 8 月 10 日正式啟用。平臺以創意遊戲的概念打造，學生透過閱讀平臺精選的圖書並通過素養評量，即可挖掘布可能量並拯救布可星球，閱讀越多，個人的能量等級也會越高，讓閱讀變得好玩、有挑戰性、又有吸引力。平臺中選有 1,000 本好書並加附「素養導向」命題（從訊息提取到理解推論），有易有難。而知識的獲得不只來自於書本，聽名人的演講也具有啟發性。因此平臺還提供精選超過 500 部不同領域的演講和影片，讓學生的閱讀資源與知識啟發更為豐富、多元。

K-12「布可星球」閱讀平臺最可貴、最另類的是，除提供遊戲化界面外，也規畫「布可能量」、「星球能量」、「我的能量」、「星球佈告」、「專家導引」等功能。其中對兒童最有吸引力的是「我的能量」，它代表使用者個人的閱讀紀錄，包括個人資料、能量等級、挖掘紀錄、我的最愛、心得管理。隨著學生挖掘出「布可能量」的多寡，個人的能量等級會由園丁、書生、文人逐步進化到最高等級的聖人角色，共分成十級，如同擂臺賽一樣，相當具有挑戰性。

而為激勵學生多轉動布可星球，讓閱讀不停歇，教育局更在 2021 年 12 月進一步針對國小高年級，舉辦第一屆「布可星球小哲學堂擂臺賽」，

參賽學生進入教育局開發的「競趣玩iplay」平臺內搶答，以30分鐘內答對題數最多且總作答時間最少者為優勝。共有128所國小、516位高年級學生參加，次年第二屆130所國小、643位高年級學生參加。又據教育局長鄭新輝在第二屆擂臺賽時表示，星球能量已達破億的紀錄。從擂臺賽參與人數與星球能量破億這兩項數據，多少可看出布可星球在小學校園受歡迎的程度。

此外，為促使更多人愛上閱讀，參與轉動布可星球，教育局更透過「使用布可星球的100種方法」徵文活動，收錄100則學生、家長、教師使用布可星球的各種「撇步」，出版一本《使用布可星球的100種方法》專刊（2022.10），提供給小學，希望讓還沒有使用、比較少使用布可星球的學生、家長、老師參考使用，進而幫助推動學校的閱讀教育。

設置平臺、舉辦擂臺賽、出版使用專刊，環環相扣，就兒文閱讀推廣來說，本期教育局可說相當跟得上e-化時代的腳步。唯布可星球既然適用對象是K-12，擂臺賽不妨擴充到國中乃至高中，強化、增進閱讀欣賞小說的能力。又本期教育局所推出的這三項招引參與的活動，雖然都是針對學童而規畫設計的，但其實獲益最大的是家長和老師，對臺南兒文的促進發展來說，仍是相當值得稱許的。

二、臺南兒童文學月

2013年起市府把每年四月一整月訂為「臺南兒童文學月」，由教育局主辦、文化局協辦，含括書展、戲劇及兒文講座（兒文作家到國小介紹自己的作品）等多元、多項招引全民參與的活動，迄今仍是全國唯一。「臺南兒童文學月」每年都設定主題，由不同學校承辦，活動類型非常多元，讓不同層面、不同興趣的人都有機會參與。如2013年第一屆「臺南兒童

文學月 翻轉 FUN 文學」，於北區公園國小禮堂進行啟動儀式，包括書展、作家講座、故事繽紛嘉年華、本土兒童文學書籍徵選、文學小論壇、戲劇文學列車等多項活動。作家講座邀請許榮哲、陳榕笙及幸佳慧等蒞臨現場與讀者對話。又如 2019 年教育局規畫「大小作家來聊書」、「未來主人家鄉走透透」親子趴趴走、「快樂戲劇列車臺南遊」創作展演等系列以兒童為主體的活動。如此大舉措一整月推動兒文，參與中有互動，歡樂氣氛如同嘉年華，又具有實質內涵，十足羨煞其他縣市。

三、「話我家鄉故事繪本」計畫

「南瀛之美圖畫書」是臺灣兒文地方文化與兒童文學結合的標竿，是前臺南縣文化處的傑作。併都後南市教育局為落實鄉土教育，2015 年起，每年在小學校園持續推動「話我家鄉故事繪本」計畫（採志願參與方式，每區參與的學校，不限一所，也不限只創作一本、只能參與一次），是足以媲美「南瀛之美圖畫書」的舉措，而且因為實地探訪，更能喚醒人們守護家園的意識。由於此一計畫獲得「兒童文化藝術基金會」長年資助，尤其該基金會執行長盧彥芬不辭辛勞親自蒞校指導編寫實務，更使得這一師生共作的「話我家鄉故事繪本」計畫得以順利執行，並以較美的面貌出版。迄至 2023 年 9 月，在臺南 37 個行政區中已有 35 區出版了家鄉故事繪本（共78 冊），這也是臺南兒文可傲視全國的一項。[67]

「南瀛之美圖畫書」系列與「臺南兒童家鄉故事繪本創作」系列同屬鄉土童書，兩者相較，南瀛之美圖畫書的文圖作者都是名家，可說都是水準以上的報導文學類童書。家鄉故事繪本創作是透過老師帶領學生走讀探索或訪問地方耆老，收集地方的文史風采，再發揮想像力，撰寫文本、繪

---

[67]——據兒童文化藝術基金會執行長盧彥芬告知，全臺灣有南投縣、嘉義縣、臺東縣、屏東縣、高雄市、臺南市六個縣市在推動「家鄉故事繪本」創作，以屏東縣和臺南市推動最為積極，成果也最為顯著。屏東自 2013 年開始推動，全縣 37 個鄉鎮市有 33 個參加，至 2022 年 7 月 1 日～8 月 31 日屏東總圖舉辦「原來家鄉那～麼美 齊聚，阿緱 33 故鄉事——屏東縣兒童家鄉故事繪本展」，共展出 116 本。

製插圖，將探訪所得予詮釋鋪衍成書。文圖創作均以學生為主體，老師和成人專家是協助者、指導者，因此，就文圖水準來說，家鄉故事繪本可能難跟南瀛之美圖畫書匹比。但由於有兒童文化藝術基金會執行長盧彥芬的編輯專業協助與要求，從出版的師生共作「家鄉故事繪本」來看，繪本除了全部彩印外，版式多樣，跨頁、連續折頁都有，以及提供豐富的背景資料，這都是南瀛之美圖畫書所不及。更難得的是有不少繪本用臺語文表述，為讓讀者熟悉臺語語調，每本還加附光碟。最近一兩年則配合手機、電子書閱讀器的普及，也改採用在書末或封底，直接印上 QR Code 供讀者直接連線閱聽，十分新潮。因而如就落實鄉土教育與培養來日的兒文創作人才來說，家鄉故事繪本重要性當是勝過南瀛之美圖畫書。其實併都後，教育局支持出版的兒文創作專輯《小黑琵》，強化封面徵圖，如改採「家鄉故事繪本」團隊競賽，並且把國中納入，可能比較有推廣兒文的實質意義。

第四節　推廣童書閱讀活動活絡，播客、補教業式推廣團體興起

一、光耀「非讀 Book 臺南愛讀冊」電視讀書會的主持人溫美玉

　　就臺南兒文發展來說，併都後的本期因處於 e- 化新時代，不論是文化局或教育局都推出截然不同以往的新措施。如就實際發揮影響層面來說，則以「非讀 Book 臺南愛讀冊」為最。一方面持續時間長（共八年播出 422 集），且有重播時段（現在仍可在線上點閱），一方面觸動層面廣，幾乎邀遍臺灣兒文界各文類高手，到臺南的國小與學生、老師乃至家長交流，促成臺南兒文界與全國兒文界大串聯。可說臺南市文化局、教育局與市圖書館合作，共同推出「非讀 Book 臺南愛讀冊」這個電視讀書會節目，確確實實為臺南兒文增加許多光彩，也為全國文化局支持藝文活動，尤其

是童書閱讀，提供良好範例。能有如此的成果，當然要歸功，南市圖有眼光聘請溫美玉老師為主持人。或許有人會認為是「非讀Book」成就了溫老師。然而，以溫老師在國小教育界享有聲望的事實，其實是市圖沾溫老師的光。

近一二十年臺灣國小校園閱讀寫作及民間親子閱讀團體，最具知名度的，當是臺南師院／大學附小的溫美玉老師，她的「溫老師備課Party」是當前國小教師粉絲最多的網頁團體。溫老師是臺東師專體師科畢業的，受教臺東師院／師專的教學名師吳英長老師，她的文本分析、她的寫作、閱讀教學，都極具翻轉性與可實施性，全國聞名。小魯出版社、翰林出版社等，常以她作為推廣的招牌。在全國國小校園、親子閱讀團體，幾乎無人不曉。她不是童書作家，而是全國最大咖的童書閱讀推手。兒文發展有賴作家的努力創新，但紅花需要綠葉襯，光有作品，沒有人幫忙閱讀推廣、流通，仍然作用有限。溫老師對臺灣兒文界最大的貢獻，就是在於童書的閱讀推廣，她把作家與老師、與學生、與家長聯結起來互動，既推廣兒童文學，又傳播教學與教養孩子的理念，孩子、老師、家長，乃至作家都是她的粉絲。她不是作家但比作家還紅，也是臺南兒文界的光采。就本期來說，溫老師當是推動臺南兒文，乃至全臺灣兒文最大咖的一位播客，值得特別提出來一說。

二、另類補教業式新型態兒文推廣團體──
「影響‧新劇場」、「泥巴球繪本屋」

本期的臺南兒文推廣活動，除上述新竄起的網路播客，以及坊間傳統常見的各種說故事團體、親子讀書會外，也出現新類型的企業化經營兒文推廣團體，「影響‧新劇場」、「泥巴球繪本屋」是最具代表性、最值得一提的兩家。

「影響‧新劇場」是呂毅新在併都之後，率先以藝文補習班類型設立（2011.1.11）的應用性劇場，從事戲劇教育的推展。擔任團長暨藝術總監的呂毅新，成大中文系畢業後留美學戲劇，是專業的劇場編導創作者。[68]她創設「影響‧新劇場」，致力與臺南的中小學，乃至大專院校師生合作，在校園內深耕創造力教育。以「故事、戲劇」為主軸，應用不同的戲劇形式，讓孩子透過肢體說演故事，發揮想像力與創造力。併都後的臺南藝文活動，「影響‧新劇場」在戶外空間演出兒童劇之多，不下於專業兒童劇團。更難得的是，她透過「催化引導」、「專業劇場體驗」、「深化回饋」的三階段課程，讓「青少年能夠認識自己的身體與聲音，經歷一段自我凝視、自我探詢的旅程」[69]，反思性別、人權、歷史等議題。呂創設「影響‧新劇場」在臺南深耕，不論在人才培育、戲劇素養提昇上，可說勝過一個專業劇團多多。臺南有「影響‧新劇場」就如坊間多了一所兒童劇校，特別是青少年劇的補習進修學校。它彌補了臺南兒文界沒有專業兒童劇團的遺憾，有「影響‧新劇場」可說也是臺南的榮耀。

圖畫書／繪本是當今臺灣兒文界的主流書種，不少民間讀書團體、學界研討會經常以圖畫書為探討主軸。可是真正有規畫、用心在推廣圖畫書的不多。座落臺南文化中心附近的「泥巴球繪本屋」（2017年4月21日創辦），是全臺灣少見一個以實體書店形式在經營，以愛心在倡導生命教育的圖畫書推廣中心，創辦者是長老教會台灣教會公報社新樓幼兒園園長張秀卿。該繪本屋除挑選繪本在店內展賣外，最主要還用心策畫親子課程、讀書會、專題書展、專題講座、乃至小劇場演出等活動。環繞著繪本，邀約繪本作家、研究者、出版社老闆莅屋指導，如同坊間的圖畫書補習學

68—— 呂為臺南市人，成大中文系畢業，留美獲美國東密西根大學兒童與青少年劇場研究所藝術碩士（M.F.A）、蒙大拿大學戲劇研究所碩士（M.A），現為臺東大學兒童文學研究所博士侯選人，臺南大學戲劇創作與應用系、成大台文系兼任講師。她是專業的劇場編導創作者，臺南市文化局「十六歲正青春藝術節」、身心障礙戲劇場「藝術大無限」等計畫主持人。2011～2013連續三年獲「藝教於樂 —— 激發創造力」專案補助。

69—— 參見網頁：國藝會補助成果檔案庫／現代戲劇專題／研究專文-專題訪談〈那些沒人做過的事——專訪「影響‧新劇場」團長呂毅新〉（白斐嵐，2022.7.12）。

校，對臺南兒文圖畫書的推廣教育貢獻甚大。尤其在 e- 化時代，實體書店紛紛關閉，泥巴球繪本屋還繼續有聲有色舉辦活動、開授課程，可說是以宗教情懷在幫忙推廣圖畫書閱讀教育。泥巴球繪本屋的存在，也是臺南兒文界的一道彩虹。

第九章

臺南兒文作家
群像剪影

戰後從事兒文創作的作家不少，但如何判定他／她是臺南兒文作家，頗難拿捏。在本卷緒論已說明是採較寬廣具有臺南情緣者為依據，於此不加贅。唯實際要著手介紹，再如何，仍然無法避免失漏乃至失誤。早期缺乏版權觀念，很多作品發表都未具名或用筆名，是誰的作品，是創作、改寫、翻譯或盜改，要查考實在困難重重（嚴重情況甚於成人文學）。一九七〇、八〇年代以後出版的童書，大體都會在封面／底裡加附作‧繪者介紹，但都偏重學經歷或個人創作理念，明確交代出生年、出生地的不多，同樣很難獲得是否可歸為臺南兒文作家的依據。再者，真正熱愛創作的作家，常是長年持續創作不斷到終身，很難把誰歸為哪一時期較為活絡的代表性作家。這也是筆者在前面分期各章，大體只就該時段臺灣兒文較風行的文類，臺南兒文作家也有在這方面表現突出者給予介紹。併都後的本期是本兒文卷戰後臺南兒文發展的暫止點，而臺南兒文作家是在縣市分治中期，洪建全兒文創作獎設獎後才展露頭角躍上全國舞臺的。縣市分治後期，正好洪建全兒文創作獎進入尾聲，各專類兒文創作獎又陸續創設，進入百家爭鳴的臺灣兒文黃金時代。之後邁入併都期則全面處於 e- 化的大環境，不論是政府，或兒文作家、兒文出版社、兒文閱讀推廣團體，無不面臨如何調適的大挑戰。從洪建全兒文創作獎臺南兒文作家開始崛起（1975），到 e- 化大挑戰當下（2022）近五十年時間，臺南兒文主要動力的兒文作家族群，究竟是怎樣的面貌？在終卷前，宜有一專章加以敘介，才不失完整。

　　筆者擬從兩方面來介紹臺南兒文作家族群：先是對參與全國性兒文創作競賽獲獎較具代表性的臺南兒文作家群，以綜觀的方式略作簡要素描，看有哪些文類為較多的臺南兒文作家所青睞，藉以點出臺南兒文可跟外界匹比的強項。其次是再就這些兒文獎之外，觀察有哪些臺南兒文作家出版過較具臺南意象的作品，乃至獨步全臺的作品。

第一節　榮獲全國性兒文創作獎的臺南兒文作家族群

　　作家是有創作才華者的指稱，是因有作品發表、出版，獲人肯定才贏得的尊稱，從而兒文作家當然是以有無發表或出版兒文作品為依據。但作品要具備怎樣條件才夠格稱為作家，才值得納入兒文史裡介紹，是很難有客觀判準的。正是由於作家很難定位，筆者採權宜性做法，即以參加全國性的兒文創作競賽獲獎具臺南情緣者為基準。由解嚴前最先創設的洪建全兒文創作獎（1974 年創設，1975 年第一屆頒獎），到解嚴後陸續創設的專類兒文創作獎——臺灣省兒童文學創作獎、信誼幼兒文學獎、九歌現代少兒文學獎、國語日報兒童文學牧笛獎、陳國政兒童文學獎，外加九歌年度童話選（自民 92 年起迄今未中斷，且每年頒發一名年度童話獎），共七種兒文獎的獲獎者作為樣本（資料見附錄四：榮獲全國性兒文創作獎臺南兒文作家暨其獲獎別匯總表），來觀察近五十年臺南兒文作家族群大致具有怎樣的面貌。

　　附錄四中，具臺南情緣的作家榮獲這七種全國性兒文獎者共有 70 位，其中女性居然高於男性（36：34），也即全國性兒文創作競賽獲獎的臺南兒文作家族群是巾幗勝過鬚眉。又這 70 位中，有小學老師背景者共 32 位，也即約每 2.2 位就有 1 位是小學老師出身；是臺東大學兒童文學研究所畢業的有 17 位，約每 4.1 位就有 1 位是兒文所畢業。可知小學老師、臺東大學兒文所畢業已成為臺南兒文作家重要標誌。

　　而如從作家個人獲獎文類看，大體兼跨兩類以上居多，專攻一類創作的相對較少（參見下一段數據），也即斜槓作家多。戰後臺南作家族群這四個特色：巾幗不讓鬚眉、小學教師出身多、臺東大學兒文所畢業者多、斜槓作家多，其實也是戰後臺灣兒文作家族群的寫照。小學老師女多於男，而小學老師和學生又是兒文作品的主要消費族群，有不少小學老師會

投入創作應是不足為奇，故臺南兒文作家出現這樣的比例，大體上也是臺灣兒文作家的實況。

另外，再從作家獲獎次數及榮獲最優首獎第一名的情況，來看臺南兒文作家的創作強度與強項。附錄四 70 位中獲獎 10 次以上的有 4 位：楊隆吉（童 14 次）、岑澎維（童 11、散 1）、林哲璋（童 12）、張英珉（童 6、少 5）。獲 5 次以上不到 10 次的有 13 位：陳玉珠（少 4、詩 2、童 2、圖 1）、王宇清（童 8、少 1）、陳啟淦（童 7、少 2）、毛威麟（少 5、童 3）、王淑芬（童 4、少 2、圖文 1）、侯維玲（少 1、童 4、散 1、圖文 1）、李光福（少 4、童 2）、孫藝泉（子魚）（童 5、圖文 1）、廖炳焜（童 4、少 2）、嚴淑女（童 3、散 2、圖 1）、王昭偉（童 5）、林芳妃（安石榴）（童 3、圖 2）、林淑芬（童 3、散 2）。獲獎 3 次至 4 次的也是 13 位：吳源戊（詩 2、散 2）、邱靖巧（少 3、童 1）、翁心怡（童 3、少 1）、陳志和（童 4）、陳佳秀（花格子）（少 3、童 1）、陳肇宜（少 4）、劉如桂（圖 4）、徐士欽（詩 3）、姜天陸（童 2、少 1）、黃淑萍（童 3）、劉玉玲（童 2、圖 1）、劉臺痕（少 3）、謝武彰（詩 3）。全部得過 3 次獎以上者合共 30 位，男女比例是 16：14，可見男性作家創作強度沒比女性高多少。這 30 位兒文作家創作強棒，跨兩類的有 16 位，跨三類以上的有 4 位，單致力一類的只有 10 位，顯然還是斜槓作家多。

再看獲首獎第一名的有幾人次，獲有 3 次的只有陳玉珠（詩 2、少 1）、侯維玲（少 1、童 1、散 1）2 位，獲 2 次的有 3 位：王淑芬（童 1、圖文 1）、毛威麟（童 2）、張英珉（少 2）；獲 1 次的有 17 位：王宇清（童）、王昭偉（童）、吳源戊（詩）、岑澎維（散）、林佑儒（少）、林芳妃（安石榴）（圖）、林哲璋（童）、邱靖巧（少）、孫藝泉（子魚）（童）、張清榮（詩）、陳正恩（童）、陳佳秀（花格子）（少）、陳啟淦（童）、陳肇宜（少）、楊隆吉（童）、鄭文山（詩）、謝武彰（詩）。總共 22 人有獲首獎的紀錄，其中陳玉珠獲得 2

次童詩、1 次少年小說首獎，侯維玲分別獲少年小說、童話、散文各 1 次首獎，王淑芬獲童話、圖畫書文字創作各 1 次首獎，毛威麟獲得 2 次童話首獎，張英珉獲 2 次少年小說首獎，可說兒文各類都有強棒（童話似乎較多），非常難得。

　　總體來說，臺灣兒文隨著洪建全兒文創作獎熱潮消退，各專類全國性兒文獎先後創設，正好提供給戰後第二世代（1960 年以後出生的）冒出頭的機會。而在全國兒文競技舞臺上，臺南作家不但各路寫手不落後其他縣市，而且巾幗不讓鬚眉。

第二節　別具臺南特色的兒文作家和作品

一、圖畫書

　　解嚴後隨著洪建全兒文創作獎退場，信誼幼兒文學獎設獎所創造出的聲勢，與日本福武書店在臺灣創辦幼兒雜誌《小朋友巧連智》的推波助瀾，幼兒適讀的圖畫書取代童詩成為臺灣兒文的主流，也即畫作家（筆者給童書圖文作者同一人的稱呼）取得與傳統文字作家相抗衡的地位。基本上，臺南兒文也受圖畫書風潮的影響。分治後期官方出版品的標竿「南瀛之美圖畫書」系列，併都後繼續出的「臺南之美圖畫書」以及「家鄉故事繪本」，乃至環保局舉辦「環教繪本」創作競賽，可說都是藉圖畫書來實踐鄉土教育、來推動政策。如今臺灣各地區政府乃至機構都出版有圖畫書，也是臺灣兒文發展的一個有趣現象，而臺南是啟動的先驅。

　　處在圖畫書風潮下，除了政府出版的圖畫書外，臺南兒文界也有幾位有特色的圖畫書作家值得推介。其中作品最具臺南意象特色的是劉如桂的「劍獅」系列三本：《劍獅出巡》、《劍獅擒魚》、《劍獅祈福》（信誼，2008、2010、2014），十足彰顯臺南安平的特色。《劍獅出巡》是她獲

2008 第二十屆信誼幼兒文學獎佳作的作品，由於信誼何家正好是安平人，2018 年信誼慶祝幼兒文學獎三十周年時，劉如桂的這一作品被改編為兒童劇，特別邀請兒童戲劇專家王友輝教授（臺東大學兒文所所長）擔任顧問，由林孟寰編劇、周浚鵬導演，集結傑出演員，採用「劍獅戲偶」結合圖畫書、布袋戲、舞獅等元素，以劇場形式分別在臺南、臺中、臺北三地巡迴演出，是臺灣兒文界難得有的盛事。

另外，臺東大學兒文所博士周見信，也是當今有名的臺南圖畫書作家，曾獲信誼第二十八屆圖畫書創作首獎（郭乃文配文），他還有件非參賽作品《雞蛋花》（也是郭乃文配文）（信誼，2018），同樣深富臺南意象。該圖畫書是以日治時代的臺南老屋（公園路 321 巷內）與一棵已經百歲的雞蛋花為發想連結在一起，雞蛋花見證了物換星移，依然守護這塊土地。故事是以第一人稱「我」，採取倒敘法開展情節，帶引讀者回到臺南有過的一段歷史場景，相當不錯。[70]

圖畫書是圖、文同等重要，以低幼齡兒童（3～8 歲）為訴求的圖書，是二次戰後才發展成熟的。美國稱為「圖畫書」（picture books），日本稱為「繪本」，在臺灣坊間乃至兒文界常把兩詞混用，甚至有繪本取代圖畫書的趨勢。較為遺憾、嚴重的是有不少人仍不清楚圖畫書是以幼兒為訴求的特質，以為圖象比文字多就可稱為圖畫書（如依圖畫書是以幼兒讀者為訴求的嚴謹定義來說，「南瀛之美圖畫書」是不符合圖畫書要件的——這是可探討的學術問題）[71]。或許國人不喜歡追根究柢，忽略圖畫書要給低幼齡兒童閱讀，不僅文字要寫得淺顯易懂，內容更要貼近生活不能太深奧。圖畫書在臺灣風行已逾三十年，臺灣會畫畫的人才不少，但能寫好圖

70—— 參見林杏娥，〈《雞蛋花》的圖像閱讀〉，《中華民國兒童文學學會會訊 火金姑》2020夏季號（2020.7），頁103-113。

71—— 關於圖畫書的特質、圖畫書與繪本混用問題，可參見洪文瓊，〈閒話臺灣的圖畫書與繪本〉，《中華民國兒童文學學會會訊 火金姑》2019秋季號（2019.10），頁106-127。

畫文字文本的人才依然不多，這也是信誼幼兒文學獎除了完整一本圖畫書的創作獎外，還設有單純只是圖畫書文字文本創作徵獎的原因。很難得的臺南兒文作家仍然有王淑芬得過信誼的圖畫書文字創作組首獎（第九屆），張振明、侯維玲、孫藝泉（子魚）三位也各得一屆佳作（第十二、十三屆），能在圖畫書文字創作徵獎獲獎，多少表示他／她有能寫出較貼近幼兒生活經驗的能力。

就圖畫書／繪本來說，最最能表現出臺南風味，又具獨家風格的，則無人可跟府城版畫家洪福田相匹比。他的臺灣鄉土繪本《十二生肖之歌》（字畝，2020），是利用木刻水印的版畫獨門技法，將童時傳唱的十二生肖童謠，製作成十二則小故事。他另本遊戲性的無字圖畫書《台南樂多多 Tainan Wimmelbook》（飛行船，2018），把童話中的人物（如虎姑婆、西遊記的三藏師徒、傑克與魔豆、美人魚等）、臺灣代表性動物黑熊、獼猴和府城現實生活的人們，納於同一畫面，藉以介紹臺南有名旅遊景點，同時展現府城人現實生活的一面。這兩本利用版畫風格介紹臺灣、臺南的鄉土繪本，堪稱獨步臺灣，談臺南兒文圖畫書作家絕不能漏掉洪福田。

在民間，臺南另有素人畫家蘇菲亞·劉（本名劉張月娥），東海中文系畢業，是臺中豐原市客家人，嫁到新營為臺南媳婦，後旅居澳洲，常回臺灣。她自己成立「蘇菲亞繪本城堡」，自寫自畫出版好幾本極具本土色彩的繪本[72]，其中一本《婆姐佑子》（台南市文史工作室協會，2016），介紹麻豆婆姐陣頭，她把婆姐飆舞稱為臺南的小搖滾，冠加 Taiwanese Rock & Roll 作為英文書名，頗有創意也傳神。

72—— 蘇菲亞·劉自寫自畫、自費出版的繪本有《水牛招親》、《婆姐佑子》、《芒果樹下之夢》等。另負責插畫的繪本有《故鄉·樹子腳》（臺南市七股區樹林社區發展協會，2017）、《麼人帶偓轉屋下》（客委會、臺南市政府文化局）、《媽媽的珍寶箱》（臺南市立圖書總館）、《嘉有藏寶圖》（嘉義市政府環保局）等。

二、童話、少年小說

　　童話方面，則臺南後壁出生，臺北師院數理系畢業，也是臺東大學兒文所碩士的楊隆吉老師，更是臺南兒文作家一絕的人物。在前一節敘介臺南兒文作家在全國性兒文創作獎獲獎最多次的就是他。他在九歌年度童話選入選 12 次，外加 1 次年度獎。其實他不只是有獨特風格的童話創作高手而已，他也是繪畫的高手。他喜歡畫畫，也喜歡為別人畫畫。他在毛毛蟲兒童哲學基金會的《兒童哲學》雙月刊，闢「楊隆吉畫圖說故事」專欄，就是自己寫自己畫。國內毛毛蟲兒童哲學基金會創辦人楊茂秀教授，稱他為「不平常的人」，說他總好像多了一根筋，又好像少了一根筋，因為他寫故事總是把兩種不可能放在一起的東西，放在一起。[73]如他的第一本圖畫書《蕭水果》（大穎，2006），是在講一位姓蕭的媽媽，她三個孩子為媽媽買生日蛋糕的事。楊隆吉在故事中，把孩子取名為蕭柳丁、蕭鳳梨、蕭蘋果，光看到人物命名，就不禁讓人莞爾一笑（蕭與削是同音）。再如他在《兒童哲學》雙月刊（2022 年 2 月，第 83 期）「楊隆吉畫圖說故事」專欄寫的〈老虎兩隻〉，他竟然也可把蒼蠅與老虎扯在一起編起這個故事。蒼蠅在故事中名叫「虎神」（蒼蠅臺語諧音），是故事兩隻老虎中的一隻，最後故事還跟〈兩隻老虎〉的兒歌扯上關係。難怪曾主編九歌年度童話選的徐錦成教授，也說楊隆吉「有明顯的個人風格，利用諧音瞎掰胡扯，讓讀者看見童話世界裡的無厘頭本質」。[74]總之，楊隆吉的童話風格在臺灣獨樹一格，他的作品名稱[75]、故事中的場景設定、人物命名與情節安排，無不給人奇特感。讀了他的童話，總可引起很多思考與討論（很符合兒童哲學的本質）。

---

[73]—— 參見楊隆吉，《愛的穀粒》，臺北：新苗，2005.7，頁3-5，楊茂秀寫的序文〈多一根筋，少一根筋〉。

[74]——許錦城教授給楊隆吉的評語，也引自前註序文〈多一根筋，少一根筋〉。

[75]—— 楊隆吉的童話作品除《蕭水果》、《愛的穀粒》外，其他如《山豬小隻》、《鷗吉山故事雲》、《四不像和一不懂》等，都可發現他的作品名稱很奇特。

就童話創作來說，楊隆吉是臺灣兒文界的一個寶，不但是臺南兒文界的童話大咖，也是圖畫書界的大咖。

在少年小說方面，從上節的數據，顯示臺南子弟傑出的寫手不少，而且也呈現女士多於男士的現象。在眾多好手中，有三位作品較有特色，值得特別一提，一是劉臺痕（1950～），二是李光福（1960～），三是廖炳焜（1961～），同楊隆吉一樣，三位也都是小學老師。

現居南投的劉臺痕老師原籍福州，臺南師專畢業後在高雄市五權國小任教。她有兩部作品在臺灣少年小說中值得一提。一是她在第一屆九歌現代兒童文學獎（第十屆起改為九歌現代少兒文學獎）榮獲第三名的作品《五十一世紀》（九歌，1993），它是臺灣兒文較少見的科幻少年小說，而且很前衛的是在探討護衛地球生機的時代議題。一九九〇年代是電腦科技開始大力介入人類生活的時代、是磁碟片滿天飛的時代，也是地球環境汙染已極為嚴重的時代。劉老師置身此時代情境，大膽設身處地構思，把時間拉到地球地表已毀壞無法住人，人類全部移居到地底城市、海底城市的五十一世紀，人們幻想如何能再回復二十世紀以前，地球綠意盎然的美好環境。她以科學知識為基底，把護衛地球生機使命寫成科幻小說，極具前衛與時代性。更難得的是另一部有關吸毒的少年問題小說《閻王不要的小子》（健行，1996）。吸毒是當前嚴重的社會問題（犯罪率最高，監獄關押最多的也是毒品犯），且已進入中小學校園，迄今臺灣各類校園問題，大體都有人寫成少年小說，唯獨吸毒沒人碰觸，只有小魯翻譯的一本《嗑藥》（2000），但有文化差異，較不合國情。劉老師這本《閻王不要的小子》，寫一染了毒癮的吸毒少年（主角仁浩），父母為了幫助仁浩戒除毒癮，把他送到在山上建造有「野生鳥類觀察、孵育實驗室」的朋友那兒。劉老師以寫實手法，極為逼真描寫了仁浩在山上戒毒療養的過程中，呈現

毒癮發作的痛苦窘狀，以及最後仁浩又如何由一隻小史坦利鶴的誕生而獲得新生的啟發，終於堅強戒除毒癮，不再是連閻王也不要的小子。作品中有人性的軟弱，有親情、友情的溫馨，也融入鶴蛋孵出生命的真實知識，是一本很難得具有獨特性又富知識性的問題小說。劉老師因有《五十一世紀》、《閻王不要的小子》這兩部作品，在臺灣兒文、臺南兒文的發展史上，無疑的，當有她一席之地。

分治中期是洪建全兒文創作獎帶領臺灣兒文創作風向的時代，此期參賽獲獎的少年小說，基本上都還是延續傳統寫實觀念在進行創作，進入分治後期（解嚴後）則由傳統寫實轉側重社會議題、人權關懷，一直到縣市併都才又有較大突破，朝非寫實的奇幻小說發展（多少是受到《哈利波特》風潮的影響）。臺南兒文的少年小說大體也是依此軌跡在邁進。即南縣市分治中期洪建全兒文創作獎時代，盛行以作家個人童年生活／校園生活體驗為主的寫實小說，如陳玉珠的〈玻璃鳥〉、〈百安大廈〉，陳肇宜的〈跑道〉，毛威麟的〈珊瑚潭畔的夏天〉等都是。分治後期，則轉向以社會問題為探討的新寫實，從而老師出身的作家，則不乏將個人教學生涯中，在校園觀察到，甚至是自己親身經驗的校園實存問題，諸如單親家庭孩子、隔代教養、外配／陸配孩子問題，校園霸凌、幫派、吸毒問題，乃至學習緩慢智能不足學生受虐問題，寫成校園問題小說。這些關係人性、生命成長，實存於校園的社會問題，成為解嚴後南縣市分治後期常見新寫實少年小說的題材。

在校園問題小說這方面，臺南兒文作家表現極為傑出，李光福老師尤是臺灣校園問題小說的皎皎者。李老師從小在臺南楠西長大，花蓮師專畢業後在桃縣新勢國小任教（1983），後又進入新竹師院暑期進修部語文教育系（1993），因修習兒童文學課程，引發對兒文產生興趣而投入兒文創

作，如今退休依然創作不輟。李老師是新移民（榮民）的第二代（母親為閩南人），相當有愛心，也喜歡創作，小學時就曾投稿《南縣兒童》。他擅長把平日在學校觀察到以及跟學生相處所遇到的問題，轉化成校園生活故事或校園問題小說。他是臺灣兒文界多產作家之一，而最值得重視與肯定的，當是他關懷學習弱勢的孩子。他把平日所觀察到、親身經歷的校園問題寫成感人的小說，諸如有關校園霸凌問題的《我班有個大哥大》（小兵，2006）、單親家庭孩子問題的《你爸爸我媽媽》（小魯，2006）、原住民學生問題的《山上的女孩》（康軒，2007）、陸配家庭孩子問題的《對岸來的媽媽》（康軒，2009）、孩子遭逢母親死亡適應問題的《媽，我來看你了》（幼獅，2014）、媽媽早逝爸爸受傷扛起家計的《麵條西施》（小兵，2014）等。李老師幾乎寫遍了校園各類讓老師頭痛、讓不少學生陷深淵難以擺脫的問題。李老師的文筆流暢，作品情節感人，可說他是在全臺校園中以作品說故事度化眾生的活菩薩。無論在臺灣兒文、臺南兒文，李老師都是校園問題少年小說首屈一指的名家。

臺東大學兒文所畢業、小學老師出身的廖炳焜，也是有名的少年小說寫手，他研究少年小說的俠義精神[76]，曾受聘在臺南大學兼課教授兒童文學。在校園他是有愛心的老師，關心邊緣學生、關心弱勢的孩子。在縣市分治後期，他也寫了三篇頗享盛名的寫實校園問題小說——沉迷電玩、校園霸凌問題的〈老鷹與我〉（1999 第十二屆臺省兒文創作獎優等；小兵，2013）；隔代教養、校園霸凌問題的〈竹劍風雲〉（1998 第十一屆臺省兒文創作獎佳作，未出單行本）；家庭暴力、身心成長問題的《聖劍·阿飛與我》（小兵，2002）。進入南縣市併都期後，他竟然轉換跑道寫起幻

76—— 廖炳焜的碩士論文是《析看張之路少年小說神秘氛圍中的「俠義精神」》（2003），他曾獲臺灣省兒童文學創作獎第十一屆佳作、第十二屆優等（皆是少年小說）。

想小說。他所寫的這本奇幻武俠少年小說《來自古井的小神童》（巴巴，2016），當是併都期他的代表作之一。該作品是以鄭成功進取臺灣為背景，將傳說荷蘭人從赤崁樓古井逃走，鄭成功的護衛小神童（絕影）志願下古井一探究竟，舖衍成相當離奇的故事。故事中傳遞著鄭成功入據臺灣時的古老府城、荷蘭安平古堡、赤崁樓的濃厚意象。臺灣奇幻少年小說不多，小說具有濃厚臺南意象更是難得一見，廖老師這本奇幻又有武俠屬性的少年小說，在臺灣和臺南兒文少年小說的類別開拓上，當具有里程碑不可或缺的地位。

三、兒童傳記

最後另一值得指出的，是臺南兒文作家受邀投入兒童傳記書寫的為數甚多。除了早期學者何瑞雄、黃武忠、張清榮、王家誠以及國中老師林樹嶺有寫過兒童傳記以外，戰後新生代的姜天陸、廖炳焜、林哲璋、王宇清、王淑芬、宋芳綺、吳念融、李雀美、岑澎維、陳素燕、陳愫儀、陳啟淦、劉臺痕、蘇振明等，都曾投入兒童傳記創作，出版過作品。臺南有近二十位這麼多作家都投入過兒童傳記的創作，這是怎樣一個現象？反映出怎麼樣的訊息？筆者是有一點不得其解。大體認為可能是臺灣出版業界認為傳記圖書有不小的市場性，也即市場因素居多，而為了出版兒童傳記，就邀有名氣的作家撰寫，未深入考慮這些作家是否適合投入傳記寫作。不過，如有專業背景（如歷史專業、藝術專業或宗教信仰等），可能也會引起作家從事兒童傳記創作的興趣，如王家誠、蘇振明（藝術專業）、陳素燕（臺大歷史系畢業，留美兒文碩士、教育博士）和劉臺痕（臺南師專畢業，藏密紅教子弟）。在這些兒童傳記中，跟臺南有關會被多數出版社考慮的傳主人物，是驅走荷蘭人，入據安平統治臺灣的鄭成功。林樹嶺老師與姜天

陸校長，各都寫了一本兒童版鄭成功傳記。林老師的《鄭成功》（光田，1999）從解決問題的能手去定位、介紹鄭成功；姜校長的《黑水溝的領航者：鄭成功》（三民，2007），也不強調鄭成功的事功，倒是寫出戰爭受苦百姓，以及鄭軍入據臺灣許多原住民受難的事實，讓讀者去思考何謂偉人。兩本都不落俗套（強調民族英雄），非常難得。

其實支持臺南兒文發展最堅實的骨幹，是小學的老師，尤其那些除了在校園幫助推動閱讀，也參與《鳳凰城》、《小麻雀》、《小黑琵》兒童文學創作教師組徵文，特別是校園故事、寫我家鄉／南瀛行腳／家鄉行腳／臺南采風／與家鄉有約等類的投稿者，她／他們獲獎刊出的大作，跟學生接近性最大，對學生的生活成長、對家鄉的認識幫助甚大。本兒文卷未著墨介紹，至感抱歉，特補記一筆。

第十章
展望、尾聲謝語

一、展望：臺南可望成為全臺灣兒文發展龍頭

　　兒文發展簡化地說，是由三股力量在推動，一是政府的政經文教政策，一是兒文作家的創作能量，一是民間支撐創作發表與閱讀推廣的力度。雖然作家創作能量是主要發展的動力，但是若無政府的政策溢注支持，以及民間提供的支撐奧援，則無從發揮。政府的政策與民間的支撐奧援，即是兒文作家創作能量得以發揮的大環境。臺灣的兒文發展一直到解嚴後才邁入難得的黃金時代，可說是跟臺灣的政治解嚴與經濟發展關係密切。

　　早期臺灣兒文基本上是由官方在主導帶動，直至一九七〇年代臺灣經濟發展開始起飛後，民間的企業財團設置兒文創作獎逐漸取代官方，成為帶動臺灣兒文發展的主要力量，臺南兒文躍上全國舞臺，正是要歸功洪建全兒文創作獎。而隨著政府成立文建會致力文化建設，則民間力量與政府政策才又共同帶動臺灣兒文發展，這是臺灣兒文發展的軌跡，也是臺南兒文發展的軌跡。

　　就地域兒文來說，臺南兒文在結合地方文化的表現上，扮演著領頭羊的角色。「南瀛文學獎」、「南瀛之美圖畫書」、「家鄉故事繪本」、「兒童文學月」活動、「布可星球 Book Planet」閱讀平臺，以及臺語兒文的倡導、實踐等等臺南走過的路，可說在臺灣的兒文發展軌道上都具標竿代表性。加上臺南又擁有雄厚的兒文後盾資源，諸如設在臺南的國立臺灣文學館、國立臺南生活美學館（原臺灣省立臺南社會教育館）、國立臺灣歷史博物館，乃至臺江國家公園，也常會資助舉辦一些與兒文相關的活動或出版童書。而人才培育機構除了有師院體系升格的臺南大學外，另有非師院體系的成大中文系、台文系、藝術所，以及臺南藝術大學等等，相較於其他縣市，除了臺北市外，應該沒有比臺南擁有更豐厚可協贊兒文發展的資源。尤其文化部又規畫在臺南新營設立「國家圖書館南部分館」，今年

（2023）已正式招標動工，國圖南館被賦予典藏兒童圖書的責任，提昇兒文被重視的位階，使得臺南更為具備發展成為全臺灣的兒文重鎮。

　　臺灣的政治處境亟需爭取國際友人的支持，臺灣的童書特別是圖畫書，是值得政府大力推展作為增加國際認識臺灣的媒介。臺灣自 1989 年新竹師院徐素霞教授（1954 ～）首度參加義大利波隆那國際兒童書展童書插畫展入選後，迄今國內圖畫書畫家相繼已有近百位入選，頗受國際兒文出版界注意，甚至促成波隆那兒童圖書插畫入選作品國際巡迴展，也把臺灣列為巡迴展的一站，可說是臺灣兒文難得的光彩。而 2008 年，信誼基金會除了在 1987 年已創設的幼兒文學獎外，又進一步創設「信誼兒童動畫獎」（2009 第一屆頒獎），2014 年增設國際組，開放國際參賽，不到十年，自 2017 年起到去年（2022 年第十四屆），每屆都有七八十個國家參賽，已是國際能見度很高的一個獎項。此外，2022 年日本世界級的建築師安藤忠雄受邀到臺北松山文創園區展覽（「挑戰 ── 安藤忠雄展」全球巡展最終站，6.3 ～ 9.13），他甚至公開表示，很想也在臺灣建一座兒童圖書館，他願意免費替臺灣設計[77]。確實的，臺灣兒文發展到此階段，缺的正是國家級兒童圖書館，筆者覺得如果臺南文化局有雄心，宜進一步扮演催動的角色，爭取在臺南設立國立臺灣兒童圖書館，邀請安藤忠雄設計。再不然，也可由國立臺灣文學館增設第二館冠名為「國立臺灣兒童文學館」。有真正的「臺灣兒童文學館」或「臺灣兒童圖書館」，臺灣兒童文學發展才能算真正到位。如果臺南有座「臺灣兒童文學館」或「臺灣兒童圖書館」，那臺南當是臺灣兒文的龍頭，筆者至為期待。

77── 參見歐陽辰柔，〈「想為了孩子創造什麼」 安藤忠雄的下一步 來台灣蓋兒童圖書館？〉，《天下雜誌》752 期（2022.7），頁140-143。

二、尾聲謝語

　　如釋重負，終於在時間的壓力下，催趕地勉強交卷了。當下最感念不忘的是，這兩三年蒙多方兒文名家、同事及學生好友，大力協助打氣，或接受訪問，或提供資料，或幫忙整理資料乃至打字，才得以有氣力完卷。容在卷末向每位善知識特表謝意，他們的大名是：

- **兒文名家**：曹俊彥、陳正治、林武憲、陳玉珠、謝安通、邱各容、王淑芬、嚴淑女、周見信、林哲璋。

- **同事**：藍孟祥。

- **單位負責人**：國語日報總編輯鄭淑華、兒童文化藝術基金會執行長盧彥芬、泥巴球繪本屋兼新樓幼兒園園長張秀卿、府城舊冊店潘靜竹、南瀛故事人協會執行長沈采蓉、吾家書店吳秀珍。

- **臺東大學碩博班學生輩好友**：兒博－黃美滿、黃愛真；語碩－張毓仁、董霏燕、吳淑玲、鄭孟嫻、鄭嘉璇、何瑞蓉。

參考書目

一、論述專著、文論（依作編者名筆畫數排序）

王淑芬，〈《兒童日報》為我導航〉，《中華民國兒童文學學會會訊 火金姑》2022 秋季號
（2022.9），「《兒童日報》與我」特集，頁 56-58。

宇井英，《臺灣昔噺》，臺北：臺灣日日新報社，1915.5；1920.7 四版。

吳翠華，〈日本童謠運動對日治時期的台灣之影響〉，《玄奘人文學報》8 期（2008.7），
頁 327-346。

呂興昌編校，〈許丙丁先生生平著作年表初稿〉，載於編者《許丙丁作品集》（上）（下）（南
台灣文學（二）──台南市作家作品集），臺南：臺南市立文化中心，1996.5，頁 647-
689。

李玉姬，〈日治時期臺灣新文學作家的漢文兒童文學作品──以《南音》、《臺灣文藝》、《臺
灣新文學》和《臺灣新民報》為探討內容〉，《全國新書資訊月刊》140 期（2010.8），
頁 4-14。

李雀美，〈光復前的台灣兒童期刊〉，載於鄭明進主編《認識兒童期刊》（兒童文學研究叢
刊 5），臺北：中華民國兒童文學學會，1989.12，頁 34-39。

李智賢，《台南縣兒童文學發展之研究──從兒童文學獎出發》，碩士論文，國立屏東師範
學院國民教育研究所，2004。

李瑞騰、陳素芳主編，《九歌 40 ──關於飛翔、安定和溫情》（九歌文庫 1275），臺北：
九歌，2018.2。

李婉琪，〈臺灣當代兒童文學開步走──談兒童文學創作獎（1974-1992）〉，《兒童文學
學刊》7 期，國立臺東師範學院兒童文學研究所，2002.5，頁 255-287。

林文寶，〈試論臺灣兒童文學區域性之研究〉，載於作者專著《兒童文學論集》（兒童文學
叢刊 004），臺北：萬卷樓，2011.11，頁 371-395。

林文寶主編，《台灣區域兒童文學概述》（兒文所兒童文學叢書 三），臺東：國立臺東師
院兒童文學研究所，1999。

林文寶、趙秀金，《兒童讀物編輯小組的歷史與身影》，臺東：國立臺東大學兒童文學研究
所，2003.10。

林守為編著，《兒童文學》，自費出版，1964.3 初版；1965.3 再版；1970.9 修訂版；1988.7
轉由五南出版。

林守為，《兒童讀物的寫作》，自費出版，1969.4。

林守為，《童話研究》，自費出版，1970.11；1977.4 再版。

林杏娥，〈《雞蛋花》的圖像閱讀〉，《中華民國兒童文學學會會訊 火金姑》2020 夏季號
（2020.7），頁 103-113。

林武憲，〈從《田園之春》和《南瀛之美》說起──臺灣鄉土圖畫書的探討〉，《全國新書
資訊月刊》43 期（2002.7），頁 6-8。

林金悔，〈真情鼓舞向上 創思激勵興趣〉，載於臺南市政府編印《台南市第一屆鳳凰城兒童文學創作選集》，臺南：臺南市政府，1986.7。

林哲璋，《「國語日報」的歷史書寫》，碩士論文，國立臺東大學兒童文學研究所，2006。

林哲璋，《國語日報的歷史與發展》（國語日報社委託林文寶主持的專題研究計畫成果報告修訂版），臺北：國語日報社委託，2007.7。

林鍾隆，〈「曬穀」序──稍微不同的見解〉，載於鄭文山《童詩 30》，臺北：財團法人洪建全教育文化基金會附設書評書目社，1988.6。

邱各容，《播種希望的人們 臺灣兒童文學工作者群像》，臺北：五南，2007.1。

邱各容，〈被遺忘的一方天地──張耀堂〉，《全國新書資訊月刊》106 期（2007.10），頁 8-16。

邱各容，《臺灣近代兒童文學史》，臺北：秀威，2013.9。

邱各容，〈臺灣口演童話的開創者──西岡英夫〉，《臺北文獻》直字 193 期（2015.9），頁 59-67。

邱各容、林武憲、洪文瓊、桂文亞等編，《中華民國台灣地區兒童文學工作者名錄》（中華民國兒童文學學會 兒童文學史料叢書〈肆〉），臺北：中華民國兒童文學學會，1992.11。

邱各容編著，《臺灣兒童文學年表 1895-2004）》，臺北：五南，2007.1。

邱各容編著，《臺灣圖書出版年表（1912-2010）》，臺北：萬卷樓，2013.1。

邱各容整理，《七十年耕耘 七十年堅持 1945 台灣. 東方 閱讀. 教育 齊步走》（東方出版社七十週年紀念），臺北：東方，2016.12。

信誼基金會，《信誼幼兒文學獎 三十年播種‧耕耘‧豐收‧感謝》，臺北：信誼基金會，2018.4。

信誼基金會，《2018 信誼兒童動畫獎暨 10 週年特輯》，臺北：信誼基金會，2018.11。

封德屏主編，《鄉土與文學 台灣地區區域文學會議實錄》（文訊叢刊 24），臺北:文訊雜誌社，1994.3。

洪文瓊，〈電子童書對傳統童書的挑戰──網路世紀下的兒童文學〉，《中華民國兒童文學學會會訊 火金姑》2018 夏季號（2018.7），「科技、媒體與兒童文學」特集，頁 19-38。

洪文瓊，〈閒話臺灣的圖畫書與繪本〉，《中華民國兒童文學學會會訊 火金姑》2019 秋季號（2019.10），頁 106-127。

洪文瓊，〈閒話橋梁書：兒童圖書分類小透視〉，《中華民國兒童文學學會會訊 火金姑》2019 冬季號（2019.12），「出版與兒童文學（二）橋梁書篇」特集，頁 10-22。

洪文瓊策畫主編，《中華民國台灣地區兒童期刊目錄彙編（民國卅八～七十八年，西元 1949-1989 年）》（中華民國兒童文學學會兒童文學史料叢書〈壹〉），臺北：中華民國兒童文學學會，1989.12。

洪文瓊策畫主編，《兒童文學大事紀要（民國卅四～七十九年，一九四五～一九九〇年）》（中華民國兒童文學學會兒童文學史料叢書〈貳〉），臺北：中華民國兒童文學學會，1991.6。

徐錦成，《台灣兒童詩理論批評史》（磺溪文學第 11 輯－彰化縣作家作品集），彰化：彰化縣文化局，2003.9。

秦賢次，《台灣文化菁英年表集》（北台灣文學 台北縣作家作品集 60 傳記），臺北板橋：臺北縣政府文化局，2002.12。

馬景賢主編，《兒童文學周刊》合訂本第一輯至第五輯（第 1~500 期），臺北：國語日報社，1974.7、1976.11、1978.10、1981.12、1982.12。

國立中央圖書館編，《中華民國兒童圖書總目》，臺北：國立中央圖書館，1968.10。

國立中央圖書館臺灣分館採編組，《兒童讀物研究目錄》，臺北：國立中央圖書館臺灣分館，1987.11。

國立中央圖書館臺灣分館編輯，《兒童讀物研究目錄 續編》，臺北：中國國民黨中央文化工作會，1984.4。

國立中央圖書館臺灣分館發行，《台灣學通訊》28 期（主題：兒童文學），2009.4。

國立臺灣圖書館發行，《臺灣學通訊》第 122 期（主題：兒童），2021.5。

張杏如，〈動畫‧兒童‧教育 共創兒童新視界〉，《信誼好好生活誌》8 期（2018.12，冬季號），頁 0-3。

張素妹，〈啟動右腦的想像力 訪蘇振明教授談兒童詩畫創意教學〉，《美育》212 期（2016.7），頁 89-95。

張清榮，〈假小說以戲諸神──《小封神》初探〉，「鄉土文化教育」學術研討會論文集抽印本，1996.5。

張劍鳴主編，《兒童文學周刊》合訂本第六輯至第十輯（第 501~1000 期），臺北：國語日報社，1987.9、1989.6、1991.1、1993.7、1993.7。

教育部國民教育司、國立中央圖書館編，《中華民國兒童圖書目錄》，臺北：正中書局，1957.11 臺初版。

許建崑，《拜訪兒童文學家族──少年小說童話》，臺北：世新大學出版中心，2002.5。

陳正治，〈臺灣兒童文學的開拓者──林守為教授的著作及生平簡介〉，《兒童文學學刊》創刊號（1998.3），頁 195-205。

陳玉珠，〈我的兒童文學時光列車〉，《中華民國兒童文學學會會訊 火金姑》2021 冬季號（2021.12），「洪建全兒童文學創作獎與我」特集，頁 52-63。

陳明仁主編，《菅芒‧飄浪‧小封神 許丙丁學術研討會論文集》，臺南：台灣海翁台語文教育協會，2013.7。

陳柔妹，〈喜愛兒童文學的鐵路副站長 陳啟淦專訪〉，《兒童文學學刊》9 期（2003.5），頁 147-159。

陳益裕，〈探討台灣民間信仰活動——醉心於田野調查的黃文博〉，載於作者專著《文化的丰采·人物的風華》（南瀛作家作品集 85），南縣新營：臺南縣政府，2003.11，頁 209-216。

陳益裕，〈用一隻拐杖一枝筆揮灑熱情的人 白聆·撒播兒童文學的種籽〉，載於作者專著《文化的丰采·人物的風華》（南瀛作家作品集 85），南縣新營：臺南縣政府，2003.11，頁 282-287。

陳晞如，〈為兒童教育扎根——談陳國政兒童文學獎（1993-2001）〉，載於作者專著《兒童戲劇研究論集》，臺北：萬卷樓，2015.2；2016.8 初版三刷，頁 201-224。

陳晞如，《臺灣兒童戲劇的興起與發展史論（1945-2010）》（文學研究叢書·兒童文學叢刊），臺北：萬卷樓，2015.7。

陳錦雀，《陳玉珠的有情世界——以圖畫故事、少年小說、童話作品為主》，碩士論文，國立臺東師範學院兒童文學研究所，2002。

彭素華，《後「兒童讀物寫作班」（1971-1989）時代之研究》，碩士論文，國立臺東大學兒童文學研究所，2020。

游珮芸，《日治時期台灣的兒童文化》（典藏·台灣 3），臺北：玉山社，2007.1。

黃勁連總編，許丙丁著，《許丙丁台語文學選》（海翁文庫台語文學大系 1），臺南：真平企業（金安文教機構），2001.1。

黃美滿，〈魔奇的夢——記台灣專業兒童劇團的起點「魔奇兒童劇團」〉，《美育》159 期（2007.9），頁 4-15。

楊茂秀，〈多一根筋，少一根筋〉，載於楊隆吉《愛的穀粒》（少年閱讀館～台灣兒少故事集 K5001），臺北：新苗，2005.7，頁 3-5。

葉姿吟，《臺灣地方文學獎考察——以南瀛文學獎為主要觀察對象》（臺南作家作品集 63·第九輯 08），臺南：臺南市政府文化局，新北：遠景，2020.11。

董群廉、陳進金訪問紀錄整理，《陳梅生先生訪談錄》（國史館口述歷史叢書17），北縣新店：國史館，2000.12。

臺北市文獻會，〈「故事說演」在臺發展百年回顧口述歷史座談會紀錄〉，《臺北文獻》直字 193 期（臺北市文獻委員會，2015.9），頁 1-37。

臺南市政府文化局出版，臺灣歌仔冊學會編印發行，《臺江臺語文學季刊》創刊號（2012.3），許丙丁文學專題，頁 18-125。

霍玉英主編，《香港文學大系一九一九——一九四九·兒童文學卷》，香港：商務印書館（香港），2014.11。

謝鴻文，《凝視台灣兒童文學的重鎮——桃園縣兒童文學史》（富春論叢 35），北縣永和：富春，2006.12。

二、兒文作品年度選集、兒童少年讀物年度好書指南

1. 兒文作品年度選集

許文川、黃瓊瑩、王金塗、蘇玲編輯，《85 ／ 86 年度優良兒童舞台劇本徵選集》，高縣岡
　　山：高雄縣立文化中心，1997.6。

高雄縣立文化中心編印，《優良兒童舞台劇本徵選集》（1）、（2）、（3）、（4）。按省
　　教育廳為推廣兒童戲劇，自81 至88 學年度，連續8 年都委託高雄縣立文化中心辦理「優
　　良兒童舞台劇本徵選」，此 4 冊為獲獎作品集。

九歌年度童話選──民 92 年～。臺北：九歌。

・徐錦成主編，《九十二年童話選》（2004.3；2005.11 五刷）。

・徐錦成主編，《九十三年童話選》（2005.3）。

・徐錦成主編，《九十四年童話選》（2006.3）。

・黃秋芳主編，《九十五年童話選》（2007.3）。

・黃秋芳主編，《九十六年童話選》（2008.3）。

・黃秋芳主編，《九十七年童話選》（2009.3）。

・傅林統主編，《九十八年童話選》（2010.3）。

・傅林統主編，《99 年童話選》（2011.3）。

・傅林統主編，《九歌 100 年童話選》（2012.3）。

・許建崑主編，《九歌 101 年童話選》（2013.3）。

・王文華主編，《九歌 102 年童話選》（2014.3）。

・陳素宜主編，《九歌 103 年童話選》（2015.3）。

・周姚萍主編，《九歌 104 年童話選》（2016.3）。

・王淑芬主編，《九歌 105 年童話選》（2017.3）。

・亞平主編，《九歌 106 年童話選之海洋攪一攪湯》（2018.3）。

・亞平主編，《九歌 106 年童話選之星際呼嚕嚕湯》（2018.3）。

・謝鴻文主編，《九歌一〇七年童話選之許願餐廳》（2019.3）。

・謝鴻文主編，《九歌一〇七年童話選之神仙快遞》（2019.3）。

・林哲璋主編，《九歌一〇八年童話選之早起的蟲兒被鳥吃》（2020.3）。

・林哲璋主編，《九歌一〇八年童話選之早起的鳥兒有蟲吃》（2020.3）。

・黃秋芳主編，《九歌 109 年童話選之平安相守》（2021.3）。

・黃秋芳主編，《九歌 109 年童話選之童話小燈》（2021.3）。

・黃秋芳，《九歌一一〇年童話選之未來會記得》（2022.3）。

・黃秋芳，《九歌一一〇年童話選之現在很珍惜》（2022.3）。

・張桂娥主編，《九歌 111 年童話選：解封想像輕旅行，出發囉！探訪「暖心童話湯」》
　　（2023.3）。

・張桂娥主編，《九歌 111 年童話選：解封想像輕旅行，啟程吧！悠遊「魔奇心宇宙」》（2023.3）。

2. 兒童少年讀物年度好書指南

林文寶主編，國立臺東師院兒童文學研究所承辦，《臺灣（1945~1998）兒童文學 100》，臺北：行政院文化建設委員會，2000.3。

林文寶、嚴淑女主編，國立臺東師範學院兒童文學研究所承辦，《月娘光光 台灣（2001 年）兒歌一百》，臺北：行政院文化建設委員會，2001.12。

臺北市立圖書館、中華民國兒童文學學會、國語日報社等共同選編，1991~2022 年《少年讀物・兒童讀物 好書指南》（每年 1 冊，1991 年書名稱為「優良兒童讀物好書大家讀手冊」，1992 年為「優良圖書好書大家讀手冊」，1993 年為「優良童書指南」，1994、1995 年同為「優良少年兒童讀物指南」，1996 年以後改為「好書指南」後，未再變更）。

三、南縣／市政府出版品

1. 文學獎得獎作品專集

臺南縣政府文化處編印，第 9~18 屆《南瀛文學獎專輯》（「南瀛文學獎」於 1993~2010 每年舉辦 1 次，共 18 屆。自第 9 屆起，每年創作獎都有兒童文學類，以及第 14~17 屆劇本獎得獎作品也有兒童戲劇）。

臺南市政府文化局編印，第 15、16 屆《府城文學獎得獎作品專集》。（「府城文學獎」於 1995 年創設，僅最後 15、16 兩屆設有「臺語兒童繪本」類徵獎，其餘各屆均未設兒童文學類獎）。

臺南市政府文化局編印，第 2-5、7、9、11 屆《臺南文學獎得獎作品集》。（「臺南文學獎」自 2011 起，每年舉辦 1 次迄今，原南瀛文學獎、府城文學獎停辦，併都後改為臺南文學獎繼續舉辦。「兒童文學類」只在第 2-5、7、9、11 屆有徵件。）

2. 作家作品集

李滄浪，《微笑的小湖》（南瀛作家作品集 8），南縣新營：臺南縣立文化中心，1994.5。

李慶章，《給我們一盞燈》（南瀛作家作品集 11），南縣新營：臺南縣立文化中心，1998.12 二刷。

徐士欽著，陳昌明編校，《徐士欽童詩集》（南台灣文學（三）——台南市作家作品集），臺南：臺南市立文化中心，1997.5。

許玉蘭主編，《臺南青少年文學讀本 兒童文學卷》，臺南：臺南市政府文化局，2018.7。

陳玉珠，《陳玉珠的童話花園》（「臺南作家作品集」第八輯 04），臺北：蔚藍，臺南：臺南市政府文化局，2019.11。

陳義男，《想念的季節》（南瀛作家作品集 22），南縣新營：臺南縣立文化中心，1997.6。

陳義男，《愛的推銷員》（南瀛作家作品集 60），新營：臺南縣文化局，2000.12。

陳義男，《牆與橋》（南瀛作家作品集 86），新營：臺南縣文化局，臺北：蔚藍，2003.11。

薛林，《泥巴味‧草根香》（南瀛作家作品集 23），南縣新營：臺南縣立文化中心，1997.6。

薛林，《不墜的夕陽 薛林的兒童文學及其評論》（南瀛作家作品集 62），南縣新營：臺南縣文化局，2000.12。

3. 臺南縣／市兒童文學創作專輯、《南縣兒童》季刊

臺南市政府編印，《台南市第一屆鳳凰城兒童文學創作選集》（1986.7）、《台南市第二屆鳳凰城兒童文學創作選集》（1987.7）。僅出版 2 集。

臺南縣政府編印，《小麻雀 臺南縣兒童文學創作專輯》第一集（1987.6）～第二十四輯（2010.5）（第一~五冊用「集」，第六冊起改用「輯」）。南縣市併都後，改為《小黑琵》繼續出版。

臺南市政府編印，《小黑琵 臺南市兒童文學創作專輯》第一輯（2011.6）～第十二輯（2022.8）。

臺南縣聯合編委會編印，《南縣兒童》季刊（1973.10-1988.7 ？）（每年 1、4、7、10 月出刊，每期分國小低中高年級 3 冊）。資料不齊，筆者僅見 1-9、51、58-60 期。60 期（1988.7）是否為最後一期，無法確定。該季刊未獲縣府資助出版。

4. 其他

洪玉貞總編，《臺南市立圖書館 百年書香》，臺南：臺南市立圖書館，2020.12。

彭瑞金主編，《臺南市文學小百科》（電子版，下載自臺南市政府文化局 https://culture.tainan.gov.tw/content/index?Parser=1,6,105,47）

蘇振明編著，《南瀛之美圖畫書導讀手冊》（南瀛文化叢書 154），南縣新營：臺南縣政府，2009.10。

四、兒文作家個人作品（依作編者名筆畫數排序）

Family L'Homme 企畫，洪福田圖，《台南樂多多 Tainan Wimmelbook》（探索多多書——城市系列），臺北：飛行船，2018.10。

王淑芬，《我是白癡》（民生報兒童天地叢書‧兒童小說 2），臺北：民生報社，1997.5。此書後轉由作家（2004.4）、親子天下（2012.6）出版，親子天下版書名「癡」改為「痴」。另 2004 年 11 月韓國熊津 Think Big 出版社也出版韓文版。

何瑞雄，《流星的故事》（亞洲兒童叢書），香港：亞洲，1956.12。

李献璋編著，《臺灣民間文學集》，北縣板橋：龍文，2006.9，該書為 1936 年 6 月臺灣文藝協會版重刊。

周見信文圖，郭乃文故事，《雞蛋花》，臺北：信誼，臺南：臺南市政府文化局，2018.1。

幸佳慧文，潘家欣圖，《新說台灣民間故事——虎姑婆》，臺北：玉山社，2020.10。

林田山（林守為筆名）編寫，《白手成家》（現代兒童故事叢書），臺南：現代教育，1967。

林田山（林守為筆名）主編，《童年的故事》（現代兒童故事叢書 6），臺南：現代教育，1968.1。

林良，《一顆紅寶石 兒童廣播劇第一集》（小學生叢書），臺北：小學生雜誌社，1962.10 初版；1965.3 再版。

封德屏主編，賴和等著，賴俐欣譯，《寶島留聲機：日治時期臺灣童謠讀本 1》，臺北：臺北市政府文化局，2018.10。

封德屏主編，張我軍等著，《春風少年歌：日治時期臺灣少年小說讀本》，臺北：臺北市政府文化局，2018.10。

洪福田文圖，《十二生肖之歌》（臺灣鄉土繪本），新北：字畝，2020.12。

徐士欽，《小精靈兒歌創作集》，臺南：久洋，1992.4。

許丙丁著，陳憲國、邱文錫譯（臺語），《小封神》，北縣永和：樟樹，1996.12。（該版本加標ㄅㄆㄇ臺語注音）

許玲慧文，陳盈帆圖，《玉井芒果的祕密》（南瀛之美圖畫書系列），臺北：青林國際，2008.1。此書後出版日語版《玉井マンゴー物語》（張良澤譯，2010.11）。

陳玉珠，《兒童歌舞劇 水晶宮》（中華兒童叢書），臺灣省政府教育廳，1980.10。

陳亞男、陳肇宜、許細妹、毛威麟，《洪建全兒童文學獎作品集 8 少年小說 3》，臺北：書評書目，1982.4 新一版；1982.5 新二版。

陳晞如監製，《兒童戲劇：改編·實驗·創作【台灣篇】》（新銳藝術 28），臺北：新銳文創，2016.6。

陳順和改編，郭錦鳳圖，《非洲鼓聲》，臺南：世一，2003.7。

陳肇宜，《跑道》（小兵成長系列 10），北縣新店：小兵，2004.8。

曾金木，《兒童之友》（第四集文學類），高雄：台灣文教出版社，1972.7。

楊隆吉，《愛的穀粒》（少年閱讀館～台灣兒少故事集 K5001），臺北：新苗，2005.7。

楊隆吉文圖，《蕭水果》（我們的繪本系列 01），臺北：大穎，2006.4。

楊隆吉，〈老虎兩隻〉，《兒童哲學》83 期（2022.2），「楊隆吉畫圖說故事」專欄，頁 34-37。

廖炳焜，《來自古井的小神童》（Bc08 小文青系列），臺北：巴巴，2016.6。

劉如桂文圖，《劍獅出巡》（文學獎系列），臺北：信誼，2008.4。

劉如桂文圖，《劍獅擒魚》，臺北：信誼，2010.4。

劉如桂文圖，《劍獅祈福》，臺北：信誼，2014.2。

劉臺痕，《五十一世紀》（九歌兒童書房 54），臺北：九歌，1993.10。

劉臺痕，《閻王不要的小子》（生活叢書 89·飛躍青春系列 5），臺北：健行，1996.6。

謝武彰文，董大山圖，《大家來唱ㄅㄆㄇ》（語文叢書），臺北：啟元，1981.8。此書後轉由親親出版發行。

蘇菲亞·劉文圖，《婆姐佑子》，臺南：台南市文史工作室協會，2016.3。

附　錄

附錄一：戰後臺南兒文發展五歷史分期大事年表

洪文瓊 整理

一、1895 ～ 1945：日治時期

1915	2.25	任職近衛師團的口演童話家久留島武彥受邀抵臺南。26 日下午 1 點為小學生口演，下午 3 點為中學生口演，主要是講他的臺灣經驗故事。1928 年久留島也曾受邀再訪臺口演。
1916	2.25~3.13	巖谷小波首次來臺進行「童話口演」。3 月 10 日上午在臺南市區第二公學校為學童口演，下午在總爺明治製糖會社為婦人會俱樂部口演。
1922	4	莊傳沛（學甲人，曾教過吳新榮）的童謠〈甘蔗〉、〈雨〉，及莊月芳（學甲人）的〈大毯小毯〉在《臺灣教育》239 號發表，240 號又分別刊登莊傳沛的〈ダリヤ〉、〈撫子〉及莊月芳的〈雲雀〉。此後 241~244 號、247~249 號、253、254 各期，莊傳沛又都有童謠作品發表，另在 249 號也發表〈藝術教育としての童謠に就いて〉論述專文（頁 50-52）。
	11	陳保宗（後營人）的童謠〈鈴〉、〈飛行機〉、〈燕ちゃん〉和黃五湖（臺南人，服務於北門）的〈太鼓さん〉發表在《臺灣教育》246 號，頁 56-57。
1925	2.27~3.16	巖谷小波第二次來臺進行「童話口演」。3 月 11 日上午 10 點、下午 1 點半分別在新營小學校、臺南南門小學校為學童口演，下午 3 點在臺南的公會堂為各州教員進行臺灣教育會主辦的童話口演。3 月 12 日上午 10 點半為臺南第二公小學校近兩千名學童，進行「勤儉力行與太助的故事」口演。
1927	本年	「臺南童話俱樂部」成立，後更名為「臺南童話協會」，次年（1928）加入日本童話協會，成為該會第二十一個支部。
1930	9.9	《三六九小報》創刊，八開四面，是以府城文人為主的文學園地。該刊於 1935 年 9 月 6 日停刊，共發行 479 號。
1931	2.26	《三六九小報》第 50 號起開始連載許丙丁的章回體小說〈小封神〉，第 112 號（1931.9.23）起暫停連載，第 166 號（1932.3.26）又繼續連載，至第 202 號（1932.7.26）連載完畢，共二十四回。（該作品遲至戰後 1951 年才增刪修訂，加附注音出版完整單行本。）

1934	7	臺灣總督府文教局社會科和臺灣教育會邀請北原白秋來臺,以歌謠宣揚內臺融合與國語普及的精神,北原 13 日到臺南,14 日在臺南演講。
1935	2.11	「臺南童謠童話協會」創立,發起人志村秋翠。
1936	4.1	莊松林以筆名「朱烽」於《臺灣新文學》1 卷 3 號發表民間故事〈鴨母王〉,頁 79-83。
	6.5	莊松林以筆名「進二」於《臺灣新文學》1 卷 5 號發表童話〈鹿角還狗舅〉,頁 68-72。
	6.5	黃耀麟以筆名「漂舟」於《臺灣新文學》1 卷 5 號發表臺語童謠〈海水浴〉,頁 86。
	7.7	黃耀麟以筆名「漂舟」於《臺灣新文學》1 卷 6 號發表臺語童謠〈黑暗路〉,頁 95。
	本年	日本童話協會臺南支部成立。
1937	3.6	莊松林以筆名「進二」於《臺灣新文學》2 卷 3 號發表童話〈　虎〉,頁 73-78。
1939	1	灣生作家時任臺南第二高等女學校教師新垣宏一(1913.1.30 生於高雄,2002.6.30 日本去世),接待西川滿、島田瑾二、立石鐵臣等人遊歷臺南。
1941	3	「臺灣教育令」修訂,小學校、公學校改組為國民學校。
	6.1~8.1	府城出生,時任香港大學中文系教授的許地山,應香港《新兒童》半月刊主編黃慶雲邀約,撰〈螢燈〉、〈桃金孃〉兩篇童話,分別在《新兒童》1 卷 1~5 期連載。該兩篇童話後由香港進步教育出版社列為「新兒童叢書」第 6、7 種出版。
	8.4	許地山病逝香港寓所。
1942	12.5	吳尊賢於《民俗臺灣》2 卷 12 號發表〈童謠抄〉,頁 32-33。
1944	7	學童集團開始疏散到鄉下。
1945	8.15	日本無條件投降。

二、1946 ～ 1970：臺南縣市分治前期

1946	1.5	國民政府派任張忠仁先生接收臺南師範學校，更名臺灣省立臺南師範學校。1950 年增設藝術師範科、體育師範科；1958 年停招藝術師範科、體育師範科。
1948	春季	林守為受聘任教於臺南師範學校。
1950	2	省教育廳專門委員吳鼎調任省立臺南師範學校校長（1950.2~1952.7）。
1951	10	許丙丁把日治時期在《三六九小報》發表的〈小封神〉，修改成適合兒童閱讀的華語版。
1956	12	香港亞洲出版社出版何瑞雄的童話集《流星的故事》（「亞洲兒童叢書」中年級讀物第 10 冊）。
1957	本年	吳鼎撰寫生活故事《活潑的鳥》，詩歌《有趣的遊戲》、《好月亮》，及常識《吃的東西那裡來的》、《衣從那裡來的》共五冊低年級適讀作品，納入「新中國兒童文庫」出版（正中書局印行）。
1958	2	《現代少年》月刊創刊，社址在南市中正路 193 號之 1，發行人伍文榮。刊登各類型故事漫畫為主，有一部分為連載性質。
1963	9	林守為開始在臺南師專開授兒童文學課程。
1964	3	林守為自印出版兒童文學專論《兒童文學》。
1966	本年	臺南現代教育出版社委請林守為（以筆名「林田山」具名）主編學生優良課外讀物，他自己也參與編寫了《白手成家》（1967）、《童年的故事》（1968）等十多本。
1969	4	林守為自印出版《兒童讀物的寫作》。
	10	林佛兒的少年小說〈獻給母親的全壘打〉，發表於《王子》雜誌。
1970	1	臺南野牛出版社出版「圖畫‧兒童文學名著」一套，包括《小鹿的故事》、《尋母三千里》、《木偶奇遇記》、《孫悟空》、《愛迪生傳》等共十冊。張彥勳、黃桂雲、林惠珠翻譯，陳東和校稿。
	4.25-27	信誼學前教育研究發展中心與國立中央圖書館臺灣分館，在全省各地巡迴舉辦「學前兒童圖書展」，25~27 日在臺南永福國小展出。
	11	林守為自印出版《童話研究》。

三、1971～1986：臺南縣市分治中期

1971	4	臺灣商務印書館出版何瑞雄的《托爾斯泰》（「全知少年文庫」第二輯第 17 集第 6 冊）。
	5	忠義國小教師曾金木、開元國小教師陳朝陽參加省教育廳第一屆「兒童讀物寫作班」，於 1975 年 8 月又一同再參加為期一週的進階班研習。
1973	10	《南縣兒童》季刊創刊（每年 1、4、7、10 月出刊），每期分國小低中高年級三冊。低年級除少數幾期外大體全部刊載小朋友作品，中高年級除「兒童園地」外，還刊登史話、歷史故事、童話、寓言、生活故事、生物常識、衛生常識等（每期沒有固定類目）。臺南縣聯合編委會主編，由國語日報社注音排版、印刷。
1974	4	《百代美育》月刊第 8 期起闢「兒童詩畫」專欄，蘇振明策畫。（《百代美育》1973.9 創刊。）
1975	1	謝武彰〈春〉與黃基博〈媽媽的心〉同獲第一屆「洪建全兒童文學創作獎」兒童詩歌組第一名。
	10	蘇梗松（善化高中英文教師）編選的《外國名家童詩選》（「新一代兒童益智叢書」文學類 6，鄭明進、侯增輝、蘇振明插圖），由將軍出版社出版。
1976	1	張清榮童話〈小布咕種稻記〉（圖／陳文龍）獲第二屆「洪建全兒童文學創作獎」圖畫故事組佳作。
1977	1	陳玉珠〈自己編的歌兒〉、張清榮〈夢〉等同獲第三屆「洪建全兒童文學創作獎」兒童詩組第一名（共十位，每人各一首）。
	1	陳玉珠自寫自畫的〈小葫蘆的夢〉獲第三屆「洪建全兒童文學創作獎」圖畫故事組佳作（第一名從缺）。
	5	《冠軍旬刊》漫畫雜誌創刊，社址在臺南市富強路 193 號，發行人張秀英，每逢 1、11、21 日出刊。刊登童話、各類型故事長篇連載漫畫，以及生活常識、謎語、益智遊戲等。
1978	1	陳玉珠少年小說〈玻璃鳥〉獲第四屆「洪建全兒童文學創作獎」少年小說組第一名。
	1	徐士欽〈雨後〉等同獲第四屆「洪建全兒童文學創作獎」兒童詩組佳作（共二十位，每人各一首）。

	7.25	陳玉珠獲教育部「兒童文學創作獎」小說類第一名。
1979	1	陳玉珠〈晾衣服〉等同獲第五屆「洪建全兒童文學創作獎」兒童詩組第一名（共十位，每人各一首）。
1980	1	謝武彰〈朋友〉等七首童詩與徐士欽〈窗外〉、〈小流浪者〉兩首童詩，獲第六屆「洪建全兒童文學創作獎」（創作獎組）入選獎。
	9	作文出版社出版林守為論述《兒童文學析賞》。
	10	省教育廳兒童讀物編輯小組出版陳玉珠的《兒童歌舞劇 水晶宮》。該書入選「臺灣兒童文學一百」評選活動，兒童戲劇組得票最高的前三名作品。
1981	1	謝武彰〈越搬越多〉（兒童詩歌）獲第七屆「洪建全兒童文學創作獎」推薦獎。
	1	永豐餘企業集團信誼基金會在安平設立全臺第一個親子館——「學前教育資料館台南館」和「樂樂園」，聘潘元石擔任館長。
	5	成大電機系教授毛齊武（筆名齊玉）編著《公公和寶寶》兒歌四冊（東大圖書公司，1981~1982 年出齊；2008 年修訂彩色版）。改編自德國漫畫大師 E. O. Plauen 的著名漫畫《父與子》（*Vater und Sohn*）。
1982	1	陳肇宜〈跑道〉獲第八屆「洪建全兒童文學創作獎」少年小說組第一名，毛威麟〈珊瑚潭畔的夏天〉獲佳作。
	8.16-22	第二屆「慈恩兒童文學研習會童話營」在臺南妙心寺舉辦，講師有林良、鄭明進、李雀美等。該研習會是由高雄宏法寺開證法師所支持。
	本年	黃武忠於《國語週刊》發表兒文作品「民間傳奇」系列七篇。
	本年	謝武彰以《大家來唱ㄅㄆㄇ》獲第七屆國家文藝獎兒童文學類
1983	1	毛威麟〈小魔鼓〉獲第九屆「洪建全兒童文學創作獎」童話組佳作。
	10.8	臺南縣立文化中心落成啟用，內部設有圖書館、音樂廳、文物陳列室、畫廊、閱覽室、演講室與意象廳等，各項藝文活動展演空間。
	本年	黃武忠於《工商時報》兒童版發表「民間傳奇」系列六篇。

1984	1	陳玉珠的〈青青草原〉（圖／陳武鎮）獲第十屆「洪建全兒童文學創作獎」圖畫故事組佳作，並以〈百安大廈〉獲少年小說組佳作。
	6.28-30	民七十三年度南部七縣市兒童劇展在臺南市中正圖書館舉行，為期三天。
1985	5.4	洪建全教育文化基金會暨書評書目出版社舉辦「兒童文學巡迴講座」。5月4日在臺南師專，由林良主講「童話寫作」，林煥彰講「成人為兒童寫詩的創作觀」。
	8.26	第七屆鹽分文藝營邀請趙天儀演講「兒童文學的基本精神」。
1986	1.12	信誼學前教育研究發展中心邀請鄧佩瑜在學前教育資料館台南館演講「幼兒戲劇活動的帶領」。
	1	陳玉珠的〈魔鏡〉獲第十二屆「洪建全兒童文學創作獎」童話組佳作（第一名從缺）。
	4.22	第九屆「時報文學獎」徵文項目公布，首次增設「童話創作」，分推薦和評審獎兩種（第十屆以後即又取消）。10月2日得獎名單揭曉，陳玉珠獲推薦獎。
	4.30	臺南市教育局舉辦第一屆「鳳凰城兒童文學創作徵文」截稿，分國小學生及國小教師兩組。徵文有童話、兒童故事、寓言、兒童詩歌、兒童戲劇五類，每類各錄取前六名及佳作若干名。得獎作品於當年7月集結出版。
	8.1	臺南師專林守為教授退休，由趙雲教授開授「兒童文學與習作」一年。
	8.11~17	臺南縣社教課假縣立文化中心演講廳舉辦暑期教師組兒童文學創作研習班，課程包括作文指導、童詩兒歌、童話、兒童戲劇與刊物編輯等。講師有林良、林樹嶺、張清榮、陳玉珠、徐士欽、林清泉、陳朝陽、曾金木、陳義男等。
	8.18-23	成大施常花教授、信誼基金會執行長張杏如及曹俊彥、高明美、鄭雪玫、李雀美、洪文瓊、洪文珍等人，前往東京參加第二十屆 IBBY 大會。11月16日，中華民國兒童文學學會與中央圖書館臺灣分館等，假國父紀念館舉辦「參加『一九八六年國際少兒圖書評議會東京大會』心得發表會」，由林良主持，施常花等六位會員作心得報告。

四、1987~2010：臺南縣市分治後期

1987   1   陳玉珠〈美麗的家園〉獲第十三屆「洪建全兒童文學創作獎」少年小說組佳作。

         2.15   魔奇兒童劇團在臺南市文化中心演出《魔奇夢幻王國》。

         6   《小麻雀 臺南縣兒童文學創作專輯》創刊號「童詩、童話選集」出版。

         7.28   魔奇兒童劇團在臺南縣文化中心演出《淘氣鳳凰七寶貝》。

         7.31   《台南市第二屆鳳凰城兒童文學創作選集》出版。

         8.1、2   魔奇兒童劇團在臺南市文化中心演出《淘氣鳳凰七寶貝》。

         9   張清榮教授擔任臺南師院語教系「兒童文學及習作」及其他各系「兒童文學」課程。

1988   1   鄭文山〈童詩三十〉獲第十四屆「洪建全兒童文學創作獎」兒童詩組首獎。

         4   《小麻雀 臺南縣兒童文學創作專輯》第二集「少年小說選集」、第三集「兒童劇本選集」出版。

         8.1   臺南縣舉辦民七十七年度國中小學暨幼稚園教師「少年小說、兒童劇本創作研習班」，為期一週，邀請張清榮、施常花、洪文珍、馬景賢等人擔任講師。

         本年   毛威麟以童話〈垃圾山上的魔王〉獲第一屆「臺灣省兒童文學獎」社會組第一名。

1989   1   徐士欽〈棒棒糖真棒〉獲第十五屆「洪建全兒童文學創作獎」兒歌組優等獎（首獎從缺）。

         2.16-21   臺南市教育局於新南國小舉辦「七十八年度教師組兒童文學研習班」，為期一週，邀請張清榮、陳玉珠、蔡清波等人擔任講師。

         4   《小麻雀 臺南縣兒童文學創作專輯》第四集「童話選集」出版。

         7   臺南縣文化中心展出臺南大成國小李文建老師和新市國小杜素幸老師的「兒童詩畫聯展」。李老師和杜老師夫唱婦隨，用詩、用畫來表達兒童純真的世界。

         8.27   蒲公英劇團假臺南市文化中心演出《湯姆歷險記》。

	12.21	臺南市新南國小舉辦「兒童文學研習會」，臺南師院張清榮教授擔任講座。
1990	4.13	九歌兒童劇團假臺南縣文化中心演出《奶奶的法寶》、《快樂森林》各一場。
	6.22	九歌兒童劇團假臺南市文化中心演出《奶奶的法寶》、《快樂森林》各一場。
	6	毛威麟以少年小說〈羽球少年〉獲第三屆「臺灣省兒童文學獎」佳作。
	9.15	座落臺南西港的「財團法人大牛兒童城文化推廣基金會」正式獲准設立（基金來自益崇企業股份有限公司捐助貳佰萬元）。宗旨為：一、興辦有關兒童文化與教育之公益事業活動；二、資助各種兒童文教公益活動。
1991	2.2	大牛兒童城文化推廣基金會舉辦兒童戲劇研習會。
	3	《小麻雀 臺南縣兒童文學創作專輯》第五集出版。
	4.4	鄭文山創辦《兒童文學雜誌》雙月刊，4、6、8、10 月先發行試刊號 4 期，12 月正式創刊，也刊登兒童作品。
	4.21	臺南縣家扶中心在縣立文化中心演出兒童保護劇《陶叔叔救命》和《小美的陰影》。
	4	陳玉珠以《無鹽歲月》獲第三屆「楊喚兒童文學獎」。
	9	成大外文系施常花教授開授「兒童少年文學」選修課程。
	11.17	鞋子兒童實驗劇團在臺南縣文化中心演出《泡泡口香糖》。
1992	1	王淑芬〈最好聽的故事〉獲第十八屆「洪建全兒童文學創作獎」童話組優等獎。
	4	大牛兒童城文化推廣基金會贊助刊印徐士欽的《小精靈兒歌創作集》（精選 26 首自寫自畫作品）（久洋出版）。
	5.6	臺南市新南國小舉辦「兒童文學研習會」，臺南師院張清榮教授擔任講座。
	6.3	成功大學外文系成立「兒童少年文學研究社」。

	6	《小麻雀 臺南縣兒童文學創作專輯》第六輯出版。
1993	1	薛林創辦《小白屋幼兒詩苑》季刊，同時設置「小白屋詩苑幼兒詩獎」。
	3.24	原新南國小校長陳朝陽調長開元國小，賡續舉辦「兒童文學研習會」，臺南師院張清榮教授擔任「童話」講座。
	3	《小麻雀 臺南縣兒童文學創作專輯》第七輯出版，以童詩和少年小說為主。教師組黃文博獲童詩第一、第二名。
	6	李慶章以童話〈那一頂黑帽〉獲第六屆「臺灣省兒童文學創作獎」佳作。
	本年	臺南縣政府以財團法人臺南縣文化基金會名義設立「南瀛文學獎」（十一至十四屆更名為「南瀛文學傑出獎」，第十五屆起廢除）暨南瀛文學新人獎（第十屆起廢除）。第五屆起增設創作獎——現代詩、散文、小說三類；第九屆（2001）起增設兒童文學類；第十一屆起增設古典詩類；第十四屆起又增設文學部落格、長篇小說（每兩年舉辦一次）、劇本三類。2010年臺南縣市併都後停辦，共辦十八屆。
1994	1	民生報社出版謝武彰兒童散文《天霸王》。該書獲1994年中華兒童文學獎、入選「臺灣兒童文學一百」評選活動。
	3	《小麻雀 臺南縣兒童文學創作專輯》第八輯出版，為「童詩童畫」和「散文」選集。此集起，由25開本改為較大的20開本。
	本年	李慶章以童詩集《給我們一盞燈》獲第二屆「南瀛文學獎」新人獎兒童文學類。
1995	3.21、22	開元國小舉辦「兒童文學研習會」，鄭文山老師、蔡錦德老師等擔任講座，張清榮教授主講「少年小說欣賞與創作」。
	4	《小麻雀 臺南縣兒童文學創作專輯》第九輯出版，為「童詩童畫」和「童話」選集。
1996	3.23	高雄縣文化中心的實驗劇團「小蕃薯兒童劇團」於臺南縣文化中心音樂廳，演出《童 與溫馨的記憶——水柳村的抱抱樹》。該劇是由兒童文學家李潼依其原版童話《水柳村的抱抱樹》編寫，邀請蘇來擔任音樂製作，遠赴義大利編製樂曲；服裝方面由蔡毓芬設計，孟振中擔任舞臺設計，呈現一個寫實且親和的中國式童話印象。

	3	《小麻雀 臺南縣兒童文學創作專輯》第十輯出版，為「童詩童畫」和「少年小說」選集，也包括兒童寫的少年小說。
	6	陳正恩以童話〈一九九五水鴨旅程〉獲第九屆「臺灣省兒童文學創作獎」首獎。
	6	李慶章以童話〈滑鼠阿南〉獲第九屆「臺灣省兒童文學創作獎」入選。
	12	陳憲國、邱文錫將1956年許丙丁華語版的《小封神》，翻注譯成臺語ㄅㄆㄇ音標版，由樟樹出版社出版。
	本年	陳義男以童詩集《想念的季節》獲第四屆「南瀛文學獎」新人獎兒童文學類。
1997	2.23	九歌兒童劇團於臺南市文化中心演出《土豆與毛豆》。
	3	《小麻雀 臺南縣兒童文學創作專輯》第十一輯出版，為「童詩童畫」和「童話」選集。
	5.5	九歌兒童劇團於臺南縣龍潭國小演出《土豆與毛豆》。
	5.17	九歌兒童劇團於臺南縣佳里仁愛國小演出《土豆與毛豆》。
	5	臺南市立文化中心出版《徐士欽童詩集》。
	6	毛威麟以童話〈過山蝦要回家〉獲第十屆「臺灣省兒童文學創作獎」首獎。
	7.12	九歌兒童劇團於臺南市文化中心演出《寶貝小咕嚕》。
	12	臺南縣立文化中心出版邱冠福編著《台灣童謠》（南瀛台灣民間文學叢書六）。
	本年	臺南縣文化處圖書組企畫編印「南瀛之美圖畫書」系列，配合社區總體營造及中小學鄉土教育，內容涵括縣五大行政區域的鄉土生活題材。該套叢書係由北市市立師院教授蘇振明規畫，1997年成立編審委員會，聘鄭明進、蘇振明為編輯顧問，林武憲、陳玉珠、黃文博為文編，陳麗雅為美編。原預計出版一百冊，至2010年南縣市合併前只出版四十五冊。
1998	3	《小麻雀 臺南縣兒童文學創作專輯》第十二輯出版，為「散文」和「童詩」選集。李慶章以〈讓我們去看海〉獲兒童散文第一名。

1999	3	《小麻雀 臺南縣兒童文學創作專輯》第十三輯出版，教師組為「寓言」和兒童組為「童話」。
	5.5	「南瀛之美圖畫書」系列新書發表會假臺南縣文化中心舉行，縣長陳唐山親臨主持。會中除展示新書、編輯委員及專家介紹和評析外，並展示圖畫書製作過程、印刷程序、編輯會議紀錄等。
	10.28~ 2000.6.13	臺北市「毛毛蟲兒童哲學基金會」在台南市文化基金會支持下，於臺南市東區崇明國小辦理為期八個月（1999.10.28~2000.6.13）的說故事培訓與實作活動，全部共有 64 位學員參加。這一次培訓促成日後「台南市府城故事協會」、「南瀛故事人協會」、「台南市智慧森林兒童閱讀文化學會」等兒童文學閱讀推廣團體的成立。
	12.21	新營文化中心「袋鼠媽媽故事團」成立。
	本年	毛威麟以少年小説〈讓路給螃蟹走〉獲第十二屆「臺灣省兒童文學創作獎」入選。
2000	1.1	成大外文系教授任世雍翻譯日本兒童文學學會會長原昌教授的〈從插畫書至畫畫書：從古至今，從通俗到藝術〉，分兩期發表於成大外文系年刊 *Fiction and Drama*, Vol.12, p3-18（上）和 Vol.13, p3-23（下）（下篇與田漱華合譯）。任教授把圖畫書（Picture Book，日本稱為繪本）譯為畫本或畫畫書，非常特別，顯示當時圖畫書剛在發展起始階段，「圖畫書」一詞尚未普及。
	3	《小麻雀 臺南縣兒童文學創作專輯》第十四輯出版。
	5.26	九歌兒童劇團於臺南縣文化中心演出《冒險金銀島》。
	12	南瀛作家作品集 58 少年文學類《伴我成長》（葉偉廉）、59 童話類《兩個好朋友》（楊寶山）、60 童詩類《愛的推銷員》（陳義男）、61 童詩類《遠足》（李益維）、62 兒童文學評論《不墜的夕陽 薛林的兒童文學及其評論》（薛林）出版。
	12	「故事媽媽」培訓結訓的二十位成員，於臺南市崇明國小發起成立「台南市府城故事團」（隨後改登記在社會局下，成為故事協會）。第一位團長為崇明國小輔導主任林鳳貞。府城故事團除每年持續辦理故事媽媽培訓、到各市立單位（如臺南市立圖書館）説故事，同時也在臺南市各學校培訓志工團故事組成員，成立各校故事媽媽團體（如東光國小、五王國小、復興國小等）。

2001	3.21	「台南市亞伯巷社區營造文化工作室」成立，負責人劉香吟。從搭建社區孩子説演故事舞臺開始，進行社區文化營造。
	3	《小麻雀 臺南縣兒童文學創作專輯》第十五輯出版。
	9.29	如果兒童劇團於臺南南區綜合活動中心演出《抓馬歷險記》。
	10.6	美國多多龍雷射兒童劇團於臺南市立藝術中心演出。
	10.26~28	偶偶偶劇團於臺南獨角仙劇場演出《小木偶的大冒險》共五場。
	10	第九屆「南瀛文學獎」創作獎增設兒童文學類，徵求「含故事、童話、寓言」的作品，二千至五千字。共有 29 件投稿，獲獎作品 5 篇。
	10	楊寶山的少年小説《我的學生鄭吉祥》（南瀛作家作品集 70）出版。
	12.2~4	偶偶偶劇團於臺南誠品書店 B2 藝文空間演出《小木偶的大冒險》共六場。
	12.15	鞋子兒童實驗劇團於臺南縣文化中心演出《國王的禮物》。
2002	4	《小麻雀 臺南縣兒童文學創作專輯》第十六輯出版。
	7.13	紙風車劇團於臺南市文化中心演出《唐吉訶德冒險故事——銀河天馬》。
	7.20	紙風車劇團於臺南市立藝術中心演出《唐吉訶德冒險故事——銀河天馬》。
	10	林淑芬的兒童散文《大榕樹小麵攤》（南瀛作家作品集 79）出版。
	11	第十屆「南瀛文學獎」創作獎兒童文學類共有 33 件投稿，獲獎作品 5 篇。
2003	5	《小麻雀 臺南縣兒童文學創作專輯》第十七輯出版。
	8.1	林佑儒〈飛翔吧，大樹！〉獲臺東大學兒童文學研究所舉辦的「臺東大學文學獎」第一屆童話佳作。
	10	第十一屆「南瀛文學獎」創作獎兒童文學類，除原有故事、童話、寓言類外，另增加童詩類，須寄童詩五首，自行指定一首為代表作。兩類仍合共取五名給獎。投稿者不限出生或設籍臺南，但作品內容要以臺南縣風土民情為題材。本屆有 54 件投稿，童詩 22 件，故事 4 件，童話 28 件，寓言 0 件。獲獎作品 5 篇。

	11	陳義男的兒童散文《牆與橋》（南瀛作家作品集 86）出版。
	12.27	杯子劇團於臺南縣文化中心演藝廳演出《大巨人的百寶箱》。
	12.28	《中國時報》開卷版公布 2003 年度好書推薦名單，嚴淑女的童話繪本《春神跳舞的森林》（圖／張又然，格林文化出版）獲最佳童書獎。
2004	4.24~25	中華民國兒童文學學會於臺南國家台灣文學館舉辦「台灣少年小說作家作品研討會」，由館長林瑞明主持開幕，除三場論文發表外，另有張子樟、李潼兩場專題演講，和一場與作家對談（余遠炫、林滿秋、鄭宗弦、廖炳焜、林佑儒擔任引言人）、一場綜合座談。林哲璋、王宇清聯合發表論文〈陳素宜少年小說中的台灣少女——不是問題少女，卻有少女問題……〉。
	4.25	蘋果兒童劇團於臺南縣政府南區服務中心演藝廳演出《黃金海底城》。
	5.7	「府城台語文讀書會」邀請國立清華大學講師張春鳳女士，專題演講〈台語兒童讀物賞析〉。
	5	《小麻雀 臺南縣兒童文學創作專輯》第十八輯出版。
	5	毛威麟〈藍天鴿笭〉、姜天陸〈在地雷上漫舞〉獲第十二屆「九歌現代少兒文學獎」榮譽獎。
	10.5	「2004 文建會台灣文學獎」得獎揭曉，岑澎維〈小王十字路〉獲童話類第二名。
	10	第十二屆「南瀛文學獎」創作獎兒童文學類，童詩徵獎作品提高為 20 首以詩集型態，並署名總詩集名稱，其中一首為 20 行以上長詩。投稿者限本籍或出生臺南縣，或曾經在臺南縣就讀、就業者。本屆共有 31 件投稿，童詩 6 件、故事 13 件、童話 12 件。給獎五名，改為首獎、優等各一名，佳作三名。獲獎作品 5 篇，童詩無人入選。
	11.20	紙風車劇團於臺南市文化中心演出《巫頂環遊世界》。
2005	5	《小麻雀 臺南縣兒童文學創作專輯》第十九輯出版。
	6	《文學家》第 34 期出刊，本期專題人物為謝武彰。
	8.11	「二〇〇五年新竹縣吳濁流文藝獎」揭曉，林哲璋〈蓬萊島記——仙島小學生的一天〉獲參獎，楊隆吉〈偏方月潭〉獲佳作。

	10	第十三屆「南瀛文學獎」創作獎兒童文學類，童詩又改為 10 首。本屆共有 42 件投稿，故事 17 件、詩歌 11 件（有 4 件以臺語書寫）、童話 10 件、寓言 3 件、散文 1 件。獲獎作品 5 篇。
	11.19-20	臺南大學人文學院、中華民國兒童文學學會主辦「台灣地區 2005 安徒生 200 週年誕辰國際童話學術研討會」，於臺南大學舉行。
	12.25	楊隆吉《愛的穀粒》（新苗，2005）入選「2005 年聯合報讀書人最佳童書獎」。
2006	1	時報文化出版幸佳慧《走進魔衣櫥：路易斯與納尼亞的閱讀地圖》。
	3	楊隆吉〈虎姑婆的夢婆橋〉獲九歌民九十四「年度童話獎」。
	5.27	臺南縣文化局宣布本年「南瀛文學獎」新增「長篇小說獎」與「劇本獎」，由蕃薯藤網站協辦「文學部落格獎」，鼓勵更多人投入文學創作。
	5.27~28	偶偶偶劇團於臺南誠品書店 B2 藝文空間演出《小小噴火龍》共四場。
	8.10	「南瀛故事人協會」立案（13 日領證）。提供臺南縣（市）各地說故事的團體或個人，一個故事交流分享的平台。
	9.10	第十四屆「南瀛文學獎」揭曉，兒童文學類共有 35 件投稿，詩歌 10 件（臺語 3 件）、童話 15 件、散文 2 件（臺語 1 件）、小說 3 件、故事 5 件。獲獎作品 5 篇。
	9	《小麻雀 臺南縣兒童文學創作專輯》第二十輯出版。
	11.27	臺南誠品書店舉行兒童書店與推廣科學教育 NATURE SHOP 開幕儀式，以店內佔地一百九十坪的兒童書店，打造出全臺最大的兒童書店。
2007	5	《小麻雀 臺南縣兒童文學創作專輯》第二十一輯出版。
	6.2~3	偶偶偶劇團於臺南誠品書店 B2 藝文空間演出《紙要和你在一起》共四場。
	7.18	「社團法人台南市府城故事協會」正式立案登記，以為小孩說故事，帶大人說故事為宗旨。
	10	第十五屆「南瀛文學獎」兒童文學類共有 33 件投稿，獲獎作品 5 篇。另劇本組評審推薦獎 1 篇也是兒童劇。

2008	5	《小麻雀 臺南縣兒童文學創作專輯》第二十二輯出版。
	7.27~31	第九屆「亞洲兒童文學大會」輪由臺灣舉辦，假臺東娜魯灣酒店舉行，主題為「土・土・土：生態、全球化和主體性」。黃美滿在大會中發表論文〈黃春明兒童劇本的生態意識初探〉。
	11.29	第十六屆「南瀛文學獎」舉辦頒獎典禮，兒童文學類共有 32 件投稿，獲獎作品 5 篇。另本屆劇本組優等 1 篇、佳作 3 篇也是兒童劇。
	11	臺南縣文化局出版林仙龍《風箏要回家：林仙龍童詩集》（南瀛作家作品集 106）。
2009	3.26	臺南縣政府與青林國際出版的陳麗雅《曾文溪的故事》入選第一屆韓國 CJ 圖畫書特展第一階段初選百本最佳圖畫書。
	5	《小麻雀 臺南縣兒童文學創作專輯》第二十三輯出版。
	10	第十七屆「南瀛文學獎」兒童文學類共有 26 件投稿，獲獎作品 5 篇。另本屆劇本組佳作 2 篇也是兒童劇。
	11	第十五屆「府城文學獎」臺語兒童繪本類正獎得獎作品《你敢知？》（文／周世宗，圖／周燁）、貳獎《小藍帽》（文・圖／郭桂玲），由臺南市立圖書館、開朗雜誌出版。
2010	1	南瀛故事人協會承辦臺南縣文化處「從南瀛圖畫書談說故事的樂趣」圖書館下鄉巡迴共六場（1 月~6 月）。
	3.13	南瀛故事人協會與臺南縣文化處、臺南縣家庭教育中心、永康市社教中心共同舉辦「2010 生活文化系列講座」，邀請郝廣才於永康市社教中心主講「創意思考」。
	5	《小麻雀 臺南縣兒童文學創作專輯》第二十四輯出版。
	6.4	偶偶偶劇團於臺南縣政府南區服務中心演藝廳演出《紙有你真好》。
	6.5	偶偶偶劇團於麥迪兒幼兒園（臺南新市）演出《小兔子咪咪》。
	6.12	偶偶偶劇團於麥迪兒幼兒園演出《花花森林的大冒險》。
	6.18~19	偶偶偶劇團於樹谷園區音樂廳演出《紙要和你在一起》。
	7.3	偶偶偶劇團於麥迪兒幼兒園演出《小兔子咪咪》。
	8.21	偶偶偶劇團於麥迪兒幼兒園演出《野狼、兔子、AMIGO》。

10.10	第十八屆「南瀛文學獎」得獎名單公布，兒童文學類獲獎作品 5 篇（首獎從缺，佳作多取一名）。
11.7	偶偶偶劇團於臺南縣政府南區服務中心演藝廳演出《十二生肖得第一》。
12	第十六屆「府城文學獎」臺語兒童繪本類正獎得獎作品《嘉南平洋的珍珠》（文／程鈇翼，圖／翁秀嬋）、貳獎《鳳凰花若開》（文·圖／曾郁芬），由臺南市立圖書館、開朗雜誌出版。

五、2011～2022-：臺南縣市併都期

2011 1.11 「影響·新劇場」成立，負責人呂毅新。營業項目：補習教育，舞蹈及瑜伽。

4.23 偶偶偶劇團於麥迪兒幼兒園演出《偶來説故事》。

4.24 「台南市葫蘆巷讀冊協會」在市立圖書館安平分館舉行成立大會，希望透過推廣閱讀，讓孩童從臺南出發，關心公民議題，學會思辨能力。協會取名「葫蘆巷」，源自府城文學界大老葉石濤的作品〈葫蘆巷春夢〉，希望每個孩子和成人都能在葫蘆巷一起作夢，就算是弱勢的孩童，也可以透過閱讀與深度思考，讓自己充滿自信，完成夢想。協會選出長期致力兒童文學創作與推廣的幸佳慧為理事長，希望透過組織，更能落實推廣兒童閱讀的目標。

4.24 影響·新劇場在國立臺灣文學館演出兒童劇《閱遇計畫》。

5.28-29 偶偶偶劇團於樹谷園區音樂廳演出《好鼻師》。

6 臺南市政府編印《小黑琵 臺南市兒童文學創作專輯》第一輯，此後每年持續出版一輯，取代併都前原臺南縣每年出版一輯的《小麻雀 臺南縣兒童文學創作專輯》。

7.16 偶偶偶劇團於麥迪兒幼兒園演出《小兔子咪咪》。

7.18-22 臺南市政府於北區賢北國小執行「100年藝術與人文教師（中小學）培訓計畫」，邀請偶偶偶劇團主持。

8.20 紙風車劇團全臺演出《雞城故事》，本日在臺南市文化中心演出三場（上、下午、晚各一）。

8.23 黃培欽〈會製造夢的神奇楓香〉獲教育部「文藝創作獎」教師組童話類優選。

8 陳榕笙〈珊瑚潭大冒險〉獲第十九屆「九歌現代少兒文學獎」榮譽獎。

9.7 在「書香大臺南」政策推動下，臺南市政府文化局、教育局、新聞及國際關係處，跨局處在第三公用頻道開播「非讀 BOOK 臺南愛讀冊」電視讀書會，由臺南市立圖書館負責製播。聘臺南大學附小溫美玉老師主持，以「主持人與作家對話」、「作家與學生座談」、「導讀老師對學生的引導」等面向，為孩子進行最佳的書籍導讀。2019年童書作家黃文輝老師加入主持的行列。2020年全新大改版，

邀請南方講堂王美霞老師擔任新主持人，以「整座城市都是我的圖書館」為主軸，拍攝地點走出戶外，開啟更多新鮮話題。

	12.16~18	影響・新劇場在臺南誠品 B1 藝文空間演出兒童劇《啾古啾古說故事──海・天・鳥傳說》。
2012	3	林哲璋〈猜臉島歷險記〉獲九歌民一〇〇「年度童話獎」。
	4.14	臺南市下營國小舉辦「繪本、童話與少年小說研習」，邀請許榮哲主講「為什麼我和別人不一樣：繪本與童話創作」。
	4.28	偶偶偶劇團於麥迪兒幼兒園演出《野狼、兔子、AMIGO》。
	6.2	臺南市立圖書館於國立臺灣文學館舉辦「非讀 BOOK 臺南愛讀冊──兒童文學高峰會」，以「公共論談」方式，透過作家、專家學者演講、與談，以及和讀者面對面討論互動，激盪出新思維。謝鴻文講「兒童文學的重要性」、葉建良講「談芬蘭、愛沙尼亞兒童文學機構」、幸佳慧講「英國兒童文學的發展與現況」、唐麗芳講「雲林故事館的發想與落實」。
	6.8~10	影響・新劇場在臺南武德殿演出兒童劇《躍！四季之歌》。
	6.9~9.1	國立臺灣文學館每週六上午舉辦「可圈可點的胡說八道：兒童文學創作坊」，由許榮哲擔任導師，陳榕笙、陳　偉、謝鴻文、林哲璋、林文寶、李儀婷等人擔任講師。講題涵蓋童話、少兒小說、動畫、童詩、閱讀等面向。
	8.18	臺南市文化局與青林國際出版公司於臺北紀州庵文學森林舉辦「臺南之美圖畫書」新書發表會暨座談會。此次展示南縣市併都後新出版的「臺南之美圖畫書」三本──《臺南食點心》、《吃夢獸：葉石濤的故事》和《臺南孔廟好好玩》，介紹走讀臺南的新樣貌，呈現屬於臺南獨有的文化、美食和歷史地景，讓大家可以從不同的角度來認識臺南。
	9.17	第二屆「臺南文學獎」得獎名單公布，兒童文學類獲獎作品 5 篇（首獎、優等各一、佳作三名）。
	9.23	教育部「文藝創作獎」揭曉，教師組童話類，林哲璋〈不偷懶小學的不摸魚老師〉獲特優，黃培欽〈誰會偷走愛〉獲佳作。

9.29　臺南市裕文圖書館開館，邀請幸佳慧主講「遊藝閱讀～英國經典童書的美與力」。

本年　南瀛故事人協會進駐葉石濤文學紀念館說故事，連續四年規畫舉辦「聚樂書房」講座（每年十場）。

2013

3.13、14　臺南市裕文圖書館舉辦「童話故事營」，邀請李儀婷講「童話課：媽祖不見了」、「童話課：媽祖的眼淚」、「童話故事的創意寫作」，林哲璋講「邏輯童話：奇怪動物園」、「邏輯童話：猜臉島」，王文華講「天燈精靈2266」。

3.16　偶偶偶劇團於麥迪兒幼兒園演出《布紙是這樣》。

3.30-4.7　第一屆「臺南兒童文學月2013翻轉FUN文學」開鑼，由臺南市教育局承辦，文化局協辦，於北區公園國小禮堂進行啟動儀式。包括書展、作家講座、故事繽紛嘉年華、本土兒童文學書籍徵選、文學小論壇、戲劇文學列車等多項活動。作家講座邀請許榮哲、陳榕笙及幸佳慧等蒞臨現場與讀者對話。

4　鑑於國內兒童圖書翻譯作品泛濫，臺南市立圖書館自今年起，每年4月（臺南兒童文學月）舉辦「優質本土兒童文學書籍」徵選活動，藉以推薦優質本土童書給孩子。

5.18　偶偶偶劇團於麥迪兒幼兒園演出《老鞋匠與小精靈》。

5.24　台南市葫蘆巷讀冊協會舉辦「2013兒童文學讀書演講會」共三場，分別從小說、繪本、童話各擇一書探討。

6.1~2　影響・新劇場在吳園藝文中心演出兒童劇《海・天・鳥傳說》。

6.16　幸佳慧於高雄駁二藝術特區C2倉庫「藝起反核」系列活動主講「和孩子談重要的事──反核繪本和童話」。

7.20　偶偶偶劇團於新光三越臺南西門店演出《野狼、兔子、AMIGO》。

7.20、21　四也出版公司舉辦第三屆「四也兒童文學營──金礦、海盜與魔法」，講授與童話有關的課程，共三梯次分別在新竹、臺南、彰化舉行。第二梯次在臺南忠義國小舉行，講師有許榮哲、崔永嬿、李儀婷、張嘉驊、楊茂秀，並辦理「臺灣慶典改編繪本」成果發表。

7.30	第三屆「臺南文學獎」得獎名單公布，兒童文學類獲獎作品7篇（首獎、優等各一、佳作五名）。
8.3	偶偶偶劇團於蕭　文化園區演出《紙要和你在一起》。
8.3	偶偶偶劇團於新光三越臺南中山店演出《布紙是這樣》。
8.4	偶偶偶劇團於蕭　文化園區演出《野狼、兔子、AMIGO》。
9.1	影響‧新劇場在六甲國小學生活動中心演出兒童劇《閱遇計畫》。
9.23	偶偶偶劇團於新南國小、立人國小進行「102年度器官捐贈宣導劇校園巡演」。
10.12	影響‧新劇場在吳園藝文中心演出兒童劇《蹦！Bump up》。
10.17	中央大學通識教育中心和性平會主辦「童書革命——童書作家數百年來在『性別』議題上的蛻變與突圍」講座，邀請幸佳慧主講。
10.23	清華大學中文系主辦「兒童文學與我們的距離——讀它、寫它、評它」講座，邀請幸佳慧主講。
12.14~15	影響‧新劇場在三五小戲園（321藝術聚落35號）演出兒童劇《一隻鳥的畫像》。
12.21~22	影響‧新劇場在三五小戲園演出兒童劇《畢古的同學會》。
12	誠品書店公布年度「兒童文學類暢銷書TOP20」，林哲璋《用點心學校4 學生真有料》獲得第一名。
2014 1.19	台南市葫蘆巷讀冊協會企畫製作的「台灣兒童圖書館聯盟」網站正式上線。
2.1	偶偶偶劇團於蕭　文化園區演出《伯公伯婆》。
3.6	林哲璋童話《菜刀小子的陣頭夢》在高雄內門橫山宋江陣館舉行新書發表會，此為高雄市政府與四也出版社共同策畫的節慶童話叢書之一。
3	子魚〈黑熊爺爺忘記了〉獲九歌民一〇二「年度童話獎」。
4.5	偶偶偶劇團於總爺藝文中心演出《花花森林的大麻煩》。

4.10-6.12	國立臺灣歷史博物館主辦，台南市府城故事協會合辦的「故事志工培訓」，邀請子魚、洪瓊君等講師主講說故事的準備、肢體開發等主題，4月24日邀請楊茂秀主講「兒童文化與故事」。
4.25~27、 5.2~4	影響・新劇場在 B.B.ART 藝廊演出兒童劇《尋找彼得潘》。
4.26	「2014 臺南兒童文學月」舉辦論壇「越界，閱界——兒童文學的無限想像」。參與對談有曹俊彥、陶樂蒂，講題「畫外之音——圖說的比你想的還要多」；許榮哲、楊士毅，講題「舞文弄影——看！影像中的兒童文學」；廖炳焜、林哲璋，講題「閱界，看我家鄉——在地生活的兒童文學」。
6.12	偶偶偶劇團於臺南新化演藝廳演出《野狼、兔子、AMIGO》。
6.12	偶偶偶劇團於臺南文化中心演出《野狼、兔子、AMIGO》。
7.12	南瀛故事人協會邀請繪本作家劉如桂於葉石濤文學紀念館，主講「從圖畫書中發現自己的文化——《劍獅系列故事創作分享》」。
8.1	第四屆「臺南文學獎」得獎名單公布，兒童文學類獲獎作品5篇（首獎、優等各一、佳作三名）。
8.2	偶偶偶劇團於臺南白河國小活動中心演出《野狼、兔子、AMIGO》。
8.3	偶偶偶劇團於臺南後壁區藝文活動展演中心演出《野狼、兔子、AMIGO》。
8.19-22	郭錫瑠先生文教基金會資助舉辦「2014 鄉土童書開發推廣研習」，主題為「二仁溪自然、人文生態探訪攝寫」，由臺灣地域研究學會、臺南市進學國小承辦，臺南大學國語文學系、文化與自然資源學系協辦。
10.17~19	影響・新劇場在臺南文化中心原生劇場演出兒童劇《造音小子嗶叭蹦》。
11.12	府城舊冊店舉辦藏書之愛「新公民閱讀運動」講座，邀請洪文瓊主講「台灣兒童文學鉤沉錄」。

	12.8	南瀛故事人協會於臺南永康區崑山國小舉辦「故事 vs. 戲劇成長研習營」，沈采容主講「說一個故事開場」、「故事裡賣什麼？」、「故事裡到底賣什麼？」，佳里區和風故事團主講「故事裡的戲劇元素」。
	12	誠品書店公布年度「兒童文學類暢銷書 TOP20」，有九本是本土創作童書，其中林哲璋的《用點心學校 5 香蕉不要皮》、《屁屁超人與屁浮列車尖叫號》分別獲得第一、三名，這是林哲璋用點心學校系列童話連續兩年奪冠。
2015	3.26	2015 臺南兒童文學月以「閱讀萬花筒」為主軸，在將軍國小禮堂登場，展開十項以兒童為主體的系列活動。
	7.11、12	紙風車兒童劇團本年度的兒童舞台劇年度大戲《順風耳的新香爐》，在臺南文化中心演出。
	7.28	第五屆「臺南文學獎」得獎名單公布，兒童文學類獲獎作品 5 篇（首獎、優等各一、佳作三名）。
	8	臺南市立圖書館成立「火車嘟嘟故事團」，在每週固定時間安排故事志工說故事（有中文和英文故事時間）。
	9.13	配合「臺南之美圖畫書」特展，文化局於葉石濤文學紀念館舉辦「圖畫書研習活動」，邀請洪文瓊、利玉芳、施政廷、沈采蓉作專題演講。
	10.29	偶偶偶劇團於歸仁文化中心演出《紙要和你在一起》。
	11	誠品書店公布年度「兒童文學類暢銷書 TOP20」，林哲璋的《用點心學校 6 神氣白米飯》排名第二。
	12	由國立臺灣文學館出版的「臺灣兒童文學叢書」一套六冊（國語日報社編印發行），共有六位資深作家作品搭配插畫出版，分別是華霞菱的兒歌《海上旅行》、林良的童詩兒歌《沙發》、馬景賢的兒歌《小問號》、趙天儀的童詩《西北雨》、黃郁文的童話《雪地和雪泥》、傅林統的童年故事《河童禮》。每冊都附有作家身影紀錄片以及朗讀 CD。

2016	1.13	由文化部主辦，台北書展基金會承辦的「2016 年義大利波隆那兒童書展」臺灣館參展活動，主題書區展出書單公布，入選童書、漫畫、新鮮書共 142 冊。童話入選的臺南籍作家有林哲璋的《屁屁超人與屁浮列車尖叫號》、《不偷懶小學 1 不摸魚老師》、《不偷懶小學 3 不好找寶藏》，王淑芬的《去問貓巧可》、《一句話專賣店》，岑澎維的《小壁虎頑皮故事集 2：翻天覆地的小壁虎》。
	3.8	台南市府城故事協會與安平區公所舉辦講座，由林哲璋主講「我的兒童文學觀」。
	3.28~4.30	臺南兒童文學月以「閱讀 Power On」為主軸，規畫「當文學遇上藝術」、「天文與文學」、「客家文學列車」、「文學地圖走讀」、「文學小論壇」、「愛上圖書館」、「推推書明信片」、「優質本土兒童文學徵選」、《小黑琵》第六輯徵文、「校園電影」等以兒童文學為主體的活動。其中「文學小論壇」4 月 10 日於億載國小舉行，由廖炳焜擔任《億載金城之暗夜迷蹤》導讀；4 月 17 日於月津國小由嚴淑女擔任《臺南食點心》導讀；4 月 17 日於新化國小由林佑儒擔任《廁所幫少年偵探系列叢書》導讀；4 月 23 日於漚汪國小由成陳榕笙擔任《貓村開麥拉》導讀。
	3	國立臺灣文學館《台灣文學館通訊》第 50 期出刊，專題 II：擁抱童心‧幸福共創——資深兒童文學作家的身影紀錄及繪本出版。
	4.2~4	影響‧新劇場在臺南大南門城特區演出兒童劇《浮島傳奇》。
	4.22	以兒童文學與閱讀專業人士為成員的兒童文學閱讀推動團體「台南市智慧森林兒童閱讀文化學會」成立大會。選出臺東大學兒文所博士生黃愛真為首屆理事長，臺南大學語教系教授張清榮為常務監事。
	4.22	「2016 臺南藝術節——臺灣精湛」，無獨有偶工作室劇團於 4 月 22、23 日在臺南文化中心演出《雪王子》。
	4.22~2017.4.16	「純真童心——兒童文學資深作家與作品展」在國立臺灣文學館隆重登場，此為臺文館成立以來首次大規模的兒童文學展覽。展出內容以 1945 年前出生的資深兒童文學作家作品為核心，再按詩歌、童話、少年小說、圖畫書等文類來設計展出內容。展出的資深作家作品有的已過世，如謝冰瑩、林海音、潘人木、林鍾隆等人，有的

如林良、趙天儀、鄭明進、曹俊彥、林煥彰、傅林統等人依然老當益壯，創作不懈。此展原預定展至 2017 年 2 月 5 日，後延長至 4 月 16 日。

5　　　　配合「純真童心」該項展覽，國立臺灣文學館也出版陳玉金、林佩蓉編撰的《純真童心──兒童文學資深作家與作品展展覽圖錄》。本展覽圖錄是了解戰後臺灣兒文史及資深兒文作家的參考資料，內容有從 1906 年出生的謝冰瑩到 1939 年出生的林煥彰，共 31 位資深作家的介紹，與部分童書封面、展覽說明文案、各展區的影像、手稿、期刊的彩色圖片、臺灣兒童文學 1945~2015 大事紀等。

6.4　　　偶偶偶劇團於歸仁文化中心演出《湯姆歷險記》。

7.29~31　影響‧新劇場在水源劇場演出兒童劇《白鯨記》。

8.6~9.30　配合第十三屆亞洲兒童文學大會在臺灣臺東舉行，台南市智慧森林兒童閱讀文化學會也主辦「動手玩閱讀」活動以為呼應，分別在臺南市立圖書館和政大書城臺南店舉辦十三場次「動手做」五官閱讀體驗活動，推出「遊戲文學書展」，展示桌遊、圖說、立體書、體驗書、味道書、觸控書寫工具。其中有四場名人講座，邀請許榮哲、王淑芬、劉忠岳和張世宗等知名作家演講，和大家分享桌遊、故事漫遊、動手玩科學、動手探索活動。

8.10　　臺灣人權文化協會、歷史教師深根聯盟與靜宜大學台灣研究中心合辦的「文青水曜日 - 島嶼文化講堂」，邀請幸佳慧在台中市文化中心主講「從童書找回成人不想談不願落實的兒童人權」。

8.16　　偶偶偶劇團於歸仁文化中心舉辦「故事媽媽工作坊」。

8.24　　「基隆海洋文學獎」得獎名單揭曉，李光福〈八腳章魚行醫記〉獲童話故事類佳作。

10.7　　偶偶偶劇團於臺南 Cozzi 和逸商旅舉辦「紙藝創遊」。

10.15　　臺南市立圖書館舉辦「嬰幼兒閱讀講座」，邀請幸佳慧主講「早閱讀，早幸福的故事湯」。

10.16　　中國華潤怡寶杯「2016 我最喜愛的童書」評選結果發布，在來自全國十四省市的專家、學生代表和數萬網友的見證下，臺灣的林哲璋《用點心學校 3 老師有夠辣》獲兒童文學組金獎。

10.22	偶偶偶劇團於臺南龍崎區彩竹生活廣場演出《五色石的秘密》。
10.23	偶偶偶劇團於臺南柳營重溪國小活動中心演出《五色石的秘密》。
11.12	黃培欽〈鉛筆人小幫手〉獲「吳濁流文藝獎」兒童文學類參獎。
11	影響・新劇場在臺南及高雄等十七所偏鄉小學演出兒童劇《世界上最特別的自己》。
本年	南瀛故事人協會自本年起，連續五年於葉石濤文學紀念館規畫舉辦暑期兒少營活動。

2017	3.18	國立臺灣文學館與小魯文化，於臺文館 B1 國際會議廳舉辦「臺灣兒童文學叢書」研習會，邀請臺南大學國語文學系張清榮教授、國際閱讀培訓講師林美琴老師，以叢書中的《兩個衛兵》、《動物越野大賽》、《跟太陽玩》以及《紅色小火車》為主題，帶領民眾閱讀分析兒童文學。
	3.24~26	充滿豐富意象的「群讀音樂劇」《銀河鐵道之夜》，3 月 24、25、26 日在臺南文化中心原生劇場演出。該劇改編自宮澤賢治經典作品，在日本連演九年。此回為在臺首度演出，臺南市文化局主辦，臺南大學戲劇創作與應用學系承辦，日本櫻美林大學協辦。
	4.8、15、29	臺南市政府主辦，教育局承辦的「2017 臺南兒童文學月 翻轉 FUN 文學」，子活動之一「文學小論壇」，由月津、崇明、港東、漚江四所國小負責，每一國小邀請一位臺南市籍作家現身說法介紹作品。分別是嚴淑女《拉拉的自然筆記》（月津國小，4 月 8 日於月津故事館）、廖炳焜《來自古井的小神童》（崇明國小，4 月 15 日於裕文圖書館）、陳榕笙《麻達快跑》（港東國小，4 月 29 日於西港圖書館）、林佑儒《神秘圖書館偵探》（漚江國小，4 月 29 日於將軍圖書館）。
	4.9	臺南市教育局課程發展科在臺南大遠百戶外廣場，舉辦「2017 臺南兒童文學月～大臺南小作家——繪本創作展演」，共有北門、佳里、新南、楠西、嘉南、龍崎、將軍七國小參與。
	4.15~16、4.22~23	影響・新劇場在 321 藝術聚落台南人戲花園演出兒童劇《Knock！Knock！誰來敲門》。

4.16	偶偶偶劇團於歸仁文化中心囡仔館舉辦《南方小島的故事》志工工作坊。
4.21	泥巴球繪本屋設立，負責人張秀卿，該館經常舉辦圖畫書講座。
6.24	偶偶偶劇團於歸仁文化中心演藝廳演出《南方小島的故事》。
8.8	李光福的〈舞街少年〉獲第二十五屆「九歌現代少兒文學獎」榮譽獎。
10.10	偶偶偶劇團於臺南南坊購物中心演出《野狼、兔子、AMIGO》。
10	「桃園鍾肇政文學獎」邁入第三年，兒童文學類正獎由陳正恩〈汗水50cc的故事〉獲得。
12.16、17、23	新營文化中心圖書館於兒童閱覽室舉辦「袋鼠媽媽歡樂18」慶生Party活動，並推出系列研習課程。研習課程包括：16日蘇菲亞·劉「我的藝想世界～家的故事」插畫研習，17日九歌兒童劇團黃翠華團長親自帶領「故事人說與演工作坊」，23日袋鼠媽媽故事團團長包綉月老師「如何精彩演繹繪本」。
12.23	偶偶偶劇團於歸仁文化中心演藝廳演出《小氣財神》。
12.30	影響·新劇場在臺南文化中心原生劇場演出兒童劇《藝陣傳奇》。
本年	第七屆「臺南文學獎」得獎名單公布，兒童文學類獲獎作品5篇（首獎、優等各一、佳作三名）。
2018 1	國立臺灣文學館與玉山社合作，出版「臺灣兒童文學叢書」《小森筆記：自然書寫的時光》和臺語版《阿森　筆記：自然書寫　時光》。介紹了吳明益、廖鴻基、沈振中、陳玉峯、劉克襄等自然書寫作家，《阿森　筆記》更傳遞了臺語文之美，讓孩子透過不同的方式熟悉臺語的呈現和表達。此外，臺文館配合此套書的出版，也在4月3日至7月8日展出「藍色星球·綠色大地——兒童自然文學主題書展」。
4.13-15	影響·新劇場在十股仁糖文創園區演出兒童劇《來玩好滋味》。
5.3-4	影響·新劇場在中山國小、南郭國小、忠孝國小、信義國小演出兒童劇《你在做什麼？》。

	7	臺南市文化局企畫，許玉蘭主編的《臺南青少年文學讀本 兒童文學卷》，包括有童詩選、散文選、童話選、少年短篇小説選四部分。童詩被選入的作家有：廖炳焜、謝安通、陳正恩、陳義男、曾吉郎、林仙龍、許玉蘭、黃文博、謝振宗；散文有：顏福南、許榮哲、王淑芬、陳肇宜、林美琴、張清榮、林仙龍；童話有林佑儒、李慶章、陳玉珠、王淑芬、姜天陸、陳愫儀、張清榮、毛威麟、李光福、林淑芬、周梅春、嚴淑女；少年短篇小説有：廖炳焜、姜天陸、李光福、陳榕笙、周梅春、林佛兒。
	8.26	偶偶偶劇團於臺南南紡購物中心演出《花花森林的大麻煩》。
	10.6	許庭瑋的〈「！」的味道〉獲第七屆「臺中文學獎」童話類佳作。
	10.13	偶偶偶劇團於歸仁文化中心演藝廳演出《紙箱的異想世界》。
2019	3	王宇清〈星願親子餐廳〉獲九歌民一〇七「年度童話獎」。
	4.11	影響・新劇場在國立臺灣文學館演出兒童劇《我們的故事》。
	4.23	國立臺灣文學館主辦，台南市智慧森林兒童閱讀文化學會承辦的「閱動少年心──2019 少年小説論壇與推廣工作坊」，分別於 4 月 23 日、5 月 7 日、5 月 26 日、6 月 2 日四天舉行，探討四位作家的作品：林哲璋的《福爾摩沙惡靈王》、廖炳焜的《來自古井的小神童》、傅林統的《河童禮》、張英珉的《長跑少年》。
	6.6	偶偶偶劇團於關廟五甲國小演出《十二生肖得第一》。
	6.7	偶偶偶劇團於鹽水武廟廣場演出《十二生肖得第一》。
	6.8	偶偶偶劇團於龍崎國小廣場演出《十二生肖得第一》。
	7.7、14	影響・新劇場在斗六至新營區間車、新營至斗六區間車演出兒童劇《旅行的眼睛》。
	7	臺南市文化局首度舉辦「臺南臺語月」活動。
	8.12	幸佳慧獲得第四十三屆金鼎獎特別貢獻獎。評審委員盛讚幸佳慧的實踐是在進行一場發生於兒童文學領域內的閱讀社會運動。
	8.29	第九屆「臺南文學獎」得獎名單公布，兒童文學類獲獎作品 5 篇（首獎、優等各一、佳作三名）。

	9.27	臺南文化中心逢三十五週年館慶，特別以「敬劇場」為主題策畫一系列活動，從 9 月 27 日至 11 月 30 日，共規畫 24 場表演活動、2 檔展覽、10 場藝文講座、3 場親子藝能活動、2 場工作坊。劇場事創造情感、回憶的場域，此次配合文化中心館慶，特別在其他藝文空間規畫「劇場事」藝文講座系列，邀請臺南劇場人在不同的書店分享不同劇場事。10 月 2 日由影響・新劇場團長呂毅新在泥巴球繪本屋主講「進劇場——看見世界・與美相遇～談戲劇創作與應用」，介紹國內外兒童與青少年劇場，劇場如何整合各類藝術和創意、創造力，引起與會的 49 位媽媽們熱情的迴響，從戲劇中跟孩子談議題，藉此拉近親子之間的距離，一起與美相遇。10 月 10 日由那個劇團楊美英團長與臺南市社大讀劇班學員，在政大書城主講「那些臺灣現代劇場的大師足跡：1990 年代臺南文化中心表演紀事精選讀劇，演講會」，精選臺灣當代劇場界知名劇團的代表作品，與臺南市社大讀劇班學員進行讀劇、演出與分享；10 月 20 日臺南大學戲劇創作與應用學系許瑞芳老師則在艸祭 Book inn，主講「一段府城的記憶《鳳凰花開了》」，以深入淺出讀劇分享會的方式，讓大家了解一齣戲劇的鋪陳內容。
	9.28、29	「信誼幼兒文學獎」第二十屆得獎作品改編的《劍獅出巡》親子故事劇場，在臺南文化中心原生劇場演出三場。該劇邀請兒童戲劇專家王友輝教授擔任顧問，由 2015、2017 臺北兒童戲劇節戲劇創作第一名的林孟寰編劇（也是電視劇《通靈少女》編劇），活躍於成人、兒童劇團的周浚鵬導演。
	10.16	兒童文學作家幸佳慧（1973 年生）病逝，享年 46 歲。幸佳慧為英國新堡大學兒童文學博士，長期從事兒童文學創作、推廣、研究與翻譯。
	12.29	偶偶偶劇團於臺南南紡購物中心演出《老鞋匠與小精靈》。
2020	4.11	疫情緊張之際，世界各地的作家陸續在網上朗讀、説故事，陪伴在家防疫者。身為「防疫模範生」的臺灣作家也該一起響應。沒道理我們的孩子只能聽外國人講故事，基於這個理念，兒童文學作家王淑芬發起「童書作家講故事」，由王淑芬開跑，劉清彥、米雅、嚴淑女、王文華、林世仁、劉思源、顏志豪、貓小小、陳素宜、陳玉金、亞平、陳沛慈、李光福、花格子、賴曉珍、陳景聰、廖炳焜、陳榕

笙、李明足、kiki（張素卿）、張嘉驊、林秀穗、周見信、黃郁欽、陶樂蒂、吳易蓁、游珮芸、林哲璋、岑澎維等共三十位響應，接力完成在臉書講故事的行動。

7.1 　林哲璋的童話《神奇掃帚出租中》翻譯成斯洛伐克語，在捷克、斯洛伐克等國家出版發行。

7.15 　林佑儒的〈梅樹上的流星〉獲教育部「文藝創作獎」教師組童話類特優。

7.18 　偶偶偶劇團於臺南南紡購物中心演出《小兔子咪咪》。

7 　臺南市文化局舉辦「2020 臺南臺語月」（7 月），在四大藝文場域推出二十場活動，帶領民眾體會生活臺語的趣味。其中「海水鹹鹹——兒童臺語歌劇」7 月 11 日於吳園戶外劇場、7 月 18 日於總爺藝文中心演出；「小王子——兒童臺語讀劇」7 月 11 日於蕭壠文化園區戶外劇場、7 月 18 日於總爺藝文中心舞台廣場演出。

8.10 　為提升學生的閱讀理解力，扎根學力基礎，臺南市教育局正式啟動由幼兒到高中（K-12 年級）的閱讀理解平台：「布可星球」（https://read.tn.edu.tw/）。平台以創意遊戲的概念打造，學生透過閱讀每本精選的圖書並通過素養評量，即可挖掘布可能量並拯救布可星球，閱讀越多，個人的能量等級也會越高，讓閱讀變得好玩、有挑戰性、又有吸引力。

8.15 　偶偶偶劇團於臺江埕廣場演出《十二生肖得第一》。

8.17 　愛學網路 Live 直播室「名人講堂」序幕由林哲璋登場暢談童話。

8.29-30 　影響・新劇場在斗六文化中心、新營文化中心演出兒童劇《旅行的耳朵》。

9.12 　高雄臺鋁書屋舉辦「閱讀素養小學堂」講座，由岑澎維主講「用神話故事、成語小劇場打造語文素養力」。

9.18 　臺南市政府環保局舉辦的第一屆「環境教育繪本」創作比賽，在臺南文化產業園區舉行頒獎典禮，參賽作品 27 件。獲獎者第一名吳麗華〈小黑皮回家〉，第二名蔡清美〈琵黑找貝殼去〉，第三名張簡駿凱〈有趣的鳥爺爺〉，另佳作王羽萱〈北門黑腹燕鷗樂遊臺南〉等四名。

10	玉山社出版幸佳慧的《新說台灣民間故事──虎姑婆》（圖／潘家欣）。
11.14-15	影響‧新劇場在國立臺灣史前文化博物館南科考古館演出兒童劇《小考古大任務》。
11.22	偶偶偶劇團於臺南南紡購物中心演出《托托的音樂盒》。
12.19	臺南吾家書店舉辦「閱讀自然」系列講座，邀請陳素宜主講「故事後面的故事──談生態童話創作」。（該項活動為文化部支持實體書店活動）

2021	2.13	偶偶偶劇團於總爺藝文中心演出《花花森林的大麻煩》。
	6.7	因應疫情，臺南市文化局特別錄製「阿哲陪你帶小孩：線上故事屋」聯播平台，陪孩子在家學習，也能啟發豐富感受能力。新營文化中心「袋鼠媽媽故事團」臨危受命參與錄製，選讀文化局及青林國際合作出版的「南瀛之美圖畫書」系列，包括《少年西拉雅》、《曾文溪的故事》、《我家在下營》、《西港燒王船》和《憨番的祕密》等，共拍攝十六支影片。「線上故事屋」每周一至五每天下午 5 時於「藝遊臺南」FB 粉專首播，同步串聯南市有線電視第三公用頻道，並於「臺南藝文吧」YouTube 頻道重播。
	6	「2021 臺南文學季」啟動（6 月～11 月），以「宅南好日」為題，文化局與葉石濤文學紀念館合作，針對兒童與青少年舉辦「2021 葉石濤兒童與青少年寫作營」。兒童、青少年寫作營分別以「肚子裡的文學之蟲」、「文學是地上之鹽」為主題，並各舉辦四場講座。兒童寫作營──7 月 15 日張懿範主講「蝸牛往上爬」，以錄製影片的方式，教導兒童動手做遊戲；8 月 4 日粘忘凡主講「人人都是故事家」，分享自己的創作過程；8 月 18 日孫心瑜主講「繪本裡的旅行家」，分享自己從事美術及設計等相關工作的心路歷程；9 月 1 日陳又凌主講「彩繪獨一無二的世界」，以自己創作的《臺灣地圖》、《臺灣最美的地方：國家公園地圖》為例，說明自己對臺灣這塊土地的觀察與創作過程。青少年寫作營──7 月 28 葉覓覓主講「面向靈魂的療癒書寫」；8 月 11 日陳繁齊主講「傾聽文字的聲音」，認為寫作技巧的精進，主要透過吸收與記錄；8 月 25 日楊隸亞主講「十二星座與文學物語」，將創作者連結星座，探究

作品特質與星座的關係；9月8日蔣亞妮主講「寫你都在寫我」，探問散文的地位與小説的差別。由於疫情的關係，本年度文學季活動都以線上直播方式進行。

11.12	偶偶偶劇團於臺南市青山國小舉辦「穿梭偶世界」戲偶講座。
11.12	偶偶偶劇團於臺南市山上國小舉辦「穿梭偶世界」戲偶講座。
11.13	偶偶偶劇團於大內青果市場演出《花花森林的大麻煩》。
11.14	偶偶偶劇團於龍崎區民活動中心前廣場演出《花花森林的大麻煩》。
本年	第十一屆「臺南文學獎」得獎名單公布，兒童文學類獲獎作品5篇（首獎、優等各一、佳作三名）。

2022	2.24~4.24	臺南市美術館1館展出「幻。畫：繪本的奇藝世界」。本展覽與讀者一起探索繪本的發展及其圖文背後的奧妙，展覽一共分為三個子題：I「插畫黃金時期」、II「繪本的前世今生」、III「漫遊華文繪本」。透過不同主題的範例和演變脈絡，讓觀者了解繪本的形成演變及對臺灣視覺文化與插畫產業的影響。
	3	成大台文系邀請陳金花老師開授「臺語繪本欣賞與創作」課程。
	3	王淑芬〈君偉的迷宮小學〉獲九歌民一一○「年度童話獎」。
	4.9	臺南文化創意產業園區「AR沉浸式繪本親子手作互動體驗故事屋」開幕。該故事屋為協助親子建立優質關係而創設，是臺南目前唯一運用AR科技將故事繪本變成動態的玩偶表演，魔幻般的親子體驗活動。由時光門創意影像文化公司協助AR繪本製作。活動分為遊戲類、繪本導讀、創作類等。
	4.23	九歌兒童劇團推出2022《小安的奇幻壁紙之旅》兒童劇，首演安排在臺南文化中心原生劇場演出。該劇為與九歌兒童劇團長期國際交流合作的奧地利特利布利特劇團（Trittbrettl）作品。
	6.22	臺南市立圖書館於疫情期間推出的「阿哲陪你帶小孩——線上故事屋」，入選美國圖書館協會（ALA）「世界圖書館2022年最佳實踐」案例。活動照片刊載於美國圖書館協會網站展示櫥窗，向全球展示臺南市圖書館在後疫情世界中的創新服務。臺灣共有國家圖書館及新北、新竹、苗栗、臺中、臺南、臺東等六縣市公共圖書館獲選。

7.9	臺南市圖新總館「大師講堂」邀請陳致元演講「繪本帶我去旅行」。
8.26	如果兒童劇團的經典童話劇《布萊梅樂隊》，26 日在鹽水區鹽水武廟、27 日在北門區蚵寮王船閣廣場演出，最終場 9 月 25 日，在六甲區七甲龍湖聯合活動中心演出。
10	臺南市教育局出版《使用布可星球的 100 種方法》專刊，內容蒐羅了兩年多來學生、教師、家長使用布可星球的各種「撇步」。每校發放一本，期待透過這本專刊，讓更多的大、小朋友愛上閱讀，持續轉動布可星球，讓閱讀成為一種生活習慣。
11.5	豆子劇團在北門區演出《好鼻師》。
11.6	紙風車劇團在佳里體育公園演出《武松愛老虎》；豆子劇團在東山路外停車場演出《好鼻師》。
11.12	如果兒童劇團在楠西北極殿演出《愛漂亮的烏鴉》。
11.13	如果兒童劇團在龍崎文衡殿演出《愛漂亮的烏鴉》。
11.26	九歌兒童劇團在文化中心演出年度公演《彩虹魚》。

附錄二：南瀛、府城、臺南文學獎兒童文學類組得獎者名錄暨其獲獎作品資料匯總表

洪文瓊 整理

一、南瀛文學獎兒童文學類

- 南瀛文學獎於 1993 ～ 2010 每年舉辦 1 次，共 18 屆。第 2、4 屆新人獎有頒給「兒童文學」類；自第 9 屆起，每屆創作獎都有「兒童文學」類；以及第 14 ～ 17 屆劇本獎得獎作品也有兒童戲劇。

- 資料來源 1：臺南市政府文化局／主題活動／臺南文學獎／歷屆得獎名單
  https://culture.tainan.gov.tw/form/index?Parser=28,6,110,45,,,,5
  下載日期：2021.4.8

- 資料來源 2：第 2、4 屆得獎作品出版專書、第 9 ～ 18 屆得獎作品專輯。

屆別／年度／徵獎文類	獎 別	得獎者（筆名）	獲獎作品名稱／作品類屬	獲獎者出生暨臺南情緣背景資料
2/1994/兒童文學類	新人獎	李慶章	給我們一盞燈／童詩	1960 年生，臺南永康人。臺南師院語教系畢業。（南化）玉山國小教導主任。
4/1996/兒童文學類	新人獎	陳義男（羊我）	想念的季節／童詩	1954 年生，臺南七股人。臺南師專、成功大學中文系、（麻豆）致遠管理學院教育研究所畢業。（將軍）鯤鯓國小校長。
9/2001/故事、童話、寓言	第一名	張溪南	失落的溪畔／(生活)故事	1962 生，臺南白河人。（鹽水）竹埔國小教師。
	第二名	侯浩生	嗚啦族與滴答王國／童話	1966 年生於嘉義東石。（鹽水）南榮技術學院電子系教師。
	佳作	謝瓊儀	來自天國的一封信／童話	1980 年生於臺南永康。（時為臺中師院語教系四年級。）
	佳作	費啟宇	我愛邏發尼耀／(歷史)故事	1961 年生於臺南市。
	佳作	楊隆吉	消波塊與荷包蛋／童話	1973 年生，臺南後壁人。

屆別 / 年度 / 徵獎文類	獎別	得獎者（筆名）	獲獎作品名稱 / 作品類屬	獲獎者出生暨臺南情緣背景資料
10/2002/ 故事、童話、寓言	第一名	陳榕笙	小延的金銀島 /（生活）故事	1979 年生，臺南佳里人。
	第二名	林哲璋	善化阿嬤 /（生活）故事	1972 年生，臺南善化人（生於善化，居高雄路竹）。
	佳作	歐嬌慧	小海龜回家 /（生態保育）故事	1965 年生，高雄梓官人。
	佳作	范富玲（姜子安）	死了一隻白鳥之後 / 童話	1962 年生於新竹縣，居高雄小港。
	佳作	楊寶山	最糗的一天 /（生活）故事	
11/2003/ 童詩 5 首、故事、童話、寓言	第一名	廖炳焜	請聽偶說 / 童話（布袋戲）	1961 年生於臺南後壁。臺南師院畢業。（仁德）文賢國小教師。
	第二名	吳國源	八臉姑 / 童詩	1968 年生，臺中縣人。
	佳作	岑澎維	阿婆愛我 / 童話	1963 年生於澎湖縣。（長居臺南）
	佳作	李儀婷	黑皮蝸牛的疑惑 / 童話	1975 年生，臺中縣人。（時就讀東華大學創作與英語文學研究所。）
	佳作	張麗娥（鵝奶奶）	瓦拉吉野的第八道刺青 /（原民）故事	1957 年生，臺南市人。
12/2004/ 童詩詩集 20 首（其中 1 首 20 行以上）、故事、童話、寓言	首獎	林佑儒	小樹的日記 / 童話	1970 年生，臺南縣人（生於高雄，長住臺南）。南市協進國小教師，臺南大學語教系兒童文學兼任講師。
	優等	廖炳焜	雪花飛舞的季節 / 童話	1961 年生於臺南後壁。臺南師院畢業。（仁德）文賢國小教師，臺南大學兼任講師。
	佳作	毛香懿	只給好朋友聽的歌 / 童話	1973 年生於臺南縣。（善化）大成國小教師。（時就讀中正大學中文研究所。）

屆別/年度/徵獎文類	獎 別	得獎者（筆名）	獲獎作品名稱/作品類屬	獲獎者出生暨臺南情緣背景資料
	佳作	吳永清	竹林裡的風聲/（生活）故事	1978 年生，嘉義民雄人。（鹽水）仁光國小教師兼教務組長。
	佳作	林哲璋	書本鎮裡有個文字村/（生活）故事	1972 年生，臺南善化人（生於善化，居高雄路竹）。（時就讀臺東大學兒童文學研究所碩士班）
13/2005/童詩詩集 10 首（其中 1 首 20 行以上）、故事、童話、寓言	首獎	吳念融	野兵營/散文	1952 年生，臺南鹽水人。成功大學中文系畢業。
	優等	李智賢	我只是愛「笑」/（生活）故事	1971 年生，臺南縣人。曾任山上國小教師，（南化）玉山國小教師兼主任。
	佳作	陳義男（羊我）	田園的詩/童詩（臺語）	1954 年生，臺南七股人。臺南師專、成功大學中文系、（麻豆）致遠管理學院教育研究所畢業。（將軍）鯤鯓國小校長。
	佳作	廖炳焜	跳舞吧！奶奶/（生活）故事	1961 年生於臺南後壁。臺南師院畢業。（仁德）文賢國小教師，臺南大學兼任講師。
	佳作	陳金玉（陳綾）	再多看一眼/童詩	1952 年生，屏東縣人。南縣國小教師，南市華聲文教機構教學部督導。
14/2006/童詩詩集 10 首（其中 1 首 20 行以上）、故事、童話、寓言	首獎	吳念融	想念鴨子/散文	1952 年生，臺南鹽水人。成功大學中文系畢業。
	優等	洪慧娟	小天使鉛筆/（生活）故事	1974 年生，臺南人。
	佳作	王曉婷	愛麗絲夢遊「鮮」境/童詩	1977 年生，臺南市人。臺南女子技術學院視覺傳達科畢業。
	佳作	陳文森	傑傑的隱藏術/童話	1968 年生於臺南縣。
	佳作	許榮哲	跳火人/小說	1974 年生，臺南下營人。
14/2006/劇本	--	從缺		

屆別 / 年度 / 徵獎文類	獎 別	得獎者（筆名）	獲獎作品名稱 / 作品類屬	獲獎者出生暨臺南情緣背景資料
15/2007/童詩詩集 10 首（其中 1 首 20 行以上）、故事、童話、寓言	首獎	姜天陸	收驚阿媽 / 童話	1962 年生，臺南下營人。
	優等	陳啟淦	微笑的月亮 / 童話	1955 生，本籍雲林縣，生於臺南鹽水，居高雄三民。臺鐵臺南站副站長。
	佳作	陳思敏	遠方 /（生活）故事	1976 年生於臺南玉井。臺南大學國小師資班結業。南市國小教師。
	佳作	吳新欽	SK102 －黑蝴蝶仙子的美白密碼 / 童話	1965 年生，臺南縣人。
	佳作	楊隆吉	蜜蕃薯 / 童話	1973 年生，臺南後壁人。
15/2007/劇本	評審推薦獎	王怡祺	月世界冒險記 / 兒童劇	1971 年生，臺南人（生於臺南，居臺北）。
16/2008/童詩詩集 10 首（其中 1 首 20 行以上）、故事、童話、寓言	首獎	王貞君	琵琶癢起來了！/ 童詩	1961 年生，臺南縣人。南市立民族管絃樂團企畫文宣。
	優等	林淑芬	土雞危機事件 / 童話	1967 年生於臺南後壁。（新營）新泰國小教師。
	佳作	蔡麗雲（蘇善）	公園繞一圈 / 童詩	
	佳作	吳源戊	蝴蝶、麻雀 —— 一家人 /（生活）故事	1961 年生於臺南縣。
	佳作	林芳妃（安石榴）	最美麗的網 / 童話	1969 年生，臺南市人。
16/2008/劇本	優等	王俍凱	黑琵 GO、Happy Go/ 兒童劇	1966 年生，本籍臺南市。
	佳作	陳韋任	我的靈媒媽媽 / 兒童劇	本籍屏東縣。
	佳作	范富玲（姜子安）	荷花村的喜事，開麥啦！/ 兒童劇	1962 年生於新竹縣，居高雄小港。
	佳作	廖宜貞	南瀛情懷 / 兒童劇	1968 年生於臺北。

三、臺南文學獎兒童文學類

- 臺南文學獎自 2011 年起，每年舉辦 1 次迄今。第 4 屆起徵件分為一般／成人組、青少年組，「兒童文學」類屬一般／成人組。自第 2 屆起徵件開始設有「兒童文學」類，每年徵獎，第 5 屆以後改為隔年徵獎。
- 資料來源 1：臺南市政府文化局／主題活動／臺南文學獎／歷屆得獎名單
  https://culture.tainan.gov.tw/form/index?Parser=28,6,110,45,,,,,5
  下載日期：2021.12.20
- 資料來源 2：第 2～5、7、9、11 屆得獎作品集。

屆別／年度／徵獎文類	獎 別	得獎者（筆名）	獲獎作品名稱／作品類屬	獲獎者出生暨臺南情緣背景資料
2/2012/故事、童話、寓言（華語）	首獎	洪淑惠	小女王餅乾／童話	
	優等	蔡長明	木魚流浪記／童話	1971 年生，本籍臺南市。時就讀臺南大學視覺藝術碩士班。
	佳作	劉碧玲	尋蛋啟示／童話	1960 年生於雲林縣。
	佳作	王俍凱	女王何貝貝／童話	1966 年生，本籍臺南市。
	佳作	翁心怡	魔術師的紅皮箱／童話	1971 年生，本籍高雄。臺南師院語教系畢業。時就讀臺南大學國語文教學碩士班。
3/2013/童話（華語）	首獎	邱建樺	呼嚕呼嚕	1991 年生，本籍高雄。時就讀成功大學中文系。
	優等	從缺		
	佳作	連泰宗	搶救蝌蚪行動	1965 年生，臺南柳營人。南市國小教師。
	佳作	劉碧玲	阿圖和他的新車	1960 年生於雲林縣。
	佳作	翁心怡	北風與男孩	1971 年生，本籍高雄。臺南師院語教系畢業。時就讀臺南大學國語文教學碩士班。
	佳作	曾昭榕	年獸的聖誕節	1979 年生，南投人。成功大學中文碩士班畢業。
	佳作	王宇清	小茶館憶難忘	1978 年生，本籍臺南東山。

屆別／年度／徵獎文類	獎別	得獎者（筆名）	獲獎作品名稱／作品類屬	獲獎者出生暨臺南情緣背景資料
4/2014/童話（華語）	首獎	王昭偉	劍獅的超級任務	1977 年生，本籍臺南市。
	優等	蔡心怡	請問，可以搭公車嗎？	居住臺南。
	佳作	陳啟淦	稻草人卡卡	1955 生，本籍雲林縣，生於臺南鹽水，居高雄三民。臺鐵臺南站副站長。
	佳作	陸昕慈	海神宮殿	1981 年生於臺南。臺南大學文化與自然資源學系臺灣文化碩士班畢業。（安南）康寧大學時尚造型設計系講師。
	佳作	游書珣	老屋	1982 年生於桃園。（與張英珉是夫妻檔）
5/2015/童話（華語）	首獎	李慶章	千里眼與順風耳	1960 年生，臺南永康人。臺南師院語教系畢業。臺南大學國民教育研究所結業。
	優等	王怡祺	諾鹽	1971 年生，臺南人（生於臺南，居臺北）。
	佳作	張英珉	小年和阿褪	1980 年生，本籍桃園。（永康）崑山科技大學視覺傳達設計系畢業。（與游書珣為夫妻檔）
	佳作	邱靖巧（尚靖）	斑馬兔	1981 年生，臺南人。兼職（永康）永明動物醫院獸醫師。
	佳作	陳愫儀	門神找家人	生於臺北，居臺南。
7/2017/童話（華語）	首獎	張英珉	霹靂啪啦碰乒碰	1980 年生，本籍桃園。（永康）崑山科技大學視覺傳達設計系畢業。（與游書珣為夫妻檔）
	優等	劉恩豪	怕冷的邯鄲爺	
	佳作	游書珣	鬍鬚店	1982 年生於桃園。（與張英珉為夫妻檔）
	佳作	魏崇益	年獸要來了	臺南人。

屆別 / 年度 / 徵獎文類	獎 別	得獎者 （筆名）	獲獎作品名稱 / 作品類屬	獲獎者出生 暨臺南情緣背景資料
	佳作	陳韻帆	瘟神討厭的小蛋糕 —— 鼠麴粿	生於七星山腳下盛產桶柑的 村莊，婚後移居曾文溪畔。
9/2019/ 童話（華語）	首獎	陳正恩	老劍獅與流浪狗	屏東縣林邊鄉人，定居臺南市。
	優等	陳榕笙	夜奔	1979 年生，臺南人。（佳里） 台灣文學創作者協會秘書長。
	佳作	陳啟淦	最特別的禮物	1955 生，本籍雲林縣，生於 臺南鹽水，居高雄三民。臺 鐵臺南站副站長。
	佳作	黃脩紋	漂亮的小蜘蛛	生於高雄，長於鳳山，居臺南。
	佳作	劉碧玲	回家	1960 年生於雲林縣。
11/2021/ 兒童文學 （華語）	首獎	楊寶山	分享破布子	1961 年生於臺南楠西。
	優等	翁心怡	第九百九十九	1971 年生，本籍高雄。臺南 師院語教系畢業，臺南大學 國語文教學碩士。
	佳作	黃淑萍	啟程吧！航向天之邊	1975 年（生於高雄，居臺北， 祖父母臺南縣人）。
	佳作	陳新添 （陳林）	奇妙的大自然	屏東林邊人。臺南一中、成 功大學畢業。
	佳作	劉碧玲	香貝與香殼	1960 年生於雲林縣。
匯 總 小 統 計	獲獎 2 次以上者： 劉碧玲 4(2，3，9，11)；翁心怡 3(2，3，11)； 游書珣 2(4，7)；陳啟淦 2(4，9)；張英珉 2(5，7)。			

附錄三：《小麻雀》、《小黑琵》兒童文學創作專輯 教師組徵文類別匯總表

洪文瓊 整理

資料來源：《小麻雀》第1~24輯（1987~2010）、《小黑琵》第1~12輯（2011~2022）

徵文類別	《小麻雀》刊出輯別	《小黑琵》刊出輯別
兒 歌 （兒歌唸謠）	17，18，19，21，22，23，24	1，2，3，<u>11</u>
童 詩	1(含參與研習作品)，5，6，7，12，13，14，15，16，17，18，19，20，22，23，24	1，2，3，4，5，6，7，8，9，10，11，12
童詩童畫	8，9，10，11	
童 話	1，4(含參與研習作品)，5，6，9，11，20	4，5，6，7
創意作文 （童話改編）	14，15，16	
寓 言 （<u>寓言故事</u>）	13，14，15，16	<u>8</u>
少年小說	2，7，10，21	
兒童劇本	3	
散 文	8，12	
校園故事 （<u>校園生活</u>）		1，2，3，4，6，7，<u>9</u>
家鄉行腳		1，2
寫我家鄉	17，18，19，20，21，22	
臺南采風		3，4
與家鄉有約		5
南瀛行腳	23，24	
小黑琵十年回顧分享		10
匯 總 小 統 計	童詩：20輯(4輯為童詩童畫)； 童話：10輯(3輯為童話改編)； 寫我家鄉／南瀛行腳：8輯； 兒歌：7輯；寓言：4輯； 少年小說：4輯；散文：2輯； 兒童劇本：1輯。	童詩：12輯； 校園故事／校園生活：7輯； 家鄉行腳/臺南采風/與家鄉有約：5輯； 兒歌／唸謠：4輯； 童話：4輯；寓言故事：1輯； 十年回顧分享：1輯。

附錄四：榮獲全國性兒文創作獎臺南兒文作家暨其獲獎別匯總表

洪文瓊 整理

- **資料來源：**以全國性兒文獎最具聲望與歷史性的「洪建全兒童文學創作獎」、「臺灣省兒童文學創作獎」、「信誼幼兒文學獎」、「九歌現代少兒文學獎」、「國語日報兒童文學牧笛獎」、「陳國政兒童文學獎」，共六種，外加「九歌年度童話選」（自民92年起迄今未中斷，且每年頒發一名年度童話獎）為依據。

- **欄目暨標示方式：**共分「作家姓名」和各兒文獎「獎名、獎項、屆次、獎別」兩大欄。**作家姓名欄**以本名標示，如常以筆名發表作品者以括號加附筆名。作家排序依本名筆畫多寡排序，少者居前。另女性作家姓名以楷體標示。現職或曾任職小學教師者，姓名後方加標 t；臺東大學兒童文學研究所碩士或博士畢業／就讀中者加標 c。各兒文獎**「獎名、獎項、屆次、獎別」**欄則以獎別區分為五小欄——首獎／年度獎／第一名；優等／第二、三名；佳作；入選；推薦獎／特別獎／榮譽獎。欄內各兒文獎獎名、獎項均以代字簡稱標示，獎項代字縮小以示區隔。屆次均以阿拉伯數字表示，唯九歌年度童話選，係採用民國紀年，仍沿用民國紀年表示。獎項是指該兒文獎的徵文類別，兒童詩歌以「詩」、童話以「童」（包括九歌年度童話選）、圖畫故事／圖畫書以「圖」、少年小說以「少」、散文以「散」、圖畫書文字創作類以「圖文」標示。例如：

  洪 詩1、少3 表示洪建全兒文創作獎第 1 屆兒童詩歌類、第 3 屆少年小說類；

  臺 童2、少8 表示臺灣省兒文創作獎第 2 屆童話類、第 8 屆少年小說類；

  信 圖文3、圖5 表示信誼幼兒文學獎第 3 屆文字創作類、第 5 屆圖畫書創作類；

  牧 圖7、童3 表示國語日報牧笛獎第 7 屆圖畫書創作類、第 3 屆童話類；

  陳 圖2、散8 表示陳國政兒童文學獎第 2 屆圖畫故事類、第 8 屆散文類；

  九 少24、28 表示九歌少兒文學獎第 24、28 屆少年小說類；

  九 童入96、九 童年107 表示民96九歌年度童話選入選、107 年度童話選年度獎。

* 獲圖畫故事／圖畫書創作獎者，須是文圖同一人的道地圖畫書作家，才予列入。例如張清榮在第 2 屆洪建全兒文創作獎圖畫故事組獲獎，孫晴峰、蘇振明分別在第 1、4 屆信誼幼兒文學獎圖畫書創作組獲獎，因都只是文字文本作者，故不予列入。又例如周見信與郭乃文在第 24、28 屆信誼幼兒文學獎圖畫書創作組獲獎，皆是兩人合著，同樣也不予列入。

作家姓名 （筆名）	獎名、獎項、屆次、獎別				
	首獎 / 年度獎 / 第一名	優等 / 第二、三名	佳 作	入 選	推薦獎 / 特別獎 / 榮譽獎
王宇清 c	九童年107		牧童13、15	九童入99、100、 103、104、108	九少20
王昭偉	牧童15			九童入103、105、 106、111	
王俍凱					九少12、29
王夏珍		牧童13	牧童5		
王淑芬 t	信圖文9， 九童年110	洪童18	臺少3、4， 牧童2	九童入100	
毛威麟 tc	臺童1、10		洪少8、童9， 臺少3	臺少8、12	九少12
李光福 t			臺童13	臺少8，九童入103	九少24、25、 29
李慶章 t			臺童6	臺童9	
吳國源 t				臺童10	
吳源戊 t	陳詩3		陳詩2、散5、6		
岑澎維 tc	陳散8	牧童8	牧童5	九童入92、96、98、 103、104、105、 106、109、110	
幸佳慧		陳散7			
林秀娟				儿童入98	
林佑儒 tc	九少11 （文建會特別獎）				
林芳妃 c （安石榴）	信圖16	牧童7、10		九童入97	信圖21
林哲璋 c	九童年100	牧童4	牧童1	九童入93、95、99、 102、104、107、 109、110、111	
林倩誼			信圖34		
林淑芬 t			牧童1，陳散9	臺童10、14	陳散7（新人獎）
林慧瑜				九童入97	

作家姓名（筆名）	獎名、獎項、屆次、獎別				
	首獎/年度獎/第一名	優等/第二、三名	佳作	入選	推薦獎/特別獎/榮譽獎
邱靖巧	九少22			九童入109	九少26、27
姜天陸 tc				九童入96、109	九少12
施世隆			臺少4		
侯維玲	九少8，牧童3，陳散6		信圖文12	九童入93、94、97	
夏慧珍 t			臺少3		
徐士欽 t		洪詩15	洪詩4	洪詩6	
翁心怡 t			牧童11	九童入102、110	九少23
孫藝泉 c（子魚）	九童年102		信圖文13	九童入98、99、101、106	
梁雅雯 tc					九少11
許幸萱 tc（胡椒鹽）				九童入96	
許庭瑋			牧童20		
許榮哲			牧童4		
郭璧如				信圖20	
莊姿萍			牧圖3		
張郅忻					九少30
張英珉	九少24、28	牧童14、15		九童入98、102、103、109	九少19、20、22
張振明			信圖文5		
張清榮 t	洪詩3				
陳文森 tc				九童入95	
陳玉珠 t	洪詩3、5、少4		洪圖3、少10、13、童12	臺童10、少12	
陳正恩 t	臺童9				
陳志和 t				九童入98、100、102、105	

作家姓名 （筆名）	獎名、獎項、屆次、獎別				
	首獎／年度獎／ 第一名	優等／ 第二、三名	佳 作	入 選	推薦獎／特別獎 ／榮譽獎
陳佳秀 c （花格子）	九少23			臺少12，九童入93	九少16
陳素燕		九少2			
陳啟淦	洪童14		洪少1、童11， 臺少4、童5、6	臺童10、14， 九童入109	
陳新添 （陳林）					九少17
陳憬儀		九少6			
陳榮宗			信圖7、8		
陳榕笙					九少18、19
陳肇宜	洪少8	臺少4	臺少3，九少9		
馮治琲			牧圖4		
馮湘婷 t				九童入102	
曾家麒				九童入94	
黃淑萍			牧童13、18	九童入111	
黃培欽 tc				九童入103、105	
黃脩紋				九童入108	九少30
黃貴蘭 t			陳詩1		
楊春城 t			臺童1		
楊隆吉 tc	九童年94			臺童13，九童入 92、93、95、96、 97、98、99、100、 101、102、103、 106	
楊寶山 tc			臺童5	臺童9	
葉翠雯 t				九童入104	

作家姓名（筆名）	獎名、獎項、屆次、獎別				
	首獎／年度獎／第一名	優等／第二、三名	佳作	入選	推薦獎／特別獎／榮譽獎
廖炳焜 tc		臺少12、童13	臺少11	臺童9、10、14	
潘美慧				九童入96	
鄭文山 t	洪詩14				
蔡秉諺 t				九童入104	
劉玉玲 t		陳童1	牧童10、圖5		
劉如桂			信圖19、20、23，牧圖7		
劉雅惠 t		臺童1			
劉臺痕		九少1	九少3、6		
謝武彰	洪詩1			洪詩6	洪詩7
嚴淑女 c		陳圖1、散9	陳散8	九童入103、104、106	
匯總小統計	共 70 位作家：男 34，女 36； 　　　　　具小學老師背景 32 位；臺東大學兒文所畢業 17 位。 獲獎類別：九歌年度童話選入入選共 80 人次，年度獎共 5 人次。 　　　　童話一共 51 人次　　　　少年小說一共 54 人次 　　　　圖畫書一共 15 人次　　　　圖畫書文字創作一共 4 人次 　　　　兒童詩歌一共 13 人次　　　散文一共 9 人次 獲獎強度：個人獲獎次數－10 次以上 4 位；5-9 次 13 位；3-4 次 13 位。 　　　　獲首獎總人次 29－少年小說 8，兒童詩歌 6，散文 2， 　　　　　　　　童話 6，九歌年度童話獎 5， 　　　　　　　　圖畫書 1，圖畫書文字創作 1。				

◆趙慶華、林培雅

第一章

導論

第一節　民間文學的特徵與價值

　　民間文學（Folk Literature）是由民間百姓用口語集體創作而成，並透過口耳相傳的方式流傳下來，故又稱為「口傳文學」、「口述文學」等，與作家文學藉由文字來創作、表達及流傳有明顯的差異。民間文學同時也是民眾日常生活的一部分，因此它反映出民眾的生活面貌、風俗習慣等等，也表現出民眾的情感與認知，是民間文化的一分子。

　　民間文學早在文字尚未發明的年代即已存在，先民們會將他們對於宇宙自然的感知、生命起源的思考、族群創生由來的想像與解釋等等，以口耳相傳的方式，代代相傳、累積，形塑成他們的信仰、習俗與生活秩序等等，成為重要的文化傳統，同時也藉此促進族群自我的認同，因此民間文學蘊藏著深刻的文化、歷史、民俗、社會意涵。其次，當文字發明之後，即便是已經使用文字的民族，在過去教育不普及的年代，大多數的百姓皆不識字，他們無法運用文字進行文學創作與書寫，但會透過口語的使用，來記錄風俗習慣、表達情感與感受、傳達人生思考與哲理、傳承自身群體的故事、承載族群的思想與記憶等等，這些用語言所創作、流傳的文本，同樣屬於「民間文學」的範疇，與同時期以文字創作的「作家文學」構成對比而又互補的存在，二者相互參照、交織、滋潤，使文學得到更豐沛多元的發展。

　　從民間孳生、流傳的民間文學，蘊藏豐富的庶民文化，包含民俗、宗教、語言、歷史、地理等等內容，是本土文化的重要載體，也因此當我們嘗試建構一部「臺南文學史」，希望完整呈現臺南文學數百年來的流變，並在其中挖掘出臺南獨特的在地風貌與文化質素時，勢必得從這條長河的源頭「民間文學」出發。

進入民間文學的世界時，首先需理解民間文學異於作家文學的特徵，如此才能真正去欣賞、理解、感受。民間文學使用口語創作，其用語遣詞多半淺白易懂、琅琅上口；作家文學使用文字創作，講究字斟句酌，使用許多文學技巧，較為艱深難懂。民間文學同時又透過口頭語言進行傳播，且大部分作品都保存在民眾的口頭上，因此具有「口頭性」的特徵。

　　其次，作家文學使用文字將作品定型，發表之後會產生定本一直流傳下去；民間文學使用口語，語言是流動的，靠記憶將其記錄下來，然而人的記憶無法百分之百精準，聽聞之後的轉述，難免有所遺漏、變更，尤其是篇幅較長的文本，更不可能照本宣科地重述，再加上講述者個人特質的差異、不同的時空背景與環境條件等等的影響，都可能使得民間文學在流傳轉述的過程中產生若干變化，因而民間文學具有「變異性」的特徵，沒有定本的概念；也就是說，民間文學不像作家文學有固定、不容更改的版本，相反地它允許有許多不同的版本，且隨著流傳的範圍越廣、時間越長、講唱的人越多，出現更多不同版本的機會也會隨之升高。然而在變異中仍有不變之處，例如故事的主軸、架構、重要情節等，這些構成故事的重要元素通常差異不大，而故事中的細節、情節的繁簡、人物的多寡與形塑等等則可能有所差異；歌謠、俗諺語由於形式較穩定、便於記憶，因此變異性較故事小。

　　再者，作家文學強調獨創性，因此作者是誰十分重要；然而民間文學具有「集體性」，它沒有作者的概念，因為作品不是由某一個人獨力完成的，而是由民眾集體創作而成。即使最初是由某人單獨創造出來的作品，但只要一經流傳，任何人都可以自由地按照自己的感受、想像給予加工、潤色，甚至進行改造，因此人人都可以是創作者，民間文學很自然地便歸屬於集體。不僅如此，創作主體（講述者）、欣賞客體（聽眾）之間的位

置常常是可以調換的，當聆聽別人講唱時是聽眾，一旦由自己講唱給別人聽時便成為創作者。因此民間文學絕非單一個人的創作成果，而是集結群體世代傳承，情感、思想與認知的結晶。

綜合上述，可知民間文學是由民間百姓用口語集體創作而成，並藉由口耳相傳的方式流傳下去。其講唱、傳播過程是動態的，每一次講唱，都可能是作品再創造的過程。即使用文字將其記錄下來編輯成冊，成為文獻永久保存，也只是呈現某個時間點的面貌而非全貌，因為只要在民間口頭流傳，民間文學仍會不斷變化，持續創作。由於民間文學的創作是動態、持續性的，因此其創作時間無法如同作家文學般，以定稿完成的時間點做為依據，例如現代採錄所得的作品，有些實已在民間流傳數百年，難以歸類為現代作品，這使得民間文學難以融入作家文學的分期、史觀、框架中，因此當民間文學放入臺南文學史中時，須與作家文學分開，獨立成為跨時的一章，如此才能清楚呈現其發展脈絡並凸顯其在地特色。

第二節　民間文學的範疇與分類

民間文學依據其形式、主題、內容和特性等等，可分為以下三大類：散文故事類；韻文歌謠類；諺語、謎語、歇後語類。茲將各文類簡述如下：

一、散文故事類

包括神話、傳說、民間故事、笑話。

（一）神話

指遠古時代人類透過想像與推理，對宇宙、天地、自然界、人類等由來，以及種種文化現象所產生的認知與作出的解釋，常常會賦予神聖性、神異性的思考，常用擬人的敘述方式表達，其中的人物大多具有超乎人類

的能力。神話是人類最早的口頭散文作品，主要保存在沒有文字的原始社會，其源起於初民依賴自然而生的信仰，也是人類想像力的極致創造。隨著人類文明的演進、科學的發展，以及對大自然的理解與支配能力不斷上升時，神話會因此逐漸消失在口傳文學中，然而它實已內化成文化的一部分，成為孕育文學再生產的沃土。

臺灣各族群中，以原住民保存最多，漢人的所剩無幾，臺南地區尚未發現採錄到漢人神話。

（二）傳說

指以存在於真實世界中的人、事、物為對象所發展出來的故事，要傳達某種信仰、神奇經驗、信息、知識等等，其內容有些無法被證實，但人們在講述時往往認為其中具有一定的真實性。傳說的內容十分豐富多樣、種類繁多，從古迄今源源不絕產生。有些傳說從神話演變而來，有些與神話相似也帶有神聖性，與神話相較，神話大多發生於遠古時期，傳說一般發生的時間較晚，其世界與現在的世界較為相近。傳說具有一定的事實基礎，故事中的某些人物或事物是真實的，多半可以考據，有些可見歷史記載，有些則是地方週知或既定事實等等。對於講述者與聽眾而言，有些傳說會被他們信以為真，例如宗教信仰傳說，其在宗教的傳佈與信仰的凝聚上往往發揮關鍵的功能。

傳說是臺南民間文學中數量最多、流傳最廣的文類，不僅種類繁多、內容包羅萬象，且不斷有新作產生，目前發展最為活躍。

（三）民間故事

相較於傳說有指出真實世界的人、事、物，民間故事通常沒有特定的地點、時間、人物，其地點沒有明確的指涉；時間是模糊、缺乏時代背景，總是以「從前……」帶過；人物名稱通常沒有完整的姓名，有的只有在綽

號中帶有名字，例如「水雞土」，有的則是只有綽號沒有名字，例如「戇（gōng，傻）囝婿」；講述時，無論是講述者或聽眾，都無法確定故事是真實或虛構的，因此相較於傳說，民間故事帶有較明顯的虛構特質。雖然如此，若撇開地點、時間、人物不論，民間故事所敘述的內容，往往真實反映出民間百姓的共同願望與情感、思想。其題材多樣，故事情節完整，常見於日常生活中，富有濃郁的生活氣息和地方色彩，可分為幻想、動物、生活、機智人物和寓言故事等等。原本是傳統農業社會閒暇時的消遣，不似傳說有那麼多功能，因此電子傳媒發達之後，其娛樂的功能很快就被電視戲劇節目取代，越來越少人講述。

（四）笑話

以製造趣味為首要目的，通常篇幅較為短小，甚至是可能不太成型的故事，數量也較少。其目的在於讓講述者與聽眾之間感到好笑，營造出各式的幽默感，其中還包括以性愛為主題的葷笑話（黃色笑話）。

二、韻文歌謠類

「歌」是由歌詞和曲調結合而成，具有明顯的音樂性；「謠」則是吟誦的唸詞，沒有音樂旋律。臺灣民間歌謠大多都可結合曲調詠唱，然而一般而言，在民間流傳時以吟誦居多。其最常見的形態為一句七字，四句組成一個單位，稱為「葩」（音 pha）。若描述的內容較多，可重複這樣的形式發展成篇幅較長的歌謠。就主題、功能或出現的場合而言，可分為兒歌、儀式歌謠、一般歌謠等等。

（一）兒歌

又稱童謠，種類繁多，有遊戲歌、顛倒歌、繞口令、催眠歌等等。歌詞簡短，大多少於七字，且形式較不整齊，詞意許多不合邏輯，以能押韻、琅琅上口為主要訴求。

（二）儀式歌謠

可分為祭典歌謠、訣術歌謠、節令歌謠、禮俗歌謠。祭典歌謠出現在祭典儀式中，往往具有神聖性，有些平日不可歌唱，只能在祭典儀式中歌唱，以免褻瀆神靈。其中特別值得注意的是原住民族的祭典歌謠，它不但是神話、傳說的重要載體，也是部落文化得以延續傳承的起點。在祭典歌謠中，可看到各部族搭配神話、傳說而運作的永續智慧，或是至今仍為族人們所遵守的通俗生活準則（禁忌、信仰、規矩等），同時也表現其對祖靈信仰的尊崇。祭典歌謠的文化內涵完整體現原住民族的生命哲學和生活態度，包含對生態體系的認知、宗教信仰的展現以及常民生活知識的再現。另一方面，祭典儀式具有維繫部落安全、倫理規範以及團結群體意識的功能，也展現其對山、海、土地的尊敬。

訣術歌謠是指被認為具有法術作用的民間歌訣與咒語，民間相信唸誦這類歌謠並進行相關儀式時，可以得到超自然的力量，發揮神奇的效果。例如〈收驚歌〉、〈斬皮蛇（帶狀泡疹）〉、〈止血咒〉、〈關三姑〉、〈關椅仔姑〉等等。這類歌謠有許多是人人可學可教，不須另行拜師的。

節令歌謠是指用年節、節氣、時令為創作主體，按照時間先後順序排列創作而成的歌謠，例如〈二十四節氣歌〉、〈正月正〉、〈初一早〉、〈普度謠〉等等。

禮俗歌謠是指在嬰兒收涎、週歲、成年禮、婚嫁、喪葬等等禮俗場合，以及宴會場合中唸唱的歌謠，大多含有祝賀、討好兆頭、祥瑞之意。例如結婚儀式流程與婚宴中常講的四句聯等等。

（三）一般歌謠

沒有特定用途，為成人所傳唱的歌謠都可歸類在此，包括生活歌謠、情歌、勞動歌、勸世歌、趣味歌、歷史傳說歌等等。

三、諺語、謎語、歇後語類

　　「諺語」是指言簡意賅、富含生命智慧或生活經驗的短語，以口語的形式在民間流傳，通俗易懂且具教育意義。有些諺語會以押韻或對仗的形式呈現，讓人們易懂易記並能琅琅上口。「謎語」是指以文字、事物為題，讓人根據字面敘述說出答案的隱語。「歇後語」帶有猜謎的特色，把真正想表達的意義隱藏起來，不直接明說。由兩部分組成，前面用幽默的話語呈現，猶如謎面，將意涵蘊藏在其中，讓聽眾去揣摩言外之意；後面像謎底，將要表達的意旨直接說出來，猶如公布答案。說的時候會先講前半段再暫停一下，讓聽眾去思考言外之意，之後再說出真正要表達的話，因為有停頓的動作，故稱為歇後語。

第三節　臺南民間文學的採錄與整理

　　民間文學是西方在近代從民俗學中獨立出來的學科，以口耳相傳的方式流傳，過去少見文獻記載。臺灣至日治時期才引進民間文學的概念，在此之前未見有自覺的採錄與整理，僅有在書寫臺灣民情風俗的軼史、雜錄中有零星記載，當時傳統文人「以一種娛樂性或觀察民俗習性的態度來看待民間文學」[1]。

　　日治時期臺灣民間文學的發展起源於日本人類學家鳥居龍藏、伊能嘉矩到臺灣採錄原住民神話、傳說，而止於 1945 年金關丈夫、國分直一採錄臺灣民俗。這段期間，民間文學工作最為臺灣文人關注的是三〇年代，臺灣文人賴和、黃得時、李獻璋等人接受到中國、日本引進西方的民間文學理論，開始蒐集、採錄、並且研究臺灣民間文學。[2]

1—蔡蕙如，《日治時期臺灣民間文學觀念與工作之研究》，成功大學中文系博士論文，2008年，頁1。
2—蔡蕙如，《日治時期臺灣民間文學觀念與工作之研究》，頁15。

從 1895 年開始，日本總督府為了解臺灣民情風俗，邀請日本學者調查記錄臺灣民俗，做為施政的參考，民間文學因此被採錄。而新文學工作者賴和等人，受到他族、異文化（日本文化、世界思潮）的衝擊，開始省視自我民族文化，急切尋找我族的定位，於是重新審視最貼近我族文化的民間文學，開始關切這塊領域，並著手進行採錄與整理。[3]此時期採錄成果豐碩，日本學者或臺灣文人，或在報章、雜誌、期刊發表採錄所得，或是出版專書，為臺灣民間文學留下重要紀錄，其中臺灣文人在漢人民間文學的採錄上著力最深，李獻璋收錄整理的《臺灣民間文學集》是集其大成之作。在這些成果中，有些發表在臺南的報章雜誌上，有些註明採錄或流傳的地點在臺南，保存不少臺南民間文學。

　　戰後學者、民俗學研究者與地方文史工作者，或基於學術研究，或出自興趣，或源自對在地文化的認同，或身負保存本土文化的使命等，在進行田野調查或研究時，皆曾將漢人民間文學的採錄附加於其中，然而在解嚴之前雖有幾本專書出現，但未出現如日治時期般有規模、集體性的採錄與整理。此時期臺南漢人民間文學散見於報章、《臺南文化》、《南瀛文獻》等期刊雜誌，及諸如吳新榮的《南臺灣採風錄》、《震瀛採訪錄》這類地方文史專著中。

　　解嚴後，漢人民間文學進入科學性的普查採錄時期，規模與成果都遠勝於日治時期。1992 年清華大學中文系教授胡萬川首先從臺中縣各鄉鎮開始，在臺灣各縣市推動民間文學的普查工作，由在地人士尋找當地擅長講唱民間文學的耆老，將其講唱的內容錄製下來，再交由專業人士進行原音原語的文字記錄，及相關背景資料的說明，最後集結成民間文學集出

3——蔡蕙如，《日治時期臺灣民間文學觀念與工作之研究》，頁1。

版。之後全國各縣市政府採用這套工作模式，陸續出版民間文學集，其中以桃園縣數量最多，共計 56 冊。

　　民間文學以口耳相傳的方式流傳，未經文字記錄，極易流失。尤其進入工商業時代之後，社會形態改變，電子傳媒興起，傳統的講唱情境不斷消失，使得民間文學面臨迅速流失的危機，而集眾人之力所做的普查，最能在短時間內搶救到較多數量的民間文學；其次，普查進行廣泛搜錄，較能呈現當地民間文學的輪廓。

　　這套工作模式同時強調須符合科學規範，包括兩個重點：首先須蒐集第一手資料，即進行田野調查，尋找能夠講唱民間文學的人，錄下他們所講唱的內容，而非從文獻中尋找資料；其次，必須採用原音原語記錄，務求呈現原汁原味的本貌，且記錄時必須儘量保存三方面的內容：講述的語言內涵（texture）、內容文本（text）、講述情境及相關背景（context）。[4]歌謠、諺語因為有固定的形式與說法，易於採用原音原語記錄，然而過去大多僅記錄到內容文本，缺乏其他兩項。「講述的語言內涵」是指透過聲調、語調、語法等表現手法，表達出內容、情趣、主觀思想、意涵等等。以故事為例，同一則故事若由不同的人講述時，會受到講述者的用語習慣、表達方式、邏輯思考、切入觀點、記憶力強弱種種因素的影響，而表現出不同樣貌，此即個人風格特色，唯有用原音原語記錄才能將其保存。過去臺語有音無字，故事若要原音原語記錄難度頗高，因此一直採用改編改寫的方式，即整理者根據自己對故事的理解，採用自己的敘述方式與觀點，將故事書寫出來，有些甚至是以故事情節為元素再另行創作。這樣的記錄方法難以保持客觀，無法呈現原貌，甚至嚴重失真，不具科學性。民

4——胡萬川，〈工作與認知─關於臺灣的民間文學〉，《民間文學的理論與實際》，新竹：清華大學出版社，2004年，頁237。

間文學蘊藏許多民俗文化，其生命力展現在講唱情境中，這些都是解讀文本的重要參考資料，若只單單記錄文本，無法將這些重要內涵保存下來，因此記錄時還須將「講述情境及相關背景」納入其中。「講述情境及相關背景」是指在田野調查時需問到幾個基本問題：講述者的身分？講給誰聽？在什麼地方講述？何時講述？如何講唱？為什麼講唱？從哪裡學習而來？[5]當時的講唱情境？以及與文本內容相關的問題等等，這些需在文本以外另闢空間將其整理出來。

臺南地區於一九九〇年代後半開始展開民間文學科學性的普查採錄與整理。臺南縣政府於 1996 年舉辦「臺南縣民間文學整理研習營」，進行觀念的推廣與宣導；1990 至 2000 年間於各地舉辦五場說明會，招募有興趣參與的工作夥伴，並開始進行普查工作；2001 年將整理出來的成果集結成三冊的民間文學集出版[6]，此後這項工作持續進行，至 2010 年縣市合併升格為直轄市之前，共計出版 20 冊的民間文學集。臺南市政府則於 2000 年時進行「臺南市藝文資源調查計畫（四）──民間文學」，採用科學普查的方式，進行民間文學資源的調查，並撰寫成調查報告[7]，之後未曾再繼續進行。2010 年臺南縣市合併升格為直轄市之後，接續臺南縣的民間文學工作腳步，繼續進行全市的民間文學普查，持續迄今，已出版 25 冊的民間文學集，目前這項工作仍持續中。

除此之外，尚有一些文史工作者與研究者進行專題式的田野調查，蒐集第一手資料，撰寫成個人著作出版，雖非完全採用這套工作模式，但其撰寫時尊重民間文化，盡量秉持客觀態度，因此也頗有貢獻。

5──胡萬川，〈工作與認知──關於臺灣的民間文學〉，《民間文學的理論與實際》，新竹：清華大學出版社，2004年，頁237-238。

6──胡萬川、林培雅編撰，《臺南縣閩南語歌謠集（一）》、《臺南縣閩南語故事集（一）》、《臺南縣閩南語故事集（二）》，新營：南縣文化局，2000年。

7──林培雅編撰，《台南市藝文資源調查計畫（四）──民間文學》，2000年。

第二章
西拉雅族民間文學

臺南地區居住著平埔族西拉雅族人與漢人，兩者的文化差異甚大，表現出來的民間文學樣貌也有所不同。在進入西拉雅族的民間文學世界之前，應先認識西拉雅族，及其文化特色。

第一節　西拉雅族的分布與遷徙

　　臺灣的原住民族屬於「南島語系」，南島民族分布的範圍遍及太平洋與印度洋一帶，包括菲律賓、婆羅洲、印尼、馬來西亞、中南半島等地，東至南美洲復活島，西到馬達加斯加。人類學學者依生活文化、語言、社會組織、體質、及分布地區等差異，認為臺灣原住民有「高山族群」及「平埔族群」之別；各族群來臺時間不一，最早約在六千五百年前，最遲則不超過一千年。一般說來，平埔族多居住在平地以及靠近山區的丘陵地區。在不同歷史階段，有不同的指稱，例如在荷據時期相關文獻中有「土著」、「野人」之謂；明鄭時期陳第〈東番記〉稱其為「東番」；清治時期志書則出現「熟番」、「化番」之名，陳倫炯《海國見聞錄》以「平埔土番」稱分布於臺灣西南地區的原住民族，此後「平埔」、「熟番」的說法逐漸普及；又因其多居住「平地草埔」，故又稱為「平埔仔」、「埔仔人」、「平埔番」。

　　根據荷蘭傳教士干治士 1627 年的報告，臺南地區的西拉雅族，最早有八社：新港、麻豆、蕭壠、目加溜灣、大目降、知母義、大口奉社、大武壠社。其後因荷蘭人征討、明鄭時期實施屯田制，以及來臺漢人漸多等因素，各社族人被迫將土地讓渡、移居遷徙，僅餘本族「四大社」──麻豆、蕭壠、新港、目加溜灣，勢力最大、人口最多。由於漢化較深，失去傳統風俗及語言，因此被包含在「平埔族群」的分類當中，迄今未獲得官

方承認。近年發起正名運動，2005 年當時的臺南縣政府認定其為「縣定原住民族」，2010 年縣市合併後，成為「臺南市定原住民族」；2013 年花蓮縣富里鄉公所亦跟進承認。各社群的分布地點與至今仍保留、或積極復振的文化儀俗分別為：

一、新港社

鹽水溪以南至二仁溪以北（歸仁、仁德、關廟、永康、龍崎、新市、新化、山上、左鎮）；現今左鎮地區所屬的新港社部落，仍保有「公廨」、祭拜太祖的信仰，但已無大型祭典活動。

二、目加溜灣社

北起曾文溪流域，南至鹽水溪（善化、安定、大內）；部分遷徙至玉井，仍沿用舊社名。目前以大內鄉頭社為人所熟知，特別是最能展現其特色的「太祖夜祭」活動。

三、麻豆社

現今的麻豆附近，急水溪上游以南至曾文溪（麻豆、下營、六甲、官田、新營東南），在將軍溪北方的倒風內海處，因麻豆港得名。仍保有西拉雅傳統的「祀壺」祭典，以官田區番仔田為代表。

四、蕭壠社

鄰近海岸。北起八掌溪下游以南，曾文溪下游以北（佳里、西港、七股、將軍、北門、學甲）。另有一支族人溯急水溪而上，在急水溪上游支流龜重溪旁建立最大支社吉貝耍社，每年定期舉辦夜祭、孝海祭，吸引無數遊客前往。

在四大社之外，還有一個「大武壠社群」，包含大武壠社、芒仔芒社、霄里社、茄拔社，此即所謂「四社平埔」或「四社熟番」[8]，早期主要分佈在玉井盆地（玉井、南化、楠西、左鎮），因受漢人壓迫，部分族人往內山遷居至高雄荖濃、甲仙、六龜、小林等地，更有前往臺東、花蓮建立部落者，另有一群人翻過桶頭山，到白河的六重溪定居，近年亦積極恢復傳統祭典。

第二節　西拉雅族的信仰與文化

包括西拉雅族在內，臺灣的平埔族沒有自己的文字，但沒有文字並不等於沒有文化，事實上，口傳文學的內涵及日常生活的各項慣習，正是該族群文化表徵的呈現。對於西拉雅族來說，信仰、儀式與祭典，與流傳在族群中的神話、傳說、歌謠、故事密不可分，包括以下幾項：

一、祀壺

「祀壺」是西拉雅族獨特的信仰，足以彰顯其對「祖靈」的崇拜。祀壺就是祭祀的壺甕，西拉雅人用以代表祖靈；其大小、造型、顏色沒有限制，只要是開口縮小的壺體便可。祀壺內部裝有清水，上插澤蘭葉、海芙蓉；壺體底部鋪香蕉葉或一塊石頭，放在地上或桌上，表示神明的存在。由於受到漢人影響，西拉雅族人開始在壺體上纏紅線，甚至全部裹緊紅布，上繡珠串，或掛著金牌；對他們來說，祀壺就是阿立祖的化身。

二、公廨

「公廨」亦作「公界」、「公垾」，明朝陳第的〈東番記〉，以此指稱西拉雅族的「青年會所」或「議事場所」等空間；清治時期《安平縣雜

8——「霄里社」也稱作「霄兒社」，「茄拔社」又稱為「噍吧社」。

記》，則用來指稱西拉雅族的宗教場所，凡是祭拜祖先的儀式、或是部落中的重要大事，都在此舉行。「公廨」與漢文化的「廟」非常相似，且有大區域共同祭祀、以及大區域中某一小區域單獨祭祀的差別。而不同的聚落，「公廨」祭祀對象的稱呼也不一樣，有的稱為「太祖」，也有稱為「阿立祖」、「老君」，但基本上都是指「祖靈」；某些地方的「公廨」由於與漢文化相互融合涵化，也會祭祀漢人的神明。不過並非所有祭拜阿立祖的場所都可稱為公廨，段洪坤將這些祭祀場所分為四類：社群性大公廨，是聚落共同的信仰中心；角頭公廨，是聚落裡的某一角頭所共同祭祀的公廨；合壇，西拉雅文化與漢人文化混合之後的宗教場所，同時供奉阿立祖與漢人神祇；田頭太祖，是西拉雅族為祈求田園作物生長順利而請阿立祖坐鎮之處。[9]

三、阿立祖

「阿立」（Alid）是西拉雅族「祖先」的意思，其對於所信仰的祖靈即泛稱「阿立祖」；不過在不同的社群文化圈，亦有不同的稱法，一般最常聽到的「阿立祖」主要流傳在蕭壠社和麻豆社。清治時期由於實行番屯政策，麻豆、蕭壠和大武壠社等地區民逐漸搬遷至吉貝耍部落，「阿立母」遂成為蕭壠社「阿立祖」的在地化稱法。在吉貝耍的信仰系統中，位階最高的神明是老君，再來是尪祖跟尪公，尪祖在大公廨內視事，尪公則不管世事；接下來即是當地人最常提到在各角頭執行神職的七位阿立母主神，因為祂跟族人的接觸最頻繁並且負責管理部落大小事物，故而成為吉貝耍神靈的代表。

9──段洪坤，《阿立祖信仰研究》，臺南：臺南市政府文化局，2013年，頁131-141。

四、夜祭

西拉雅族人的夜祭分為頭社太祖夜祭以及吉貝耍阿立母夜祭等。頭社太祖夜祭在每年農曆十月中旬舉行，對族人來說形同其他原住民族的豐年祭或是漢人的神明誕辰日，其祭拜者為阿立祖。至於吉貝耍阿立母夜祭則是在每年農曆九月初四的深夜舉行，祭典由男祭司遵從尪姨的指示主持，族人會將拜豬整齊排列，準備獻給阿立母。夜祭結束之後，接著便在九月初五早上舉行嚎海祭。

五、嚎海祭

又稱為「哮海祭」或「孝海祭」，是吉貝耍部落特有的祭典儀式。每年農曆九月初五下午，在前一天的「夜祭」結束後，部落族人挑著牲禮、飯菜，來到大公廨西南方附近的農路，面向大海，請諸神與祖靈前來「看海戲」。祭典由尪姨主持，儀式包括擺祭品、巡祭品到唱牽曲，藉由「哭」與「祭」，遙拜當年渡海來臺死於海上的蕭壠社先人，訴說祖先開創基業的艱辛，並傳達對其追思與感念。

第三節　西拉雅族民間文學的文獻紀錄與前行研究

如同其他平埔族群，由於缺乏地勢阻隔，與漢人的生活場域交互重疊，西拉雅族的許多日常慣習及語言因受到同化而消失，顏美娟認為其母語「已幾近死語」狀態，也因此，進行西拉雅族口傳文學的採集記錄時，族人多半僅能以華語或臺語講述。對此，顏美娟提醒我們：「活在當下的平埔族人的演出和記憶，便是一種透過異己文化的表述，所展現的有多少是真正能代表該族群的文化特色，是值得審慎思考的。」[10]而如以「文化

10——顏美娟，〈平埔族民間文學蒐集整理與研究〉，國科會專題研究計畫成果報告，NSC93-2411-H017-006。

11—— 荷蘭人兵敗於鄭成功、撤出熱蘭遮城投降的14年後，即1675年，有署名C.E.S.之作者，在荷蘭出版《被遺忘的福爾摩莎》一書，一般咸信C.E.S.就是最後一任福爾摩沙長官揆一（Frederik Coyett 1656～1662），C.E.S.即Coyett. et Socii（揆一及其同僚）之簡寫。本書包含兩個部分，一為鄭成功東渡福爾摩沙早有徵兆，但荷蘭人卻疏於防備；其次則是鄭成功軍隊包圍熱蘭遮城，雙方交戰的經過。

合成與合成文化」的概念來看待,則可發現相異文化在接觸的過程中總是雙向互動和影響,即便已非最古早原真的版本,但確是最貼近族群當下的存在樣態。

　　儘管西拉雅族口傳文學的蒐集有一定難度,不過在歷來自荷據以至當代的文獻資料中,仍可窺見不少蛛絲馬跡。根據顏美娟的彙整,這些文獻資料包括日誌、方志史料、官方文書和田調記錄,例如:村上直次郎翻譯的《巴達維亞城日記》、程紹剛譯《荷蘭人在福爾摩沙》、江樹生譯註的《熱蘭遮城日記》、荷蘭籍宣教師甘治士(Rev. Georgius Candidius)的《臺灣略記》、蘇格蘭籍東印度公司職員大衛・萊特(David Wright)的《福爾摩沙筆記》、C.E.S 的《被遺忘的福爾摩沙》[11]。明鄭時期陳第的〈東番記〉;清治時期則有黃叔璥《臺海使槎錄》之〈蕃俗六考〉、〈番俗雜記〉,以及六十七的《番社采風圖》、《臺灣通志》等典籍。日治時期有移川子之藏的〈頭社熟番の歌謠〉、國分直一有關口埤熟番的「身體歌」、「四方歌」;吳新榮的〈飛番墓與阿立祖〉。戰後則有宋文薰的〈新港社祭祖歌曲〉、吳新榮的〈李老君與蕃太祖〉、〈北頭洋與飛番墓〉、〈蕭壟社剿惡故事〉、陳漢光的〈台南縣六重溪之五太祖崇拜〉、〈台南縣六重溪豬頭殼奉祀調查〉、郭慶堂的〈六重溪平埔歌〉、鄭明順的〈飛番墓〉、駱維道的〈平埔族阿立祖之祭典及其詩歌之研究〉、林清財的〈吉貝耍牽曲的手抄本〉、〈西拉雅族祭儀音樂研究〉、劉還月的《南瀛平埔志》,以及前輩作家陳千武的《謎樣的歷史──臺灣平埔族傳說》[12]。

　　而隨著西拉雅族文化復振運動在一九九〇年代的興起,學術圈內的研究者也開始關注並投入此一領域之研究。其中最具代表性的有任教於高雄

12── 本書纂輯《臺灣通志》和日治時期「南方土俗學會」所蒐集的口碑傳說,收錄巴宰海、凱達格蘭、噶瑪蘭、西拉雅、洪雅等五個平埔族群的傳說故事,其中與西拉雅族有關的神話傳說包括洪水、熊和豹、百步蛇、靈魂等,為讀者揭開認識西拉雅族創世紀宇宙觀與自然觀的序幕。陳千武,《謎樣的歷史:臺灣平埔族傳說》,臺北:臺原出版社,1989年1月。

師範大學國文系的顏美娟教授，長期針對臺南高屏地區平埔族的口傳文學進行記錄與整理，出版《台南地區平埔族民間文學集》。而出身於吉貝耍部落的西拉雅族人段洪坤，除熱心推廣與鑽研西拉雅文化、致力爭取西拉雅族正名，同時成立「吉貝耍文史工作室」，並訪談部落耆老，彙集吉貝耍的神話傳說，出版《吉貝耍西拉雅族 神話傳說故事》。此外，民族音樂學學者吳榮順、平埔文化研究學者簡炯仁，則從西拉雅族的傳統音樂入手，採集記錄其歌謠曲譜，為西拉雅族的口傳文學留下珍貴資產。

第四節　西拉雅民間文學介紹

一、故事類

（一）神話

　　西拉雅族的神話中，每位天神都有相應的位階和職責，從中可以看到其特殊的世界觀與母系社會的特色，並塑造族人的習慣、慶典、戒律等宇宙觀和世界觀。

　　1. 最早的文本

　　目前可見的文獻記載當中，最早採集記錄西拉雅神話的是荷蘭人 C. E. S.[13]所寫的《被遺誤之臺灣》，當中有這樣一段文字：

> 臺灣島的主人，雖然沒有書籍和文字，卻有他們自己的宗教，是從祖先口傳下來的，他們又口傳給他們的子孫。他們不知道世界怎樣地開始，也不知道將來是否會終止；然而他們相信：世界是原來存在，也會永遠存在的。他們也相信靈魂不滅，因此以為人死了之後，他的靈魂，將因他生前的行為的善惡而受賞罰，即以為在生前做了許多好事的人，他的

13── 一般學界認定係指Coyett et Socii，即揆一（Frederic Coyett, 1615-1687）及其同僚。

靈魂將能渡過泥沼，到一個能享受一切快樂的地方去。

因此在有人死時，他們就在門前造一座木箱似的小屋，拿許多的植物、各種裝飾品以及旗幟掛在周圍。在這座小屋中，他們放一個很大的盛水的椰子殼和一個竹匙，以為死人的靈魂每天會來洗去一切污穢。他們以為靈魂會因而受罰的那些罰惡。

他們不是信仰唯一的神，而相信許多神，據說其中的兩位，是主要的：一位叫做 Tamagisangach，他有一位太太，叫做 Terarijchapada；另一位叫做 Sariafaijo Tamagisangach，住在南方，他的工作是造人，他造人的美醜，以對他所獻的祭禮多寡厚薄而定。他的太太，那位女神住在東方，很愛人類；所以東方響雷時，他們就說，女神在和丈夫講話，責備他不肯降雨，他一聽到女神的聲音，就放下雨來。這位女神，大半是為女人所崇拜的。Sariafaijo 住在北方，很憎惡人類，Tamagisangach 把人造得很美麗時，他就使他們變成醜陋麻臉；因此所有的人，天天祈禱這位神，請求他不要加害於他們，同時也祈禱另一位神 Tamagisangach，請求他懲罰那位惡神，因為他做許多壞事。除此之外，他們還有其他的神，其中的兩位是管理戰爭的：一位叫做 Tolafulo，另一位叫做 Tapaliaepe，他們大抵是為男人所崇拜和祈求的。他們還有其他的神和女神，其中的每一位都被認為有特殊的威力的。[14]

「神話」常以神為主角，敘述其所擁有或施展不可思議的神秘力量，一方面為先民所敬畏崇拜，另一方面則可說是人與自然天地的橋樑，讓人能夠循此認識其所生存的環境，進而給予自我和外在事物相應的定位。上面這則神話雖然篇幅不長，卻含括了幾個重要的元素，包括相信「世界是原來

---

14 顏美娟認為，這則故事「雖無記錄是何地的族群，據當初接觸的推斷，或為台南地區的西拉雅系的平埔族。」請參見：顏美娟，〈平埔族民間文學蒐集整理與研究〉。原文刊載於C. E. S.著，周學譜譯，《被遺誤之臺灣》，臺北：臺灣銀行經濟研究室，1956年，頁42-43。

存在，也會永遠存在的」宇宙觀；對於人死後際遇的想像則是立身行事的依據（行為善惡相對於遭受賞罰）；此外，故事中也提到西拉雅族的「多神」信仰，而神正是造就大自然諸多現象（雷、雨）背後的推手；當然非常重要的，還有關「神造人」的起源之說，反映了他們對於「人類」出現的想像。

2. 創世紀神話

內容為世界之北有一個壺，壺內所盛裝的就是水的源頭。壺內下著細雨，壺外四處都是沉重的水、冰和霧，有一條含有劇毒的汙穢溪流。世界之南則有一個爐，爐內裝有火，飛出的火花和熾熱可以照料世界。當壺與爐作為宇宙之間無上力量相遇時，世界便開始運轉。

西拉雅族的宇宙觀認為，宇宙永遠存在，而不是被任何人所創造的，沒有開始和結束，神的權力有限，有其各自掌管的範圍和權限。神祇掌握了部族和族人的命運，因此必須舉辦充滿尊崇的祭典，才能得到保護。而這種類型的神話呈現出這樣的思維，而世界得以運轉、天地創生，來自壺與爐相遇的力量，以此為基礎從此出發，發展出獨特的祀壺信仰文化。

3. 洪水神話

洪水是普遍存在於世界各民族口傳系統的神話主題，而臺灣原住民各族也都有自己的洪水神話，其情節原型大致有「洪水後再傳人類」、「因洪水來襲人類避居高山」、「蛇鰻堵河洪水」以及「洪水取火」等幾種。陳千武在〈西拉雅傳說〉中，敘寫西拉雅的洪水故事如下：

西拉雅族雖然有很多支族，但是他們的祖先是什麼人，從什麼地方來，都沒有史蹟的記載。族人之間也沒有口傳，只傳說，西拉雅族的祖先，

是在悠久的古代，從海外移到臺灣來。初到臺灣也遭遇大洪水，因此西拉雅族的達可布蘭族和喜布肯族便跟著昂克姆（紅毛人），一起避難到叫做「巴屯可望」的玉山高地。大洪水是大鰻魚游到河口狹窄的地方，被兩邊的岩石夾住，堵塞了河水的流暢而引起的。被夾住在兩邊岩石間的鰻魚肚子很大，拼命地掙扎要從岩石間游出來，但是越掙扎被夾得越緊，越無法掙脫枷鎖，洪水也因此越氾濫。

三個西拉雅族支族的長老們，聚首正在討論如何搶救水災的時候，勇敢的大螃蟹爬出來說：「我去把大鰻魚救出來。」便潛進水裡去。你知道大螃蟹怎麼救出大鰻魚呢？大螃蟹的雙手都是大剪刀，不能拖也不能推拉，只有把大鰻魚膨脹肚子上突出來的肚臍剪斷。唉喲！大鰻魚大叫一聲，眼看著膨脹的肚子消瘦了，洪水衝出來，把大螃蟹和大鰻魚都沖走，堵塞的水便急激地退潮了。族人們等到大洪水完全消退了以後才下山，把弓分成三節，上節給昂克姆、中節給達可布蘭族、下節給喜布肯族。於是昂克姆繞過阿里山的北方去平地，喜布肯走向玉山的東方而逐漸南下，達可布蘭便順延亞馬斜那（楠梓仙溪）而下，終於在南臺灣各地方永居下來。[15]

以上所述，包含避居高山和鰻魚堵住河道的情節，與臺灣其他原住民族的洪水神話幾無二致，例如布農、鄒族的洪水神話，同樣是沿著「蛇鰻堵河引起河洪水→人避居高山→蟹夾蛇鰻致水退去」的軸線發展。要如何解釋這樣的現象呢？我們可以推測在遠古時代，原住民族所處的自然環境十分接近，因而在面對相同的自然現象時，會創生出同樣的故事。另一方面，這也顯示人類對洪水所彰顯的大自然力量深感敬畏，因而創造出這樣的口

15—— 陳千武，〈西拉雅族傳說〉，《謎樣的歷史：臺灣平埔族傳說》，臺北：臺原出版社，1989年1月，頁83-86。

傳敘事，在從一個民族流傳到另一個民族的過程中，透過集體創造和變異性的積累，情節交互混雜，難以完全分割或獨立，因而形成一個共通的母題。此外，接續在洪水消退後，族群出現分支並往不同地區遷徙定居，印證了「許多民族的洪水故事也常和新生活的開展產生密切的關連」，更重要的是，如同浦忠成提到，洪水神話在許多臺灣原住民族歷史文化發展的過程中是一個特殊的分野：在此之前，族群的一切都處於漫長混沌而缺乏時序的狀態[16]——就如同這個故事當中，古早以前的西拉雅祖先是何人、從何處來，均無人知曉，只知道他們是「從海外移到臺灣來」。直到洪水出現，象徵「遠古洪荒時代結束而部落社會來臨」的分水嶺，此後部落逐一建立，傳承系譜開始有脈絡可循，「人」的定位也越來越清晰——這也就是陳千武在文中所說：「洪水中的大鰻魚和大螃蟹，是表示人類誕生的象徵，大螃蟹剪斷了大鰻魚的肚臍，也就是助產的工作，解釋人類誕生的過程。」所以，這個洪水神話不僅記錄了西拉雅族群的遷徙、各分支部落的緣起，也為我們解釋了其對於自身來處的認知——洪水過後不是破壞，而是族群新生命的延續與歷史的建立。

（二）傳說

1. 嚎海祭由來傳說[17]

目前分布在臺南東山吉貝耍（Kabua Sua，意為「木棉花的部落」）的西拉雅族人，多來自佳里附近的蕭壠社，而蕭壠社的祖先，最早是居住在一座名為「Ami-a」的島上，由於該島嶼連年飢荒，不是乾旱就是洪水，使得土地家園遭受嚴重破壞、居民無法生存，因此族中長老決定出發尋找新的居住地。

16—— 巴蘇亞．博伊哲努（浦忠成），〈臺灣原住民族文學概說——第二講 洪水肆虐的時期〉，https://web.archive.org/web/20191026103036/http://www.dmtip.gov.tw/uploads//files/PDF/T1.pdf，頁28。

17—— 例如〈渡海〉，「2023吉貝耍部落資訊網」：https://www.e-tribe.org.tw/kabuasua/?page_id=516。

他們搭上一艘船，按照長老的指示，朝向祖先曾經前往捕魚的海域出發；經過幾個日與夜，就在他們漸漸感到疲乏不堪時，眼前正好出現了他們引頸期盼的島嶼。眾人莫不興高采烈，然而，就在即將上岸的時刻，海面突然掀起巨大風浪，許多船隻不幸翻覆，族人一一落海。後來，好不容易生還的族人登上岸去，經過清點才發現，竟有七位族人落海溺斃。倖存者雖然悲傷，但仍奮力打起精神展開新生活；他們尋找到一片鄰近河流與森林的土地，在這裡重建家園。

不過，他們並沒有忘記死難的族人，每年到了登陸臺灣的這一天，農曆的九月五日，也就是所謂的「七神船破遇難日」，族人都會回到海邊，向著海面進行「海祭」——他們會以豬隻獻祭，並準備水果、稻穀、小米、檳榔、酒、mai 等祭品，在海邊祭拜祖靈，在祭司的帶領下，圍繞著祭壇牽曲唱歌，直到祭典結束。

2. 海祖廟傳說[18]

蕭壠社祖先最早登陸臺灣的地方，在今天七股區的番仔塭，他們在那裡遇到了一位善良的漁民「阿海」，他為人善良、熱心，引導他們駕船靠岸，並且還提供糧食讓他們應急。但阿海不幸在魚塭遭雷擊身亡，蕭壠社人為感念他的恩德，就在番仔塭蓋了一間「海祖廟」來紀念他。

一七九〇年代，清治政府實行「番屯」政策，將居住在海邊、平原的西拉雅族四大社遷移到淺山邊緣，因此他們從佳里地區搬到吉貝耍部落定居，逐漸與原鄉失去了聯繫。日治時期，祖靈阿立母透過「代言人」尪姨指示族人返回原鄉尋找「海祖廟」，但與原鄉中斷聯繫那麼久，如何才能找到「海祖廟」呢？這對族人來說真是一大難題。不過阿立母要族人別擔

18—— 例如〈踢石頭找海祖廟〉，「2023吉貝耍部落資訊網」：https://www.e-tribe.org.tw/kabuasua/?page_id=522；〈番仔塭聯合海祖祭〉，「開放博物館」https://openmuseum.tw/muse/digi_object/14247c6507c9b9c3b54be7e8e77f7a50。

心，「我會幫助你們的。」祂交代族人帶著阿立矸（祀壺）、尪祖拐（代表吉貝耍神職人員的權柄），此外，再找一顆大小適中的石頭，把它放在地上，邊走邊踢，石頭滾到哪裡，族人就跟著它往那裡走。就這樣，在尪姨和祭司的帶領下，一群人半信半疑地一邊踢石頭，一邊跟著它跑；經過漫長的走走停停，從吉貝耍踢了將近四十公里，順著石頭滾動的路線，他們來到七股番仔塭，在那裡找到了一座小廟——「海祖廟」。

3. 阿立母傳說

在平埔族的部落中，經常流傳阿立母顯靈的傳說，祂都以白衣白裙的婦人形象出現，族人只要在危急或需要的時刻看到這位婦人，就會知道是阿立母顯靈前來解救或幫助他們。

（1）鑿「四姓井」

阿立母是部落的守護神，祂對部落的地理環境十分熟悉，常常幫助族人解決日常生活的各種問題，讓族人可以安居樂業，在部落就曾流傳阿立母指點鑿井的傳說。

過去在自來水尚未普及的年代，許多地區都必須靠鑿井來挖掘水源，位於山區的吉貝耍部落也是如此，在一九七〇年代，14、15 鄰的居民共用一口水井，由於家戶數量繁多，每次挑水都要等候，十分不便，因此段、賴、楊、潘四戶人家便集資請師傅來鑿井。然而師傅開挖之後，卻一直找不到豐沛的水源，於是大家便去找尪姨李仁記，請她幫忙向阿立母請示，請阿立母指點大家。

李仁記來到公廨對阿立母三向請示，得到祖靈的應允，將幫助大家尋找水源，於是她帶著阿立矸、尪祖拐（神靈的法器）來到段、賴、楊、潘四戶人家交界的空地，不久阿立母降靈，李仁記靈動起來，她拿起尪祖拐

跑到潘、楊兩家中間的一處空地，不斷地用尪祖拐點擊地面，告訴大家水脈就在這裡。鑿井師傅往下開鑿，過了不久，果真湧出泉水，鑿井順利成功。由於這口井是四姓人家共同開鑿出來的，於是大家就把它命名為「四姓井」，藉此跟吉貝耍其他水井做個區別，同時方便大家尋找。[19]

（2）顯靈蓋公廨

早期吉貝耍部落族人以農耕為主，部落西南方為大片良田。據說，此處以前有一顆大石頭，從事耕作的族人累了就坐在石頭上休息，但不知從何時開始，路經此處返家的族人會看見一位身穿白色衣裙的婦人，坐在石頭上哭泣。一開始大家不以為意，但時間久了自然引人矚目。有一天，終於有位族人上前關心，問她為何在此哭泣？婦人抬起頭來對族人說：「你們這些 Alak（孩子）都不了解我的用心，我是要在這裡蓋 Kuwa（公廨）啊！」話一說完，婦人就從族人眼前消失，他這才驚覺原來是阿立母顯靈。阿立母想指示族人做事，卻沒有人注意到，因此祂只好現身哭泣，引起大家的好奇和關注，再指示要蓋公廨的事情。族人趕快將此事告訴部落頭人，大家都認為不可違背祖靈的意旨，於是就在現在的大公廨位置，由段家免費提供土地，舉辦祭典籌建公廨，用茅草和竹子建造了吉貝耍第一代大公廨，成為部落的傳統信仰中心。[20]

（3）顯靈救人

A．接炸彈

二次大戰期間，臺南地區流傳著許多神靈護臺灣的傳說，其中最常見的是神靈接炸彈的傳說，而這類傳說在平埔族聚落中也有流傳，接炸彈的神靈是阿立母，祂的方式與漢人信仰的媽祖相似，都是用裙襬將炸彈接

19—— 〈四姓井〉，「2023吉貝耍部落資訊網」：https://www.e-tribe.org.tw/kabuasua/?page_id=619。

20—— 〈阿立母顯靈蓋公廨〉，「2023吉貝耍部落資訊網」：https://www.e-tribe.org.tw/kabuasua/?page_id=583。

住，再將炸彈擲向無人的地方，藉此順利化解炸彈在村落爆炸的危機，讓族人的生命財產都得以保全。嘉南大圳一帶，就曾流傳這樣的傳說。

二次大戰期間，美軍飛機經常前來轟炸日本人的重要設施，其中臺灣南部相當重要的經濟命脈就是嘉南大圳，那裡有一座專門運輸灌溉用水的「鐵桶橋」，如果鐵橋垮了，南水無法北送，就會影響糧食供應，因此一直是美軍覬覦的目標。

部落裡一位放牛的青年，某天牽著牛來到鐵桶橋下的龜重溪吃草，正好遇到美軍前來轟炸、防空警報響起，他驚慌地牽著牛，但一時之間卻無處可躲。眼看著炸彈正對準他所在的鐵桶橋落下，驚慌情急之下想起了部落的守護神阿立母，於是立刻跪地、雙手合十，口中虔誠禱告：「阿立母救救我！阿立母救救我！」就在這時，天空突然出現一位身穿白衣的婦人，掀起她的裙角接住了即將落地的炸彈，並且將其拋擲向遠方，不僅讓這位青年逃過一劫，也拯救了整個村子和鐵桶橋。[21]

Ｂ．救軍伕

二次大戰期間，臺灣有許多人被日本政府強徵到南洋當軍伕，對於冒著生命危險上戰場大家都深感恐懼、不安，都會在出發前向自己信仰的神靈祈求保佑，在戰場上若遇到危險時，也會呼喊神靈請求祂們出來解危，而這樣的情況也發生在吉貝耍的部落中。

當時被強徵的幾位族人離開之前先到公廨向阿立母祈求，請祂保佑他們在外一切平安順利，他們並向阿立母求了一支 l-hing（澤蘭），帶在身上當作護身符。這幾位族人當中有一位姓段的住在下埤仔，與隔壁村北勢寮的一位漢人分發到同一個單位，兩人因此成為互相照應的夥伴。

21—— 〈阿立母接炸彈〉，「2023吉貝耍部落資訊網」：https://www.e-tribe.org.tw/kabuasua/?page_id=527。

每當置身槍林彈雨、受到砲火猛烈攻擊時，他都會摸著口袋中乾掉的澤蘭，呼喊阿立母請祂保佑他平安無事，就這樣度過一次又一次的難關。後來北勢寮的漢人即將退伍回鄉，他請漢人幫忙到吉貝耍告訴家人他平安無事的消息，並請家人一定要到大公廨去答謝阿立母的庇佑。

沒想到北勢寮的漢人回去之後，竟然忘記他所交代的事情，結果過了幾天，漢人神色慌張地來到吉貝耍找他的家人，趕緊將他的消息與答謝阿立母之事傳達給他的家人，完成這個任務之後只見他鬆了一口氣。大家覺得奇怪，問他發生什麼事，原來他夢到有三個人站在他的床邊，中間是一位穿著白衣服的婦人，她看起來十分和善，靜靜地看著他；旁邊則是一位長相兇惡的人，他瞪著他問說：「人家拜託你的事情辦好了嗎？」漢人馬上被嚇醒，才想起忘記他所託付之事，於是趕緊來到吉貝耍找他的家人。

族人推測漢人夢到的白衣婦人應該是阿立母，長相兇惡的人應該是功力最強的巡查神「奇眉達」（Kimuita），祂會嚴懲違反律法和冒犯神靈的人。後來在南洋當軍伕的族人都平安順利返回吉貝耍。[22]

C．踏水救人質

部落中有一名男子在回家的路上被一群土匪搶劫，還把他當作人質（或說要逼迫他落草）押到位於山中湖邊的山寨囚禁起來，他孤立無援，於是在心中默禱，祈求阿立母前來解救他。有一天清晨，天剛亮的時候，他看到一位身穿白衣白裙的婦人，從遠處踏著水面飛奔而來，不久聽到山寨的土匪騷動起來，大聲喊說：「是誰？」接下來聽到此起彼落的慘叫聲，只見土匪紛紛往樹林裡奔逃。這時他發現綁在身上的繩索不知何時已被鬆開，於是他趕緊起身逃出山寨，四周空無一人，土匪和白衣婦人都不見蹤

22── 〈南洋當軍伕的吉貝耍人〉，「2023吉貝耍部落資訊網」：https://www.e-tribe.org.tw/kabuasua/?page_id=615。

影，他突然領悟到，白衣婦人就是阿立母，是祂聽到他的呼喚，顯靈前來解救他。於是他趕緊拜謝阿立母，最後找到回家的路，平安抵達。[23]

D．溪水暴漲救人

有一位柳營小腳腿的陳姓男子，娶了吉貝耍女子，他跟著太太一起信仰阿立母，常常和太太一起來到大公廍祭拜阿立母。一天他在山上和一群夥伴一起工作，結束後大家正要返家時，突然下了一場極大的午後雷陣雨，大家等到雨停趕著要回家，來到龜重溪畔時，只見溪水的水位已經開始升高，他們心想要趕緊過河，否則一旦溪水暴漲就回不了家，於是冒險渡河。來到溪流的中央時，他們發現溪水暴漲的速度非常迅速，水勢十分浩大，遠遠超過他們的預期，眼見無法渡溪，大家趕緊各自抓住岸邊的樹木自保。這時陳姓男子抓住一棵瘦高的龍眼樹，看到水勢越來越大，心裡非常恐懼，於是趕緊不斷地呼喚阿立母，祈求祂來解救大家。在他身旁幾棵粗壯的樹木都被大水沖垮傾斜，唯獨他所攀附的龍眼樹屹立不搖。過了一段時間，水勢漸漸變小，水位也逐漸降低，他和同伴們都平安無事，他相信是阿立母解救了大家，否則後果不堪設想。[24]

（4）懲罰凡人

在平埔族人的心目中，阿立母頗具威嚴，如果有人冒犯到祂，對祂作出不敬的舉動，馬上會被懲罰；另外，阿立母也非常嚴格，若有族人犯錯或是沒有盡忠職守，也會被她懲罰，決不寬貸，有不少這類的傳說流傳。

A．阿立矸缺角

有族人要將家中的阿立矸從神桌請下，請到大公廍時，發現瓶口有缺

23—— 〈阿立母渡水面救人〉，「2023吉貝耍部落資訊網」：https://www.e-tribe.org.tw/kabuasua/?page_id=629。

24—— 〈阿立母就吉貝耍女婿〉，「2023吉貝耍部落資訊網」：https://www.e-tribe.org.tw/kabuasua/?page_id=633。

損，隨口說：「這支瓶子有缺角，要請過去嗎？」結果說完馬上臉色發白，舉起右手打自己耳光，並喃喃自語說：「再說啊！再說啊！」就這樣停不下來，家人趕緊向阿立母請示，才知道瓶子代表阿立母，他說瓶子有缺角，冒犯到阿立母，因此被祂懲罰。最後他在阿立矸前行「三向」禮[25]，向阿立母懺悔道歉，才終於平息這場風波。[26]

B. 追打白老鼠

吉貝耍部落過去有一位非常不信邪的人，一天他從田裡工作完騎著腳踏車回家，經過公廨的時候，突然跑出一隻白老鼠，他見狀連忙拿起掃把追打，老鼠逃進公廨中，他仍追個不停，一旁有人看到阻止他，對他說白老鼠很少見，牠又跑進公廨，很可能是阿立母的部下，要他不要追打。可是他不聽勸告，還很不以為然地說白老鼠哪是什麼部下？哪有什麼神？結果說完嘴巴馬上歪一邊，嚇得他趕緊跪在祭壇前，向阿立母磕頭賠罪，然後又去買酒和檳榔回來祭拜，再次道歉，不久他的嘴巴就恢復正常。[27]

C. 在公廨小便

還有一位知名的布袋戲大師，年輕時跟父親一起來到部落表演，中場休息時貪圖方便，沒有到廁所小便，而是到戲臺後方的一處空地小便，結果回到戲臺演戲時，下體開始隱隱作痛，後來痛到無法演出，只好休息，再去小便時，發現下體已經腫脹到無法排尿，於是連忙就醫，但情況依舊無法改善。隔天族人知道後去探望他，一問之下才知道他小便的地點竟然是公廨，他已經觸犯到阿立母，於是他父親趕緊請人幫忙買牲禮、檳榔、酒，帶著這些東西和他來到公廨祭拜阿立母，並誠心誠意向阿立母道歉、懺悔，拜完之後他馬上覺得下體不再疼痛，隔天就能上台演戲了。[28]

25——「三向」指祭拜時以口含酒，向祀壺的方向噴灑三次。

26——〈缺角的阿立矸〉，「2023吉貝耍部落資訊網」：https://www.e-tribe.org.tw/kabuasua/?page_id=588。

27——〈歪嘴的阿忠伯〉，「2023吉貝耍部落資訊網」：https://www.e-tribe.org.tw/kabuasua/?page_id=592。

D.摸豬頭殼

一九七〇年代，有一位從柳營小腳腿到吉貝耍採收甘蔗的工人，某天要到大公廨附近的甘蔗田工作時，看到公廨透空的牆板上綁著豬頭殼，一時好奇心起，摸了一下豬頭殼，並自言自語說：「拜這個哪有什麼神，不過是豬的頭骨而已。」結果說完馬上感到肚子一陣絞痛，在公廨後面的地上打滾，這時族人看到了，連忙過去詢問，才知道他對阿立母不敬，被祂懲罰。族人趕緊跑去找向頭幫忙，向頭來到大公廨了解情況之後，將這名工人帶進公廨，要他跪在阿立母面前，向阿立母道歉賠罪，誠心懺悔，過不久他就恢復正常了。從此以後他再也不敢對阿立母不敬。[29]

E.愛玩的尪姨

過去李仁記尪姨在每個月的初一、十五，都必須親自到大公廨「換青」[30]、打掃。有一次部落舉辦自強活動，大家要北上旅遊，剛好遇到換青的日子，李仁記很想參加，想說以前每次都是自己親自換青，未曾假手他人，這次只要請人代班，同樣也可以把事情做好，才缺席這麼一次，應該沒關係吧？於是她就請別人代勞，放心去旅遊。沒想到當天晚上到臺北時，她突然感到非常難受，緊急送醫治療也不見起色，族人趕緊連絡她的家人來將她接回去，說也奇怪，當車子一上高速公路往南走之後，她整個人就輕鬆了，所有的毛病都不藥而癒。

過幾天她到高雄幫信徒處理家中的事情，當阿立母降靈在她身上時，只見她一邊說：「很愛玩嘛！」一邊不斷打自己耳光，連續打了好幾分鐘，大家看到都面面相覷，不知道阿立母為何處罰李仁記。後來助手李朱龍才猛然想起，前幾天李仁記沒去大公廨換青、打掃，跟著大家去參加自強活

28——〈冒犯阿立母的布袋戲師傅〉，「2023吉貝耍部落資訊網」：https://www.e-tribe.org.tw/kabuasua/?page_id=601。

29——〈亂碰豬頭殼的下場〉，「2023吉貝耍部落資訊網」：https://www.e-tribe.org.tw/kabuasua/。

30——「換青」是指將祀壺中以乾枯的澤蘭，更換成新鮮、青翠的澤蘭。

動，結果身體不舒服被家人接回家的事情，可能是阿立母在生氣她沒有親自做自己該做的工作，因此處罰她。於是李朱龍趕緊向阿立母求情，懇求祂原諒李仁記，不久李仁記才不再自打耳光。[31]

（5）阿立母選男祭司

李肉是尪姨李仁記的父親，他是吉貝耍大公廨的男祭司，是阿立母的部下。據說他被選為男祭司的過程頗為傳奇，有一天晚上他到柳營的小腳腿喝喜酒，席間突然感到不舒服，原來是阿立母在召喚他，他立即帶著一名幼童回家，同行的友人也跟著騎腳踏車在後面尾隨，卻都沒發現他的蹤影。據說當時吉貝耍南方的龜重溪溪水暴漲，他與幼童渡溪後，兩人衣服竟然都沒濕，返回到家中庭院後，他腳踏類似八卦陣法。原來他在小腳腿時已起乩，祖靈助他渡溪回來辦事。[32]

4. 人物傳說

（1）程天與賽駿馬、飛番墓[33]

清康熙年間，佳里北頭洋地區的程天與家族被公認為當地最擅長捷跑之技，跑步的速度快如飛鳥，因而有「飛番」之美譽。官員李岩千總得知後，向閩浙總督覺羅滿保報告，並推薦蕭壟社「番子」前去北京表演賽跑給皇帝看。程天與等一行人於是奉召入京，在皇帝面前與宮中士兵賽跑；輪到程天與時，皇帝問他「能跟我的馬比賽嗎？」他接受挑戰，在髮辮上綁了一百個銅錢，而且還鞭打馬匹三次，讓牠先行起跑，之後才開始追趕。沒想到，程天與果然贏過馬匹，速度之快，連綁著錢幣的頭髮都飛了起來，皇帝看了龍心大悅，不僅賞賜大批金銀珠寶，更特別准許他與兒子程國泰可以「面君三次」。此外，程天與還曾受清政府徵

31——〈受罰的李仁記尪姨〉，「2023吉貝耍部落資訊網」：https://www.e-tribe.org.tw/kabuasua/。

32——〈悼念尪姨李仁記〉，https://blog.xuite.net/juliannomad/wretch/135377818#；http://163.26.102.2/www/master/public_html/plusteam/document/siraya_e/E01-siraya_story.pdf。

33——例如〈飛番程天與〉，「2023吉貝耍部落資訊網」：https://reurl.cc/Myy55k。

召作戰，成為當地唯一的「飛番將軍」。而為了紀念這段傲人的殊榮，家人在程天與的墓碑上雋刻有「父子面君三次」的字句；程氏家族後代雖已搬遷至吉貝耍部落，但「飛番父子墓」仍位於佳里區往漚汪區的南167公路旁。

西拉雅族人擅長跑步，男孩子從小就跟著長輩在山林野地裡打獵；成年後則送到公廨訓練跑步技巧，除了用於狩獵、戰鬥之外，也能展現在部落間傳遞信件、訊息，或是平日的休閒娛樂等活動上。程天與是其中的佼佼者，他面君的特殊經歷在民間的想像之下發展成傳說流傳，他與兒子的墓地也成為臺南重要的文化遺跡。

（2）潘大番

潘大番是清治佳里南勢（位在今佳里區鎮山里）平埔族的頭目，他的姓是皇帝賜給他的，聽人家說他很有福氣，如果遇到任何災害，只要說：「潘大番也有份！」馬上就可以避開。例如有人在跑船時遇到大風大浪，只要說：「潘大番也有份！」馬上變得風平浪靜。又如大家在曬番薯簽，若遇到下雨，雨快要下到這邊時，只要說：「潘大番也有份！」雨就只下到牛車路，不會再下過來了。因此大家只要有賺錢或有收成，都會拿一些送給潘大番，表達感謝之意。

後來南勢的漢人逐漸多起來，漢人就開了雜貨店。潘大番會去雜貨店坐，漢人知道他喜歡吃鴨蛋，就煮白煮蛋將蛋殼剝開給他吃，潘大番以為漢人要請他就吃下。吃到歲末的時候，漢人跟他說：「你吃了那多鴨蛋都沒有給我錢，這樣好了，你拿兩、三甲的土地來跟我抵押。」潘大番很老實很好相處，不太會跟人計較，漢人這樣說他就照著做。

有漢人將成串香蕉的果實拔下，剩下中間的粗梗，然後把它穿上衣服，偽裝成死人，往他家丟進去，潘大番以為那是死人的屍體就開窗探頭

出來說：「拜託啦！不要把死人丟到我家，我給你錢，你去丟別處。」那個人拿了錢之後過幾天又故技重施，再來要錢，潘大番說：「怎麼又有死人了？」他心思很單純，沒有想到是漢人在騙他，還是給他錢。

潘大番的土地和財產就這樣被漢人設計騙走，後來他南勢待不下了，就搬到頂義合去（位在今七股區義合里）。[34]

（3）賣番仔油小販

在吉貝耍部落，「番」是一個充滿禁忌的字眼，由於許多年長族人都有被歧視、譏笑為「吉貝耍番」的不愉快經驗，因此嚴禁下一代在自己的村子裡提到「番」這個字。但偏偏有一個賣「番仔油」──也就是煤油的小販不相信，當他初來乍到，看到吉貝耍部落人口頗多，於是挑著擔子走進部落，一邊叫賣：「番仔油喔！來買番仔油喔！」喊了一陣子，一個客人也沒有，而且身邊的人莫不對他抱以異樣眼光，正當他十分納悶時，一位老婦人對他說了：「在我們這裡，你不能說『番』仔油，不能提到『番』這個字喔！」小販回答：「我賣的就是番仔油，不能說『番』，那要怎麼說呢？」老婦人：「你如果不相信的話，可以試試看，有沒有人要買你的東西？」小販不信邪，繼續「番仔油」、「番仔油」地叫賣。走了沒多久，幾位壯漢氣沖沖地到他面前，其中一位開口了：「阿婆不是跟你說在我們這裡不能叫『番仔油』，你聽不懂嗎？」一怒之下，他們索性把小販的擔子砸了，油也全都灑了出來……。從此之後，這位小販再也沒有出現在吉貝耍賣「番仔油」了。[35]

---

[34] 黃炳心講述，〈潘大番〉，《臺南縣閩南語故事集（二）》，46-72。

[35] 〈賣番仔油的小販〉，「2023吉貝耍部落資訊網」：https://www.e-tribe.org.tw/kabuasua/?page_id=641。

5. 習俗傳說

（1）吉貝耍的開關鬼門[36]

西拉雅族對「鬼魂」的觀念不同於漢人——西拉雅人稱為「向魂」，太祖、阿立祖或阿立母透過對「向」的操控可以使人趨吉避凶，西拉雅人崇信永生不滅的靈魂，認為所有的生命都有「向」，它象徵著宇宙的力量，可以幫助人、也可以傷害人。而所謂的「開向」、「禁向」則類似漢人的開、關鬼門。以前，西拉雅人的「開向」多在秋冬、「禁向」則在春夏，但由於生態環境改變及民間文化的影響，各社群逐漸設立了不同的時間與禁忌。例如吉貝耍部落跟漢人一樣，逐漸衍生出農曆7月初1跟29進行、關鬼門的儀式。

7月1號那天，向頭要前往大公廨向阿立母報告，並率領一群人前往吉貝耍傳說中的兩個陰陽交界處「開鬼門」，讓「向魂」出來放假一個月；一個是鐵桶橋、另一則是部落西南方的溼地出泉仔。某一次，向頭段福枝的孫女央求跟著前往，並且表示不會害怕，於是阿公帶著孫女到了鐵桶橋，接著拿出尪祖拐、以族語進行吉貝耍特有的祭儀，說、唱向。就在這時，小女孩看到半空中出現一個「光洞」，許多長得奇奇怪怪的「向魂」紛紛從這個洞裡跑出來，祂們的身體像小孩，光著身體，有的瞪著大眼、有的披散紅髮，向著遠方奔馳消失……。但除了小女孩之外，在場的其他人沒有一個看到。不過這麼鮮活具體的開鬼門儀式，在段福枝過世後便消失不見了，目前的儀式較為簡化，多半是由尪祖到大公廨坐鎮，在那裡請祖靈釋放向魂，並且在公廨各角落放置甘蔗葉，象徵著尪祖、阿立母對公廨的保護。

至於關鬼門，也就是把鬼趕回來；儀式是在農曆7月29日晚上7點左右開始，由全村男性組成「趕鬼大隊」，以「孔」和「鏘」兩種法器代表吉

36—— 例如〈吉貝耍的開關鬼門〉，「2023吉貝耍部落資訊網」：https://www.e-tribe.org.tw/kabuasua/?page_id=575。

貝要的男神和女神，透過其聲音召喚並催促已經放假一個月的向魂跟著隊伍回到大公廨，聽從尪祖、阿立母的安排，回到自己該回去的「地方」。隊伍出發前，尪姨或向頭會發澤蘭給每個人，途中如果覺得有力量在拉扯褲管或捉弄身體，就用澤蘭拍打該處，可以避免被向魂捉弄受傷。隊伍沿著村莊外圍繞行，沿途不能講話，也不能有火光，怕會把向魂嚇跑。族人如果在路上見到這個隊伍，要趕快轉身回到家中，不能與隊伍中的人打招呼。

（2）過緣[37]

很久以前，如果吉貝要遇到作物歉收、或有天災，就會請祖靈阿立母庇佑族人生活平安、作物豐收，而此時阿立母則會請尪姨告訴族人，要進行所謂的「過緣」儀式，很類似漢人的「建醮」。

在「過緣」儀式進行的過程中，部落必須向祖靈懺悔，約束所有享樂的行為，以節制逸樂祈求祖靈降福，不要再以天災懲戒族人。因此，在這段期間，族人不能剪頭髮、穿華服，下田時也不能戴斗笠，必須任由太陽將膚色曬得黝黑；更不能隨意穿越種植作物的土地，若踐踏了農作惹祖靈生氣，會被處罰站在土地上動彈不得，直到尪姨來處理才能解脫。

在過緣的最後一天晚上之前，族人要先到野外去打兔子，這叫「打向兔」。其原由已經不可考，但據推測應該是在重要祭典前必須從野外捕獲動物獻給祖靈，向祂表示答謝並祈求透過貢品取得其歡心，進而才好得到祖靈的眷顧、除災。而打到的向兔在祭典進行時，要放進當晚「對緣」儀式當中，由唱完牽曲的男女抓回家去，儀式才算完成。此儀式現代已失傳。

37—— 例如〈失傳的對緣與過緣〉，「2023吉貝要部落資訊網」：https://www.e-tribe.org.tw/kabuasua/?page_id=653。

（3）對緣[38]

過緣儀式中的一項活動，簡單來說就是「相親」。部落族人如果得知今年將舉辦過緣儀式，就會開始為自己的成年子女尋找相親對象。通常是由男方帶著檳榔主動到女方家提「對緣」的是，如果女方答應，則祭典當天晚上他們就會坐在公廨內的竹椅（或石椅）互看，看對眼後接下來就在牽曲時彼此「牽手」唱歌跳舞。而尪姨則會在現場為這對男女進行祝福儀式，據說經過「對緣」儀式且得到祖靈祝福者，未來若結為連理一定會「白頭偕老、永浴愛河」。此儀式現在已失傳。

（4）公廨不燒金紙

吉貝耍公廨是族人祭拜阿立母，向其祈請保佑平安的信仰中心；至今仍維持著西拉雅族祖靈信仰的風貌，傳統祭拜方式為不持香、不燒紙錢；拜檳榔、噴米酒。

從前一位漢人婦女可能早先曾來到吉貝耍的公廨祭拜，並許願成真，因此帶著「還願」的心情來感謝阿立母。她遵循漢人的信仰模式，帶著大包小包的「謝禮」——金紙、線香、貢品，來到部落裡的大公廨。當然，公廨裡沒有任何可以讓她擺放或安置這些物件的地方，例如香爐、金紙亭，於是她走到公廨旁的蓮霧樹下，把香插著，再解開金紙準備燃燒。旁邊一位村民正準備告訴婦人這些都不合乎吉貝耍的信仰和祭拜方式，突然，公廨旁刮起一陣小型龍捲風，把放在地上的金紙全給吹起、散落一地。婦人被這突如其來的狂風嚇到了，村民連忙將她扶起，並且誠懇地向她解釋：「我們這裡拜的是阿立母，不能燒香、燒金紙，且忌火。剛剛一定是阿立母生氣了，所以才颳起龍捲風要警告妳。」婦人聽了，連忙收拾所有物品，帶著驚嚇離開了公廨。[39]

38── 例如〈失傳的對緣與過緣〉，「2023吉貝耍部落資訊網」：https://www.e-tribe.org.tw/kabuasua/?page_id=653。

（5）老鼠租[40]

相傳平埔族的祖先渡海來臺時，因為遇到暴風雨，航行不順，在海上耽擱許多，將糧食都吃光了，後來靠著船上老鼠偷走的米糧才能支撐到臺灣。另一說為平埔族的祖先抵達臺灣時，發現島上沒有五穀，他們又沒有帶種子過來，後來找到船上老鼠吃剩的稻米，拿來當作種子，才有辦法成功種植出稻米。為了感謝老鼠的救命之恩，每次收成時都會留下一些稻米供老鼠食用，稱為「老鼠租」，意指向老鼠借糧食的租金。藉由這項傳說與習俗的流傳，讓後代子孫緬懷祖先拓墾荒地的艱辛，珍惜現有的物質生活。

（6）石牌公

日治時期吉貝耍部落與北邊的漢人村莊許秀才庄關係緊張，許秀才那邊有人想對吉貝耍整個部落下「犁頭降」法術，此舉會危害到族人的安危，幸好被阿立母祖靈發現，降靈在尪姨段滾身上，指示要在許秀才庄的外圍埋設三座石牌，祖靈會在石牌上施行「向術」抵擋煞氣，即可化解。族人遵照阿立母的指示，後來部落果真平安無事。從此以後，族人將石牌視為神靈，稱其為「石牌公」，每到農曆3月29日，都會準備檳榔、米酒、Dubi（麻糬）來祭拜石牌公。目前石牌公有三座，分別位於部落的東北、北、西北邊，西北邊的已消失。[41]

6. 口社寮阿立祖建壇

左鎮區口社寮（位在中正里）阿立祖原本是居住在左鎮山林管理所那邊的一棵榕樹下，之後榕樹被雷公擊斃，聽說有小孩經過那裡會不太對勁，於是庄民就將祂移到現址，將祂奉祀在一棵已經生長三百多年的大

39——〈公廨不能燒金紙〉，「2023吉貝耍部落資訊網」：https://www.e-tribe.org.tw/kabuasua/?page_id=610。

40——例如黃健庭，〈西拉雅族宗教信仰與飲食文化的變遷〉，《稻江學報》第2卷第2期，2007年。

41——〈西拉雅味的石牌公〉，「2023吉貝耍部落資訊網」：https://www.e-tribe.org.tw/kabuasua/?page_id=580。

芒果樹下。後來大家商議要為祂蓋一個可以遮風避雨的地方，可是被祂婉拒。1994 年颱風來襲，大芒果樹倒塌，庄民想將祂移到北極殿旁奉祀，但玄天上帝指示阿立祖不同意，祂希望原地重建，於是開始動土興建，整地時發現一副無主骸骨，後來在阿立祖壇旁邊興建萬善堂奉祀。

興建阿立祖壇之前，阿立祖有出壇指示，壇的後面要蓋一道牆，兩邊不要有整片的牆，也不要有窗，前面不要有門，祭拜祂的地方，要將原芒果樹的第一段主幹移入，放在中間，左右兩邊要有半邊的樹木襯托，就像住在原本的那棵大芒果樹下的樣子。祂還指示柱子、木材的花紋要畫爛木材的花紋，不能畫檜木的花紋。[42]

二、歌謠類

平埔族的歌謠，大致上可分為祭典類、傳說類、勞動工作類、生活感情類，最早可見的文獻記載為黃叔璥《臺海使槎錄》中〈番俗六考〉所附的番歌，其中臺南地區的歌謠有 6 首，屬於勞動工作類、生活感情類；祭典類、傳說類的歌謠，目前保存、流傳下來的主要為牽曲。

（一）〈番俗六考〉番歌

黃叔璥僅將平埔族的歌謠用音近的漢字記錄下來，並未進一步解釋，之後才有懂平埔族語的研究者將其譯出。

1. 新港社別婦歌

馬無艾幾喇，唷無晃米 ，加麻無知各交。麻各巴圭里文蘭彌勞，查美狡呵阿孛沉沉唷無晃米 ；奚如直落圭哩其文蘭，查下力柔下麻勾。

42—— 葉春榮編輯，林榮昭口述，《左鎮北極殿建廟回憶錄》，2017年6月初版，自行出版，頁30-33。

這是一首表達愛情的歌謠，其意為：我愛汝美貌，不能忘，時時想念。我今去捕鹿，心中輾轉愈不能忘；待捕得鹿，回來便相贈。描寫一名男子喜歡一名美貌的女子，時時刻刻想念著她。他要去補鹿，心中仍一直想念著她，希望能有收獲，回來可送給她。將男子喜愛女子念念不忘、要將好東西送給她的心情真實傳達出來。

2. 蕭壠社種稻歌

呵搭咖其礁，加朱馬池唎唭麻如。包烏投烏達，符加量其斗逸。知葉搭著礁斗逸到，投滿生唭咖僉藍都，被離離帶明音免單。

這是一首描寫勞動工作的歌謠，其意為：同伴在此，及時播種。要求降雨，保佑好年冬。到冬熟後，須備祭品，到田間謝田神。歌謠描寫蕭壠社的族人種稻的情景，他們會偕同同伴一起耕種，並祈求神靈保佑有好的收成，而等到收成之後，將會準備祭品酬謝神靈。

3. 麻豆社思春歌

唉加安呂燕，音那馬無力圭吱腰，礁嗎圭礁勞音毛嚅；沒生交耶音毛夫，孩如未生吱連！

這也是一首表達愛情的歌謠，其意為：夜間難寐，從前遇著美女子，我昨夜夢見伊；今尋至伊門前，心中歡喜難說！描述一名男子昨夜夢到從前認識的一名美貌女子，今天來到她家門前找她，心中歡喜得不得了。把男子要見心儀女子雀躍不已的心情整個呈現出來。

4. 灣裏社誡婦歌

朱連麼吱匏里乞，加直老巴綿煙；加年呀嘎加犁蠻，拙年巴恩勞勞呀，
車加犁末礁嘮描！

灣裏社即「目加溜灣社」。這是一首平埔族的女性要結婚時，族人唱給她
聽，藉由歌謠來教導、告誡她為妻之道，其意為：娶汝眾人皆知，原為傳代；
須要好名聲，切勿做出壞事，彼此便覺好看！告訴要結婚的女子，大家都
知道男子要娶她，原本是為了傳宗接代，而她結婚之後要守住好名聲，不
要做出敗壞名聲之事，讓大家都有面子。

5. 哆囉嘓社麻達遞送公文歌

喝逞唭蘇力，麻什速唭什速；沙迷唭呵奄，因忍其描林；因那唭嚅包通
事唭洪喝兜！

哆囉嘓社的居民為臺灣平埔族中的洪雅族，社址位於今東山區的東山里、
東正里、東中里一帶，社地範圍在今東山區與白河區（仙草里、河東里、
虎山里）一帶。這是一首平埔族男子遞送公文的歌謠，其意為：我遞公文，
須當緊到；走如飛鳥，不敢失落；若有遲誤，便為通事所罰！「麻達」指
平埔族未婚的男子，他們為了追求奔跑的速度，會躺著穿上用五色竹篾編
成的束腹，穿戴至胸部。他們追求腰細，以此為美，婚後才會將束腹取下。
除此之外，他們也會在膝蓋以下用黑布纏繞數十圈，藉此增加奔跑的速
度。麻達早在荷治時期，即已開始擔任遞送公文的官方工作：「清代當差
傳送官府文書的快遞『麻達』，可追溯到荷蘭人征服各村社後訂定的條約，
規定原住民應無條件聽命候差遣，負責傳遞公司的書信、包裹、箱子、籃

子等物，若有怠慢或違令，視同反抗。」[43]清治、日治時期仍延續這項工作。麻達遞送公文時，會在頭上插羽毛，鵝管筆插在頭上或繫在腰間，手上戴著手鐲，手背繫著用鐵片做成的，像含苞的荷花，約三寸長的「薩豉宜」，奔跑時，手鐲和薩豉宜會碰撞發出叮噹聲，數十里外就可以聽到他們的聲音，十分神氣。[44]

6. 大武壠社耕捕會飲歌　耕獵

毛務麻亮其斗寅，過投嗎嗓務那其壘。媽毛買仍艾奇打嗓，美樂哄密嗒奇打嗓嗎萌！

大武壠社位於今玉井區玉井里、中正里、竹圍里，因受到西拉雅族人壓迫侵占，約在 1744 年遷徙到南化區溪東及高雄市甲仙區阿里關、羌黃埔、甲仙埔、四社寮等地。這是大武壠社人在耕種有收成、打獵有收獲之後，大家相聚喝酒慶祝的歌謠，其意為：耕種勝往年，同去打鹿莫遇生番，社眾呼釀美酒，齊來乘興飲酒至醉。

（二）牽曲

「牽曲」是西拉雅族的說法，在不同地方有不同名稱，例如「跳戲」、「牽戲」、「跳嗚嘮」等等，通常由女性擔任，她們赤腳、雙手交叉牽起圍成圓圈，配合簡單的二進一退舞步，用古語吟唱，邊唱邊跳，是西拉雅族「夜祭」祭典中敬神娛神不可或缺的一項儀式。

現存的牽曲是用西拉雅的古語吟唱，無人能了解詞句的意思，有人認為是「七年饑荒」的調子，是紀念祖先渡海來臺時連續遭遇七年饑荒，當

43── 翁佳音、黃驗，《解碼臺灣史1550-1720》，臺北：遠流，2017年，頁15-16。
44── 黃叔璥，〈番俗六考〉，北路諸羅番一：新港目加溜灣蕭　麻豆卓猴，「衣飾」項。

時阿立祖帶領子民向上蒼祈雨所吟唱的歌謠，曲調哀怨動人感動上蒼因而降下甘霖，於是每年祭典時族人便會吟唱牽曲，以感謝天公與阿立祖的恩澤；另有人主張牽曲是「望母調」，是感念祖先對子孫庇佑的歌謠，因此曲調哀怨動人，藉由歌謠的吟唱，希望祖先不要遺忘子孫，能繼續庇蔭後代；另有一說，由於七年苦旱饑荒的歌謠太過哀傷，每次吟唱都使族人嚎啕大哭，因此阿立祖燒掉歌本，禁止再唱。[45]

　　牽曲具有神聖性，在各部落中各有禁忌，平常不可以隨便吟唱，一年中只有「開曲向」至「禁曲向」這段日子才可以牽曲。例如大內區頭社里的「太祖夜祭」，在農曆10月初一晚上9點左右開始「開曲向」的儀式，首先將代表三個聚落的三個向缸放置在公廨前的廣場，乩童三向後，一面唱咒，一面用蔗葉攪拌向缸中的水，然後把米酒倒入向缸中。接下來由教導牽曲的「曲頭」用小酒杯舀起向缸中的向水，依序讓每位牽曲者喝一口，之後便可以正式牽曲；農曆10月15日下午五點左右乩童會進行「禁曲向」的儀式，完成之後到次年「開曲向」之前，都不可以吟唱。「禁曲向」的儀式將曲向的神聖性予以維護。[46]

　　頭社曾讓唱片公司將牽曲錄製成 CD 販售，結果引發不小的爭議，最後太祖指示在公廨公開將這批 CD 銷毀，事件才平息下來。然而隨著時代的變遷，牽曲已漸漸失去悲傷哀戚感，且也打破原有的禁忌，在開曲向至禁曲向以外的日子及場合出現，並另有祈福、降福之意，還受邀到各地表演，演變成一種民族藝術的表徵。[47]

45── 段洪坤，《阿立祖信仰研究》，臺南：南市文化局，2013年，頁219-228。

46── http://crgis.rchss.sinica.edu.tw/temples/TainanCity/danei/1111007-ZYM。

47── 段洪坤，《阿立祖信仰研究》，頁219-228。

第三章

漢人民間文學

根據文獻記載，漢人早在十六世紀的大航海時代即已來到臺南。明代張燮在《霏雲居續集》中記載，明朝水師軍官趙秉鑑聚眾於 1617 年在臺南赤崁首次築城，意圖謀反。[48] 1661 年鄭成功攻下普羅民遮城（赤崁樓），後改名為東都承天府，做為全島最高行政機構。隔年攻下「熱蘭遮城」，改為安平鎮。此時有許多漢人隨著鄭氏軍隊來到臺南，定居在此。清康熙23 年（1684）頒布渡臺禁令，僅准許漳泉地區居民有條件移民臺灣。至乾隆 41 年（1776）以後，渡臺禁令形同虛設，大量漢人移民湧入臺灣，原住民大多被漢化或遷移他處，臺南由原漢混居的型態逐漸轉變成漢人的聚落。

　　民間文學是民間百姓在日常生活中滋生出來的文學，當漢人來到臺南，同時也將原鄉的民間文學帶到臺南流傳，而在流傳的過程中，由於民間文學具有集體性、變異性的特徵，會與當地的地理、歷史、風土、人情等等結合，融入本土的元素，衍生出新的樣貌，產生在地化的現象。另外，隨著漢人定居時間的拉長，更在這塊土地上孕育出許多新的民間文學作品，具有臺灣獨特的風貌。

　　民間文學出現在民眾的日常生活中，舉凡住家、工作場所、人潮聚集之處等等，都是民間文學講唱、流傳的區域，過去農業時代，客廳與埕是民間文學常見的講唱場域，除此之外，另一個重要的場域是宮廟，它是民間文學講唱、流傳最重要的公共場域，它在漢人文化發展過程中，扮演十分重要的角色，不僅是臺灣民間信仰的中心，也是滋養民俗文化的溫床，更是孕育民間文學的搖籃。

　　漢人渡海來臺時，會從原鄉攜帶神祇香火或神像做為身心的依靠，當其拓墾建立庄社時，會將香火或神像供奉在住屋、祠堂中，或另建草屋、

48── 陳小沖，〈張燮<霏雲居續集>涉臺史料鉤沉〉，廈門大學臺灣研究院，《臺灣研究集刊》第1期，廈門：廈門大學，2006年。

小祠敬奉。待庄社發展到較大規模、經濟能力足夠時,會擇地或就地興建宮廟,做為地方的共同象徵,成為獨立自主的聚落。之後聚落會以宮廟為中心逐漸發展,以其為交通中心,在此形成市集發展經濟;以其為公共事務的討論、表決空間,廟中的執事人員通常為地方上的大老、意見領袖,具有調解糾紛的權威;而居民的日常生活時序,需配合宮廟的祭祀、節慶活動,是居民日常聚會的場所,聚落的歷史、民俗文化由此發展而成;當聚落中有節慶活動,廟埕成為表演團體的表演中心,而宮廟的建築裝飾囊括民間藝術的精華,因此是聚落的藝術中心;國民義務教育開始之前,地方若要推動教育時,常在宮廟內設立私塾。

總而言之,宮廟不僅是聚落的信仰中心,同時也是交通、經濟、政治、教育、文化、歷史、藝術等中心。不僅如此,宮廟同時是培育民間文學的園地,許多民間文學都是從此產生,保留在宮廟的信仰文化中。而宮廟也是民間文學的展演中心,許多人聚集在此講唱,讓民間文學得以交流,激出更多火花,並一直流傳下去。

宮廟自古以來孕育出無數的民間文學,其中又以傳說居多。傳說是在真實的基礎之下發展出來的故事,其所描述的事物大多不可考,受到現代化與科學文明的影響,有許多已逐漸消失。然而宗教信仰傳說受此影響較小,獨樹一幟,其具有活躍的生命力,不僅歷久不衰,且仍然源源不絕創造出新的傳說,而孕育它們最主要的場域正是宮廟。從宮廟產生、流傳出去的傳說,旨在宣揚宗教信仰和勸善積德,透過宗教信仰傳說、神蹟的流傳,可以讓更多人相信神的存在與信仰的力量,進而信仰宗教,並凝聚信徒的向心力、提升信仰的虔誠度。

臺南是漢人最早移民來臺定居的地區，也是民間信仰的發源地與重鎮，境內歷史悠久、香火鼎盛的宮廟較其他區域眾多，許多宗教活動歷久不衰，形成獨特的傳統民俗文化，也創造出更多繽紛璀璨的民間文學。從目前可掌握的資料來看，臺南民間文學中與宮廟相關的文本數量最多，其中傳說占最大多數，因此宮廟實是創造、傳承臺南民間文學的重要場域。

　　臺南的漢人民間文學有些具有普遍性，在臺灣許多地方都可見流傳；有些具有在地性，從臺南民間創生出來，內容具有在地的元素。這些文本的數量很多，難以一一討論，由於篇幅有限，本文原則上將以後者為主要的論述對象；而前者若具有某些重要性，頗值得探討者，仍會列入其中。[49]

第一節　故事類

一、神話

　　漢族是古老的民族，有數量繁多、十分豐富多元的神話，其文字發明甚早，許多口傳的神話早已用文字被記載下來，這些神話有些已成為閱讀的文本，甚少在民間口耳相傳。因此漢人移民來臺時，從中國移植過來的神話大多為閱讀的文本，罕見口傳的神話，目前流傳較多者為「頂天神話」，屬創世紀神話，為世界類型，其內容在解釋天空為什麼高不可及的由來：「據說從前天空很低，伸手可及，有位撿豬糞的豬屎公拿夾子彎腰在撿豬糞時，因為腰瘦想伸直腰，當他將手往上伸時，拿夾子的手卻被天空擋住無法伸直，於是他用夾子將天空一直頂上去，結果天空不斷上升，就再也無法觸及。有些文本中的主角換成曬衣服的婦人，她的衣服穿在竹

49── 這些文本中，若同一則獲同一類型有多處來源、易於查詢，或是流傳區域廣泛、眾所周知，將不再標明出處。

竿上曝曬，曬乾之後她想將竹竿豎直，讓衣服滑落好收起來，可是竹竿碰到天空無法豎直，於是她用竹竿將天空一直頂上去，後來天空就變成高不可及。」這則神話在許多縣市都有採錄到[50]，但臺南迄今仍未見到。

臺南地區的神話主要保存在西拉雅族中，漢人的神話未見文獻記載，田野調查也毫無所獲。臺南故事類的民間文學以傳說數量、類型最多，最能表現在地特色，且最為活躍，不僅持續產生新的傳說，且仍有很多人在講述，在民間不斷流傳。

二、傳說

（一）臺灣由來傳說

這類傳說全國目前蒐集到的數量相當稀少，臺南在仁德區蒐集到〈沉東京，浮福建〉這則，彌足珍貴。傳說敘述東京神佛與福建神佛在鬥法，祂們約定各自將一樣法寶丟入海中，能讓它浮起的人就贏了，輸的人，要將自己的地盤沉入海底。東京神佛仗恃著法術高強，於是將石頭丟入海中；福建神佛比較謙虛，選擇丟雞毛。結果石頭沉入海中不見蹤影，雞毛浮在海面上，福建神佛獲勝。東京神佛依約將東京沉入海底，變成萬丈深淵，成為越南東京灣；而沉下去的東京則從福建的旁邊浮出，成為臺灣。[51]

「沉東京，浮福建。」這句俗諺與傳說，在中國福建的方志中有多處記載，當地民間也流傳久遠，因此應該是隨漢人移民由中國傳入臺灣。而流傳到臺灣之後，雖保留俗諺的說法，但傳說內容已在地化，與福建相差甚遠。仁德採錄到的這則傳說至少在日治時期即已開始在當地流傳，其非臺南獨有，其他地區也有流傳，但多為口傳，少見文字記錄，均已流失，因此臺南所採錄到的這則具有重要性。這則傳說主要在說明臺灣島嶼的由

50—— 例如羅阿蜂講述，〈拾豬屎的托天〉，《宜蘭縣民間文學集1—羅阿蜂、陳阿勉故事專輯》，宜蘭：宜蘭縣文化局，1998年，頁18-21；程李石螺講述，〈舉竹篙拚天〉，《雲林縣民間文學集1—閩南語故事集（一）》，斗六：雲林縣文化局，1999年，頁54-56。

51—— 林文振講述，〈沉東京，浮福建〉，林培雅編撰，《臺南縣閩南語故事集（一）》，頁34-55。

來，民間認為是從海中浮起的陸地，與亞洲大陸有關，而實際上臺灣是由歐亞大陸板塊、沖繩板塊和菲律賓海板塊擠壓而隆起的島嶼。

（二）風水地理傳說

風水是中國五術（山、醫、命、相、卜）中，「相」術中的「地相」，即相地之術，又稱堪輿。「風水」一詞最早見於晉郭璞所著的《葬經》，而實際上早在先秦時代即有觀察風水地理的記載，歷史悠久，是華人文化圈的重要傳統文化之一。民間相信風水地理可以產生力量，改變命運，臺灣民間就流傳這樣的俗諺，指出影響命運的五大因素：「一命，二運，三風水，四積陰德，五讀冊。」其中風水排名第三，影響力頗大。風水在民間已形成信仰文化，因此自古以來民間流傳著各種風水地理傳說。漢人移民也將這樣的信仰文化帶到臺灣，產生許多風水地理傳說，臺南地區採錄到頗多這類傳說。以下分類說明：

1. 爭奪風水傳說

自古相傳風水寶穴具有強大的力量，不僅是人，超自然世界的靈體也都想取得，大家會各憑本事搶得先機占領。臺南地區流傳的這類傳說，最具特色的為鬼怪與神明鬥法爭奪風水的傳說，以「南鯤鯓五府千歲大戰囡仔公」最為膾炙人口。傳說囡仔公生前為牧童，在檳榔山放牛，每次下雨時有一處地方都乾爽無雨，他知道這是風水寶穴。後來他年輕早逝，死前吩咐要葬在這個寶穴，下葬之後得到風水地理的力量，獨霸一方。五府千歲來到此處要興建宮廟，卻發現已被囡仔公占領，王爺表示祂們早已發現此地，有信物銅錢一枚為憑證，囡仔公也不甘示弱，表示有信物銀針（或說鐵釘）為據，於是雙方將地掘開，只見銀針插在銅錢的方孔中，無法分辨誰先誰後。雙方互不相讓，後來展開一場大戰，囡仔公還廣召陰兵陰將

助陣，雙方殺得難分難解，最後出動赤山龍湖巖觀音佛祖調停，提出共存共榮的協議：「王爺公起大廟，囝仔公建小廟，大廟來進香，小廟必有敬。」終於化干戈為玉帛。

　　無獨有偶，歸仁區武東里也流傳類似的傳說，爭執的雙方是童子軍廟的主神大童子君，與武當山上帝廟的玄天上帝，調停的是大崗山超峰寺的觀音菩薩。這類傳說認為風水寶穴的神祕力量不僅可以助人，還可以增長神靈的法力，因此常引起許多神靈爭奪。對立的雙方往往一方是陰靈，一方是正神，雙方地位懸殊。面對爭執不休，演變成後來兵戎相見的狀況，最終總是出動觀音佛祖來加以調停，而觀音佛祖的調停方式並非以神格位階的高低來論斷，要求下位者要服從、禮讓上位者，而是就事論事、一視同仁，秉持公平原則處理，達到雨露均霑，充分展現眾生平等的宗教精神。

　　2. 敗風水傳說

　　民間認為風水小則可以影響個人、家族的命運，大則會影響聚落，甚至是國家的命運，一旦被破壞，會導致家族衰敗、聚落的沒落甚至是滅亡（敗庄）。這類傳說的類型很多，以下分別說明：

　　（1）地理師破壞風水

　　風水寶地是眾人爭奪的對象，然而一旦被他人擁有，威脅到自己的利益時，就會聘請高明的地理師來破壞好風水，他們大多來自中國，通常具有官員身分，比較著名的有小蔣、楊本縣等人，這類傳說在臺南流傳最廣、最久的為「麻豆龍喉」的傳說，內容敘述麻豆水堀頭的龍喉長出一棵木棉樹，遠望像一把皇帝出巡時所用的涼傘，清廷堪輿官看到說日後這裡將出現真命天子，於是皇帝派楊本縣來麻豆破壞龍脈。他將一把皇帝的金劍插在龍喉，並用一個皇帝的金龍銀、一顆虎印祭在龍喉中；

再將 36 粒石車、72 顆巨石丟入龍喉中，象徵 36 天罡、72 地煞，佈下天羅地網將龍脈蓋住，使地氣無法發揮；又丟入簑衣、數根巨大的樟木樹幹，將龍喉堵住，使龍脈無法呼吸；又在龍喉旁邊興建細碗窯，當窯內的火燃燒到最猛烈時，將窯弄倒把火包其中在其中，象徵火燒龍脈。龍脈的風水因此被破壞，從此雞不啼，狗不叫，男人的肚子一直大起來，最後一個接一個死掉，瘟疫蔓延，大家紛紛逃離，當地信仰中心的五府千歲也因此棄廟遠離。

另外還有歸仁的龍蝦潭風水被破壞，當地仕紳宅第吳公館的風水也因此敗壞，導致興建失敗[52]；歸仁區看東里舊社街的員外因為羞辱、毆打魚販，引發全庄公憤，因而聘請高明地理師去破壞舊社街風水，導致他們敗庄。[53]這種類型的傳說數量頗多，至今仍在民間流傳。

（2）現代化工程的興建

民間認為現代化工程的興建雖然能為地方帶來便利與繁榮，但同時也會造成風水的破壞，這類說法屢見不鮮。例如歸仁區大苓里石燭墓的風水，原本可以讓人大富大貴、多子多孫，然而中山高速公路興建之後卻破壞它的風水，無法發揮力量。[54]又如後壁區下茄苳一帶曾因日本人開鑿灌溉用的水圳，無意間截斷當地龍脈，龍受傷流血，圳溝流出的水因而變成紅色。不久庄內人丁逐漸死亡，連要找壯丁收割稻穀都成問題。一天茄苳媽（泰安宮媽祖）突然降駕指示，將擇選五名生肖屬龍的男丁，用五枝福杉、五條五色布，擇定良辰吉時祭法救濟蒼生。時辰一到，茄苳媽降駕帶領五位屬龍的男丁，扛著綁著五色布的福杉緊跟在後，前往圳溝進行補龍祭法，之後當地就恢復以往的平靜。[55]

52—— 楊錦虎講述，〈鯉魚潭風水的傳說〉，《臺南縣閩南語故事集（二）》，頁158-191。

53—— 黃文博，《南瀛地名誌·新豐區卷》，新營：臺南縣立文化中心，1988年，頁205-206。

54—— 楊錦虎講述，〈鯉魚潭風水的傳說〉，《臺南縣閩南語故事集（二）》，頁158-191。

55—— 「慈濟仙官府」臉書，2018.4.20貼文，https://reurl.cc/gaayyX。

3. 龍脈與真命天子傳說

民間認為龍脈是絕佳的風水寶地，傳說大多指出當地會出真命天子，臺灣很多地方都有這類傳說，龍脈的影響不僅關乎到個人或家族的命運，同時也關係到整個聚落的命運，形成一個命運共同體，因此一旦遭到破壞，會危及整個聚落。而由於會出真命天子，可能會導致改朝換代，因此清廷會從北京派出精通風水地理的官員，前來臺灣予以破壞，以確保天子的皇位。出真命天子的傳說，最終都是以失敗收場，原因不在於寶穴失靈，而是遭到人為破壞，或是主角沒有遵守禁忌。

（1）麻豆龍喉傳說

這是這類傳說中最膾炙人口的傳說，龍喉曾於 1945 年開挖，當時造成轟動，但因處於戒嚴時期，後被政府下令中斷。2000 年陳水扁當選第一任的民選總統，地方為之沸騰，民間咸信這是因為龍喉風水復甦後發揮效力所產生的結果。這也是出真命天子傳說終於成功的特例。

（2）赤山龍湖巖龍後溝傳說

傳說此處有龍脈，風水奇佳，日本人要在此處挖排水溝，今天挖明天卻莫名被土填滿。日本人找一名乞丐去現場過夜觀察，聽到龍子向龍母哭訴說龍筋都要被挖斷了，龍母安慰龍子說：「不用怕，他們『千人掘』我們就『萬人坉（音 thūn）』，只怕『銅針烏狗血』。」原來工程無法順利進行是龍母施行法術的關係，每次有人開挖祂就施法將其填平，但若用銅針黑狗血就可破解法術。日本人得知之後將銅針和黑狗血丟入龍後溝，龍脈因此變髒，性喜潔淨的龍子龍母無法忍受只好離開，工程得以順利進行。[56]

56—— 例如潘昭薇講述，〈赤山龍湖巖〉，《臺南縣閩南語故事集（五）》，頁40-54。

（3）玉井望明蝙蝠穴傳說

玉井區望明里密婆穴部落有個蝙蝠穴，傳說若命格夠高，將先人葬在此，後代會出真命天子。有人請地理師尋找到此寶穴，也成功將先人下葬，最後卻因未遵守禁忌，功虧一簣。[57]

（4）新市三舍里龍喉泉（井）傳說

新市區三舍里過去有一條河流經過，傳說那是龍喉水，這條河上有個龍脈，三舍屬龍尾，大營頭（位於新市區大營里）那邊為龍頭，林家三進士因為聘請高明的地理師，在他的協助之下得到龍脈的風水，因而飛黃騰達，出了三名進士。後因得罪地理師，他誘騙村人開挖溝渠，龍喉因而被挖斷，流出紅水；或說地理師誘騙林家將附近的龍喉井用 13 件棉被、13 個糖餅、13 包花、13 件襚衣填起來，龍喉因此受傷流出紅水，龍脈的風水遭到破壞，不僅造成林家的衰落，周圍的村莊從下先鋒（位於善化區文昌里）到道爺（位於新市區豐華里）都因此滅庄，大家紛紛逃離。[58]

4. 地理師吃臭羊肉與跛腳進士

這是臺灣各地常見的傳說類型，臺南也在多處採錄到。敘述主人聘請地理師為其尋找風水寶穴，找到的寶穴可以令其家族大富大貴，但會傷害到地理師導致眼盲，因此地理師要求主人要照顧他日後的生活，事成之後主人依約履行承諾。地理師喜歡吃羊肉，一天有隻公羊跌落糞坑，主人欺負地理師眼盲，命人將公羊撈起宰殺烹煮給地理師吃，他知道真相後氣憤不已，於是暗中計畫破壞風水，他告訴主人需重新開挖寶穴，當墓地一打開，有數隻鳥類從中飛出，主人趕緊撲抓要放回墓地中，最後只抓到一隻

57—— 胡金典講述，〈蝠婆穴〉，《臺南縣閩南語故事集（九）》，頁78-91。

58—— 詹大木講述，〈林家三進士〉；蘇耀全講述，〈林家三進士〉；林在得講述，〈林家三進士〉，《臺南縣閩南語故事集（十）》，頁16-75。

59—— 吳清發、張得勝講述，〈吳進士〉，《臺南縣閩南語故事集（四）》，頁116-127、128-139。

60—— 王玉柱講述，〈愛食羊肉的地理師〉，《臺南縣閩南語故事集（七）》，頁118-132；陳萬枝講述，〈獅仔咬球〉，《臺南縣閩南語故事集（九）》，頁16-23。

61—— 胡金典講述，〈宵里張抾石仔瀨楊〉；李金輝講述，〈烏鴉變進士〉，《臺南縣閩南語故事集（九）》，頁154-169；黃文博，《南瀛地名誌・新化區卷》，新營：臺南縣立文化中心，1988年，頁398。

還將腳壓斷。地理師趁亂從墓中掬起清水洗眼睛‥馬上重見光明遠走高飛。日後主人家族發展尚可，但不如預期中飛黃騰達，原本一隻鳥可出一名進士，最後只抓回一隻斷腳的鳥，因此家中出了一名跛腳進士。例如新化吳進士[59]、官田中脇烏山頭劉家（得「獅子咬球穴」）[60]、玉井宵里張家跛腳狀元[61]、新市林家三進士[62]等，都是這類傳說。

5. 坐落寶穴傳說

民間認為若聚落坐落在風水寶穴上，可以為地方上帶來興盛、繁榮、平安，人才因此輩出，居民可以安居樂業、繁衍子孫；若宮廟坐落在風水寶穴上，可促使香火鼎盛、神明的靈力增強，可以保護聚落，幫助聚落的發展更加興盛繁榮。

這種類型的傳說比比皆是，例如府城自古傳說位在風水寶穴上，其地形如同一隻展翅的鳳凰，境內有七座山丘，稱為「鳳凰七丘」[63]，因此被稱為「鳳凰城」。普濟殿位在「蜘蛛結網穴」的中心點，為了網住鳳凰不讓牠飛走，讓府城可以持續興盛繁榮，因此以普濟殿為中心，在周圍興建狀似八卦網的街道。

又如白河區的關子嶺相傳位在麒麟穴上，水火同源是麒麟頭，溫泉區是麒麟腹，溫泉則為麒麟尿，半崎仔部落即麒麟尾。當地兩處佛教聖地大仙寺位在「仙人拋網」穴上，不遠處的碧雲寺則位在「半壁吊燈火」穴上，適合靈修參禪。

（三）民間信仰傳說

臺南地區是臺灣民間信仰的重要發源地，因此民間信仰傳說數量很多，內容非常豐富多元。

62—— 楊鄭炎講述，〈地理師食臭羊肉〉；詹大木講述，〈林家三進士〉；蘇耀全講述，〈林家三進士〉；林在得講述，〈林家三進士〉，《臺南縣閩南語故事集（十）》，頁16-75。

63—— 指七座被德慶溪及福安坑溪切割的低矮丘陵，包括赤崁、鷲嶺、山仔尾、山川臺、崙仔頂、覆鼎金、尖山。「赤崁」在今赤崁樓與成功小一帶；「鷲嶺」在湯德章紀念公園一帶；「山仔尾」在延平郡王祠以北，開山路與南門路之間的地帶；「山川臺」（一名「山川壇」）是舊時設立風雲雷雨、山川壇的位置，在今臺南市鐵路西側，東門圓環往西北一帶；「崙仔頂」在衛民街鐵道東側；「覆鼎金」在衛生福利部臺南醫院一帶；「尖山」在今大觀音亭至開基玉皇宮一帶。（韓國棟總編輯，《走讀臺灣：臺南市1》（國家文化總會、教育部，2010），頁14-34。）

1. 宮廟起源傳說

每間宮廟都會在其沿革中記錄信仰的由來、神明的來歷、宮廟的起源等，其中頗多傳說，內容包羅萬象，無奇不有，茲從中舉幾例說明如下。

（1）媽祖賜潮水

傳說鄭成功的軍隊當年要從臺南登陸上岸時，遭遇到許多困難，後來在媽祖的協助之下讓潮水上漲，軍隊才得以順利登陸，之後便在登陸地點處建廟奉祀媽祖，安南區的鹿耳門天后宮、正統鹿耳門聖母廟，以及安平開臺天后宮都有這樣的傳說。

（2）香火袋

臺灣有許多宮廟的創建常源自於香火袋，這類的傳說頗多，內容大多敘述漢人攜帶香火袋來臺，經過某地時因故將香火袋遺留下來，香火袋在當地發出毫光，屢顯神蹟，居民因而雕刻神像、蓋廟奉祀。臺南也有這類的傳說，例如現址在北區的西來庵，其由來是因有位來自福建商人，他攜帶福州白龍庵的香火袋來臺南經商，經過亭仔腳街想要如廁，怕污穢香火，於是將香火袋綁在樹上，如廁完卻發現香火袋解不開，或說忘了帶走，因此留下。

（3）神像

與神像有關的宮廟起源傳說，有拾獲神像而建廟的傳說，例如中西區沙淘宮，相傳明末某天自海上漂來一批木材，居民發現其中有兩尊神像（即二太子、三太子），帶回奉祀，屢現神蹟，最後建廟奉祀；也有攜帶神像來臺，行經某處神像無法拿起，因而在當地建廟，例如後壁區下茄苳泰安宮，相傳有位來臺經商的商人，隨身攜帶一尊從湄洲迎來的「七寶銅聖母」神像，在路經下茄苳時，將裝著神像的包袱放在古井上，要離開時

卻拿不起來，原來是媽祖相中當地「黃涼傘」的風水地理，決定留下來發揮，因此興建泰安宮。

還有木頭發出異象，被庄民撿拾雕刻成神像，最後建廟奉祀，成為地方信仰中心，例如仁德區太子里明直宮（太子廟），傳說明朝年間仁德區太子里有庄民看見一塊木頭在鯽魚潭中逆流前進，木頭上方還有千萬隻蚱蜢跟隨漂流，庄民待木頭擱淺前往查看，發現木頭約有一寸長，上面有 7 個孔洞，蚱蜢仍然停留在上不肯飛走，此時突然有位庄民開口說：「吾乃太子公遵旨救世，庇佑庄民，希望庄民能建廟奉祀。」後將這塊木頭雕刻成中壇元帥的神像奉祀，並興建明直宮。

（4）分靈廟

許多分靈廟的由來，大多因為當地有不平靜的事故發生，居民恐懼不已，在因緣的牽引之下，請到祖廟的神明協助消弭事端，當地居民為感念祖廟神明，並希望獲得強大的保護力量，因此在當地成立分靈廟，例如麻豆區社仔「天后宮」即是一例。社仔為今麻豆區安正里，日治期間當地有位居民方連波，來到山上區與林料安合夥做販售番薯籤的生意，林料安是山上天后宮的乩童。戰後初期他回到社仔，遇到村子裡流行怪病，染病的人肚子會無緣無故大起來，人卻越來越瘦，最後會死亡。方連波知道山上天后宮的玉二聖母神威顯赫，因此到山上請林料安幫忙請示玉二聖母，祂調查之後發現有壁虎精在當地作怪，因而造成瘟疫。於是玉二聖母與赤山龍湖巖的老三媽（觀音菩薩）、吳府三千歲、巫府千歲合力，一起捉拿壁虎精。祂降駕在乩童身上，手持寶劍往地上一插，再叫村人開挖，結果挖出一隻很大的壁虎屍體。乩童手持寶劍往壁虎屍體身上刺，並將其丟入油鍋中炸，一股腥味馬上瀰漫開來。處理好之後社仔不再有人染病，而原先染病的人也逐漸康復。從此以後每當玉二聖母來到社仔，當地居民都熱烈

歡迎。1949 年社仔的居民自山上天后宮包回媽祖的香火回去雕刻金身，永遠祀奉。1955 年依照玉二聖母指示建宮，村民公推方連波擔任主委，負責建宮事宜，隔年社仔天后宮興建完工，成為山上天后宮的第一座分靈廟。[64]

2. 神明由來傳說

臺灣宮廟所奉祀的神明，很多是漢人渡海來臺時從中國帶過來的信仰，也有許多是在臺灣本土產生的，這些神明的由來十分多元，所產生的傳說內容五花八門。這類傳說並非都是一開始奉祀神明時即已產生，有些是奉祀頗長一段時間之後，才由本神或其他神明說出緣由。另外，有些地方視神明的由來為天機，執事人員即使知道，也不可輕易洩漏，這類傳說只流傳在特定人群中，一般民眾難以窺其真相與奧祕。

臺南本土所產生的神明由來傳說，最常見的模式是有神明來到某地，突然降乩說要駐駕在當地，或成為主神，或與當地神明共同庇佑、護衛村莊，這類神明以代天巡狩的王爺最為常見。有些則是原本被供奉在某宮廟，因緣際會來到另一宮廟，成為主神的生力軍，例如山上天后宮的太子爺與玄天上帝，皆來自大內區二溪里大匏崙的北極殿。[65]民眾對於這些不請自來的神明，通常都會表示歡迎，對他們而言，村莊有越多神明守護越好，這樣保護力會更強大，也能讓村莊更加繁榮與興旺。茲舉一些較具特色的傳說為例。

（1）孩童玩遊戲，弄假成真成神

新營區的同濟宮（王公廟）、南化區北平里尖山的太子宮（中壇宮）、山上區南洲里開靈宮都有類似傳說。相傳在道光年間，有牧童在新營的墓仔後溝用泥土捏出五尊神像，讓同伴們每天玩拜拜的遊戲。不久當地居民

64—— 林宗德講述，〈蟳蟲仔精〉，《臺南縣閩南語故事集（七）》，頁82-93。

65—— 林宗德講述，〈太子爺公含上帝公祖的由來〉、〈七星劍〉，《臺南縣閩南語故事集（七）》，頁32-62。

在晚上時看到那裡燈火通明，還聽到南北管演奏的樂聲，有人跑過去看卻什麼都沒發現。庄民感到不安，於是請示庄廟同濟宮的主神開漳聖王，祂表示天庭有李、池、朱、姚、范五位王爺，合稱五府千歲，奉旨代天巡狩，來到此地看見地靈人傑，想與祂共同鎮守，墓仔後溝的異象就是五府千歲顯靈。於是庄民為五府千歲雕塑神像，將王爺們合祀於廟中，同濟宮也因此有「王公廟」之稱。[66]

南化區尖山的牧童在田間發現一棵番石榴樹長得很像太子爺，於是砍下樹身，用板凳當做神轎，將樹身放在板凳上，拿斗笠當做鼓、鐮刀當做鑼，玩起神明坐轎出巡的遊戲，沒想到板凳竟然靈動起來，太子爺顯靈，說要駐駕在此。於是庄民便用這段樹身雕刻太子爺的神像，並興建草寮奉祀太子爺，日後建廟稱「太子宮」。這尊開基神像後來被人偷請走，沒有再送回來，已遺失。[67]

山上區南洲的開靈宮主祀樹德尊王（樹王公），即廟後的雨蘭松（阿勃勒），可能是臺南唯一一座奉祀阿勃勒為神明的廟宇，根據廟中沿革記載，乾隆年間有群孩童在這株雨蘭松下假裝唸咒請神玩樂，沒想到弄假成真，神明依附人身，自稱是「九天提督樹德天王」，奉玉旨出巡，見此地雨蘭松與祂有緣，囑咐村民早晚來此燒香。後村民截取雨蘭松枝幹，雕刻神像奉祀並建開靈宮。

（2）媽祖遊崑崙[68]

安平開臺天后宮的大媽祖被寄祀在廣濟宮時，有一次到仙界的崑崙遊玩，邀請了 36 位的神仙來到安平，這些神仙下來的時候，若有選到乩童的，便在廣濟宮留下，沒選到的便回去崑崙，大媽祖再帶留下的去天庭接

66—— 簡辰全、周茂欽、洪郁程、許書銘，《南瀛神明傳說誌》，新營：臺南縣政府，2010年，頁22-26。

67—— 簡辰全、周茂欽、洪郁程、許書銘，《南瀛神明傳說誌》，頁116-117。

68—— 莊萬再、李文龍講述，〈媽祖遊崑崙〉，《臺南市故事集10》，臺南：南市文化局，2014年，頁35-50。

受冊封。當時留下來的有六位，包括老極仙帝、文極仙帝、伍子帝、朱仙帝、曾仙帝、雲中主，廟方有幫祂們雕塑神像奉祀。這些仙人下來據說是要處理廣濟宮附近鬧鬼的事，幫助地方恢復平靜。

（3）黑狗精成神[69]

傳說在 1940 年間，將軍區的青鯤鯓有一位庄民無意間用蚵殼丟擲黑狗，結果黑狗被割傷失血過多而亡。黑狗死後心有不甘，變成黑狗精到庄民家中作祟，庄民向朝天宮的代巡七王求助，代巡七王指示此事因庄民而起，要他為黑狗精雕刻神像並奉祀祂，助黑狗精早日修成正果，祂並賜給黑狗精「太保」之名，太保迄今仍受當地信眾奉祀。

3. 神明行醫濟世傳說

民間認為神明來到人間是為了行醫濟世，神明會為信徒醫治各種疑難雜症，還會幫助信徒趨吉避凶、排除危難，並為信徒解決人生中大大小小的問題，實現他們的願望。而民間信仰中一直有「問事」的傳統，即神明會降駕處理信徒的問題，並給予指示、處理，這些事蹟流傳出來就形成神明行醫濟世的傳說，其數量繁多，且只要信仰一直持續，傳說就會不斷產生。這類傳說被信徒視為神蹟，是神明庇佑他們的證據，透過這些傳說的流傳，可以凝聚信徒的向心力，增進信仰的堅定與信心，擴大信仰的範圍，將信仰發揚光大。由於過去醫療不發達，信徒常仰賴神明為其治病，因此這類傳說的主題以醫療占較大的比例，其中尚包括瘟疫的驅逐與治療。

（1）為信徒治病

神明常見的治病方法有開藥方、畫符咒、祭解、作法等等，在開藥方方面，有時開出的藥方會出乎大家的意料，例如乾隆年間柳營劉員

69—— 「青鯤鯓朝天宮開基代巡七王」臉書，2022.12.19貼文，https://www.facebook.com/profile.php?id=100063668331612&locale=zh_TW。

外罹患肺癆，學甲慈濟宮的開基二大帝為他開出的藥方中有「砒霜爐底」，是劇毒，劉員外將藥喝下之後，沒想到發揮以毒攻毒的效果，最後竟然痊癒。[70]

在畫符咒方面，這是神明運用超自然的力量為信徒治病，民間經常可見。每位神明所畫的符咒不盡相同，通常也無法學習，符咒的使用方法常見的有將其燒化放入水中成為符水服用，或是用來灑淨，以及燃燒在身上揮舞等等，有各種各樣的功能，非信徒所能了解，有時甚至會發揮起死回生的功能，例如安南區曾有人割頸自殺，其家人搭竹筏過曾文溪北岸請七股區北槺榔玉安宮的李府千歲解救，乩身揹著李府千歲的神像抵達他已往生。突然李府千歲降駕起乩，拿著針線將他割開的脖子縫上，並在傷口綁上一張符令念咒，結果他竟然復活，當地因此流傳說，只要問過玉安宮的李府千歲仍無效，則「死無枉死」，不會枉死了。[71]

有時神明治病不會只用一種方法，而是多管齊下，安平區灰窯尾社弘濟宮的池府千歲就曾藉此將彌留之際的信徒救回。池府千歲在當地以醫術聞名，據說祂是明朝的儒醫死後成神。戰後初期有位信徒大約 31 歲，在外工作因為感冒回來，他母親幫他問病，沒想到平日以開藥方為主，很少出符令的池王爺，這次竟然沒開藥方只出符令，並交代一個月後若情況緊急，將符令燃燒，看病人幾歲就他的身上揮幾下，可為他祭解。原來他得到傳染病急性腸炎，當時很多染病的人死亡，他後來住院治療，卻藥石罔效，已呈現彌留狀態時，家人趕緊將符令找出使用，結果他隨後竟然被廟裡的神明附身起乩，因為當時有莫名的神鬼要將他的靈魂帶走，於是神明附身在他身上守護他，待時辰一過，他就不會被帶走了。

70—— 簡辰全、周茂欽、洪郁程、許書銘，《南瀛神明傳說誌》，頁166-167。
71—— 簡辰全、周茂欽、洪郁程、許書銘，《南瀛神明傳說誌》，頁158-159。

神明退駕之後家人將他用擔架抬回家，由池王爺為他治療，祂開藥給他吃，發燒時，交代用冬瓜加水煮成茶給他喝就會慢慢退燒。起初都不能進食，幾個月後可以進食時，池王爺交代剛開始只能喝糙米湯，必須一邊用小火慢慢熬煮一邊用湯匙揉爛，讓米粒充分溶解在湯汁中，一次吃不到一湯匙，一小時吃一次，吃一陣子適應之後再加一顆蛋，就這樣慢慢好起來。池王爺還給他取一個新名字，交代舊名、綽號、偏名都不能用，有人叫都不可應聲。[72]

另外，安平老一輩的人常聽到「採船（彩船）」的傳說，其內容大多敘述若有人突然身患重病，問神的結果，是因為被彩船（或說王船）所採。民間對彩船不甚了解，彩船是一種無形的船，屬於王爺信仰的一環，王爺會乘坐王船代天巡狩，船上有擔任各種工作的人手，文武皆有，若缺乏人手時王爺可以靠岸挑選，被挑中的人就會突然身染重病，此時要趕緊請社裡強而有力的神明上船交涉，要求對方放人，且必須在船還沒駛離海關之前交涉，否則一旦出關，就再也沒有轉圜的餘地，被選中的人必須上船工作，亦即會因此往生。安平灰窯尾社弘濟宮的池府千歲、溫府千歲，以及囝仔宮社妙壽宮的太白千歲，都是箇中交涉高手。

（2）驅逐瘟疫

自人類誕生以來，時常遭受瘟疫的侵襲，即使在醫療發達的現代，仍無法免除這樣的威脅。當瘟疫流行時，人們面臨死亡的恐懼，會尋求實際的解救之道及心靈的支撐力量，因而產生神明驅逐瘟疫的傳說，臺南許多地區都有這類的傳說流傳，茲舉安平文朱殿為例。

安平海頭社文朱殿，其主祀托塔天王李靖，人稱「李天王」，日治時

72—— 李明泉講述，〈池王爺救命（一）〉；李明遠、李高玉蓮講述，〈池王爺救命（二）〉，《臺南市故事集8》，頁126-211。

期和戰後曾爆發霍亂的流行，李天王奉玉皇大帝旨令到府城、岡山、高雄哈瑪星等地巡視收瘟，祂交代信徒他的神轎只可前進不可後退，其所經之處，霍亂皆因此消失。祂還煉藥為大家治病，傳說祂派出 12 個不同生肖的人外出採草藥，每個人都攜帶一只用紅綢綁著袋口的布袋，祂發給每人 3 張符令，出發前，先在文朱殿大香爐中燒 1 張，李天王的官將便會跟隨在旁指引他們尋找草藥；接下來搭車，憑直覺下車，之後再燒 1 張符令，官將就會暗中幫他們找到草藥。接著憑直覺，看到喜歡的青草就採下來，放進布袋中，直到裝滿為止，即可返回安平。

草藥帶回須在廟埕沾露水、曬太陽，但絕對不能碰到雨水，也不能被其他東西汙染，之後放入大鍋炒，炒完再沾露水、曬太陽，重複這些動作，一直到把草藥炒成灰。接下來到益生堂向「佛仔使」（楊大笨醫師）買一些藥粉加進去混合，再分裝成小包，並蓋上李天王的官印，讓信徒求取，信徒若擲到聖筊，即可帶回服用。據說煉藥時周龍殿的何府千歲有降乩幫忙，其乩童手拿一支菸管，在現場監督煉藥。[73]

4. 神明制伏妖魔鬼怪傳說

臺灣各地都有妖魔鬼怪的傳說，祂們若侵擾人間，輕則造成人畜不安，重則造成人畜傷亡，對地方危害不小。神明身負保衛居民的責任，因此會與妖魔鬼怪展開對決，將其制伏，讓地方恢復平靜與安寧。地方上對這類傳說總是津津樂道，一來可大展神威，二來傳說的情節充滿驚奇與畫面，頗為吸引人，可做為茶餘飯後的談資。神明會制伏轄境內的妖魔鬼怪，也會應信徒或其他神明的請求，至轄境外制伏妖魔鬼怪，茲舉漚汪文衡殿與北區菱洲宮為例。

73—— 莊萬再講述，〈李天王治khoo33 le55 lan3〉；莊萬再、李文龍、蔡銘勝講述，〈李天王煉藥〉，《臺南市故事集10》，頁126-211。

（1）關聖帝君肅清巷口大窟[74]

　　漚汪是將軍區最大的聚落，其信仰中心為文衡殿，位在漚汪四甲（今忠嘉里、長榮里、西甲里）的中心，主祀關聖帝君（老三關帝）。漚汪有個「巷口大窟」（現已整修成排水溝渠），面積超過一甲，庄民若需要泥土都會去那裡挖，結果日積月累挖出一個又大又深的窟窿。戰後接連發生有人在此溺斃，造成庄民的恐慌，巷口大窟抓交替的說法因此不脛而走。後來關聖帝君降駕指示，大窟有聚集一些妖魔鬼怪危害地方，已擇定良辰吉日將進行肅清。當天有準備東西祭拜那裡的好兄弟，許多庄民圍觀，紅頭法師先施展犁頭符法術，他將犁頭一端放入火爐中燒紅，再用符紙包覆另一端咬起，將犁頭從火爐中抽出，再將它扔入大窟中。接下來關聖帝君起乩，只見乩童手持大刀，用 45 度的斜角跳進水中，他的手腳都沒動，水剛好淹到他的耳朵，他維持這個姿勢在水中慢慢前進，來到大窟的中心點，開始揮舞關刀，接下來掉頭往反方向滑行，做同樣的動作，就這樣來回三趟。現場的庄民無不嘖嘖稱奇，因為要在水中維持這樣的姿勢不動是無法前進的。之後巷口大窟不再有人掉落溺斃，而關聖帝君肅清之事還保留在當地 70 歲以上的人記憶中。

（2）上帝公率眾神掃黑[75]

　　位在北區的菱洲宮奉祀北極玄天上帝，以及天、雷、朱、范、許五府千歲，以玄天上帝為廟主。曾經有位信徒每當太陽下山就會失魂落魄，好像變成另一個人似的，被帶到廟裡來問事，上帝公一查發現是她家出了問題，周圍已成為妖魔鬼怪的巢穴，需到現場處理。上帝公交代要帶枷鎖、刑杖等等刑具過去，廟方動員許多人員前往她家，據說神轎尚未抵達前，

74── 林仙炎講述，〈關帝爺清巷口大窟〉，《臺南市故事集27》，未出版。

75── 周世華、周世昌講述，〈山上〉，《臺南市故事集18》，頁178-199；許育嘉講述，〈菱洲宮眾神山上掃黑〉，https://www.tncsec.gov.tw/imedia?uid=248&pid=232。

臺南文學史 ──384

她已在家一直打滾，身材嬌小的她，突然力氣變得很大，四、五個男人都抓不住她。眾神明到了之後，就將她家周圍作亂的妖魔鬼怪通通逮捕押回廟裡，並將她一併帶回廟中處理，為了防止妖魔鬼怪對她不利，她乘坐的車輛前後各有一臺，上有神轎，將其包夾起來保護。她所乘坐的車輛，兩旁各坐上帝公與范府千歲的乩童，由他們隨側保護。

回到菱洲宮上帝公關廟門在大殿升堂夜審，有三、四個首領躲在她體內不肯屈服，王爺威脅要將祂們抓去炸油鍋，第一個首領挑釁王爺，被王爺用柳枝綑綁丟下去炸，現場發出一陣臭味；其他首領和黨羽看到都很害怕，紛紛歸順投降，有些就被上帝公收起來當營兵。夜審完之後她清醒過來，之後上帝公又幫她處理幾次，就恢復正常。

5. 神像特殊造型傳說

臺南各地的宮廟奉祀著各式各樣造型的神像，有些神像在當地有特殊的造型，與其他地區迥異，且在當地產生傳說用來解釋其特殊造型的由來，例如新化的武安尊王，以及安平的太白千歲等等。

（1）新化武安尊王戴面具

新化區武安里的武安宮主祀武安尊王，生前是唐朝安史之亂名將張巡，據說祂是一位身長七尺餘的白面英俊書生，然而祂的神像造型卻是青面獠牙、面目猙獰，據說這與虎頭神有關。新化區東郊有一座虎頭山，虎頭埤即位在此處，武安宮與虎頭山相對，虎頭神常危害生靈，武安尊王想制伏祂以保護境內居民，但卻無法成功，於是祂去找東榮里北極殿的玄天上帝商量，玄天上帝借祂法寶——「玄天面關」，這是一個青面獠牙、面目猙獰、望之令人膽寒、心生畏懼的面具，玄天上帝表示，只要戴上這個面具，虎頭神就會懼怕武安尊王，可趁機將祂制伏。然而玄天上帝特別交代說，若降伏虎頭神之後要過了月眉埤（武安宮前的大埤），才可說話或

笑出聲，否則面具將永遠取不下來。武安尊王果真戰勝，還砍斷一隻虎腳丟入虎頭埤中，虎頭神斷了一隻腳就再也無法追人、傷人了。武安尊王得勝之後喜不自勝，當場大笑三聲，結果面具永遠取不下來，變成現在青面獠牙、面目猙獰的模樣。

（2）太白千歲

主祀保生大帝的宮廟都會奉祀虎爺，且大多供奉在桌子底下或矮桌上，稱為「下壇將軍」，但安平妙壽宮的虎爺很特殊，祂與眾神一起被供奉在桌上，且祂的身分是太白千歲，擅長處理「採船」事件，能將信眾從王船中救回。太白千歲的神像為何是虎爺的造型？傳說太白千歲和池府王爺結伴下來安平當神，灰窯尾社弘濟宮新刻一尊池府王爺的神像正要入神，隔壁的囝仔宮社妙壽宮也刻了一尊虎爺正要入神，池府王爺順利進入神像後，太白千歲一著急沒看清楚就進入虎爺的神像中，之後才發現入錯神像，正想離開時，保生大帝用一件八卦衣罩在虎爺的神像上，祂就出不來了，保生大帝要太白千歲留下來當祂的先鋒，由於祂是太白千歲，因此奉祀在桌子上。數十年後妙壽宮有為祂雕刻人身的神像，與虎爺造型的神像並存。

6. 神明坐牢傳說

民間信仰認為天庭的律法（天條）是公正無私、不分階級的，且比人間的律法更為嚴謹，執行更加嚴格、徹底，而神明一旦觸犯天條不論動機為何，必須受到懲罰，決不寬貸。民間流傳著神明坐牢的傳說，祂們之所以觸犯天條，大多是為了解救蒼生，有的是因為預知將有天災發生，不忍看到許多人傷亡，於是事先透露端倪，洩漏天機，因而觸犯天條，例如下營區茅港尾天后宮的媽祖；有的是在發生天災時出手相救，或是解救命已該絕的信徒，破壞自然法則，因而觸犯天條，例如善化區胡厝寮代天府的池府王爺、北區菱洲宮眾神。

在民間信仰的觀念中，天災所造成的死亡是天意，不可違逆；而人若是注定將死，也不可以解救。天意代表天理、天道，是宇宙運行的自然法則，一旦違逆，自然界的秩序將大亂，引發更多災殃。所以神明必須嚴格遵守此一法則，若有違抗，必須付出坐牢的代價。

（1）下營區茅港尾天后宮媽祖坐牢一百年[76]

清同治元年（1862 年）茅港尾發生大地震，地震來臨的前夕天后宮的乩童忽然起乩，媽祖指示近日將有災難發生，要庄民小心因應。由於當時盜賊經常來劫掠，再加上戴潮春事件剛發生不久，村民以為媽祖所指是土匪將來搶劫，因此家家戶戶都將大門用木栓釘死，並在庭院和通道上撒下各種豆子，意圖要讓盜匪滑倒給予痛擊。就在大家準備就緒嚴陣以待之際，突然發生大地震，庄民想逃到戶外卻因大門釘死無法逃生；若幸運逃出，卻因踩到豆子滑倒來不及逃生，結果造成比原來更嚴重的死傷，媽祖因此被罰入獄一百年。據說自從媽祖坐牢以後，昔日繁華的茅港尾開始沒落，直到一百年後媽祖出獄，才又逐漸恢復生機。

（2）善化區胡厝寮代天府池府王爺坐牢 99 年[77]

胡厝寮合祀關聖帝君與五府千歲，當地位在曾文溪畔，常有水患。有一次下大雨曾文溪水暴漲，眼見洪水即將到來，庄民趕緊聚集在廟裡，祈求神明大顯神通解救胡厝寮。不久乩身突然起乩，神明前來降駕說：「吾乃池府千歲，特來解救本庄危難。」只見乩身衝到門外，取了一段竹枝回來，往地上一插，大聲喝說：「崩流至此！」結果洪水只淹到插竹枝之處，不久開始消退。然而池府千歲因為阻止天災發生觸犯天條，最後被玉皇大帝將祂召回天庭，監禁 99 年。

76—— 何厚增，《被遺忘的茅港尾——四百年史話》（臺南：編者自印，1997），頁72。
77—— 簡辰全、周茂欽、洪郁程、許書銘，《南瀛神明傳說誌》，頁224-225。

7. 鬼魂作祟傳說

臺灣很多地方都有鬧鬼的傳說，民間認為人往生之後會變成鬼，若有子孫奉祀就成為祖先，有安穩的歸宿之後才不會作祟於人；若無人奉祀就會成為孤魂野鬼，常作祟於人間，藉此討食，求得棲身之所。而因意外橫死的鬼魂，常有怨氣無法紓解，作祟的情況通常較為嚴重，有時還需出動神明予以勸解，才能停止作祟。臺南地區鬼魂作祟的傳說很多，內容五花八門，很多都是當事人親身的經歷在民間流傳，茲舉數種常見的種類為例。

（1）有應公傳說

「有應公」又稱「百姓公」、「大眾爺」、「萬善爺」等等，若是女性則改「公」、「爺」為「媽」，其為無人祭拜的孤魂，大多沒有姓名，因為在地方作祟，居民為其建小祠、小廟奉祀，使其死後有歸所，才不再作祟，有些會因此報恩，幫助信徒實現願望，並保佑信徒平安順遂。臺南地區的有應公廟數量頗多，作祟的內容也非常多樣，例如鹽水區水秀里的五十三將軍廟，供奉道光 12 年（1832 年）張丙事件中戰死的 53 名官兵，傳說有人在晚上經過這裡，看到一列穿著清治服裝的官兵正在操練，喊聲響徹天際，嚇得居民大多不敢在晚上單獨經過這裡。[78]

類似的狀況也發生在現代，官田區隆田的義聖宮，其建廟由來是因為 1961 年一輛載著 20 多名新訓士兵的卡車，經過隆田一處無柵欄平交道要開往隆田車站，被要進站的南下柴油快車撞上，車上的士兵全數罹難。事後臺南縣政府曾請赤山龍湖巖微雲法師到車禍現場超渡亡魂，但之後仍傳出鬧鬼的傳說，有人在深夜聽到士兵踏步的腳步聲，附近雜貨店的老闆隔

78—— 黃文博，《南瀛祀神故事誌》，新營：臺南縣政府，2009年，頁43-48。

天發現放鈔票的盒子裡有數張銀紙。後來在事故地點興建義聖宮，讓亡魂有歸所，地方才得以平靜。[79]

又如學甲區新榮里「周公王公」小祠，供奉的是因父親入贅而不同姓的兩名兄弟，他們因為家貧，共同耕種一塊薄田，辛苦繳納的水租被收水租者侵占，必須再重繳一份，兩人無力繳納，於是自殺抗議。兩人死後冤魂不散、怨氣沖天，於是向收水租者全家作祟，如此憤恨猶難平，又向庄民作祟，最後建祠祭祀，才停止作祟。[80]

女性的傳說方面，例如坐落在鹽水區天保厝南邊田野的中洲媽廟，傳說中洲媽是日治時期的人，祂丈夫在急水溪河床經營數十甲的魚塭，一日被盜匪搶劫殺害，中洲媽來尋夫時，被盜匪侮辱，後在水池旁的大樹上吊自殺而亡。戰後魚塭開墾成甘蔗田，甘蔗採收期間常發生靈異事件，影響到採收，於是甘蔗委員建祠奉祀。[81]傳說曾有人晚上睡在廟裡求明牌，夢見中洲媽跟他說，若他願意入贅娶祂的女兒，祂就願意告訴他明牌。他被這個夢嚇醒，從村外滿身大汗地爬進村裡。[82]

（2）女鬼傳說

臺南最著名的女鬼傳說為〈林投姐〉與〈陳守娘〉，兩者的共通點都是因為男人而喪命，都反映出移民社會中浮動的男女關係。

A．林投姐

〈林投姐〉屬負心漢故事類型，是在漢人來臺拓墾的背景下所產生的傳說，中國男子來到臺灣之後結交臺灣婦女，卻對其始亂終棄，反映出移民社會中浮動的男女關係，婦女往往居於劣勢，成為犧牲品，最後只能將希望寄託在死後的世界，藉由鬼魂的力量為自己報仇。曾多次被改編成電影、電視等戲劇演出。

79── 黃文博，《南瀛祀神故事誌》，頁143-148。
80── 許献平，《臺南縣北門區有應公信仰研究》，中山大學中國文學研究所碩士論文，2007年，頁137。
81── 「有求必應」臉書，2020.5.5貼文，https://www.facebook.com/266586530558850/posts/652895955261237/。
82── 林瑋嬪，〈「鬼母找女婿」：鬼、三片壁、與貪婪的研究〉，《考古人類學刊》第75期，2011年，頁13。

故事的版本很多，府城流傳的內容大多敘述林投姐為清代人士，20多歲時丈夫乘船經商遇到風浪墜海而死，丈夫有一個從福建來臺的朋友，知道她手邊有一些錢，於是假說他在福建和臺灣兩地往來經商，藉由三番兩次送她東西，讓她誤以為他的生意值得投資，又不斷獻殷勤，進一步擄獲她的芳心，林投姐因此對他十分信賴。後來他騙林投姐說要去福建做生意，將她的積蓄全部拿走之後就消失無蹤，然後他在福建靠著這筆錢經商致富，另結新歡。當時林投姐肚中已經懷了他的孩子，得知被騙財騙色之後，羞憤不已，就在林投樹上吊自殺身亡。據說她上吊的地點在臺南市火車站附近的民族路一段四維地下道到臺南高等法院後方的低地這一帶，這邊過去有濃密的林投樹叢。

　　她身亡之後，鬼魂經常在上吊之處一帶出沒，還傳出她用冥紙向小販買肉粽之事，當地的居民因此感到恐懼不安，為了讓她的魂魄有個歸宿不再四處飄蕩，使地方上得以恢復安寧，於是居民就蓋了一間小祠供奉她，稱其為「林投姐」。府城故老相傳，這間小祠在民族路二段的新光三越百貨公司東邊，但早已消失。

　　林投姐的故事後來也發展出復仇的結局，據說她之後化為厲鬼請託一個人帶她渡海前往福建，找到拋棄她的那名男子，最後冤魂附身在他身上索命，讓他殺死妻兒之後再自殺身亡。

　　Ｂ．陳守娘

　　同樣反映出移民社會中浮動的男女關係，尤其暴露清治來臺官吏的劣行，以及官官相護的惡質官場文化，弱勢的婦女置身其中，往往被生吞活剝，與林投姐相似，最後只能將希望寄託在死後的世界，藉由鬼魂的力量為自己報仇。相較之下陳守娘性格更為剛烈，其捍衛自身名節清白的勇氣驚人，甚至驚動神界為其調解，表現臺灣婦女堅毅、不向惡勢力低頭的精神。

根據耆老相傳及史料的記載，陳守娘確有其人，她於道光年間出生在
寡婦媽廟附近（今中西區北門路與青年路口的巷子內），嫁給經廳口（今
中西區青年路與民權路一段的東菜市內）的林壽為妻。林壽早死，陳守娘
立志終身守節不再嫁。經廳口為通往府縣署必經之街，府縣署有許多獨身
的幕客住在此街，林家與他們經常往來。縣署有一個幕客經常去林家，見
陳守娘頗有姿色又守寡，有意沾染，於是重金賄賂陳守娘的婆婆與小姑，
要她們幫忙讓陳守娘就範。婆婆與小姑用盡各種方法逼迫，陳守娘始終
不改其志，最後她們與幕客聯手，將陳守娘的身體綁在長板凳上讓幕客姦
淫，但守娘仍抵死不從，幕客大怒，就用羽扇的尾尖刺其下體至死。

　　附近的里民看到之後非常憤怒，押著林氏母女與幕客到縣署告官，然
而知縣王廷幹與幕客本有交情，因此官官相護，宣稱驗屍無傷，將三人無
罪釋放。群眾譁然，群聚抗議，用石塊圍擲，毀了王廷幹的轎子，讓他落
荒而逃，後來他因此在府城留下「王廷幹，沒錢看沒案」的罵名。群眾憤
恨難平，大家再往上至府署投訴，知府判林氏母女死罪，但依舊判幕客無
罪，最後還縱放他回到唐山。

　　陳守娘後來被草草埋葬在昭忠祠旁的山仔尾（今中西區南門路 117 號
附近），然而她沉冤未雪，冤魂不散，顯靈將縣署幕客扼死，又大鬧縣署、
府署及林氏宗族，以及幕客在唐山的家眷，從此之後府城雞犬不寧，夜半
叫喊之聲不絕，府衙遭到襲擊，物品飛動，後來只好假託是附近部隊在練
兵，並以過於嘈雜為藉口搬遷當地。大家認為守娘顯靈，紛紛前往她的墳
前祭拜，香火因而十分鼎盛，被官府認為有「惑民」的嫌疑，於是將其遷葬。

　　守娘含冤作祟之說在府城盛傳，據說有應公鎮壓不住，於是士紳請廣
澤尊王出面，但廣澤尊王只能與守娘打成平手，因此又請德化堂的觀音佛
祖出來調停，陳守娘提出幾個條件：一是報仇期間，若傷及無辜，請准許

免於追究；二是她因守節而慘死，應准其入節孝祠被眾人奉祀，且又因為她是為經廳口林家守節致死，故應在里廟辜婦媽廟供奉她的塑像。觀音佛祖答應她的條件，且助其投胎轉世，地方因而恢復寧靜。後來里民為了感謝廣澤尊王臨危相救，就將有應公廟改建為大廟，並奉廣澤尊王為主神，稱其為永華宮（位在中西區府前路一段）。

（3）水鬼傳說

臺灣民間認為溺水而亡的人必須在原地抓交替，這樣才能擺脫被困在水中無法脫身的窘境，順利去投胎轉世，也因此水邊若發生溺水事件，常會被視為水鬼在抓交替，而出現這樣的傳說。然而水鬼抓交替並非總是成功，在臺南就流傳一則失敗、水鬼最後還被吃掉的傳說，且這則傳說與黃春明的小說〈呷鬼的來了〉[83]情節十分相似，但講述者並未讀過這篇小說，應是黃春明從民間傳說中取材創作而成。

從前在仁德車路墘糖廠那邊有一座用竹子綁成的橋，傳說過橋時會遇到一個女人坐在橋邊說她不敢過橋，希望人家揹她過去，如果答應她，來到橋中間時，她會叫你看看後面是什麼東西，當你轉頭過去看時，就會被她推下橋淹死。

有一天車路墘的人請北區菱洲宮的乩童周方章去做賞兵犒將的法事，他和一名紅頭法師，還有一名有陰陽眼的同伴一起去做，做完法事要回來的時候，有陰陽眼的交代說等一下過橋時他們走在前面，不可以轉頭，如果聽到有人叫都不要理會，讓他應付就好。他們來到橋邊遇到傳說中的女人坐在那邊等替死鬼，她又故技重施，要人家揹她過去，陰陽眼的說要揹她過去。這時他已經事先準備好套東西的繩子，把她揹起來之後，他就暗

83—— 黃春明，《放生》，臺北：聯合文學，2009。

中用繩子將她拴緊。來到橋中間時，女人要他回頭看有什麼東西，他毫不理會繼續往前走。過了橋之後他把她放下來一看，她已經變成一塊木頭。

他把木頭帶回去放入油鍋中炸，再磨成灰，然後配酒喝下肚。從此以後每逢農曆 7 月，鬼看到他都嚇得躲起來，大聲喊說：「吃鬼的來了！吃鬼的來了！」他後來活到 8、90 歲。[84]

（4）動物鬼傳說

除了人變成鬼作祟的傳說之外，在臺南地區還有動物變成鬼作祟的傳說，其中最常見的是母豬，這與母豬是庄民重要的財產，是庄民生活的一部分有關。例如北門區北門里的鎮海大將軍廟，奉祀「鎮海大將軍」（又稱「八戒娘」、「豬母娘娘」、「大聖爺」），其生前是一頭懷孕的母豬，因脫逃到井仔腳偷吃豬的飼料，被庄民追打，奔逃時意外落海溺斃；另一說是被庄民宰殺食用。母豬與胎中數隻小豬死亡之後陰魂不散，在當地作祟，發生潰堤、跑船不順、船隻翻覆、庄民諸事不順等等情事，最後由庄廟興安宮的紀府王爺收服，並立鎮海大將軍廟祭祀。[85]七股區七股里的鎮安宮也有類似傳說。[86]母豬可繁衍小豬，為庄民帶來財富，是庄民重要的財產，因此懷孕的母豬死亡對庄民而言是重大的損失，且母豬懷胎冤死，會造成數條冤魂，這些狀況都會令庄民深感不安，因此需要立廟祭祀，讓母豬魂魄安息。

其次，在安平舊聚落老一輩人的記憶中，也盛傳豬母鬼的傳說，據說以前石門國小靠近一年級的教室那邊有豬母鬼出沒，祂會跑到教室裡大便，還有人聽到祂的叫聲，石門國小的學生都很害怕。若被豬母鬼作祟，會生病、肚子痛，有的人會去請神明處理或是收驚。[87]

84—— 周天文講述，〈食鬼〉，《臺南市故事集18》，頁56-67。

85—— 許献平，《臺南縣北門區有應公信仰研究》，頁28；黃文博，〈母豬大將軍〉，《閒話人鬼神：臺灣民俗閒話》，臺北：臺原出版社，1994。

86—— 許献平，《臺南縣北門區有應公信仰研究》，頁44。

87—— 陳鄭淑垣、李增南、吳高明月、黃美月講述，〈豬母鬼〉，《臺南市故事集7》。

8. 陰間傳說

臺灣民間認為人死後會進入陰間，即冥界，那裡設有地府會審判人一生的功過，若有犯罪的事蹟，將通過審判，依情節的輕重進入地獄中接受刑罰。在臺南有流傳一些人進入陰間，之後再回到陽間，將他在陰間的所見所聞說出而產生的傳說。

（1）陳大砲遊陰間

陳大砲是清末日治初期南洲（今山上區南洲里）地方人物，在他2、30歲的時候，他和2、3名同伴受雇一起去玉井鋸樹，鋸下來的樹木交由老闆販售讓人製成木炭。農曆5月芒果結果時，3名同伴爬到樹上搖芒果，他在下面撿拾，同伴叫他的名字，他突然感到身體非常不舒服，就回到草屋休息，沒想到剛躺下去整個人就昏死過去。原來那棵芒果樹下曾有一個人被一名叫「高大砲」的人打死，冤魂在樹下徘徊想要報仇，聽到同伴叫陳大砲的名字，與凶手相同，於是就將他的魂魄抓走。

同伴怎樣都救不醒他，只好用椅轎將他抬回家準備後事，家人將彌留之際的他放在大廳等候斷氣，此時樹德尊王透過乩童指示暫時不可埋葬，待祂們查明真相再再做處置。神明在地府追查他的下落，卻怎樣都查不到，原來冤魂抓錯人，因此不敢將他交給鬼差發落，他四處遊走，找到祖父母，祂們正在牧羊，他向祂們討水喝，祂們不肯給他，因為喝了就回不了陽間，還用棍子打他要趕他走。他在地府遊走7天，看到有人被刑罰，還看到血池，岸邊水淺處長出莧菜和茄子，他還陽之後從此不敢吃這兩樣蔬菜。他要回陽間時，看到有一個人騎馬拿著一把大刀走在前面，還有一個人在後面，兩人一起押送他回來，可能是南洲周圍的神明。在回陽間的路上，他感覺有一群人在暗中偷窺，想把他搶走，不讓他還陽。他醒過來之後將遊地府所見所聞告訴大家。

他還陽之後腳腫得很大，怎樣醫都醫不好，後來去問神，神明指示說是被他祖母用趕羊的棍子打的，叫他點香向祖母祈求，請祂保佑他痊癒，他照著指示去做，果真痊癒。後來他活到 90 幾歲才過世。[88]

（2）聖王公乩身至地府辦公

中西區西羅殿主祀廣澤尊王（聖王公），祂曾派祂的乩身至地府辦理為信徒添壽的事，乩身回來之後對大家說出他的所見所聞。當時乩身是在夢中進入地府，一路往北走，首先來到奈何橋，橋的對岸就是陰間，橋的形狀就像很長的一道竹筏。

他通過奈何橋之後，來到陰間看到許多樓房，都是陽間燒過去的紙糊樓房，來到陰間竟然都變成真的房子，不是紙做的。這些樓房很多，但都沒有人搬進去住。他繼續往前走，看到一座城，就像北京城那樣，他進去看到陰間的人都住在這裡。陰間的街道很遼闊一望無際，有很多商店，都是泥土的地面，沒有水泥地面。房子都是平房，只有一間有閣樓而已。他遇到認識的人，在那邊賣木炭，他生前就是賣木炭的。還看到有人在賣粉粿、魚丸湯，就像早期臺灣傳統社會的小販那樣，挑著一個擔子叫賣。

他繼續往前走，來到一間像南鯤鯓代天府那樣的大廟，他進去之後看到一個土地公，他從一個拱門走進去，來到第一殿，有個大水池，很多鬼魂都浸在裡面，有一支很大的杉木從他們的背部插下去，然後綁在他們背部，讓他們背著，水池裡面的水浸到胸部，那些鬼魂不知道是做了什麼壞事被這樣懲罰。

他繼續往前走，經過一個殿之後才見到閻羅王，祂和戲裡長得一樣，祂對他講的話他都聽不懂，像鳥語。他是奉廣澤尊王的指令下去

88—— 茆寶風講述，〈陳大砲遊地府〉，《臺南縣閩南語故事集（八）》，頁88-101。

的，閻羅王所說的話他只需照實轉述，不需了解其義。在閻羅王那裡只有掌管生死簿的官員對他說臺灣話，祂坐在閻羅王的旁邊，閻羅王很多事都問祂。[89]

關於地府、地獄景象，早在六朝的志怪小說中即有描述[90]，宋朝已有善書《玉曆寶鈔》在民間流傳，書中詳細描述地獄十殿的情景，包括各種刑罰及其因由。1976年臺中聖賢堂出版由楊贊儒所寫的《地獄遊記》，書中記載濟公帶領他的魂魄，至地獄各處遊歷，他將所見所聞一一詳加描述。此書後來被大量印製，提供民眾免費索取，對民間影響廣大。而臺灣民間也流傳許多民眾至陰間遊歷的所見所聞這類的傳說，內容五花八門。上面這兩則傳說，兩位講述者所描述的陰間景象大不相同，可能與陰間遼闊，以及個人遭遇有關，陳大砲是因為被冤魂誤抓而在陰間某處遊蕩，他未至地府；而聖王公的乩身則是至地府辦公，他先經過陰間某處，再至地府，兩人遊歷的地點不同，因此所描述的景象各異其趣。

（四）家族傳說

漢人來到臺南拓墾，終能開枝散葉、繁衍子孫、建立家族實屬不易，在建立家族的過程中，有些因為有較特殊的際遇與因緣，才得以建立家族，這些會形成家族由來的傳說；其次，有的家族發展特別興旺，成為獨霸一方的世家大族，其發跡的過程往往帶有一些神奇的色彩，會形成傳說在當地流傳。要讓家族的興旺維持不墜頗為不易，有些家族會因為某些原因而衰敗，地方上對於他們的衰敗如同崛起一樣，會有諸多揣測，這些都會形成傳說在當地流傳；再者，家族與家族間常有競爭，有些競爭特別戲

89── 曾龍山講述，〈地府〉，《臺南市故事集14》，頁120-137
90── 例如《冥祥記》中的〈趙泰〉、〈程道惠〉等等。

劇化，讓人津津樂道，在臺南就流傳著「競富」的傳說；另外，家族中有一些避諱的事物，大家會共同去遵守，為何會產生這些避諱，往往有一些說法，這些說法隨著年代的久遠漸漸模糊，無法求證，就成為傳說在家族間流傳。

1. 篤加邱姓家族傳說

七股區篤加里以邱姓為主，是臺南最大的單姓血緣社區，其冬至祭祖規模龐大，頗具特色，十分著名。關於邱姓家族的由來，吳新榮記錄了這樣一則傳說：篤加邱姓祖先源自佳里區金唐殿廟後的西拉雅平埔族蕭壠社「廟後邱」。「廟後邱」的結婚習俗很奇特，結婚時新娘一定要「摸馬卵」，以求子孫繁衍；新娘的初夜權非新郎所有，而是由長老逐次輪流，以娛不倫之樂。男人的橫暴逐漸影響到小孩，他們惡劣到撒尿畫圈圈，叫看不順眼的農夫站在尿圈裡，如果不從，大人不分皂白，將農夫打到遍體鱗傷。「廟後邱」權大勢大，大到連買東西都不給錢。嘉慶末年，邱家有一男子要結婚，新娘的初夜權輪到新郎的舅舅，新郎很高興，想說可以跟舅舅商量，不要行使這個權利，沒想到舅舅竟說不可破例。新郎越想越氣，於是向嘉義縣官府告狀，不久縣官發兵圍剿「廟後邱」，隔天早上邱家男女均伏誅於刀劍之下，為了斬草除根，連其姻親或藏匿者都誅滅。在剿滅的過程中，有一個人逃出直奔西方海岸，在那裡隱藏一段時間後就定居下來，即現在的篤加村落。[91]

這則傳說後來引發許多討論，有些人主張邱家不是平埔族的後代，認為傳說的內容破綻百出，[92]而涂順從認為傳說所言之事確實在佳里區發生過，且曾有一人逃至篤加，但此人未必是篤加邱家開基祖邱乾成。

91—— 吳新榮〈蕭壠社剿惡故事〉，《臺南縣志稿》，卷九第三篇第十七章，1957年。

92—— 邱榮楠，〈篤加溯源論證〉（《南瀛文獻》，新營：臺南縣政府，第二輯，2003），頁162-166；涂順從，〈我們不是平埔族人〉（《南瀛文獻》第四輯，2005年），頁90-103。。

其次，相傳篤加邱家自古以來即有女兒不招贅的習俗，據當地耆老的說法，過去曾有一名謝姓男子入贅到篤加，不久在一個風雨交加的颱風夜裡，一陣陣強風颳倒一棵大樹，將謝家的房屋壓垮，導致全家死亡。而篤加有幾位邱姓寡婦招贅他姓男子入村，也都沒有生下子嗣，因此村中的長老認為招贅會為邱姓族人帶來不祥與災禍，於是訂下不可招贅、不准他姓遷入的規矩，至今仍然沒有人敢違背祖訓。[93]

2. 關廟方家興衰傳說[94]

關廟區東勢里的方家在關廟是大戶人家，他們的祖先來自福建省漳州府龍溪縣，明末即已渡海來臺，後來輾轉來到關廟東勢定居。方家的第四至第六祖都有科舉功名，可能曾在朝為官，家業十分興旺，是地方上的大戶人家。方家當時從關廟興建道路連接臺南府城，成為東門城外最富庶的世家，在東方形成一股龐大的勢力，所以他們居住的地方才會以「東勢」命名，也就是現在的東勢里，當地人就稱他們為「東勢方」。

「東勢方」的發跡有則傳說：從前關廟的陳家是地方上的首富，相傳他們有一匹寶馬，餵牠吃稻穀，牠會拉出白銀；餵牠吃白米，牠會拉出黃金。庄民都傳說陳家因為有這匹寶馬，才會成為地方上的首富。陳家會這麼富有，是因為他們聘請一位地理師幫他們找到一處風水寶地，祖先下葬之後他們家就事事順遂、財運亨通、飛黃騰達，成為地方上的首富。然而地理師必須付出失明的代價，陳家答應要供養他一輩子。

一天陳家有一隻羊掉到糞坑裡淹死，陳員外覺得很可惜，要下人把羊撈起來清理乾淨後煮給大家吃，可是沒有人敢吃。陳員外想到地理師愛吃羊肉，他失明看不見，不會知道這隻羊掉到糞坑，於是就命令婢女端去給

93—— https://www.tri.org.tw/per/80/P42.pdf。

94—— 方榮順講述，〈敗姓陳，成姓方〉；黃進波講述，〈「東勢方」的傳說〉，《臺南縣閩南語故事集（八）》，頁16-39。與風水地理有關，皆有地理師吃臭羊肉的故事情節。

他吃。他沒查出異狀，反而感謝陳員外如此善待他。婢女於心不忍，忍不住告訴他真相，地理師得知非常生氣，但沒有發作，而是不動聲色地盤算著事情。

　　一日他將員外請來，告訴他風水寶地年限已到，必須趕緊重做，員外不疑有他，馬上開始進行。地理師擇定良辰吉日，在陳家古井進行祭改，他手拿寶劍對古井作法，然後大喝一聲，將寶劍丟入井中，古井馬上湧出一股鮮紅色的泉水，眾人大驚，引起一陣騷動，他趕緊趁機用泉水洗眼晴，馬上重見光明，並趁混亂時飄然遠去。原來這口古井位在龍脈的龍喉上，地理師往井裡丟寶劍刺中龍喉，龍受傷流血，井水因此變紅，龍脈被敗壞，好的風水地理也消失了，陳家因此逐漸沒落。

　　地理師離開陳家之後，四處遊山玩水，一天來到一處荒野，天色已暗，無處休息，正在煩惱時看見一名青年樵夫，樵夫將他帶回家中休息。樵夫姓方，父親早逝，母親改嫁江姓人家，他平常靠各種勞動工作勉強養活自己，所住的房子是江家借給他的。方姓青年竭盡所能款待地理師，他在這裡住了一段時間，看出青年是個善良的好人，想幫他找一門好風水。他要青年帶他一起出去撿柴，來到山上看到不遠處有一顆楝榔樹頭，他叫青年明天中午將它挖出，結果底下有一個像糞坑一樣大的甕，裡面裝滿了白銀，青年因此致富。他向江家買下他住的這塊地，蓋了一間大房子，即現在的方家祖厝，地方上因此有：「敗姓陳，成姓方。」的俗諺流傳。

　　3. 玉井宵里張家與大內石仔瀨楊家競富傳說

　　玉井宵里張家種糖，大內石仔瀨楊家種稻，雙方都很富有，喜歡炫富。某天相約比賽誰最富有，宵里張家聲稱要在溪中倒入糖，讓位在下游的楊家取水喝是甜的；楊家聲稱要將稻穀從張家開始排列，一直排到府城（或說準備白布從楊家鋪設到張家，讓張家人走到楊家腳上不沾泥土）。結果

張家的糖溶在水中因而破產,楊家的稻穀(或白布)則可收回,財富沒有受到影響。[95]

這些競富的傳說,生動地描述出人性中喜愛炫富的一面。財富象徵身分、地位、價值、成就等等,是人人想追求的,擁有財富能得到眾人崇拜、欣羨、愛慕的眼光,所以會想要炫富,藉此得到眾人的矚目。只是炫富需要有技巧,不能光憑蠻力,口宵里張家賠上所有身家財產,得不償失;而石仔瀨楊家雖然好一點,也沒討到什麼便宜,徒留笑柄而已。傳說有傳達炫富要適可而止,別做意氣之爭之意。

4. 祖先名諱傳說

這類傳說主要在說明家族中對於某些事物會換另一種說法,這是因為原來的說法與祖先的名諱相同,為了表示對祖先的尊敬,不直呼其名諱,因此改變這些事物的說法。例如東山區大庄陳家就有這樣的傳說。

東山大庄(位於東山區大客里)陳姓家族是當地的望族,祖先陳番鴨曾是當地的首富,家族中因為他而產生一個禁忌,講到「紅面番鴨」時要改說「紅面鴨」,因為冬令進補常會使用到紅面番鴨,若說出要抓番鴨來殺,或是要吃番鴨,對陳番鴨非常不敬,因此陳家將紅面番鴨改稱「紅面鴨」。[96]

(五)地方山川勝蹟傳說

自古以來人類對於自然環境總是充滿形形色色想像,會將所見的地形類比成其他東西,例如臺灣民間將溪流想像成蛇、蛟龍等等,將山想像成各種動物,認為其具有生命,並為其命名,去解釋其如何形成,尤其具有

95—— 胡金典講述,〈宵里張拚石仔瀨楊〉;李金輝講述,〈口宵里張鬥石仔瀨楊〉,《臺南縣閩南語故事集(九)》,頁64-77、142-152。

96—— 王欣頌講述,〈「紅面鴨」名的由來〉,《臺南縣閩南語故事集(二)》,頁38-45。

特色的山川勝蹟因為特徵明顯，更容易形成傳說在地方上流傳，茲舉臺南地區所流傳的幾個較著名的傳說為例說明。

1. 龍崎崛石礐里窩鏡窗[97]

龍崎區石礐里與左鎮區交界處，有一座名為「窩鏡窗（蚵鏡窗）」的山，它的山壁光滑如鏡，傳說女子若在府城「五層樓」（今中西區林百貨，一說赤崁樓）可照此鏡梳妝，或說可從這片山壁看到女子在五層樓上梳妝。

窩鏡窗西邊的石壁裡有個山洞，傳說住著一隻修行上千年的大蛇精，整座山的山脈都被牠的身體壓住，牠的眼睛像水缸一樣大，可以發出萬丈光芒，舌頭有上百公尺長，牠會學人和牲畜的聲音，引誘人和牲畜靠近洞口，再用舌頭將人和牲畜拖進洞裡吃掉。蛇精引發居民的恐慌，大家苦思無對策可除掉牠，於是只好殺豬宰羊，祭拜天地，祈求玉皇大帝除掉蛇精，玉皇大帝派出雷公，在一次風雨交加的時候將蛇精打死。

另一種說法則說蛇精是被人除掉的。高雄市內門區中埔頭的武將游貢生有一次午睡夢到一位白髮老人（或說土地公），叫他去窩鏡窗將蛇精除掉，他照著指示去做，來到窩鏡窗聽到大蛇吼叫，他馬上開槍射殺，突然雷電交加，蛇精被雷打死；也有一說指出被託夢的是當地的林姓居民，他是前龍崎鄉代會主席林思志的曾祖；另一說則指出是游貢生和林姓居民兩人合作剷除蛇精，之後有人將蛇精的一根脊椎骨拔回去，竟然可以搗米，可見蛇精非常巨大。

這些傳說讓窩鏡窗充滿神秘感，吸引許多人想一探究竟，也讓當地成為著名景點。

97—— 王進豐講述，〈窩鏡窗的傳說（一）、（二）〉，《臺南縣閩南語故事集（二）》，頁130-151；黃文博，《南瀛地名誌·新豐區卷》，頁342。

2. 玉井斗六「屪鳥仔山」與楠西埔頭仔「膣屄山」[98]

「屪鳥（音 lān-tsiáu）仔山」位在玉井區北方的中正里，為斗六仔山南麓，「天筆山」為其雅稱。相傳很久以前屪鳥仔山比現在更為高聳，形狀酷似男性的生殖器，因而有此名稱。楠西埔頭仔（位在今楠西區龜丹里）有一座山，叫「膣屄（音 tsi-bai）仔山」，山的形狀凹下去，有一個水池，長年積水，不會乾涸，很像女性的生殖器。據說每當太陽西下時，屪鳥仔山的山影會投射到膣屄仔山中，就像男女交歡一樣，埔頭仔的女人就會發情，強拉男人；或說當地的男女就會春情大發，恣意交歡。玉皇大帝知道後，下令雷公將天筆山打斷，之後就不再出現亂象。

這則傳說在當地十分著名，據說天筆山被雷打斷的那截石頭，後來被豐里村的保正撿回去祭拜，但會對他們家產生不好的影響，健康越來越差，於是他們就把它處理掉，後來被當作石頭公膜拜，在大家樂盛行時經常有人去求明牌，後經媽祖指示不可膜拜，敕符將其封起來丟棄在荒草中。另外傳說 1984 年有砂石商自稱在曾文溪挖到被打斷的那截石頭，將其送給玉井分局作紀念。

（六）人物傳說

1. 歷史人物

在臺南流傳著許多歷史人物的傳說，有些與歷史記載中的樣貌差距甚大，可視為稗官野史，反映出民間對歷史人物與官方不同的觀點，例如黃教的傳說，官方將他視為叛亂分子，但民間卻認為他具有成為真命天子的條件，卻因母親之故功虧一簣，由此可見民間對於民變首領的看法與官方大相逕庭。

98—— 胡金典講述，〈斗六仔合鹿陶洋〉；李金輝講述，〈天筆山〉，《臺南縣閩南語故事集（九）》，頁92-100、122-133；黃文博，《南瀛地名誌・新化區卷》，頁379。。

其次，歷史人物因為具有某些特質，容易與當地的信仰結合，成為被奉祀的神祇，例如西來庵事件中的陳清吉，死後成為北區西來庵廟中的神明陳督司；乙未戰爭中漚汪的林崑岡戰死在急水溪南畔的竹篙山，被封為「竹篙山之神」，後人在學甲區興建忠神殿奉祀祂，而祂同時也成為嘉義市萬台宮的主神林府將軍；清治時期臺灣首位發動大型武裝起義事件的朱一貴，雖然不是臺南人，但卻成為中西區小南城隍廟的主神小城隍爺，他們都被奉祀在臺南的宮廟中。

另外，上古時代的歷史人物甘羅，雖然距今已數千年，仍有多種版本的傳說在民間流傳，也被臺南多處宮廟奉祀，在臺南有採錄到故事情節較特別的傳說。

（1）黃教

黃教生年不詳，原為福建泉州同安縣人，後移民臺灣定居在大目降（今新化區）山區，為當地盜牛賊首領。乾隆 33 年（1768 年）因被官兵追捕甚急，於是鋌而走險，號召民眾抵抗官府，成為民變的首領，後於乾隆 34 年（1769 年）被捕。

關於這位歷史人物，新化當地流傳著這樣一則傳說。據說黃教出生在新化竹林里的何厝，此地為八卦穴，有很好的風水地理。他被人家雇用到山裡當燒製木炭的工人，看到木炭被稱為「黑金」，獲利很高，於是努力存錢自己開設炭窯。他的志向很高，想要起來篡奪天下，為了籌措招兵買馬的資金，立志要在將軍山上蓋滿一百座炭窯，據說如此一來可以盡得將軍山的好風水，當上皇帝。

當他正在蓋第一百座炭窯時，眼盲的母親上山去看他，她摸著炭窯越摸越生氣，本來以為黃教在這裡佈署天下大事，沒想到他都在燒製木炭，於是她一氣之下將第一百座窯推倒，黃教因此無法得到將軍山風水之助。

黃教被母親訓斥之後決定提前舉事，當時他養了一隻狗，狗對他十分忠心，但自從母親來了之後狗就不肯吃飯，黃教以為這是篡奪天下的時機到了。一天，狗推著桌腳，桌上的碗盤掉下來，牠咬起兩塊盤子，示意黃教跟牠走，帶他走向將軍山頂。山裡都是香蕉樹，黃教怕樹阻礙狗的奔跑，就用刀將葉子砍下，隨手插在山上，結果插在將軍山最高的地方，天地為之震動，驚動北京的堪輿官，他們看到說：「臺灣將要出真命天子！青旗（香蕉葉）一出，代表青龍出現，將危及大清帝位。」於是朝廷派出小蔣要來臺灣剿滅黃教。

　　小蔣帶兵來到山下，看到 99 座炭窯的煙，以為那是黃教陣營的炊煙，認為他的兵力十分強大，被嚇到回去請求支援。當清兵加派人馬過來時，狗帶著黃教逃亡，來到呼神母（位在知義里烏占湖山谷西面）時，有蒼蠅飛進黃教的眼睛被他揉死，屍體黏在眼睛上面使他看不到路，於是停留在那裏。清兵追至此處，黃教繼續往前逃，逃到加苓崁（位在大坑里烏占湖峭壁東北方）被捕身亡。

　　黃教之所以失敗，據說也與他母親的道德修養不好有關。他家門前種了竹子，人家問他母親這些竹子要做甚麼，她說要拿來打人，被土地公上奏給玉皇大帝。其次，她每次洗好筷子要放入碗籃時會先將水甩乾，可是她甩的時候都往灶上一直摔，每天三次，灶有神明灶文公，祂就這樣一天被打三次頭，祂也將此事上奏給玉皇大帝，玉皇大帝認為他家不夠仁厚，沒有肚量，不配統治天下，因此將他當皇帝的資格取消，所以他最後失敗被捕。傳說反映出民間認為天子之位由上天決定，需有德者才足以配之，而且上天對於德性的要求不僅止於當事人，還包括他的家族，而這樣的思維也顯現出儒家「德治」的思想對民間的影響。

（2）鴨母王朱一貴

傳說鴨母王朱一貴早在清治年間，即至中西區開山路的小南城隍廟上任，成為主神小城隍爺。小南城隍廟最早成立於同治年間，位在府城小南城附近，為一座用石頭砌成的小祠堂，祭祀當時抗清的明朝遺臣義士。光緒年間安定海寮方馬德、方李粮夫妻受家中奉祀的觀音佛祖指點，要他們來此與城隍爺結緣。起初他們不願相信，後經歷多次火災之後來到此處，馬車竟然停止不再前進，於是他們留下來過夜，睡夢中夢到觀音佛祖帶城隍爺來此上任，即鴨母王朱一貴，因此他們定居下來並奉祀城隍爺，之後將祠堂改建成城隍廟。小南城隍廟主祀大城隍公杜昭義、二城隍公朱一貴、三城隍公雷域輝，其中二城隍公俗稱小城隍，是該廟的主神。傳說朱一貴當時在臺南大天后宮登基，之後天上聖母指示要祂擔任祂的隨駕護將，因此廟中同祀天上聖母；另外，傳說朱一貴死後由觀音佛祖救起並帶在身邊修行，最後渡化祂成神，並由玉皇上帝敕封為臺南州城隍綏靖侯，因此廟中也同祀觀音佛祖。[99]

（3）甘羅

甘羅未成年即拜相、死亡，人生非常短暫，卻擁有不平凡的經歷，因此常被民間膜拜，臺南有許多宮廟有奉祀祂，例如中西區的東嶽殿將祂與傳說活了820歲的彭祖一起配祀，稱為壽神彭祖仙翁、夭神甘羅公子；另外佳里區的中興宮主祀中壇元帥，即甘羅太子。

甘羅是戰國末期下蔡人，《史記》、《秦史》中都有記載他的事蹟，民間也流傳他的傳說，而在臺南楠西區有採錄到一則甘羅拜相的傳說，與常見的文字記載版本，內容情節都不盡相同，頗有特色：據傳甘羅的父親

99——「一步就出走」網站：https://onemorestep11.adan.tw/taiwan-tainan-xiao-nan-cheng-huang-temple、「中央研究院人社中心地理資訊科學研究專題中心」http://crgis.rchss.sinica.edu.tw/temples/TainanCity/westcentral/2108007-XNCHM。

是一名事母至孝、歌聲動人、靠釣魚維生的窮書生，他每次去釣魚都會唱歌，宰相的女兒在繡樓聽到他的歌聲十分著迷，於是要他每天都來唱歌給她聽，他因此愛上宰相千金，最後得了相思病過世。他過世之後母親準備飯菜祭拜他一直哭泣，他突然顯靈叫母親不要哭泣，只要拿著某個碗放在市集，這個碗會唱歌，母親就可以靠此謀生。宰相千金聽說有一個碗會唱歌，於是派人將書生的母親找來，她聽到歌聲與書生相似，很好奇就用手去摸碗，突然碗好像跟她來電似的，整個爆裂，母親失去謀生的工具一直哭泣，宰相千金便將她留下奉養，並吩咐婢女將碗的碎片掃起來倒在後花園的橘子樹下。

　　當時不是橘子結果實的季節，但這顆橘子樹結了兩個很大的果實，宰相千金摘下一顆橘子剝開吃下，結果肚子開始變大，猶如懷孕，最後生下一名男孩，由於是吃橘子（柑）產下的，因此取名為「甘羅」。宰相將甘羅偷偷養在家中，十分疼愛。一天皇帝作夢夢到花開、鏡破、海水乾、山崩塌，限時三天要臣子幫他解夢，若解不出來要砍頭，宰相解不出來十分煩惱，吃不下飯，此時才 6、7 歲大的甘羅解出說：「花開結子成，鏡破兩分明，海水乾王見現，山崩見太平。」隔天宰相將答案稟告皇帝，正確無誤，皇帝得知是甘羅解出，於是封他作宰相。

　　朝廷文武百官都需在金鑾殿值夜，有一個奸臣想陷害甘羅，就在他值夜時在竹管中塞入香蕉泥，偷偷將其擠在龍椅上，看起來像大便。隔天皇帝上朝看到大發雷霆，問是誰值夜的，甘羅回答是他，並說：「大便吾大吾敢吃。」於是將所有的香蕉泥都吃光光，奸臣的詭計因而無法得逞。不久輪到奸臣值夜，甘羅偷偷大便在龍椅上，隔天皇帝上朝，看到大便要求值夜的奸臣比照甘羅的方式將大便吃掉，結果奸臣吃到甘羅的大便。

甘羅心想自己還這麼幼小，恐怕被奸臣害死，於是他向皇帝說他的心肝異於常人，肝臟有七葉，皇帝若不信可以將他的肚子剖開來看，看完再縫合，然後叫三聲「甘羅我子」，他就會活過來了。皇帝剖開他的肚子，看到他的肝臟與常人無異，只有兩葉，於是將他縫合起來，喊三聲「甘羅我子」，結果他沒復活，死在金鑾殿，手中握著一個小袋子，皇帝打開來看，裡面有張紙條寫著：「死在金鑾殿，葬在太子山。」他死後成為太子，得到好的身分。[100]

2. 地方人物

（1）惡霸傳說

過去封建時代，法治不彰，地方上有時會出現惡霸，讓庄民十分痛恨，並產生與他們相關的傳說，茲舉三則為例。

A. 山上區大庄惡霸李仔丑（李仔田）

李仔丑（李仔田）是清治時期山上大庄（位在今山上區新莊里）的惡霸，武功高強，有錢有勢，經常魚肉鄉民。山仔頂人士華奇曾向他挑戰，叫人埋伏要暗殺他，最後被他順利脫困。曾做「下山虎」的地理，其作用如同猛虎下山傷人，想藉此敗南洲（今山上區南洲里）的運勢，所幸樹德尊王指示南洲庄民趕緊興建土地公廟，由土地公收拾老虎，才沒有受到他的傷害，事後敗地理的力量反撲回來，大庄因此敗庄。[101]

B. 新市區三舍林家三進士

新市區三舍里在乾隆至道光年間，有林氏家族來此開墾，出了三名進士：林維增、林維塘、林希傑，據說當地因此以「三舍」命名。林家在當地非常顯赫，有一條河流經過他家形成一個港口，可以與中國通商，稱

100──施金字講述，〈甘羅〉，《臺南縣閩南語故事集（八）》，頁118-143。

101──茆寶風講述，〈李仔丑〉，《臺南縣閩南語故事集（八）》，頁66-73；黃文博，《南瀛地名誌・新化區卷》，頁 243。

「舍庄港」，道光年間臺江陸浮之後，不再擁有港口通商便利，因而逐漸沒落。

傳說林家這三名進士非常囂張，平日排場驚人，他們從中國運來福杉青斗石等，打造一座三落一百二十個門的大宅院，人稱進士宅第，由於房子太大，吃飯時需打鼓通知。他們出門都騎馬，馬蹄所踏之處都是他們的土地，不會踏到別人的土地。

他們為人十分苛刻，曾削甘蔗放在路上聲稱要給大家吃，有人拿起來吃，卻被拖去灌大便。永康鹽行洲仔尾有位進士經過踏到林家的土地，被他們抓去灌喝大便，一個進士灌一碗，他總共被灌三碗。洲仔尾進士立志要報復，一天三進士踏到他家的土地，他馬上以牙還牙，罰三進士每人喝一碗鹽鹵，喝完之後洲仔尾進士再給他們一人喝一碗豬油，這樣腸胃才不會被鹽鹵腐蝕。三進士受到報復之後氣數已盡，逐漸衰敗。[102]

C. 下營區許媽超

許媽超是清治下營茅港尾（今下營區茅港里）人士，自幼父母雙亡，由祖母撫養長大，後被王得祿收為義子。據說他孔武有力，仗恃著王得祿的權勢，在地方上作威作福，橫行無阻。當時北港朝天宮每年 3 月 14 日會至臺南大天后宮進香，前一天會先來到茅港尾，並在此過夜。某年北港媽祖又來到茅港尾，與許媽超素有嫌隙的六甲庄無賴李閣也前來看熱鬧，雙方發生衝突，許媽超裸體赤足阻擋媽祖神轎，引發香客不滿，大聲叫說：「有茅港尾許媽超，就無北港媽祖；有北港媽祖，就無茅港尾許媽超。」同時北港媽祖的神轎發輦，衝向許媽超家，他急忙將大門深鎖。後來香客講的話成為當地的俗諺，意指有你沒有我、勢不兩立。

102——詹大木講述，〈林家三進士〉；蘇耀全講述，〈林家三進士〉；林在得講述，〈林家三進士〉，《臺南縣閩南語故事集（十）》，頁16-75。

傳說茅港尾有「七星墜地穴」，是一處寶穴，但被許媽超破壞。有一年茅港尾天后宮媽祖聖誕，請戲班前來演戲祝壽，由於戲班無處洗澡，許媽超便在「七星墜地穴」上強挖埤塘當作浴池，導致寶穴的風水地理被破壞，據說茅港尾因此敗庄、沒落。庄人稱此埤塘為「戲館埤仔」，殘跡在茅港尾天后宮的東邊。[103]

　　同治元年 5 月 11 日（1862 年 6 月 7 日）茅港尾發生大地震，天后宮傾圮，許媽超擔任董事，發起重建，同治 12 年（1872 年）他因案被捕，由洪窮接任董事。[104]

　　（2）富人傳說

　　A．戇人仔舍[105]

　　從前有個富家子弟打死人，他父親拿了一筆錢賄賂臺南府尊（知府），請他幫兒子脫罪，於是府尊抓了一個窮人的兒子來當替死鬼。窮人靠捕魚維生，他沒有錢賄賂府尊，有一天他出海捕魚抓到一隻很大的白帶魚，於是拿去送給府尊，希望他能夠秉公處理，但最後兒子還是被判死刑。窮人的兒子住在茄萣、灣裡那一帶，要斬首時他對府尊發誓一定會回來報仇。府尊一直生不出小孩，窮人的兒子死後不久，他的妻子便懷孕了，這個小孩子就是戇人仔舍，據說他是窮人的兒子來投胎轉世，目的要向府尊報仇，要敗光他的家業，讓他死無葬身之地。

　　戇人仔舍出生之後就一直哭個不停，必須要拿整疋的絲絹（一說紅綢布）來撕，讓他聽到聲音才會停止哭泣，一旦停下來沒有繼續撕，他又會開始哭泣，就這樣撕掉很多絲絹，花費很多錢。戇人仔舍長大之後變得更會揮霍金錢，最常被人提起的是「吃魚苗」及「滾銀票」這兩件事。他很

103──黃清淵，〈茅港尾紀略人物志－許媽超〉（《南瀛文獻》第2卷第1期第2期，1954年9月20日），頁134-142；黃文博，《南瀛地名誌‧曾文區卷》，頁131-132；黃文博，《南瀛俗諺故事誌》，新營：臺南縣文化局，2001年，134-137頁。

104──何厚增，《被遺忘的茅港尾一四百年史話》，臺南：著者自印，1997年，頁142。

105──莊萬再等人講述，〈戇人仔舍〉，《臺南市故事集4》，2013年，頁112-128；吳炎坤，《台南市俗語研究》（臺南：臺南大學臺灣文化研究所碩士論文，2007年），頁51-52。

喜歡吃虱目魚苗，但魚苗的價格很貴，一碗魚苗有成千上萬隻，所費不貲，但他吃起來眉頭都不皺一下。

他為人十分風流，常在聲色場所流連忘返，他最喜歡玩滾銀票的遊戲，會將銀票撲滿整張床，再叫小姐將衣服脫光，然後上床打滾，只要身體黏起來的銀票，都歸她們所有。有些小姐很聰明，會事先在身上沾水，這樣可以黏住更多的鈔票。這種玩法一個晚上要花掉很多錢，他卻樂此不疲，浪擲千金。

臺南府尊過世之後，他認識王仔水，王仔水成為他的跟班，帶他四處花錢又騙走他很多錢，讓他最後窮困潦倒。據說王仔水當初跟兩個不良少年串通好，在戀人仔舍家附近埋伏，看到他走出來時，那兩個不良少年馬上衝上前去抓住他的胸口一陣猛打，此時王仔水假裝經過出來解危，就這樣贏得他的信任。有人說他後來雇用王仔水當管家，所有事情都交給他去打理，對他百般信任，王仔水因此騙走他的財產。

據說王仔水串通外人，讓外人用低於市價的價錢將戀人仔舍家中的古玩、珍寶買走，他再轉手用市價賣出，從中牟利，就這樣戀人仔舍家中的古玩、珍寶都被他便宜賣出。王仔水還利用自己的妹妹（一說老婆）的美色誘惑他，設計仙人跳來拐騙他的財產。

戀人仔舍最後把家產都敗光了，據說他沒有錢之後就跑去父母的墓地，把父母的骨頭通通挖出來丟掉，然後將那塊墓地賣掉，又把那筆錢花光，最後才自然死亡。這樣的結局剛好一一印驗了窮人兒子臨死前對臺南府尊所說的每一句話，果真臺南府尊的墳墓被賣掉，死無葬身之地；另外，也有人說戀人仔舍最終窮困潦倒，倚賴兄長接濟過活；還有人說戀人仔舍的妻子後來淪落到在東嶽殿（又稱嶽帝廟，位於中西區）前為人洗衣以求溫飽，且他們未曾生子。

「舍」音 sià，意指清治以來對有錢人、大地主、員外、大戶人家的尊稱。府城由於最早開發，經濟較其他地方發達，有錢人很多，因此流傳許多「舍」的故事，其中以「戇人仔舍」最廣為人知。

　　戇人仔舍真有其人，據說他長得不高，瘦瘦的，是日治時期到臺灣光復後這個年代的人士，本名叫黃滄浪，父親名黃欽，人稱「欽仔舍」。他父親在官府的鹽鋪做事，家境非常富裕。他家在永福路的黃厝祠堂，據說是三落的大宅，非常氣派，從孔子廟一直延伸到永福路，後來因為開闢馬路被拆掉，僅餘從忠義路到永福路之間的「中落」。

　　戇人仔舍有一兄一姊，哥哥人稱阿真或「阿真仔舍」，有人說他是私生子，也有人說他是領養的，因此戇人仔舍被視為正統繼承人，分財產時，哥哥和姐姐雖然都有都有分到，但數量遠比他少。王仔水亦真有其人，據說他住在忠義路二段，以前是開當舖的。

　　戇人仔舍是他的綽號，也是尊稱，因為他笨笨的，老是被王仔水牽著鼻子走，四處亂花錢，到最後窮途潦倒，所以才這樣被稱呼。戇人仔舍和王仔水都是府城著名人士，很多府城老一輩的人都知道他們的事蹟，也見過本人。

　　戇人仔舍的傳說是揮霍型的敗家子故事，民間認為這種人是生來向父母討債的，否則不會把家產敗光，因此這則傳說才會有窮人之子投胎轉世來報仇的說法。而這種人的特徵就是極盡揮霍家財之能事，撕絲絹止住啼哭、吃魚苗、滾銀票這類的故事情節，也曾在其他敗家子故事中出現。這類故事還會帶有警世的意味，透過敗家子窮困潦倒的結局，奉勸世人不要老是羨慕富二代，若不改揮霍習性，萬貫家財也很快花費一空，還是勤儉、務實過日子方為上策。另外也流傳相關諺語：「我也毋是戇人仔舍，汝也毋是王仔水。」

（七）災難傳說

天災人禍對民間百姓的生命財產破壞力強大，其事件會在聚落中留下無法抹滅的印象，被人們不斷談論，而其所經歷的經驗及所形成的集體記憶，有些會用傳說、諺語的方式保存、流傳下來。臺南地區流傳的災難傳說包括水災、旱災、空難、地震等等，其中數量最多者為與水災相關的傳說，空難次之。災難傳說的內容大多與民間信仰有關，當天災人禍產生時，人們會感到極度恐懼不安、無助，此時會向神佛祈求，希望祂們發揮神力幫助眾人平安度過難關。

1. 水災

臺南市位於嘉南平原的核心位置，嘉南平原是臺灣面積最大的平原，由濁水溪、北港溪、八掌溪、急水溪、曾文溪、鹽水溪、二仁溪等溪流沖積而成，其中八掌溪、急水溪、曾文溪、鹽水溪、二仁溪都流經臺南，這些溪流常發生改道，造成水災，沿岸居民苦不堪言。溪流蜿蜒流動，遠望似一條蛇或龍，民間常最常用蛇的意象去想像它們，有時也將它們想像成龍，例如八掌溪被稱為「青盲（音 tshenn-mê，眼盲）龍」、「蛇溪」；急水溪被稱為「青盲龍」；曾文溪被稱為「青盲蛇」；鹽水溪被稱為「蛇神溪」、「蛇精」。五條溪流中，以八掌溪、急水溪、曾文溪改道最為頻繁，造成的水患最為嚴重，跟據文獻記載，八掌溪從康熙末年迄今歷經 5 次大改道[106]；急水溪一直有洪患與河道變遷的記錄，大正 15 年（1926）發生大改道；[107]曾文溪自十七世紀以來歷經 4 次大改道，且幅度廣大，北至將軍溪、南至鹽水溪都是其直接影響範圍，日治時期日本政府執行治水計畫，雖能有效防洪，但之後仍發生 1926

106——張瑞津、石再添、陳翰霖，〈臺灣西南部嘉南海岸平原河道變遷之研究〉（《師大地理研究報告》第 27 期，1997），頁 112-114。

107——楊家祈，《臺南拜溪墘祭儀與聚落變遷之研究》（臺南：臺南大學臺灣文化研究所碩士論文，2015），頁26-28。

年、1956 年、1965 年、1990 年等 4 次改道。[108]溪流氾濫、潰堤造成水災，許多村莊因此淹水，造成居民的傷亡及財產損失，道路、橋梁許多公共建設也遭受破壞，嚴重者造成許多村落散庄、滅庄，有些則重新集結成庄、遷入他庄。[109]水患一直是臺南地區民間共同的記憶，為平定水患，各地產生各式各樣的傳說，且有許多祭典儀式如「拜溪墩」、「拜溪神」、「拜溪王」等，迄今仍持續不輟，被視為地方上的要事。

臺南地區的水災傳說數量頗多，以下分為四類分別說明。

（1）作法祭溪

透過人或神明（以神明居多）用「辟邪物」（又稱「鎮物」、「禳鎮物」、「厭勝物」等）作法將氾濫的溪水鎮住，使其停止前進並退散，或是改道。這類的辟邪物大約有六類：植物、動物、石敢當、石製辟邪物、五營、器物，植物包括種植榕樹、芒果樹、木棉樹來祭水鎮煞，其中以種植榕樹的例子最多；動物為設置劍獅、石象來鎮水；石敢當是常見的辟邪物，又稱「石將軍」，為豎立的石碑，廣泛使用在各種擋煞、鎮壓凶地的場所，可用來鎮溪流洪水；石製辟邪物是在石頭上刻畫各種辟邪用的圖案，包括刻上法力強大或村庄奉祀神明的名諱，以及透過法師、乩童、神轎畫上符籙等等，有些符籙則是畫在青竹上。石製辟邪物數量最多；五營可分為內五營、外五營，內五營通常安置在廟內，外五營以聚落為中心，安置在聚落外東、西、南、北、中五個相對方位，祭溪的五營位置會做調整；器物類辟邪物有七星劍、犁頭、黑令旗、倒頭栽（取一節竹子，以和生長方向相反插入土中），這些

108——張瑞津、石再添、陳翰霖，〈臺灣西南部嘉南海岸平原河道變遷之研究〉，頁 117-119。
109——楊家祈，《臺南拜溪墩祭儀與聚落變遷之研究》，頁26。

都較一般辟邪物法力更強大。[110]作法祭溪常會使用多種辟邪物，尤其在水患嚴重時，藉此加強法力予以鎮壓。茲舉安南區十二佃與後壁區後廍為例。

A．安南區十二佃 [111]

十二佃（今佃東里、佃西里）位在曾文溪下游南岸，自古水災頻傳，傳說在清末豪雨引發山洪暴發，十二佃有被滅庄的危機，於是庄民向池府王爺與漚汪文衡殿老三關帝爺請示，老三關帝爺指示庄民設置香案，準備好犁頭1具、油燈7盞、鼎2個、榕樹苗3株待用，時辰一到在祂所指示之處開挖一個6尺深的坑洞，將犁頭貼上符咒，尖端朝向東北埋入，再將鼎放在上面，內置7盞油燈，再覆蓋1鼎，然後覆蓋3尺後的泥土，再植入3株榕樹苗，藉此來祭溪制煞。

此時老三關帝爺與青盲蛇鬥法戰鬥（曾文溪的蛇精，水災因其作祟產生），祂看到大水淹上來時，豎立一支令旗，並交代庄民，無論大水淹到多高都不可以去動這支令旗。令旗的作用是將水位固定，大水才不會繼續往上淹；若移動令旗，水位會上升，其他村莊因此遭殃。庄民不知其中的原理，看到大水不斷上漲，心裡十分恐慌，沒有遵照老三關帝爺的交代，便將令旗移到更高的位置，結果造成更大的水患，傷及隔壁村莊，最後老三關帝爺因此受到天庭懲罰被判監禁。

3株榕樹苗後來繁衍成一大片榕樹林，後遵照神明指示在此建「武聖廟」，主祀協天大帝（關聖帝君）、榕王公、田府元帥，其中關聖帝君為漚汪文衡殿分靈而來，田府元帥率領兵馬駐守在此練兵，並防禦曾文溪洪水再犯。

110——楊家祈，《臺南拜溪墘祭儀與聚落變遷之研究》，頁245-251。

111——「慈濟仙官府」臉書，2017.11.10，https://www.facebook.com/permalink.php?story_fbid=pfbid02ZM8gLykgRnPg5BggnzzNAEKcr3NxVs5UnRTBXtewYWAeU3Ei5J3z8i2nwxugJ9tUI&id=208157712630286；楊家祈，《臺南拜溪墘祭儀與聚落變遷之研究》，頁222-224；戴建峰講述，〈十二佃做大水〉，《臺南市故事集28》，未出版，110.9.9採錄。

112——石暘睢，《臺南縣志卷二人民志》，臺南縣政府，1980年，頁 139-140。黃文博，《南瀛石敢當誌》，臺南縣文化局，2001年，頁 134-136。黃文博、謝玲玉，《後壁香火》，臺南：財團法

臺南文學史 —— 414

另外，據傳老三關帝爺最早在庄北栽植榕樹苗，後因此處地勢低窪，效果有限，於是擇定東北處（上述位置）再次栽植榕樹苗。庄北因為老三關帝爺已施過法，庄民深信已有神明的兵馬駐守，於是再從 3 株榕樹苗長成的榕樹剪枝植入此地，後長成兩棵榕樹，1988 年建廟祭拜，1993 年改建，1995 年正式取名為「天水宮」，主神受封為「鎮水將軍」。十二佃因此在庄北、東北都有神榕護庄，防患洪水。

B．後壁區後廍

後壁區後廍里緊鄰八掌溪，飽受水患之苦，相傳清光緒 28 年（1902年）府城漢學仔仙黃天賜（庄民稱「黃善士」）來到後廍溪畔立一塊石碑來鎮煞制水，碑面刻有太極八卦、七星、龍形草圖及「關化文石敢當」六字，從此鮮少有水患。後石敢當倒塌被荒草淹沒，1951 年被發現，1981年土地公指示遷移至現址。後廍人為感念黃善士，每逢祭典會以「嘬（音 tshuì，嘴）請」（口頭奉請祂前來接受祭祀），未雕塑神像奉祀。[112] 其次，戰後某年發生水災，庄外有兩處堤岸崩塌，縣政府網石圍堵水流無效，流失了 5、60 甲田地，庄民請下茄苳泰安宮媽祖大媽至溪邊作法，豎立青竹符制水，隔年溪水改道，庄民重獲近百甲土地。[113]

（2）神明顯靈救助

例如位於急水溪畔的鐵線橋（今新營區鐵線里）曾在某年淹大水，傳說有人目睹　名女子徒手挖掘堤岸，讓庄內積水迅速排入急水溪中，水災得以解除，庄民都認為此名女子即鐵線橋庄廟通濟宮媽祖的化身。[114] 又如新市區大洲里位於鹽水溪北岸，常有水患，庄廟保安宮主祀保生大帝，祂曾大顯神威將溪道南移免除水患。[115]

人泰安旌忠文教公益基金會，2001年，頁215、267。蔡福昌，《菁彩重現——無米樂故鄉的故事》，臺南縣政府，2009年，頁 144-146；文博、謝玲玉，《後壁香火》，臺南：財團法人泰安旌忠文教公益基金會，2001年，頁215。。

113——陳豐昌，《臺南市後壁區卅六庄下茄苳泰安宮旌忠廟簡介》，臺南：卅六庄下茄苳泰安宮旌忠廟管理委員會，2013年，頁 45。

114——黃明雅，《南瀛聚落誌》，臺南縣文化局，2006），頁 39。

115——不著撰人，〈保安宮沿革〉，1984年。黃文博《南瀛地名誌·新化區卷》，頁 100。

（3）聚落搬遷、移廟、建廟鎮溪

例如安定區的新庄仔（今新吉里），庄廟為保安宮，奉祀周府千歲、巫府千歲，舊聚落為「蘆竹崙」，現位於曾文溪底。傳說清光緒 13 年（1887年）蘆竹崙於巫府千歲聖誕（農曆 6 月 29 日）時，周府千歲降乩指示家家戶戶將財物放置在牛車上，並睡在牛車上或門口埕，需持續一個月。大約在農曆 7 月 10 日左右開始下大雨，庄民趕緊搬遷到崁頂仔（今新庄仔的小地名），不久洪水將蘆竹崙整個沖走，河床也崩至崁頂仔，全庄因周府千歲事先交代，得以脫身免除災難。1989 年巫府千歲指示，周府千歲因洩漏天機，被天庭囚禁六十餘年，需大家同心建醮做功德，讓周王可因此回到庄中，於是啟建三朝祈安清醮，並決議每 12 年舉辦 1 次。[116]

又如歸仁區媽廟（今媽廟里）庄北居民大多為林姓，相傳乾隆年間因為許縣溪潰堤，威脅到林姓居民們的安危，庄廟朝天宮（主祀媽祖）原為坐東朝西，為了防洪鎮水，改為坐西朝東，面向許縣溪。[117]

又如位於新營區中營里的興隆寺，俗稱「雙溪口菜堂」或「菜堂」，創建於大正 13 年（1924 年），主祀釋迦牟尼佛。其位於急水溪與支流龜重溪匯流處，形成雙溪口，易有水患，相傳此地為「白鶴穴」，興建興隆寺之後便不再有水患。[118]

（4）水難死後成神

除了上述的傳說，另外還有因水難而亡成神的傳說。大約在同治 10 年（1871 年）農曆 7 月強風豪雨造成山洪爆發，衝毀許多村莊，有位林姓姑娘坐著摔桶（稻穗收割之後放入其中甩打，使稻穀脫殼的大木桶），順著洪水漂流逃生，一路從山區來到海尾與本淵寮交界處，摔桶裡有金

116——2015.5.8林福生口述，楊家祈，《臺南拜溪墘祭儀與聚落變遷之研究》，頁80。

117——楊家祈，《臺南拜溪墘祭儀與聚落變遷之研究》，頁87。

118——黃文博，《南瀛地名誌·新營區卷》，臺南縣立文化中心，1998），頁 67-68。

子，她求遇到的人救她，將致贈金子答謝，沒想到有人將金子拿走後就將她的摔桶推開，最後摔桶不幸翻覆，她落水溺斃。祂死後得到當地的風水地理因而成神，由本淵寮庄廟朝興宮的普庵祖師，與海尾寮庄廟朝皇宮的保生大帝共同做主，讓庄民在祂往生之處蓋廟奉祀，取本淵寮與海尾寮之名稱為「淵海佛祖」，由兩個聚落的居民共同奉祀，成為當地的水難之神。[119]

類似的傳說還有佳里區三協里菜寮的姑娘媽廟，姑娘媽生前是清治年間的富家千金，因洪水順著菜寮溪漂流而下不幸喪命，遺體漂流至今姑娘媽廟處。後每當盜匪將入侵菜寮時，庄民常夢見一名白衣女子前來警告，讓庄民能事先防範，抵禦盜匪。還有村民跌落菜寮溪中，被一名白衣女子救起。於是日治時期庄民在菜寮溪畔的竹叢用紅布捆綁為記，早晚點香祭拜，姑娘媽屢現神蹟，鄰近村落庄民皆來朝拜，後地方仕紳發起建廟。[120]

2. 空難

（1）神明接炸彈傳說

二次世界大戰期間，美軍軍機經常空襲臺灣，在此時空背景之下產生這類傳說。敘述美軍空襲時，民眾或日軍在空中看到神明接炸彈，讓臺灣百姓免於被轟炸的危機，保護生命財產安全。例如新化朝天宮媽祖用肚兜接炸彈、赤山龍湖巖觀音佛祖用小孩肚兜接炸彈、安平開台天后宮大媽祖用裙子接炸彈與用弓鞋踢炸彈、安平三靈殿關聖帝君用關刀揮炸彈等等。這類傳說具有安定人心的效果，可凝聚居民的向心力，並強化對在地信仰的認同。

（2）飛虎將軍

空難也有因此死亡而成神的傳說。1944 年臺南、高雄受到美軍猛烈

119——吳進池講述，〈淵海佛祖〉，《臺南市故事集2》，臺南：南市文化局，2013年，頁138-149；吳茂成，〈淵海佛祖廟故事〉，http://tncomu.tw/modules/tadnews/index.php?nsn=949。

120——「中央研究院人社中心地理資訊科學研究專題中心」http://crgis.rchss.sinica.edu.tw/temples/TainanCity/jiali/1112021-GNMM。

的轟炸，日軍戰鬥機升空迎擊，有一架尾翼中彈著火，往安南區海尾寮庄中墜落，當地人口密集，一旦飛機墜落爆炸，將死傷無數。這時飛機突然轉向，往海尾寮外圍的東邊飛去，即今同安路一帶，當時這裡都是農地、魚塭，人口稀疏。飛機在此處上空爆炸，飛行員跳傘逃生，卻被美軍擊中降落傘，墜落稻田陣亡。飛行員的遺體被找到時，他的軍靴上面寫著「杉浦」二字，後來經由分隊長查證，其為「杉浦茂峰」兵曹長，陣亡後被升為上尉。

戰後當地居民常在晚上看到一位身穿白衣白帽的人，在海尾寮魚塭附近徘徊，大家以為他是小偷，每次過去一探究竟時，他就憑空消失。後來遇到他的庄民越來越多，甚至傳說有人被他託夢，弄得人心惶惶。最後請示朝皇宮保生大帝，才知是在空中陣亡的杉浦茂峰。原來當年他的戰鬥機著火時，他怕飛機在海尾寮庄內爆炸會造成嚴重傷亡，因此將飛機駛離到無人上空才跳傘，最後犧牲生命。地方人士為了感謝祂，於 1971 年在祂墜機的地方建祠供奉，保生大帝並封祂為「飛虎將軍」。

另外學甲區煥昌里的「將軍廟」（又稱「十二將軍廟」），奉祀 12 名日本軍官，也流傳著與飛虎將軍類似的傳說，據說在日治末期，一架載著 12 名軍官的日本軍機，要飛回臺南機場時，被盟軍砲彈擊中，因怕軍機墜落學甲街上會造成重大傷亡，因此將軍機掉頭往北，墜落在學甲區北方漁塭，後因在地方作祟建祠奉祀才得以平靜。[121]

（八）社會事件傳說

轟動一時的社會案件在民間討論度頗高，時間一久，許多說法紛紛出現，最後成為傳說流傳。這種類型的傳說以號稱「清治府城四大奇案」最

121——許献平，《臺南縣北門區有應公信仰研究》，頁137。

膾炙人口，包括〈林投姐〉、〈陳守娘〉、〈石仔蝦害死石仔同〉、〈呂祖廟燒金〉，〈林投姐〉與〈陳守娘〉已在前文女鬼傳說處說明。

1. 石仔蝦害死石仔同 [122]

這是在描述清治時期府城一對兄弟手足相殘的故事。石仔蝦為同父異母的兄弟，住在內宮後街的中站，石蝦開了一間苧麻行，有愛妾許月娥，石同每天無所事事，向哥哥要錢吃鴉片。某日石蝦不在家，月娥和賬房陳阿九通姦，被石同撞見，她怕東窗事發，就先發制人，對石蝦說石同屢次非禮她，石蝦非常生氣，決心要殺死石同。

石蝦店舖的對面是聯發茶舖，石同常到這裡聊天，一天晚上他又到茶舖時，月娥差人叫他趕快回去，石同心裡害怕，便對茶舖老板說出他撞見嫂嫂姦情之事，並向老闆懇求，萬一他遭逢不測，要幫他伸冤。他回去之後被哥哥、月娥、阿九三人合力捆綁，他們在他頭上釘大鐵釘，他因此死亡。

他的屍首被藏在婢女臥室地板下，三人作案的血衣拿到灶坑燒掉。翌日茶舖老板不見石同，心知有異，便向隣人探詢，暗忖石同恐怕已遭毒手，因此去臺灣縣衙報官，縣長潘慶辰派人拘提石蝦、月娥、阿九、婢女前來審問，四人都推說沒看見他，縣長後來在婢女的臥室搜出石同的屍體，石蝦因此被處以死刑，月娥和阿九扛刑具遊街示眾。後來石同的老婆石何氏聽說丈夫被害死，便由福建來臺南，縣長將石蝦所有財產皆歸她所有。

2. 呂祖廟燒金

呂祖廟燒金描述的也是常見的社會案件，講述通姦害夫的故事，據說發生在今中西區府中街的巷弄內，當地過去因為有一座「呂祖廟」而被命

122──韓石麟，〈臺南市民間故事兩則〉（《臺南文化》，第2卷第4期），頁59-60。

名為呂祖廟街。呂祖廟主祀呂仙祖（呂洞賓），現在已經消失，但當地居民仍持續供奉呂仙祖。

傳說有兩個版本，都與外遇有關。相傳清治末年府城有位屠夫，他的妻子與呂祖廟的法師暗通款曲，經常準備香、金紙、糕餅等敬神的供品放在籃子裡，然後提著籃子假裝說她要到呂祖廟拜拜燒金，實際上卻是到廟中與法師幽會。然而她每次幽會完之後都忘記將拜好的糕餅帶回家，因而引起屠夫的懷疑，暗中跟蹤她，終於被屠夫發現他們的姦情，捉姦在床，屠夫一氣之下當場將兩人殺死在廟後的廂房。

另一個版本為日治時期刊載在報紙上的故事，相傳府城過去有位秀才到外地當官，留下年輕貌美的妻子及女兒，秀才的妻子常到呂祖廟上香，被一位屠夫盯上，他垂涎秀才妻子的美色，暗中透過呂祖廟的道姑幫他牽線與秀才的妻子認識，兩人因此往來並發生姦情。後來此事被秀才得知，他憤而向官府提告，要求嚴懲姦夫淫婦，兩人因此受到重罰。

這些傳說後來衍生出「揹籃仔假燒金」這句俗諺，原本的意思是指婦女假藉要去廟裡拜拜，提著香籃出門，但實際上卻是要到廟中與男子幽會，後來並引申出別有用心、不安好心、虛假矯情等涵義。

（九）寶物傳說

臺灣民間認為寶物具有靈性，有移動的能力，還有幻化成動物奔跑的能力，只有有緣者，或是寶物的主人，才能看到它的真面目，而有機會擁有它；其次，在民間故事中，寶物則會變成精怪將接近它的人嚇跑，藉此讓自己不會被取走，等待真正的主人到來，而一旦主人出現時，它就會現出原形；另外，臺灣許多地方都有藏寶傳說，臺南也有，以下分別舉例說明。

1. 龍銀傳說

「龍銀」又稱「龍洋」，是清治政府於光緒 15 年（1889 年）開始鑄造的銀幣，因為上有蟠龍的圖案，因此被稱為「龍銀」。龍銀一開始是由皇帝親自下詔鑄造，等於得到皇帝的加持，又因幣面印有龍紋，有尊榮感，因此不僅本身的貨幣價值極高，還被視為是提升運勢、增進財運的寶物。龍銀價值不菲，因此過去能擁有龍銀的人，都具有很好的財力，這表示龍銀在富貴人家家中流通，可以沾染上許多財氣和貴氣，因此民間相信它可以用來招財進寶，廣納財氣。龍銀是寶物，可招來祥瑞，因此被認為可以用來消災解厄、鎮宅避煞，因此在很多儀式中都會使用，例如建造房子時，會在四周埋入龍銀用來鎮宅和招財。

傳說龍銀會在空中飛、會遁地、有時變成白兔，有時變成白馬跑去農家喝水、吃農作物，它還會自己尋找主人，只有主人才看得到它的真面目，其他人看到會變成水。傳說有人挑水將水缸裝滿，但隔天早上起來一看，水都不見了。原來是龍銀變成白馬，把水全部喝光。有個養豬的婦人水也被喝光，她暗中埋伏，想看看到底是誰把水喝光，她跟著龍銀鑽進竹叢，鑽來鑽去最後看到地上有一甕白銀，原來是龍銀把她指引來得到這筆財富。[123]

2. 白銀傳說

傳說白銀會幻化成白雞，因此若看到一群白雞要一直跟隨，有可能會因此發現白銀。臺南曾經有小孩發現田裡有一群白雞，他回到家告訴姑丈，姑丈知道這群白雞可能是白銀變的，因此叫他在白雞出現的地方尿尿畫個圓圈做記號，再回來叫大人去挖掘。

---

[123]——許滄淵講述，〈龍銀〉，《臺南縣閩南語故事集（四）》，頁208-213。

小孩照著姑丈的指示去做，姑丈來到現場往下一挖，只挖到一個醃缸，裡面什麼都沒有。醃缸裡的白銀原本是要給那個小孩得到的，可是因為姑丈去挖，挖出來會變成是他的，而他不是白銀的主人，所以裡面的白銀就跑掉了。[124]

3. 藏寶傳說 [125]

在臺灣最著名的藏寶傳說，是「山下寶藏」，傳說日軍在二次大戰期間，日軍將領山下奉文順利攻占東南亞等地，搶奪大量的財寶，日本政府要求他將這些財寶運回國內。但後日軍敗逃，被戰勝國監督撤軍，無法將財富運回日本，為避免戰勝國接收這些財物，因此山下奉文便在東南亞、菲律賓許多地方埋藏大量的財寶，這些被人稱為「山下寶藏」。宜蘭、基隆、臺北、桃園、新竹、南投、臺南、高雄、屏東等地，都傳出有埋藏這筆寶藏，臺南埋藏的地點在安平區的海濱秋茂園，還曾經有人提出開挖的申請。截至目前為止，這些地點都未曾接獲發現寶藏的訊息。

（十）法術傳說

利用法術這種超自然的力量為自己帶來好運，但有些人居心不良會藉此做出損人利己的事，有時不僅沒有成功，反而損害到的是自己。茲舉兩則傳說為例。

1. 大船載出，小船載入

民間相傳，以前蓋房子的泥水師傅多少都會一些法術，因此主人在房子興建的過程中都會百般討好師傅，以免房子被師傅施法（做竅 tsò-khiò），影響家運。施法的內容五花八門，[126]其中最具代表性的是「大船載出，小船載入」的傳說：敘述師傅喜歡吃雞胗，主人每天殺雞款待師傅

124——周天文講述，〈白雞〉，《臺南市故事集18》，頁40-48。

125——維基百科：https://zh.wikipedia.org/zh-tw/%E5%B1%B1%E4%B8%8B%E5%AF%B6%E8%97%8F、https://news.ltn.com.tw/news/society/paper/24234。

126——例如做睡虎要咬人、做紙人要害人（釋賢慧講述，〈做徼〉，《臺南縣閩南語故事集（五）》，頁168-177。）

時特定為他留下，當工作結束時讓他帶回家吃，師傅誤以為主人怠慢他，於是在房子的屋頂（或樑柱）中施以「大船載出，小船載入」的法術，要讓主人家的財富逐漸流失。當師傅發現誤會主人時，趕緊找藉口進入屋中，將施法的東西調頭，變成「大船載入，小船載出」，讓主人家的財運變好。[127]

這則傳說中的泥水師傅心胸較為狹窄，他因為沒有弄清事實就怪罪主人，進而作法報復，還好最後知道詳情趕緊修改，才不會造成恩將仇報。

2. 豬母符

民間相傳澎湖的法師法力高強，能施各種法術。有一位澎湖法師來到臺南某地，教當地男性庄民法術，其中一位庄民提出請求，他跟法師表示他很喜歡一名女子，希望法師教他能讓女子主動投懷送抱的法術，於是老師畫一張符給他，叫他放在女孩子經過的路上，讓她跨越過去，這樣她晚上就會來敲男子的門，主動投懷送抱。民間相傳，學法之人不能任意使用法術害人，否則會遭天譴，這個庄民不理會這些，拿到符令之後放在女子經過的路上，靜待佳音。女子走在路上正要跨過時，突然衝出一隻母豬，從符令上跨過。到了晚上，男子以為好事已諧，在家裡等待女子，不久聽到急促的敲門聲，有人想要破門而入，他心想符令的效力真是強大，女子這麼迫不及待。他趕緊把門打開，沒想到一隻母豬衝進來將他撲倒，一直往他身上鑽。他作法想讓女子失身，結果沒有成功，反倒是讓自己失身。

三、民間故事

民間故事常常將社會真實發生過的事件中，人物的姓名、發生的地點、事件的某些內容予以模糊化之後，開始在民間流傳，反映出社會的種

127——例如釋賢慧講述，〈做徵〉，《臺南縣閩南語故事集（五）》，頁160-166。

種樣態，以及民眾的日常生活面貌及思想情感，並藉此傳達某些觀念，最常見的是倫理道德觀念，以及善有善報、惡有惡報的因果輪迴報應觀念，具有社會教化的功能。其次，有些民間故事帶有虛構的色彩、幻想的成分，藉由奇幻的想像力，讓主角成功達成心願與獲致財富，而這些往往也是民間百姓共同願望，透過故事主角幫大家實現。

（一）偷情、出軌的故事

這類故事都在敘述不正常的男女關係，反映社會常態。例如〈和尚伯仔〉敘述和尚與有夫之婦私通，因婦人欠和尚錢想賴帳，於是與丈夫聯手設計和尚，讓和尚不斷吃悶虧，充滿趣味。[128]

（二）因果報應的故事

這類故事頗多，內容五花八門，都在敘述有人受到不公平的對待，甚至發生命案，最後知道一切皆因前世種下惡因，才造成今日的惡果，因而心平接受。這類故事主要在宣揚善有善報，惡有惡報的因果報應觀念，藉此警世，同時表現出宿命的思維。

（三）傻子的故事

敘述傻子異於常人痴傻的行為[129]，其中最常見的是傻女婿的故事，這類故事過去在臺灣民間十分盛行，內容敘述有個女婿經常做出一些癡傻的行為，鬧出許多笑話，讓妻子哭笑不得。而有的故事中的傻女婿因為心地善良，傻人有傻福，因而獲得意外的財富。[130]

（四）動物故事

這種類型的故事通常帶有奇幻的色彩，動物往往具有超能力，或可達成人們的願望，或具有聰明才智可誘騙人、懲罰人等。例如〈田螺報恩〉

128——林文振講述，〈和尚伯仔〉，《臺南縣閩南語故事集（一）》，頁88-105。
129——陳萬枝講述，〈悾憨的〉，《臺南縣閩南語故事集（九）》，頁34-41。
130——例如褚尾講述，〈戇子婿〉，《臺南縣閩南語故事集（二）》，頁194-208。

類型的故事，敘述老先生買下八隻田螺放生，田螺報恩推一個黑盤子送給他，結果是聚寶盆，放入的東西會變成雙倍，他因此致富。[131]

又如〈狗耕田〉類型的故事，敘述哥哥貪婪自私，弟弟善良友愛，分家時哥哥囊括大部分家產，只分給弟弟一隻狗，弟弟用狗耕田，意外獲得黃金致富，哥哥知道向弟弟借狗來耕田，卻因為狗不聽使喚將牠打死。弟弟將狗埋葬，長出果樹結出許多漂亮果實，他摘去賣賺很多錢。哥哥想將樹偷挖走，卻跑出一堆蛇將他勒死。[132]故事強調友愛的倫理精神，及善有善報，惡有惡報的因果報應觀。

此外，臺南地區也流傳「虎姑婆」、「蛇郎君」的故事，「虎姑婆」主角有兄弟、姊妹等組合，較特別之處是在關廟採錄到的故事結尾多了一句唸謠：「阮囝（音 kiánn）會！阮囝勢（音 gâu）！阮囝共（音 kā）虎姑婆仔淋甲喙（音 tshuì）齒白 lè sè。」。[133]

（五）孝順的故事

孝順的媳婦：任勞任怨，吃苦耐勞，盡心侍奉公婆，最後意外得到黃金致富。宣揚孝道，孝順感動天，上天賜財。[134]

（六）窮人翻身的故事

封建時代階級流動十分不易，許多社會底層人士無論如何努力奮鬥都無法翻轉命運，不僅個人，甚至貧窮數代，家族命運難以翻轉，其中最具代表性的是「九代散（九代窮）」的故事，這些人物都有共同特徵：善良、為他人著想、犧牲自己成全別人，具有高尚的品德，也因此具有福分，才能得到上天的眷顧，善有善報。他們通常因為意想不到的特殊遭遇，而獲得財富，有的還得到嬌妻，甚至因為得到寶物，上京城將寶物獻給皇帝而

131—— 吳孔講述，〈田螺報恩〉，《臺南縣閩南語故事集（三）》，頁18-34。
132—— 褚尾講述，〈古意的小弟〉，《臺南縣閩南語故事集（二）》，頁76-91。
133—— 盧時、黃秋桂、釋賢慧講述，〈虎姑婆仔〉，《臺南縣閩南語故事集（五）》，頁120-144。
134—— 吳孔講述，〈有孝新婦〉，《臺南縣閩南語故事集（三）》，頁36-45。

成為「進寶狀元」。而得到財富通常是命定的，金、銀會變化成鬼或精怪為主角守護財富，使他人無法靠近，直到主角到達時始恢復原貌，讓主角獲致金銀[135]財富、嬌妻、官祿是民間百姓共同的美夢，這類故事寄託群眾希望好運降臨能實現願望的集體心理投射，但有前提，須具備良好的品格特徵，願意犧牲小我，才能獲致好運。

　　在安定區所採錄到洪玉麟講述的〈九代散〉[136]，應是全國這類故事中講述內容最完整者，其精采度不下於小說，內容敘述外號「九代散」的窮人陳義，平時以砍柴維生並奉養母親，三餐常無法填飽肚子的他，立志要在父親忌日那天準備豐盛的菜餚祭拜父親，並宴請宗族中的長輩。他努力砍柴存錢，終於達成目標，準備一桌豐盛的菜餚祭拜父親，並邀請長輩，沒想到宗族中的長輩瞧不起他，認為他那麼貧窮準備的菜色一定十分寒酸，沒有人前來赴宴，九代散十分難過，這時一名小腿骨長膿瘡的乞丐路過，他便邀請他一起享用，乞丐建議他可以去向東海佛祖求籤，請祂指示如何才能改變他的命運。於是九代散離家求籤，到東海佛祖廟要三個月，他在半路遇到大雷雨全身淋濕，被李員外收留照顧，臨走時李員外請他幫忙問東海佛祖，為何女兒18歲了還不會說話；九代散繼續往前走，一天來到荒野天色已晚無處投宿，只見一間廢棄的土地公廟，於是進去休息，睡到半夜夢到土地公來拜託他幫忙問東海佛祖，為何三年前祂的廟香火鼎盛，可是這三年來卻都沒有香火；九代散睡飽繼續趕路，終於來到東海佛祖廟，只見廟在大海中央，雞毛丟進海中馬上下沉，沒有任何船隻可以通行。正在沮喪之際，突然出現一隻大海龜要載他過去，抵達之後大海龜請他幫忙問

135—— 吳孔講述，〈洪金牽〉，《臺南縣閩南語故事集（三）》，頁46-63。

136—— 洪玉麟講述，〈九代散〉，《臺南縣閩南語故事集（六）》，頁14-84。

一件事，為何牠已經修行三千年了卻無法修成正果？九代散進入廟中，住持表示只能問三件事，他心想員外、土地公、大海龜都是幫助自己來到東海佛祖廟的恩人，他也承諾要幫他們求籤，做人必須報恩守信，因此他犧牲自己的問題不問。

順利求到籤之後，大海龜前來載他渡海，他說佛祖指示牠「含珠不吐」，只要將珠吐出即可修成正果，大海龜照做果真實現願望，牠將珠吐出送給九代散，並交代說這顆珠是奇珍異寶，要他前往京城進獻給皇帝，可以藉此得到「進寶狀元」的賞賜；他繼續來到土地公廟，告訴土地公因為廟旁有三鍋黃金和三鍋白銀，它們會變成妖怪把人嚇跑，所以沒有香火，土地公表示這些都是九代散的財富，祂幫他看守，現在都交給他，廟就可以恢復香火了；他繼續來到員外家，遇到員外女兒抱著一個飯斗要去煮飯，遇到一隻狗擋路，用腳踹那隻狗罵了幾句，員外聽到女兒突然開口講話，十分驚訝，問九代散求籤的結果，他很不好意思地說出指示：「手抱斗，跤（音 kha，腳）踢狗，見著丈夫就開口。」原來員外女兒只要看到命中注定的丈夫自然就會開口，於是員外欣然將女兒嫁給他。最後九代散雖然沒有求到自己的籤，但卻得到功名（進寶狀元）、財富（三鍋黃金、三鍋白銀）、嬌妻（員外千金），成功翻轉命運。

另外，洪玉麟所講述的〈害人不害己，害了家己死〉[137]，主角陳己是市井小民，他雖非窮人，但同樣具有高尚的品德，獲得財富、嬌妻、功名的過程也與九代散類似，但故事內容更為複雜、篇幅更長，情節單元在其他縣市未見，是難得一見的精采之作。

137—— 同上，頁86-220。

（七）機智人物與騙子的故事

這種類型的人物通常具有騙子的特徵，他們的思考、反應比一般人快很多，因此總是能先發制人、出奇制勝。這種類型的故事往往充滿趣味性，具有娛樂效果。這類故事最著名的為〈邱罔舍〉、〈白賊七〉，在臺南頗多流傳，其中相傳邱罔舍是臺南人，但臺南當地沒有這樣的說法。其次，這類故事經常會有打賭的情節，〈邱罔舍〉、〈賊女婿〉中都有，其中〈賊女婿〉敘述賊女婿與岳父打賭，要在第三天晚上偷走岳父的公羊，他施展各種妙計，最後成功將公羊偷走。[138]

臺南地區所流傳的這種類型的故事頗為多樣，有些頗具特色，茲舉三個例子說明。

1. 年逼近先生

有些騙子成功的原因不在於他們具有聰明才智，而在於他們擁有絕佳的運氣，〈年逼近先生〉[139]即是一例。故事敘述一個失業的人，用哥哥要扔掉的破羅盤假裝成地理師，因為年關將近沒錢過年，因此自稱為「年逼近」先生。有一個員外家中有 360 人，食指浩繁，每天吃飯都要打破 30 個碗，家中有已撿好骨的骨頭甕，以及裝著遺體未下葬的棺材，共有 9 具，他想找位厲害的地理師來幫他將這些遺體葬在風水寶地，於是叫奴才出去貼告示徵人，結果年逼近先生內急想上大號沒有東西可擦屁股，就將告示撕下來應急，結果奴才以為他要應徵，就將他帶回。員外盛情款待他，他在那邊住了好幾天藉口說要出去找風水寶地，想趁機落跑。

他坐在轎中奴才抬著他來到半路，看到有人在釣青蛙，釣到的青蛙都很大隻，他看到嘖嘖稱奇，嘴巴不斷發出嘖嘖的聲音，奴才以為他找到寶

138── 林萬生講述，〈賊子婿〉，《臺南縣閩南語故事集（三）》，頁106-119。

139── 施金字講述，〈年逼近先生〉，《臺南縣閩南語故事集（八）》，頁146-176。

穴，問他是什麼穴，他看到青蛙一拉上來就放到籠子裡，於是信口胡謅說是「九九落籠穴」，員外剛好有九具遺體要下葬，大家以為這個池塘就是他找到的風水寶地。他選良辰吉時要下葬，叫大家將九具遺體通通丟進池塘中，扔完不可回頭看，要直接離開，並說他會沖犯到須避開 50 公尺以上。奴才將 9 具遺體丟入池塘中，突然間天昏地暗，下起大雨，大家趕緊跑回家，他也趁機落跑，都沒有人去注意那 9 具遺體埋得如何。雨停了之後浮出 9 座漂亮的墳墓，員外看到十分歡喜，盛讚年逼近先生是高人，他貼出告示，只要有人能找到他，賞銀一百兩。

年逼近先生的大哥看到告示，不知道員外找的是他弟弟，心想他當地理師 20 多年，也沒辦法找到「九九落籠穴」，這位年逼近先生實在厲害。年逼近先生最後躲到大哥家中，大哥準備豐盛菜餚請他享用，並說出員外找他的事，希望自己能找到年逼近先生，這樣就可以賺到這筆錢。他向大哥表明他就是年逼近先生，讓大哥向員外說出他的下落，賺到這筆錢。

員外派人將他請回家，熱情招待來報答他的恩情。員外想鑿一口井，請他看地理，他故意派一些無法完成的工作，想讓員外知難而退，他要員外在一顆好幾百萬斤的大石頭中鑿一口井，而且必須由員外家裡的人去打，沒想到員外非常有耐心又很有福氣，打了三天竟然打到很好的位置，一股泉水瞬間湧出，可以灌溉數十甲的田地，供應許多人口，沒想到他信口胡謅，竟然又誤打誤撞找到好地理。

員外想蓋一間好幾重橫排、縱列的大房子，請他看地理，他又故意刁難員外，說要蓋在池塘這裡，必須先將池塘填平，但每次只能拿三塊土下去填，員外很有耐心，派人慢慢去填。沒想到幾天後半夜下起大雨，山洪暴發引發土石流，將土石都沖到池塘中自動填平，形成一個地基可以直接蓋房子。

房子動工之後由於工程浩大，很多地方都需要看風水，員外特地請了3、4位很厲害的地理師來幫年逼近先生，他們把各個方位都看得很準。要上樑時他們算好、對好方位之後問他，他說還差半條線，就用腳稍微踢一下線，地理師們問這是什麼術，他正在剝一塊餅要吃，就說是「掏餅術」，地理師們都佩服得五體投地。

一天皇帝的母親過世，想找吉地下葬，找到聲名大噪的年逼近先生，他硬著頭皮進入皇宮。皇帝派他出去找好風水，並派勇將寸步不離跟隨在他身旁，他想落跑苦無對策。他在山裡一直走，黃昏時走到一處踢到樹藤倒地不起，勇將連忙圍過來問他是不是這裡，還問他是什麼穴，他跌倒痛到爬不起來就很不高興地回說：「那是我的 （音 lān，男性的生殖器）穴。」勇將聽成「雁（音 gān）穴」，於是將寶劍插在那裡做記號。到了半夜突然天災地變，變出一座很漂亮的墓穴，好像一隻雁站在上面，變成貨真價實的「雁穴」。皇帝大喜要賞賜他，他只要求皇帝下令，從今以後不可再讓人叫去看風水地理，他認為他的福氣就到這裡而已，就此保住富貴，在下去會東窗事發。

這則騙子的故事想要表達的不是騙術的高明，而是騙子的運氣奇佳，所有好運都被他遇上了，隨便說都準，他因此名利雙收。他的欺騙非但沒有害人、損人，還為別人和自己創造利益，故事將這一切歸諸於他自身的福氣，而他自知這樣下去無法長久，在福氣還未用盡之前趕緊見好就收。這則故事寄託民間百姓共同的願望，年逼近先生的際遇在現實人生中十分罕見，人人都很欣羨、很希望獲得這樣的好運氣，可以迅速翻轉人生、平步青雲。

2. 陳溪賣紙扇

有些故事中的機智人物是幫助別人實現願望，例如〈陳溪賣紙扇〉[140]，

140── 陳萬枝講述，〈陳溪賣紙扇〉，《臺南縣閩南語故事集（九）》，頁54-62。

貌醜的陳溪在聰明母親的幫助之下，順利娶得美嬌娘。故事敘述陳溪貌醜靠賣紙扇維生，有位小姐撿到一張畫著英俊瀟灑公子的畫像，立志要嫁給像畫中般的人物，她看到陳溪貌醜十分嫌棄，向他買紙扇時不願正面面對他，把錢放在他身後給他。陳溪十分難過，向母親抱怨，母親在賣花，知道小姐的住處，她說要幫陳溪把那位小姐娶過來。隔天一大早她來到小姐家，小姐正在對著公子的畫像梳頭，陳溪母親拿起拐杖往畫像上打罵說：「死孩子原來你跑到這裡，害我四處都找不到你。」小姐問她畫中公子是否是她兒子，成親了沒，她回說兒子要求要在黑暗中娶親，所以迄今未婚，小姐表示公子那麼英俊，她願意在黑暗中成親。

陳溪母親談好這門親事，雙方順利在黑暗中成親，那天晚上陳溪母親爬上新人房間的屋頂，將瓦片拆下，故意發出很大的聲音，說她是月下老人，在試排男女的牌子，要一美配一醜，若兩美排在一起，會被閻羅王抓去殺掉。陳溪老婆聽到說讓她變醜來保全兩人，陳溪不肯，說他是男人變醜比較沒關係，於是說：「耳啊耳，耳同耳，就來改變，變成像賣紙扇的陳溪。」他老婆在一旁連忙說不要，但已來不及，就這樣陳溪順利以真面目娶到小姐。

這則故事的靈魂人物是陳溪的母親，她運用聰明才智成功為貌醜的陳溪娶到妻子，而故事也為貌醜的男人獲得幸福帶來希望。

3. 誘姦女子

這種類型的故事中，有些是利用計謀誘姦女子，故事敘述某男子色慾薰心，看上某位無法交往的女子，設計誘姦得逞，而事後女子卻絲毫未覺被欺負，還以為男子是在幫助自己。例如〈補耳鼻〉敘述小叔覬覦大嫂的美色，騙她說夢到她腹中的小孩沒有耳朵、鼻子，要她進來他的房間幫她補耳鼻，因此誘姦成功，孩子生出來耳鼻俱足時，大嫂還以為是小叔的功勞。

又如〈撟尿溝〉，妹妹到姊姊家玩時，姊姊故意在客廳的神桌上放紅包，說是姐夫出去幫女孩子攪尿溝賺的，還說女孩子出嫁前一定要請人攪尿溝才行，並慫恿妹妹接受姊夫的服務，妹妹因此被姊夫誘姦得逞。母親知道要來找女婿算帳，女婿假裝得了急病十分痛苦，需要人家抱著擋風才會痊癒，姊姊故意躲起來沒人可幫忙，母親情急之下只好代勞抱著女婿。父親得知此事之後非常生氣，小女兒被女婿糟蹋，老婆又被女婿非禮，他要去找女婿算帳，沒想到半路想上大號，就在芋頭園方便，隨手摘下芋葉擦屁股，芋葉接觸到皮膚會發癢，他不知道，以為女婿頗有能耐，他人還沒到屁股就先發癢，說不定女婿對他這個老屁股也感興趣，嚇得他趕緊回家。[141]

誘姦、性騷擾這類的事情自古以來在社會上層出不窮、屢見不鮮，會反映在民間故事中，故事除了帶來娛樂的效果之外，也有警戒的功能，讓涉世未深的女子懂得分辨何者為非，不要受騙上當。

（八）命中註定

1. 自恨枝無葉，莫怨太陽偏

這是最具代表性的故事，敘述兩名結拜為兄弟的乞丐太陽偏和枝無葉，同為乞丐命運卻大不相同，強調命定的民間思維。兩人一起乞討，太陽偏後來與員外女兒結婚過著富貴生活，枝無葉仍然四處乞討，後來枝無葉來到太陽偏家乞討，被他收留，但過不慣富貴生活，只好離開。臨行前太陽偏贈他二十個紅龜粿，裡面包龍銀，為顧及他的自尊沒告訴他，結果枝無葉沿路將龜粿賣掉，只留一個。最後要吃的時候才發現裡面包龍銀，深深感嘆自己沒福氣。[142]

141—— 張令講述，〈補耳鼻〉、〈撟尿溝〉，《臺南縣閩南語故事集（九）》，頁120-142。
142—— 例如黃秋桂講述，〈自恨枝無葉，莫怨太陽偏〉，《臺南縣閩南語故事集（五）》，頁100-107。

2. 第三查某囡食命

故事敘述員外有三個女兒，每個女兒他都為她們鋪好未來的路，要幫她們找門當戶對的對象，員外認為女兒是靠她的庇蔭才能那麼好命。然而唯獨第三個女兒不認同這種說法，她表示自己不需靠員外的庇蔭，要靠自己的命運（食命）。員外很生氣將她趕出家門，在偶然機會下認識貧窮男子結為夫妻，獲得意外之財致富，於是回家見員外，印證她說的「食命」，表現出「富貴命定」的民間思維。[143]

（九）幻想故事

這種類型的故事充滿奇幻的想像力，故事可以任意穿越各種時空，在想像力的馳騁之下，實現人們的種種願望，〈一橛仁〉、〈蟾蜍子〉、〈出外人〉[144]等都屬於這類故事，其中〈一橛仁〉、〈蟾蜍子〉的故事發展模式類似，都是從求子開始，之後生下長相奇特的兒子，他們都擁有超凡的能力，後來成功娶妻，從奇特的外型中脫殼而出，成為英俊瀟灑的白面書生，並順利傳宗接代。最後外殼被他們找到，他們重新穿上，變回原形，消失在人間。故事情節變化多端，內容充滿畫面與趣味性，其中〈蟾蜍子〉與西方的童話故事〈青蛙王子〉有些許類似。

1. 一橛仁

故事敘述李成夫婦50幾歲仍膝下無子女，向佛祖祈求賜給他們一個兒子，即使一截也好，一邊也好，玉皇大帝得知將螺星打入凡間投胎當他們的兒子，即「一橛（音kuėh，截、段）仁」。一橛仁出生時因為只有一截，產婆無法分辨他是男是女，後來才知道是兒子。一橛仁行動無法自如，需靠人扛抬，李成讓他去讀書，學成之後到他舅舅店裡當掌櫃。一天舅舅拿

143—— 例如黃秋桂講述，〈食命〉，《臺南縣閩南語故事集（五）》，頁146-158。

144—— 邱進講述，〈一橛仁〉、〈蟾蜍子〉，《臺南市故事集1》，頁60-95、114-129。

一萬元叫他去補貨，來到某處看到聚集許多人，原來有個老人擺出一個葫蘆、一隻貓、一隻狗在那邊叫賣，總共賣八千元，一概仁全部買下；往前走看到一個人在賣一條金鯉魚要價兩千元，他又買下，之後將金鯉魚放入海中。回去之後舅舅非常生氣，拿出兩千元將他解雇。

舅舅又在李成面前講他的壞話，李成很生氣，將他與葫蘆、貓、狗關在一個盆子裡，說要把他關到死。貓狗一直叫，一概仁要牠們安靜睡覺，貓狗都乖乖聽話。他肚子餓就搖葫蘆喊說：「飯來！」馬上出現食物，貓狗也都被餵飽。過了一段時間李成來看，發現他沒死，就把他抱出來，要他拿竹竿去量別人家的房子，量看看誰蓋得最好，他要蓋一間更好的。量王員外家的房子時，王員外表示若他有辦法蓋比他家更好的房子，就把他的房子登記給他們。一概仁來到一片空地，從螺殼中走出來，用葫蘆喊出一間又大又漂亮的房子，說是他蓋的，王員外自知不如，就將房子登記給他們。

王員外養了一隻老鼠會算事情，牠算出房子是葫蘆變的，於是跑去將葫蘆偷咬走，跑到海的另一邊也用葫蘆喊出一棟房子。一概仁打貓狗怪牠們沒將葫蘆顧好，狗知道貓會算事情，要牠算看看葫蘆在哪裡，於是狗揹著貓游到海的另一邊去向老鼠討。老鼠正在外面乘涼，狗看到馬上將牠壓住，問牠要生要死，要生就將葫蘆還給牠們，否則就把牠咬死，老鼠將葫蘆歸還。回程狗揹著貓在海裡游著，貓說夜裡的海景真美，狗嘴裡咬著葫蘆不敢回應怕葫蘆掉入海中，貓看牠沒回答就給牠搔癢，結果葫蘆掉入海中。

一概仁得知很難過，說要跳海自殺，他跳入海中被海龍王的女兒救起抱回水晶宮，原來她就是那隻被一概仁放走的金鯉魚，於是他在水晶宮住下。不久貓狗來水晶宮找到他，海龍王派魚蝦水族去找葫蘆，扁魚找到將葫蘆私吞含在嘴裡，海龍王問水族葫蘆的下落，問到扁魚牠說沒找到，海

龍王打牠一巴掌葫蘆掉出。海龍王將葫蘆歸還給一橛仁，並叫海龜載他和貓狗上岸。一橛仁上岸時天色昏暗，他看沒人就從螺殼中走出，原來他是一個完整會走路的人。

媒人想幫一橛仁做白員外千金這門親事，白家嫌他只有一截不願意，後來白員外開出條件，若他能用金鋪埕，銀鋪路，就將女兒嫁給他，他跟在花轎後面用葫蘆搖出金銀鋪路，等新娘上花轎之後派貓狗將金銀收走，就這樣順利成親。結婚後過一陣子一橛仁的母親問新娘一橛仁跟他睡覺是什麼情況，她說他螺殼揹在屁股上變成一個白面書生來和他睡覺，她叫媳婦偷偷將螺殼取下藏起來。後來一橛仁就用白面書生的樣子在人間生活了好幾年，但也開始煩惱沒有螺殼無法返回天庭繳旨。

一天他的兩個兒子吵架吵到沒東西可玩，將他的螺殼抱出來玩，他看到趕緊將腳伸進去殼中，又變回原來的模樣。他跟妻子道別說兩人只有 3 年的緣分，兩個兒子將來一個是文狀元，一個是武狀元。講完之後要返回天庭，貓狗先走，飛到半空中長出翅膀，一橛仁隨後也飛走消失。

2. 蟾蜍子

一對夫妻膝下無子，向註生娘娘求子，說蟾蜍也好，青蛙也好，只要有就好，註生娘娘賜他們一隻蟾蜍。蟾蜍子生下之後越養越大隻，一天他父親得了瘧疾，忽冷忽熱，發熱的時候說：「這時如果有一陣東風吹來不知多好？」蟾蜍子說他會呼東風，果真引來陣陣東風，父親的病因此痊癒。

有人駕駛帆船無法前進，他父親叫他去幫忙呼東風，他爬上桅杆頂端呱呱大叫引來東風，船前進速度飛快，他就這樣被載走。來到一個地方大家都得到奇怪的皮膚病，他叫大家準備水桶裝水，他再從水桶上跳過去，之後拿水桶的水回去洗澡，皮膚病都痊癒。他要坐帆船回去時，大家都往船上丟錢給他感謝他。

回家之後他娶了一個老婆，新娘轎子抵達時，老婆對自己嫁給蟾蜍感到十分驚訝。後來婆婆問他蟾蜍子跟他睡覺是什麼情況？她說他將蟾蜍皮拿下幫她遮風，變成白面書生和她睡覺。婆婆叫她將蟾蜍皮偷藏起來，於是她將蟾蜍皮鎖在箱子裡，蟾蜍子就用白面書生的模樣生活，和她生了一個兒子。後來蟾蜍皮返潮她拿出去曬，蟾蜍子看到連忙套在身上，就這樣變回蟾蜍一路往前跳，他母親和妻子連忙要抓他，結果他跳進地上的縫隙消失不見。

四、笑話

（一）黃色笑話

這類笑話在民間頗為常見，然而須講述者與聽眾之間具有一定的默契才會講述，否則容易造成誤會。這類笑話經常透過巧妙的形容，或俚俗或文雅，利用雙關語或諧音，來描述男女之間的性事，內容往往帶有猜謎的樂趣，即聽眾必須聽得懂話語所指涉的弦外之音，如此才能產生樂趣，[145]其中〈雙現山〉就創作得十分巧妙。

1. 雙現山

有位富家千金去讀私塾愛上年輕斯文的老師，兩人偷偷交往，經常找隱密的地方約會。有人看到他們在溝渠裡發生親密的行為，跑去告訴她的弟弟，弟弟在放牛，等到他們下次要約會前先將牛綁好，暗中埋伏在附近，等著一窺究竟。只見姊姊放學之後走進那道溝渠，不久老師也進入，兩人見面後開始親熱，老師摸著姊姊的陰部問：「這是什麼？」姊姊回說：「雙現山。」再摸陰毛問說：「這個黑黑的是什麼？」她回說：「黑茅草乾。」接下來老師進入姊姊的身體不斷抽動，姊姊問說：「怎麼這麼棒！那到底

145—— 例如林文振講述，〈三个查某幹死一隻狗〉、〈三个查某擔柴〉、〈屜鳥仔頭生菇〉、〈歕鼓吹〉，《臺南縣閩南語故事集（一）》，頁136-197；林文振講述，〈雙現山〉，《臺南縣閩南語故事集（四）》，頁188-203；林萬生講述，〈二个賊仔〉，《臺南縣閩南語故事集（三）》，頁122-130；王進豐講述，〈三个秀才作詩〉，《臺南縣閩南語故事集（三）》，頁132-139；張令講述，〈所在傷閣〉、〈有鳥頭無鳥腱〉、〈發嘴齒〉，《臺南縣閩南語故事集（十）》，頁164-168、188-195。

是什麼？」老師說：「那是在喝噴泉水。」兩人一直做愛，接近尾聲時，老師想起身，姊姊一直抱著他不放說：「多浸一會兒也不會爛啦！」

弟弟聽完跑去將牛牽回家，姊姊已在家中，問他說：「今天怎麼這麼早回來？你牽牛去哪裡？」他回說：「雙現山。」姊姊又問：「吃什麼草？」他回說：「吃黑茅草乾。」她又問：「渴了喝什麼？」他回說：「喝噴泉水啊！」姊姊問到這裡懷疑她剛才約會的事都被弟弟看見了，又羞又惱，就打弟弟一個耳光，結果將弟弟戴的斗笠打下來，掉到裝牛飼料的桶子，裡面有水，她叫說：「還不趕緊撿起來。」他回說：「多浸一會兒也不會爛啦！」

2. 傻子娶妻

還有一種類型是描述傻子娶妻之後，不知該如何進行房事所鬧出的笑話，最後在旁人或妻子施展妙計之下才終於成功，[146]這類笑話在傳統社會中可發揮性教育的功效，茲舉〈阿戇啊娶某〉為例，其不僅說明如何進行房事，最後還創作出女性生殖器被吃掉的故事情節，具有多重娛樂效果。

有一個傻子跟老婆結婚之後都沒有進行房事，老婆回娘家跟母親抱怨，岳母將他找來教他說要跟老婆「行房」，他回去之後就牽著老婆的手在房裡走來走去，原來他以為「行房」是指在房間裡走路；老婆又回娘家抱怨，岳母再將他找來，教他說要跟老婆「做人」，於是他回去後買了一個畚箕，裡面放土，再將土弄濕，捏成一個個的人偶，然後邀老婆一起來做，老婆氣到把他的人偶都踢壞；老婆又回娘家告狀，岳母再將他找來，教他說要將他和老婆小便的地方碰在一起，以前的男人在臥室都用竹管小便，女人用尿桶，於是他用竹管去碰尿桶，結果尿液濺出來，整個房間都是尿騷味；老婆又回娘家告狀，岳母再將他找來，牽起他的手摸他的生殖

146── 例如林文振講述，〈食豆仔放暢尿〉，《臺南縣閩南語故事集（四）》，頁148-187；張令講述，〈阿戇啊娶某〉，《臺南縣閩南語故事集（十）》，頁144-163。

器，教他說要用這個小便的地方碰老婆那個小便的地方，並當場比給他看。他終於了解，回去之後和老婆成功行房。

從此以後他樂在其中，經常向老婆要求要行房，老婆不堪其擾，某次拒絕他跑出去，他在後面一直追，來到一個池塘，老婆撿起一塊石頭，叫他往她這邊看，她用石頭拍擊自己小便的地方，再將石頭丟入池塘中，傻子以為老婆小便的地方被她丟入池塘，急得下去池塘中找，有個賣雜貨的小販經過問他在找什麼，他不肯說，小販以為他在找很值錢的東西，也一起下去找。當時天氣很冷，小販在水中時間一久冷到牙齒一直打顫，他將手帕塞在口中，傻子以為他在吃東西，問他在嚼什麼，他想說之前問傻子在找什麼都不肯說，現在他也不告訴傻子，傻子一直追問，越問越大聲，小販很生氣就說他在嚼「膣屄（音 tsi-bai，女性外生殖器官，也可用來罵人或表達生氣的情緒）」，傻子一聽回說：「原來是你把我老婆小便的地方摸走了拿去嚼，害我在這裡一直找不到。」

（二）聽錯話

因為聽力障礙，導致話聽不清楚，於是各自表述，鬧出笑話。[147]

（三）說錯話

民間有一種人心直口快，說話不太會看場合，常常脫口講出不得體的話，而這些話往往觸犯當事人的禁忌[148]，讓人哭笑不得，可是在公開場合中又不便與他計較，因此眾人對他避之唯恐不及。這種人所鬧出的笑話具有趣味性，常在民間流傳。例如入厝（新居落成）是一件喜事，大家都會說吉祥話祝賀，但這種人所想與眾不同，他讚美每樣東西都是新的，就只

147──林萬生講述，〈臭耳人〉，《臺南縣閩南語故事集（三）》，頁140-146。

148──例如許滄淵講述，〈神主無新〉、〈雙壙的〉，《臺南縣閩南語故事集（四）》，頁226-237；
　　　林宗德講述，〈歹伯仔〉，《臺南縣閩南語故事集（七）》，頁96-107。。

有神主牌位不是新的。然而神主牌位若是新的，代表家中有喪事，大大觸主人的霉頭。

（四）鬧鬼的笑話

　　民間常常有遇到鬼怪的傳說，大多聚焦在恐怖、懼怕的氛圍，然而有一種鬧鬼的故事卻聚焦在鬧出笑話，原先陰森、恐怖的氣氛反而一掃而空，例如〈水雞精〉[149] 這則故事，敘述老印仔用燈火照青蛙要抓青蛙，結果抓到一隻大青蛙要放入竹簍放不進去硬塞，他喃喃自語說從來沒抓過這麼大隻的青蛙，想不到青蛙在竹簍中竟開口說牠當青蛙那麼久了，第一次被抓到，還一邊叫一邊說：「有上顎，沒下巴。」他聽到嚇得把竹簍一扔，拔腿就跑。

　　來到半路遇到一個人擋在路中問他為什麼要跑，老印仔告訴他事情的經過，那個人問說是不是像他那樣，只見他的下巴掉到肚臍，嚇得老印仔拔腿狂奔，跑回家中把房門栓得緊緊的，躲在棉被中發抖。這時他父親回家叫他開門，他以為青蛙精找上門堅持不開，父親說：「我是你老爸啦！」他不相信認為他是青蛙精，回說：「你若是我老爸，那我就是你祖宗啦！」

第二節　歌謠類

　　漢人移民來臺灣之後，將原鄉的民間歌謠帶到臺灣，之後與臺灣的地理、歷史、風土融合，逐漸在地化，發展出臺灣本土的民間歌謠。日治時期流行音樂開始發展、盛行，之後逐漸取代民間歌謠的主流地位，隨著電子媒體的勃興，民間歌謠流失的速度越來越快，在現今社會中已罕見傳唱。臺灣唸唱民間歌謠風氣較盛行的地區，包括北臺灣地區，尤其以茶山地區風氣較甚；還有南臺灣的恆春、滿州；以及離島的金門、馬祖、澎湖

149──邱進講述，〈水雞精〉，《臺南市故事集1》，頁212-216。

等地，這些區域目前都仍可找到一些擅長唸唱民間歌謠的耆老。相較於這些地區，臺南不算是唸唱民間歌謠特別盛行的區域，一九九〇年代開始進行科學普查採錄時，也僅發現安南區的邱進特別擅長，當時七十多歲的他，能唸唱好幾百首民間歌謠，[150]其他耆老能唸誦的數量則極其有限。

　　過去文獻中所記載的漢人民間歌謠很少標註流傳的區域，以致難以區分出哪些曾在臺南流傳，因此文獻中所收錄的歌謠若有特別標示流傳在臺南者，顯得特別珍貴，李獻璋的《臺灣民間文學集》[151]中，就有特別標示出流傳的區域，這些都將是本文收錄論述的對象。其次，田野調查採錄所得的文本多達數百首，本文僅論述內容具有臺南在地元素及特殊性的歌謠，以及講述者自創的歌謠。

　　在年代方面，歌謠的時代背景通常較為模糊，我們很難從其內容判斷出歌謠最早產生的年代。不過從文獻記載、田野調查採錄的時間點，仍可得知歌謠流傳的年代，由於民間文學在流傳的過程中會受到時代的影響而有一些變化，因此我們仍可從記載、採錄的時間點切入，去解讀民間歌謠的特色。本文將依歌謠的種類，從文獻記載與田野採錄的時間，按照先後順序排列，來論述臺南漢人的民間歌謠。

一、兒歌

（一）李獻璋《臺灣民間文學集》

　　1. 打手刀／拍手刀 [152]

　　a. 打手刀，叮鏗鑼，丈姆厝仔好佚陶；一哥交，二哥留，請您三姊來梳頭；梳呀光，篦呀光，早早落花園；花園內，芳微微，頂街下街人拍鐵，

150——林培雅總編輯，《臺南市歌謠集1》、《臺南市歌謠集2》，臺南：臺南市文化局，2012年。

151——李獻璋，《臺灣民間文學集》，臺北：龍文，1989年。

152——「打」手刀和「拍」手刀動詞寫法雖不同，但實際上是同一個動詞「拍（phah）」，打的意思。

拍鐵彈，做人媳婦真艱難；五更起早人嫌晏，燒水洗面人嫌凝；白米煮飯人嫌烏，綢緞做衫人嫌粗。緊緊剃頭作尼姑，尼姑清是清，閒是閒，無姑無官可奉承；一心燒香拜佛前，M 免歸日悶不平。（p.18-19）

b. 拍手刀，應銅鑼，丈姆厝，好俠陶。俠陶厝，提錢買甘蔗，甘蔗園，花園芳，子婿騎馬探丈人。丈人無在厝，姨仔呼狗咬姊夫，姊夫叫不可，幾時後壁咬一空！和尚相見覓頭鬃，尼姑抱子出來看人。（p.242）

這兩首是遊戲歌謠，玩法為孩童坐在矮椅上相對，一邊互相拍手一邊念誦歌謠。這類的兒歌在臺灣各地普遍流傳，但內容差異甚大，這兩首的內容跟其他地區的都不盡相同。其中第一首描述到為人媳婦伺候公婆的艱難，有些地區的文本也會有這方面的描述，但都不及這首豐富、深刻，它用「五更起早人嫌晏（清晨五更就起床還被嫌晚）」、「燒水洗面人嫌凝（準備熱水讓人洗臉卻被嫌冷）、「白米煮飯人嫌烏（用白米煮飯卻被嫌黑）」、「綢緞做衫人嫌粗（用柔軟細緻的綢緞做衣服卻被嫌粗）」這四件事，表現出無論媳婦再怎樣用心，都被雞蛋裡挑骨頭，導致媳婦萬念俱灰，心想乾脆出家比較清閒。歌謠寫實中帶有幽默、諷刺的味道。

2. 刺仔花

a. 刺仔花開去黃巖巖，是吾歹命嫁老夫，子呀子！起來上頭可成人。大鑼連鞭屆，坐紅轎，放大炮，有錢有銀免哭。（p.23-24）

b. 刺仔花笑微微，笑吾阿三欲嫁無了時，馬頭戴珠冠，馬尾遮雨傘，笑吾一個懶惰查某睏晏晏；頭未梳，面未洗，腳帛拖一塊；乳乍流，子乍哭，大伯小叔屆；來欲食下晝，愴狂撞破灶。（p.24）

c. 刺仔花開透笑微微，姑仔卜嫁等底時？嫂仔講話會曲機，竹欉對竹枝，對來 tiu5 tiu5 紅，姊夫騎馬探丈人，丈人無佇厝，姨仔呼狗咬姊夫，姊夫搖頭搖帽喝毋通，姨仔呼狗咬一孔，和尚拍個某連頭鬃。（邱進）

「刺仔花」也是普遍流傳於臺灣各地的兒歌，這三首的內容跟其他地區的都不盡相同。前兩首為日治時期的記錄，第三首於 2011 年採錄，有趣的是，第三首反而與上面的「拍手刀」b 首內容較為相似，而這是兒歌的常態，常會有不同首混搭的狀況，因為兒歌注重的是琅琅上口，而非文意，只要唸起來順口，即使前後文意不連貫，大家也不以為意。其次，從兩首相似的內容，也可看出歌謠傳承的軌跡，從日治時期到 2011 年，這些歌詞都還保留在臺南當地。

3. 竹仔街

> 竹仔街彫弓箭，彫來親堂兄，親堂兄出螃蟹。螃蟹食來真好食；二府口出木屐，木屐削來真好穿；公館口飼加鴒，加鴒飼來會講話；十三舖拍棉被，棉被蓋來真正燒；消瓏出弓蕉，弓蕉食來粉粉粉；關帝廟出竹筍，竹筍食來真是清；番仔出牛奶，牛奶食來真臭羶；番仔出阿片，阿片食來離忠厚；親戚朋友斷路，妻子也不顧，見著雞就想掠，見著人就著僻，見著番薯芋仔下力挖。（p.215-216）

這是一首具有臺南在地色彩的兒歌，可能已經失傳，能被記錄保存下來十分珍貴。兒歌採用臺南各地的地名及其特做為題材，來創作歌謠，並用頂真、押韻等修辭法，讓歌謠可以念起來順口，而藉由唸誦這首歌謠，可教孩童認識、記憶臺南各地的地名及特產。「竹仔街」是府城買賣竹子的中心，在清治即已形成，是府城最繁華的六條街之一，位於中西區忠義路與永福路間的民權路二段。此處最著名的為吳郡山家族，人稱「竹仔街吳」，是從事土地買賣開發的豪族，與「枋橋頭吳」、「磚仔橋吳」並稱「府城三吳」；「二府口」街位在府前路一段 304 巷的一部分，因為過去有「二府衙」（臺灣海防廳）而得名；「公館」是指明治 44 年（1911）興建完

成的「臺南公館」，其最早為明鄭時期何斌的庭園，道光10年（1830）由鹽商吳尚新整建成「吳園」，位於中西區民權路二段30號。日治初期臺南缺乏寬闊的公共聚會場所，地方官民集資於明治41年（1908）成立「社團法人臺南公館」組織，於吳園建管，成為當時臺南頂級的聚會宴會及展覽場所，1923年改由臺南市役所營運，更名「臺南公會堂」，1955年改為社教館，現為「吳園藝文中心」的一部分；「十三舖」是清治的地名，位在竹仔街附近，確切位置不詳；「消瓏」可能指佳里；「關帝廟」可能指關廟。「番仔」不知指何地。

　　4. 目虱欲嫁家蚤翁

　　　目虱欲嫁家蚤翁，欲掠蚊仔做媒人，虱母搖手喝不可：家蚤不是妥當人，
　　　牛蜱大隻掛厚重，嫁伊才會親像人。（曾文，p.226）

這首兒歌的流傳地點為曾文，可能是指曾文溪流域一帶。這也是普遍流傳於臺灣各地的兒歌，且內容大同小異。兒歌將臭蟲、跳蚤、蚊子、蝨子、牛蜱這幾種昆蟲擬人化，編造出臭蟲想要嫁給跳蚤，卻被蝨子極力勸阻，建議牠嫁給牛蜱的故事情節，富有想像力與趣味性。

二、一般歌謠

（一）嫁翁歌

　　李獻璋收錄的歌謠中，註明流傳在臺南者共有10首，其中以「嫁翁」為主題的歌謠占了三首，比例較高。

　　1. 嫁給臭腳夫

　　　嫁給臭腳夫，捻綿簹，塞鼻孔。嫁給青盲夫，梳頭抹粉無採工。嫁給隱
　　　龜夫，綿績被，會格空。嫁給啞口夫，比手畫腳驚死人。嫁給粗皮夫，

被空內，有米芳。嫁給討海夫，三更冥半撈灶空。嫁給倭仔夫，燒香點燭叫別人。嫁給躼腳夫，欲睏著斬腳胴。嫁給讀書夫，三日無食也輕鬆。（p.26-27）

這首歌謠流傳在安平，描述嫁給不同特徵的丈夫有什麼缺點，最後肯定嫁給讀書人才是最佳選擇。這也是普遍流傳於臺灣各地的歌謠，內容大同小異。

2. 鹹菜鹹辣辣

鹹菜鹹辣辣，父母主婚無得活，手舉筆，欲畫眉，欲嫁童生共秀才，不嫁你這懵懂漢奴才。嫁著好夫好佚陶，嫁著歹夫不如無。轉來吾厝做姑婆，大甥叫食飯，細甥叫佚陶。（p.12-13）

這首歌謠與上一首的價值觀相似，都以讀書人為理想對象，從「欲嫁童生共秀才」這句的內容來看，歌謠的時代背景應該是在清治，科舉制度盛行的時期。

3. 爹啊

爹啊！爹啊！平平都是子，給吾嫁滯或；食溪仔水，冷屆透心肝，一碗泔麋仔欲食給風吹一半，也無一枝針，也無一條線，可給吾補破襉。（p.22）

這首歌謠與前兩首要表達的主題不同，在描述女兒抱怨父親為她選的對象不好，夫家家境貧寒，讓她處處捉襟見肘。

（二）一枝竹仔秀秀好披紗

> 一枝竹仔秀秀好披紗，三塊茶甌金金好飲茶；頭前廳請人客，後壁廳打
> 布冊，拍妻一下筆，害妻三頓不食糜；緊緊入來陪，後擺打某手會蜷，
> 捧香爐，咒重詛，後回打妻手會爛；跪踏板，平正事，給某洗腳帛人人
> 有。（p.30）

這首也是李獻璋收錄的歌謠，俗諺說：「驚某大丈夫，拍某豬狗牛。」這
首歌謠在表達這樣的概念，並描述男子甚至發重誓，若再對妻子家暴，手
就會爛掉；且要男子好好服侍妻子，即使為她洗纏腳布也是稀鬆平常之事。

（三）自創歌謠

> 安身立命起草寮，地號出名十六寮。中洲五塊公親寮，和順南路陳卿寮。
> 總理府衙溪頂寮，草湖布袋嘴新寮。總兵鎮守總頭寮，學甲溪心溪南寮。
> 鹽田官衙本淵寮，大道公廟海尾寮。

這是流傳在四草耆老口中的一首歌謠，可能是私塾的漢學老師所編的。
「中洲寮」是指從學甲區中洲一帶來到此處拓墾，於是將此取名為中洲寮，
誌在不忘故里；「陳卿寮」是村人為了紀念開墾者陳卿，以他的姓名來命
名庄名，共同奉祀三庄頭公；「總理府衙溪頂寮」，記錄徐同、徐世澤、
徐守益一家二代，擔任菅仔埔總理、安順庄長的故事；「草湖布袋嘴新寮，
總兵鎮守總頭寮」，是指新寮、總頭寮是布袋蕭、林洪氏的拓墾區；「學
甲溪心溪南寮」，是指溪南寮隨曾文溪的氾濫起伏；「鹽田官衙本淵寮」
則為黃本淵請墾之域；「大道公廟海尾寮」是指海尾寮以大道公廟（朝皇

宮）最著名。這首歌謠表現出臺江十六寮的發展歷史，句句透露著各庄之間的小生活圈關係。[153]

其次，「總理」是指被官府委任為地方頭人。「總理府徛溪頂寮」是指負責臺江地區的治安、錢穀、教育等責任的所在地是在溪頂寮。溪頂寮指今安和路一段東西兩側、安和路二段東側、北安路二段東西側的聚落，有鹽水溪及嘉南大圳排水線通過，由於聚落位在鹽水溪北岸，故稱為溪頂寮。其舊稱「徐仔郡寮」，最初是由來自西港堀仔頭的望族徐群入墾，後又招募徐姓家族到此開墾，他們在今溪頂寮保安宮附近聚集成庄，稱「籬仔內」。溪頂寮為臺江較早開發的區域，徐群的財勢聲望為早期臺江拓墾地區之首，因此被官府委任為地方頭人，當時稱總理，負責臺江地區的治安、錢穀、教育等責任，因此才有「總理府徛溪頂寮」之說。徐姓為溪頂寮大姓，徐群之子徐桐繼為十六寮總理，到了日治時期，徐桐之子徐守益兩度出任官派的安順庄庄長。

堀（khut）仔無廟，鞍（uann）仔無醮，鹽埕雙頂轎，瀨（luā）口無廟，喜樹做龜醮，灣裡王船廟，桶盤淺（Tháng-puânn-tshián）無大轎。[154]

這首歌謠可能是日治時期到戰後之間形成的，它將南區一些聚落的民間信仰狀況編成歌謠，不僅記錄了當地的信仰發展歷史，也記錄了聚落的變遷狀況。而歌謠每一句都在描述一個聚落的狀況，因此都可以單獨一句，或是數句成一則，可長可短，以諺語的形式在民間流傳，例如「堀仔無醮，瀨口無廟，鹽埕雙頂轎」、「鞍仔無廟，堀仔無做醮，墓庵無大轎，喜樹仔王船放火燒」等等。

153──吳茂成，《臺江內海及其庄社》，臺南：臺南市政府文化局，2013年，頁70、150、183-187、379、383、507-509，https://tkcc.tnc.gov.tw/AboutUs/Culture/Culture01.htm。

154──朱介凡，〈說臺灣風土諺〉，《臺灣文獻》31：2，1980年，頁 26-27；吳炎坤，《台南市俗語研究》，臺南大學臺灣文化研究所碩士論文，2007年，頁115-116。

「堀仔」位在臺南機場的西南邊，喜東里東側，原先是一個沙丘的低陷處，因而有此庄名，過去受到土匪侵襲、日人興建臺南機場等因素的影響而敗庄，居民紛紛遷出，庄神池府千歲因此遷入灣裡萬年殿合祀，所以才會沒有廟；「鞍仔」位在灣裡東北邊，臺南機場位在此地，同樣因為日本人興建機場而廢庄，因已無人居住也無廟，所以不可能建醮。

　　「鹽埕」即今鹽埕里，分南港北港，各有信仰中心，南港為北極殿，北港為天后宮；「瀨口」在今中華南路、明興路與永安街之間，據傳在清治中葉因為瘟疫而敗庄，居民紛紛遷離，其中有二、三十戶吳姓，遷至今白雪里（與日新里合併成鹽埕里），興建保靈宮輪流奉祀池府千歲。大正13年（1924）鹽埕北極殿重修，居民倡議將保靈宮的池府千歲請來北極殿合祀，因此「瀨口無廟」，而北極殿多了池府千歲的神轎，因此說「鹽埕雙頂轎」。

　　「喜樹」為濱海聚落，即今喜北、喜南、喜東三里。傳說早期庄民捕捉到大海龜後宰殺分食，而大海龜其實是已修煉得道的龜精，祂憤而降災報復，有分食的庄民家中當晚發生火災。後來神明幫忙與龜精進行調解，指示每年農曆8月24日須舉行醮典，製作仙舟添載日常用品，將其焚化送給龜靈公。

　　「灣裡」在喜樹南邊，其信仰中心為萬年殿，有供奉王船，因此稱其為王船廟；「桶盤淺」在今大同路二段以西，南山公墓一帶，信仰中心為朝玄宮，主祀觀音佛祖，從高雄大崗山超峰寺分靈而來，早期進香來到大崗山下時，由於登山必須走小徑，不適合扛八抬大轎，因此會改採敞篷式的輕便檜木小神轎，因此說「無大轎」。

布袋菜脯廍（Tshài-póo-phōo），出一个（ê）黃大肚，工就叫，馬就騎，
來下茄苳（Ē-ka-tang）偷請元帥爺。

這是首歌謠形成於清治，「布袋菜脯廍」為今布袋鎮菜舖里，早期庄
內有黑糖部（廍），居民種白蘿蔔維生（菜脯為蘿蔔乾），因而得名；「黃
大肚」（又稱「黃侗戇（tòng-gōng）」）是清治菜脯廍庄的土豪，財大勢大，
雄霸一方，常在周圍四處劫掠；「下茄苳」為今後壁區嘉苳里；「元帥爺」
指下茄苳旌忠廟所奉祀的「四元帥」，旌忠廟主祀岳府大元帥（岳飛），
以及「頂五義」、「下五義」十位結拜兄弟，祂們為二到十一元帥，與泰
安宮（主祀媽祖）同為下茄苳的信仰中心。

這首歌謠來自一則傳說：清治布袋菜脯廍的土豪黃大肚打算掠奪下茄
苳庄，某日他騎著馬，帶領一群人前往下茄苳，庄民聽到風聲都躲藏起來，
只剩老廟公守著旌忠廟。黃大肚毫無所獲，耳聞旌忠廟元帥爺神威顯赫，
於是強行入廟請走四元帥，供奉在家中，當地因此流傳出這首歌謠，描述
這起事件。

之後元帥爺成為菜脯廍的公佛庄神，而且每年岳府元帥聖誕前農曆 8
月 13 日，庄民還會前往下茄苳旌忠廟進香請火，成為當地的習俗。然而
下茄苳仍不斷要求菜脯廍要歸還被偷請走的四元帥，幾經協調後，決議由
菜脯廍依照四元帥原貌，另外雕刻一尊神像還給下茄苳，事情才告落幕。

這件事未見文獻記載，但卻保存在口傳的歌謠中，記錄了過去布袋菜
脯廍與後壁下茄苳兩個聚落之間的恩怨，與黃大肚這個關鍵人物，同時顯
現出旌忠廟元帥爺的信仰如何從下茄苳流傳到布袋菜脯廍。[155]

155──黃文博，《南瀛俗諺故事誌》，82-85頁。

　　諺語、歇後語是流傳於民間約定俗成的常語，在其精煉的語言中，記錄了在地的自然環境、風俗習慣、民間信仰、歷史事件人物、風水地理等等，反映民間的生活百態，表達出民眾的情感與思想、觀念、體悟，其中蘊藏豐富的知識、經驗、生命智慧、文化內涵，頗能表現出地方特色。而歇後語常帶有猜謎的性質，必須了解整句所指的意義，與背後指涉的事件或人物等等，才能領悟其言外之意。

　　在臺南流傳著許多諺語、謎語、歇後語，其中諺語與歇後語有許多是臺南所獨有，具有鮮明的在地色彩，而這些都記錄著臺南地區在長期發展過程中的點點滴滴，包括自然環境的變遷、各個時期的歷史、社會事件、地方上的名人、特殊人物、家族歷史與記憶、聚落發展的軌跡、民間信仰的形成與特色、風俗習慣的差異、各式各樣的傳說等等，這些在長期發展的過程中，逐漸濃縮成精煉、便於記憶的語言，見證時代所走過的痕跡，民間也藉此表達出他們的思考、觀念與感受，能顯現出臺南地區的文化特色。以下根據內容與性質，將這些具有臺南在地元素的諺語、歇後語進行分類，說明其所呈現的意義，與蘊藏的文化。

一、自然環境

　　臺南地區有山有海，有各式各樣的地形，自然環境非常豐富多樣，身處其中的民眾會透過俗諺語、歇後語，來表達他們對這些自然環境的觀察與想像，以及對其日常生活所產生的影響，也藉此來記錄自然環境的變化。

（一）地形

　　這類的諺語、歇後語都在描述地形的特徵，凸顯其特殊性，或是讚嘆、或是提醒民眾注意、或是反映其對民生的影響等等，有的因此可以用來比喻人生現實的狀況。

　　仙洞撞（tong）無路。[156]

「仙洞」為白河區關嶺里半天寮左前方，為關子嶺八景之一的「石室仙藏」，相傳呂洞賓曾在此修練。通往仙洞的路十分狹小，過去只有鳥能通行，十分難尋，且到達仙洞之後就沒有路了。在地人根據仙洞的特徵創造出這則諺語，若要去某個地方卻怎樣都找不到路時，就會用這句話來形容自己的處境。

　　上帝廟墘（gîm-kînn），水仙宮簾簷（nî-tsînn）。[157]

「上帝廟」又稱大上帝廟、北極殿，主祀玄天上帝，位於中西區民權路二段，建在鷲嶺之上，鷲嶺為府城地勢最高處；「水仙宮」主祀水仙尊王，位於神農街 1 號，水仙宮市場內，建在五條港，是府城地勢較低之處。這句諺語意指上帝廟前的階梯，與水仙宮的屋簷同高，寺廟是府城重要的地標，諺語藉由兩個地區的重要地標，清楚標示出府城地勢高低的落差。

　　無田無園，盡靠鹿耳門。[158]

意指鹿耳門沒有田園可耕種，但它濱海，全靠海謀生。「無田無園」是因鹿耳門濱海，土壤中的鹽分重，因此耕地稀少，居民難以靠田園耕作維生；

156——邱瑞寅講述，《臺南縣閩南語諺語集（八）》，新營：南縣文化局，2010年，頁34-35。
157——廖漢臣，〈臺南的諺語〉，《臺南文化》第2卷第4期，1953年1月21日，頁36。
158——吳炎坤，《台南市俗語研究》，頁31。

而正因如此，居民都是靠海維生，在海上捕撈魚、蝦，或是當船隻的引水人，或是到碼頭擔任裝卸貨物的工人，因而說「盡靠鹿耳門」。這則諺語指出鹿耳門自然環境的特色，以及過往的居民在沒有田園的依靠之下，如何利用環境的特色努力謀生。

　　番仔寮食甲無豆種。 [159]

「番仔寮」位在新市區永就里，過去四周環繞溪流和大圳溝。某次當地慶賀神明聖誕，擺流水席宴客，結果連續下了幾天的大雨，溪水暴漲，阻斷交通，客人無法回家。請客的主人因此必須繼續招待客人，幾天下來存糧都吃完，最後連用來做種子的豆子也都吃光。這則諺語紀錄了當時的窘境，也反映出永就里的敦厚人情、待客之道，更凸顯出當地過往的特殊地形。後來民間用這句話形容某件事發生意外狀況，演變到最後什麼都賠光了。

　　菅仔埔（kuann-á-poo）變狀元地。[160]

意指從芒草叢生的貧瘠之地，變成土壤肥沃、適合安居樂業的好地方，用來比喻安南區今昔的變化。安南區過去屬於臺江內海的一部分，之後形成海埔新生地，土壤鹽分較高，且地勢低平，水災頻仍，不易開墾，沙埔上芒草叢生，因而被稱為「菅仔埔」。經過長期的開發，當地的土質逐漸變得肥沃，地方上也越來越繁榮，土地的價值越來越高，已成為「狀元地」。這則諺語讚嘆安南區今昔的變化，從當初的不毛之地發展到現在的繁榮景況，令人津津樂道。

159——林宗德講述，《臺南縣閩南語諺語集（五）》，頁190-191。
160——吳炎坤，《台南市俗語研究》，頁27-29。
161——邱瑞寅講述，《臺南縣閩南語諺語集（八）》，頁103-104。

趒（peh，爬坡）上（tsiōnn）牛領領（ām-niá，脖子與肩膀相連之處），袂（bē，不）記得曆裡的某囝（kiánn，子女）——顧喘。[161]

「牛領領」指白河區仙草里的仙草埔所在的整座山，此處是進入關子嶺的首站，由此往東開始爬坡。過去白河尚未成庄時，下茄苳（位在後壁區）才有市集，仙草埔的居民必須將貨物挑到這裡販售，整段路從大仙寺開始一路往上爬，需到達頂端，才有較平坦的地方可供休息，因為全程都耗費體力在爬坡，只顧著喘氣，腦袋一片空白，因此不會想起家中的妻兒。這則歇後語記錄了早期仙草埔居民生活艱辛的一面。

大嶺毋是崎（kiā，陡峭），二嶺較（khah）崎壁。[162]

「大嶺」和「二嶺」是東山區相連的兩座山，由東山市區沿南99線道路入山往東原，開始爬坡的地方為番仔嶺，再爬坡之地即是大嶺，越過這個山頭的下一個陡坡就是二嶺。日治時期居民由東山要到東原時，只能靠步行翻山越嶺，首先須爬過番仔嶺，之後再爬大嶺，等爬上大嶺時早已上氣不接下氣，此時抬頭一看，前面還有一個坡度陡峭的二嶺，不由得洩氣，因而說出這句話。這則俗諺將南99線道路東山段的地形特徵顯現出來，山區道路崎嶇難行的樣貌因而浮現。

鹽水港牛墟——闊莽莽（khuah-bóng-bóng）。[163]

鹽水牛墟，約成立於清治中葉，1976年前後廢墟，不再有牛隻的買賣，但國曆的1、4、7、11、14、17、21、24、27日都仍有開市交易。其場地非常遼闊，一望無垠，因而產生這則歇後語，用「闊莽莽」來形容。這則

162——黃文博，《南瀛俗諺故事誌》，94-97頁
163——邱瑞寅講述，《臺南縣閩南語諺語集（八）》，頁116-117。

歇後語也藉此用來形容開闊的空間，如廟埕、家戶門前的空地、校地等等。臺灣過去為農業社會需倚賴耕牛，牛隻的需求量大，因此各地都有牛墟，做為買賣牛隻的市集。臺南過去也有多處牛墟，各具特色，其中鹽水牛墟的特徵就呈現在這則歇後語中。

（二）水文

臺灣過去沒有自來水，很多地區的民生用水都依靠鑿井的方式取水，有些井鑿出來的水質特別好，因此就會形成俗諺流傳；除此之外還有一些地方有特殊的水質，民間也會創造出俗諺，來描述其特質。

　　食水馬兵營。[164]

「馬兵營」位在今中西區府前路一段，是明鄭及清治時期的騎兵營址，舊臺南地方法院興建在此，後被登錄為國定古蹟，現已成為司法博物館。這則俗諺意指馬兵營的井水甘美，適合飲用。早期臺南多處的井水都含有鹹分，馬兵營的井水為淡水且甘美，因而被選為兵馬屯駐處所。

　　食著下林仔（Ē-nâ-á）水會變性。[165]

「下林仔」在今西門路一段與永華路西南側一帶，從前聚落附近都是樹林，府城南邊的鹽埕、灣裡、喜樹、鯤鯓等濱海聚落的居民，若要前往府城販賣貨物時，都會經過下林仔，再由小西門進城。據說來到下林仔庄時，須先經過狹窄的田間道路，故稱此地為「狹（ėh）林仔」。過去這裡有二十餘口福井，又稱「下林仔井」，水質甘甜，濱海聚落的居民挑著貨物進城販賣往來此地時，都會停下來喝水，由於他們經常進城，逐漸沾染

164——吳炎坤，《台南市俗語研究》，頁26-27；〈7馬兵營〉，樹谷文化基金會考古推廣補助，臺南市舊城區文化資產歷史考古普查計畫，https://tncpa2017.pixnet.net/blog/post/170884293-7-%E9%A6%AC%E5%85%B5%E7%87%9F。

165——廖漢臣，〈臺南的諺語〉，頁36。

府城人的習性，開始變得奢侈、驕傲，因此產生這則諺語，意指一個人喝了下林仔的水之後，會改變原來的習性，也有嘲諷一個人受到外在環境的影響，整個人都變質了；其次，也有「食著下林仔水會變形」的說法，意指整個人都變樣了。

此外還有「食著下林仔水，袂肥也（ā）會媠（suí）」、「下林仔水，食會媠」，意指女孩子喝了下林仔水之後，不會變胖會變漂亮。這種句型的諺語還有：「食著大井頭水，袂肥也會媠」、「食著王城水，袂肥也會媠」，其中「大井頭」指民權路二段與永福路二段交會處，當地有一口大井，水質甘美；「王城」指安平古堡，安平境內可飲用的淡水井只有三口，其中一口在古堡內。

> 城外七里瘦，城內水較好城外肥。 [166]

意指府城七里以外的土地是比較貧瘠的，而府城內的水質還比府城外的水肥營養，強調府城內的井水水質很好。清治時期府城內有一些古井，水質甘美可口。由南到北包括馬兵營井、大井頭、荷蘭井（在赤崁樓東北角）、烏鬼井（北區自強街），馬兵營井已廢，其他三口還在，且仍有泉水。

以上幾則都在描述府城境內幾處水質甘美的地方，這也是府城得以繁榮的原因之一，從諺語中可見一斑。

> 麒麟尿洗身軀——免鑢（lù，搓洗）。[167]

「麒麟尿」指關子嶺溫泉，關子嶺枕頭山的山脈像一隻麒麟，又稱麒麟山，當地相傳關子嶺住著一隻麒麟，保護這裡歷代的居民，水火同源是牠

166——吳炎坤，《台南市俗語研究》，頁68。
167——邱瑞寅講述，《臺南縣閩南語諺語集（八）》，頁96-97。

的頭，牠個性活潑外向，喜歡噴火供人觀賞，而關子嶺溫泉是牠的腹部，尾巴在紅葉隧道往東延伸，牠四隻腳所站立的位置是溫泉區，溫泉是牠的尿，因此稱為麒麟尿。關子嶺溫泉為泥漿溫泉，水質混濁，洗完之後皮膚會滑滑的，好像沒洗乾淨似的，會令人想再多搓洗一下，然而實際上已經洗乾淨了，因此才會說「免鑢」，不需再搓洗了。而這個詞又可引申成事情已順利進行，不須再去處理，以免多此一舉之意。

運河無崁蓋（khàm-kuà），欲（beh）跳家己（ka-tī）去。[168]

清道光 3 年（1823），因曾文溪淤積難以發揮通航水運的功能，因此臺南三郊僱工開闢運河，成為府城對外水路交通要道，即「古運河」，其位置在今安平區安平路 406 巷至安北路 100 巷間綠帶。日治時期因洪水導致曾文溪及鹽水溪氾濫，舊運河潰堤且淤積，因此日本政府於大正 11 年（1922）開闢安平港至永樂町間的新運河，其位於古運河的南側（即今所見運河），大正 15 年（1926）竣工。其主要用來取代已無法航行的舊運河，讓外海船隻能由此直抵臺南市中心，帶動市區繁榮。

運河開通之後，投河自殺案件頻傳，以殉情者居多，臺南警察署在此新設派出所，又在運河邊設立地藏王菩薩坐鎮，仍然無法遏止自殺的風潮。戰後民間多次進行超渡儀式法會，希望能讓死者安息，減少悲劇發生。時至今日，仍然偶傳投河自殺的事件。

由於過去運河盛行自殺，因此產生這則俗諺，意指運河沒有蓋上蓋子，想跳的人自己去跳，不會有人攔阻。可用來反諷那些不愛惜自己生命的人，告訴他們想要自殺就自己去跳運河，但這並非是說者的本意，而是

168——吳炎坤，《台南市俗語研究》，頁165-167。

一種激將法，希望藉此喚醒當事人的理智。此外，這則俗諺也可以只簡說「運河無崁蓋」。

> 大洲（Tuā-tsiu）崩（pang）溪岸（huānn），鰗鰡（hôo-liu）掠（liáh）規
> 捾（kui-kuānn，整串）。[169]

「大洲」位在今新市區大洲里，瀕臨鹽水溪，在其上游，過去水流湍急，在日治中期尚未建築堤防之前，常常發生「崩溪岸」（潰堤）之事，附近村落因此淹水，苦不堪言。堤防建造好之後雖然有所改善，但直到戰後仍時常發生潰堤之事。最容易發生潰堤的河段有二：一在新港橋，一在看西農場之南，潰堤時常達半個月之久，對聚落居民財產所造成的損失、日常生活的影響很大。然而在水患中仍有一點小確幸，也就是溪流潰堤時，躲藏在泥土中的泥鰍會被大水沖刷出來，隨著溪流四處逃竄，數量繁多，隨便捕捉便一大串，剛好可以讓居民飽餐一段時日，這則諺語便在描述這種苦中作樂的情形。

此外，對安南區人而言，大洲也可以指嘉南大圳大洲排水線，其有一段流入新市區大洲，之後繼續流往安南區的五塊寮等地，此段經常潰堤，因而在安南區產生這則諺語：「大洲崩溪岸，鰗鰡掠規擔，安南區生命財產損一半。」

（三）氣候

臺南地區流傳著許多氣候類的諺語，但大多為臺灣各地都有流傳的普遍性諺語，具有臺南元素的諺語不多，其中有關安平的較多；還有因為久旱不雨產生的俗諺。

169——黃文博，《南瀛俗諺故事誌》，336-339頁；楊家祈，《臺南拜溪墘祭儀與聚落變遷之研究》，頁92-93。

170——朱介凡，〈說臺灣風土諺〉，頁17。

基隆雨，滬尾（Hōo-bué）風，臺北日，安平湧（íng）。[170]

這則諺語在描述臺灣各地著名的氣候特徵，安平名列其中，與北部各地對比，有基隆的多雨，其號稱「雨都」；有淡水的風大，因為它位在淡水河的出海口，迎著東北季風；有臺北的烈日，因其為盆地地形，夏天散熱不易，溫度較高，因而感覺日照特別強烈；還有靠海的安平，有洶湧的海浪。另外「滬尾風」也有說成「新竹風」。

　　南風轉北，王城去一角。[171]

「王城」為熱蘭遮城，即安平古堡。這則諺語意指當颱風來襲時，如果南風突然轉北，即使是堅固的王城，都可能會被吹落一角，因此要注意防範其所帶來的災害。透過諺語的形式流傳，提醒大家氣候變化的徵兆，注意防災。

　　食肉土地公，曝日五穀王。[172]

1954年新化地區發生大旱，地方上為了祈雨，用長板凳和桌子搭建一個高臺，將朝天宮的五穀王放上去在烈日下曝曬，其用意是讓祂苦民所苦，進而為百姓祈雨。五穀王是神農大帝，掌管農業，因此由祂來祈雨。新化區的耆老、鎮長等人，都身披麻衣，如喪考妣，向上天陳情，祈求能降雨解旱。當時衍生出「食肉土地公，曝日五穀王」的有趣俗諺，土地公與五穀王都跟農業有關，但兩位神明的待遇迥異，土地公經常被祭拜，有肉可以吃，但五穀王沒這樣的待遇，還要被烈日曝曬。隔年為了答謝神恩，飲水思源，並祈求風調雨順，地方人士在虎頭埤水庫舉行「虎頭埤圳頭祭」，

171——林勇，《臺灣城懷古續集》，臺南：臺南市文化基金會，1990年，頁170。
172——許滄淵講述，《臺南縣閩南語諺語集（一）》，頁157-158。

之後由水利會每年於第一期稻作收割後，配合水利節擇日舉辦圳頭祭，每次日期不一定，並一直持續迄今。

（四）地理位置

隱居檨仔林（ún ku Suāinn-á-nâ）。[173]

「檨仔林」位在今臺南市美術館 2 館東半部及永福、忠義路之間的友愛街北側，過去為一片芒果林，因位處郊區，環境幽靜隱蔽，因此想遠離現實生活的人會隱居在此；也有欠債無力償還的人，來到這裡躲藏居住，因而產生這則俗諺。也可用來指稱那些功成名就之後，看破榮華富貴、功名利祿，選擇歸隱山林的人。

行到六甲頂，跤（kha）冷手也冷。[174]

「六甲頂」位在今永康區甲頂里，在中華路與公園路交界處一帶，內有奇美醫院。其位在柴頭港溪東畔，過去為郊區，是北邊聚落居民要進入府城時的必經之地，因地理位置易於埋伏，官府又管轄不到，因此溪畔或渡頭有盜匪出沒，成為治安的死角。因此百姓要從此進入府城時，都會膽戰心驚，懼怕有盜匪埋伏搶劫，常嚇到手腳冰冷，因而產生這則俗諺。

（五）風水地理

在臺灣風水地理的觀念已深植人心，成為信仰文化的一環，而在臺南地區，這類的文化大多表現在傳說當中，諺語也有一些例子，從中反映出民間認為風水地理會對環境、聚落所造成的影響。

173──黃典權，〈古臺灣府治海桑城坊考〉，《臺灣文獻》第26卷第3期，1975年，頁 55。

174──吳新榮，《震瀛採訪錄》，臺南：琅琊山房，1977年，頁283。

175──邱瑞寅講述，《臺南縣閩南語諺語集（八）》，頁32-33。

巖仔鐘鼓一下擂（luî），雞袂（bē）啼，狗袂吠。[175]

「巖仔」指白河關子嶺大仙寺，據說它從前蓋在路邊，嘉慶年間福建水師提督王得祿的元配在澎湖過世，王家在大仙寺路邊蓋一間墓厝，要將王妻的棺槨奉厝在此，待日後運回嘉義與王得祿合葬。傳說王妻的魂魄與大仙寺的神佛互爭此地的風水，造成大仙寺的鐘鼓一敲打，雞不叫狗也不吠，弄得雞犬不寧，後來王得祿鳩資將大仙寺往內移至現址，傳說此地位在「仙人拋網」靈穴上。

　　陰陽兩界互爭風水的例子在傳說中頗多，民間認為此舉會對地方上造成或多或少的傷害，必須找到兩全其美的方法，讓雙方都能獲利，如此才可解決糾紛，讓地方得以安寧。而諺語便用精鍊的語言記錄這樣的事件，反映民間的思想。

　　虎仔斷尾，庄頭衰尾。[176]

「庄頭」指過去位在白河區虎山里的虎仔墓與木屐寮兩個相連的大型聚落，木屐寮盛極一時，據傳有上千戶，由此庄到虎仔墓的店家綿延不絕，雨天走騎樓不用撐傘即可往來兩地。後來日本人開闢一條通往關仔嶺的道路，從虎仔墓中間穿過，相傳當地有老虎穴，虎尾因此被切斷，風水地理遭受破壞，木屐寮與虎仔墓因此衰敗。

　　臺灣民間一直有公共建設開闢會造成風水地理被破壞的想法，這樣的想法會形成傳說、諺語在地方上流傳，而這些可視為民意表達的另類方式。

176──邱瑞寅講述，《臺南縣閩南語諺語集（八）》，頁48。

二、聚落特色

　　臺南地區有各式各樣、大大小小的聚落，它們在發展過程中表現出多元的特色，而這些都被諺語用簡短的形式標誌出來，在地方上流傳，並有效地保存在居民的記憶中。

　　　　好柴無流過安平港，媠（suí，漂亮）查某袂（bē）留佇（tī，在）四鯤鯓。[177]

木柴產自位在上游的山區，會順水漂流而下，沿途會有人撿拾，因此來到位在出海口的安平港時，已經沒什麼好貨了；四鯤鯓位在南區的鯤鯓里，過去為沿海貧瘠的小漁村，村中漂亮的女孩有些被府城的富人買回家當妾，有些則嫁到大城市，不會留下來。用此來比喻好的人才很快就會被網羅，不會被埋沒。

　　　　南安平，北社寮（Siā-liâu）。[178]

「安平」為府城西邊的一座島嶼，是臺南地區最早開發的地方，荷蘭人曾在此建造熱蘭遮城（安平古堡），過去是臺灣南部貿易往來重要的港口；「社寮」為基隆和平島，位於基隆港東側，是基隆地區最早開發的地方，西班牙人曾在此建造聖薩爾瓦多城（紅毛城、雞籠城、雞籠礮城）。安平與社寮有許多相似之處，因而產生這則諺語，將安平與社寮並列，一南一北相互輝映。另外還有「北社寮，南安平；北雞籠，南大員」的說法，「雞籠」為基隆的舊稱，「大員」為安平的舊稱。

　　　　沉洲仔尾，浮安順庄。[179]

177——臺灣總督府，《臺灣俚諺集覽》，臺北：南天書局，複刻版，1991年，頁 539。

178——游淑珺，《基隆地區俗語研究》，淡江大學中國文學系碩士論文，2002年，頁 123。

179——林德政，《安南區志》，臺南：安南區公所，1999年，頁855。

「洲仔尾」位於今鹽洲里內，「安順庄」即今安南區。此則諺語意指清代因為曾文溪氾濫，以及臺江內海大變動等因素，造成原臺江沿岸的洲仔尾庄多次被淹沒，倖存的居民被迫遷往他處，庄頭衰敗；而原本汪洋一片的安順庄因臺江陸浮成為海埔新生地，吸引移民入墾，逐漸形成聚落繁榮起來，成為現今的安南區。隱含有滄海桑田的感嘆。

> 新寮仔愛食庄，公親寮仔儉（khiām）錢買田園。[180]

「新寮仔」位在今安南區長溪路三段與長和街四段的交接處附近，屬長安里。「新寮仔愛食庄」意指新寮仔這個聚落有很多賣吃的攤販，尤其是信仰中心鎮安宮周圍，常聚集許多小吃攤販。由於此庄給人的印象是賣吃的攤販特別多，因此戲稱它是「愛食庄」。「公親寮仔」位在安南區東邊，其南邊為新寮仔，即今安南區公親里。「公親寮仔儉錢買田園」意是當地的居民平日節儉，會將儲蓄拿去置產，購買田園。這則諺語並沒有比較兩個聚落高下之意，而是將兩個相鄰的聚落拿來比較，找出其相異之處，在諺語中放大凸顯，藉此表現出彼此的特色。

> 別的寮，跋筊（puah-kiáu）、啉（lim）燒酒；陳卿寮，擔菜、賣蔥、縛
> （pák）掃帚。[181]

「陳卿寮」為安臺江十六寮之一，即今安南區頂安里，又名「虎尾寮」、「公館寮」、「頂安順」。早期庄民在春季種青蔥、蒜頭；夏季採收、曬乾裝箱，並利用空檔到山上割取棕櫚葉回來曬乾，綁製成掃帚，而綁掃帚是陳卿寮人擅長的技藝，以此出名；秋冬過年前會挑著扁擔，前面挑著蔥，

180——吳炎坤，《台南市俗語研究》，頁74-76。
181——林德政，《安南區志》，臺南：安南區公所，1999年，頁851。

後面挑著掃帚，徒步走到府城沿街叫賣。這則諺語意指別的村莊的人都在賭博、喝酒享樂，而陳卿寮人卻忙著種菜種蔥，挑菜、蔥去城裡做買賣，閒暇之餘還採楝榔葉綁成掃帚去販賣，一刻不得閒，描述陳卿寮人勤奮工作的生活情形，以及刻苦耐勞的精神。

此外，還有另一種說法，將賭博、喝酒的聚落直接指出是南路寮，變成：「南路寮，跋筊、啉燒酒；陳卿寮，擔菜、賣蔥、縛掃帚。」南路寮北與陳卿寮相鄰，位於長溪路一段東側與怡安路一段一帶，今安南區安慶里。

> 頂港有名聲，下港上（siōng，最）出名，這馬（tsit-má，現在）上時行（sî-kiânn，流行），迌迌（tshit-thô，遊玩）安平城。[182]

意指北部有名，南部最出名，現在最流行的觀光勝地，就是安平古堡。安平古堡原名為「熱蘭遮城」，1935 年被臺灣總督府指定為國家級史蹟，戰後國民政府將其改名為「安平古堡」，古蹟身分不變。其成為旅遊景點應是戰後的事，因此這則諺語應該是戰後產生的，而安平古堡迄今仍是全臺旅遊熱門景點。

> 外塭仔出手網，六塊寮撿孔，五塊寮出鱔魚籠，中州寮出人通。[183]

「外塭仔出手網」是指外塭仔的人勤於捕魚，為了捕魚，則努力生產魚網；「六塊寮撿孔」是指六塊寮的人愛摸螃蟹，而螃蟹大都躲在洞穴裡，要抓牠得找有螃蟹躲藏的洞，這就要靠經驗；「五塊寮出鱔魚籠」是指五塊寮的人勤於捕捉鱔魚，為了要捕鱔魚，就得勤於生產鱔魚籠子；「中州寮出人通」是指中州寮游手好閒者較多，「人通」意指懶惰之人、複雜之人。

182——謝維嶽，《草地倯‧府城戇》，臺南市：龍輝出版社，1982年，頁 126。
183——吳炎坤，《台南市俗語研究》，頁81-82。

這句俗語是說明，因居住環境的不同，生活的重心也會有很大的差異，更會為了適應自己的生存環境，而發展出自己的生活特色。

外塭仔位於安南區的東北隅，屬塭南里；六塊寮在安定區，位於大同里南邊，早期附近有一小溪流，居民喜歡去溪裡摸螃蟹，而螃蟹大都躲在洞穴裡，要抓牠得找有螃蟹躲藏的洞，這就要靠經驗，因此說「六塊寮撿孔」；五塊寮在安南區最東邊，屬東和里，有四條溪流經過，居民善於捕捉鱔魚，為了要捕鱔魚，就得勤於生產鱔魚籠子，因此說「五塊寮出鱔魚籠」；中州寮指位於安和路四、五段附近與長和街二段南北兩側的聚落，現為州南里和州北里，其發展較為快速與繁榮，外來的人口增多，產生較多游手好閒之人，因此才說「中州寮出人通」。

　　有看見針鼻，無看見大西門。[184]

「大西門」指已被日人拆除的原臺南府城大西門，遺址在今民權路與西門路的交叉口附近。這則諺語是用來形容一個人連像針孔那麼小的事物都能看得到，卻看不見像大西門那麼大的事物。有誇耀大西門建築之大，並諷刺一個人度量狹小、目光如豆，只注意微細的小事，而失去大遠景，因小失大，與「見樹不見林」意義相近。還有其他說法：「針鼻有看見，大西門無看見」、「大目新娘，無看見大西門」。

　　鯤鯓響，米價長。

「鯤身響」是指安平至七鯤身之間的海域，當東風吹起時，波浪衝擊，聲音有如雷鳴一般；「米價長」是指安平至七鯤身之海域因波濤洶湧，使

184——廖漢臣，〈臺南的諺語〉，頁36。

得米船難於進港，導致米糧供應不足，而使米價上漲。這則諺語在黃叔璥《臺海使槎錄》中有記載，可見是清治時期即已出現的說法。

　　五甲洋米，後鎮番薯，竹圍後魚。[185]

「五甲洋」為後壁區過去仕安村下長短樹庄東的平原，位在今長短樹里。後壁區是臺南的大穀倉，所生產的稻米品質優良，遠近馳名，而五甲洋米曾經是其中的佼佼者；「後鎮」即現今新營區護鎮里，此地位在倒風內海東側，土質稍鹹，頗適合種植番薯，所產番薯既大且甜，深受大家喜愛，「後鎮番薯」之名乃不脛而走；「竹圍後」為小集庄，在下長短樹庄的西南邊，屬今新營區竹新里。庄內昔有一個大水坤，稱「竹圍後坤」，坤廣水深，野生淡水魚種多類繁，又肥又大，是當時附近庄社的食物來源。此坤現今已變成下茄苳大排的一部分，接後鎮大排後西行匯入八掌溪。五甲洋、後鎮和竹圍後三地，呈三角鼎立之勢，各有名產，民間將其串聯成這則俗諺，反映出庄頭發展的歷史軌跡。

三、人文風景

　　流傳在臺南地區的俗諺，有些描述各地的人文特色，例如有些地方文風鼎盛，有些地方的女性具有特色，而有些家族、人物的過往事蹟仍被津津樂道，這些俗諺都將臺南在地的人文風景透過語言保存下來，見證歷史發展的軌跡。

（一）文風

　　鐵線橋好筆尾。[186]

185──黃文博，《南瀛俗諺故事誌》，頁78-81。
186──黃文博，《南瀛俗諺故事誌》，頁38-41。

「鐵線橋」為今新營區鐵線里，建庄極早，清治時有鐵線橋港，交通便利，經濟繁榮，人口最多時達到一千多戶，又因位處臺南府城與嘉義關道必經之地，為兵家必爭之地。鐵線橋也十分重視教育，清治至日治時期曾聘請余君德、周老屏、陳清龍、鄭粒、蘇水池等知名漢學先生，在庄內開設私塾授課，文風鼎盛，因而產生這則俗諺。

鹽水港的碗帽仔比朴仔腳的秤錘閣較濟。[187]

意指鹽水區的讀書人很多，人才輩出，比嘉義縣朴子鎮的生意人還多。鹽水港即今鹽水區，清治初期已發展成商城，十分繁榮，光緒以後才漸衰。因為經濟發達，帶動起讀書風氣，讀書人越來越多，且有注重子弟教育的風氣。當時的風華榮景造就了鹽水的文風鼎盛、人文薈萃，不僅地方曾設「奎壁書院」培育子弟，也流傳著這則諺語。朴子與鹽水是同時期發展起來的商鎮，商業十分繁榮，因此這則諺語將兩地對比。秤錘指做生意用的器具，意指生意人。鹽水長期形成的文風，文風鼎盛，且讀書人才濟濟，因此頗感自豪，說出此話。

袂（bē）比得（tit）范進士的旗杆（kî-kuann）。[188]

「范進士」為清康熙 57 年（1718）的武進士范學海，其宅第位在今赤崁樓東側的的停車場，前面的街道被命名為范進士街（民族路二段赤崁樓前面路段）。按照清治禮制，中舉者可在宅第前設置一對旗杆座，藉此彰顯功名榮耀與身分地位。范學海是武進士，因此他的旗杆座比一般舉人所設置的還大型，因而產生這句俗諺，意指比不上范進士家的旗杆那麼大，用來比喻無人能及之意。

187——黃文博，《南瀛俗諺故事誌》，頁70-73。
188——朱鋒，〈臺灣方言之語法與語源〉，《台北文物》第7卷第3期，1958年，頁19。

（二）女性

　　火燒店查某勢（gâu）相捻（liàm），八老爺查某勢相騎，太子宮查某行
　　（kiânn）路 phōng phōng 塤（ing）。[189]

「火燒店」為今柳營區人和里；「八老爺」在火燒店南邊，為今柳營區八
翁里；「太子宮」在八老爺西北邊。這則諺語將各個聚落的女性擅長之事
陳述出來，其中火燒店的女人很會互相捏打；八老爺的女人擅長房事；太
子宮的女人走路塵土飛揚，意指太子宮建設落後路況不佳，以及女人走路
步伐拖地，暗指她們做事拖泥帶水。然而是否真如俗諺所言當地女人具有
這樣的特色則不得而知，可能是一時湊句的玩笑話。

　　南廠（lâm-tshiónn）新婦（sin-pū，媳婦）無出外，南廠查某做老大。[190]

「南廠」位於保安宮的東側，約在保安路與郡西路交會一帶，清治有來自
泉州府晉江縣的吳姓人家在此經營民間造船廠，其名稱是相對於「北廠」
而來；北廠在南廠北邊，位於今立人國小附近，正式名稱為「臺灣軍工道
廠」，是官方修造戰船的造船廠。

　　這裡的居民多從事漁業，民風剽悍，女性也不遑多讓，因而產生這則
諺語，然而民間對此卻有不同的解釋，有人說南廠人對嫁進來的媳婦管教
甚嚴，不輕易讓她們外出，因此才說「南廠新婦無出外」；而對待女兒卻
態度迥異，放任她們為所欲為，不加以管教，鄰里若有紛爭，她們會強行
出頭，甚至出嫁之後，若與婆家發生摩擦，也會回娘家訴苦，讓娘家跑去
婆家興師問罪，因此產生「南廠查某做老大」的說法，大家對南廠出身的

189——黃文博，《南瀛俗諺故事誌》，頁50-53。

女人印象不佳，不喜歡與她們結親。後來也引申成對媳婦管教甚嚴，但對女兒卻縱容放任；也有嚴以律人，寬以待己之意。另一種解釋則沒有這些負面的意義，意指南廠的媳婦比較柔弱不出門不出頭，然而南廠出身的女人具有獨當一面的能力，若地方上有紛爭可出面排解。

> 灣裡查某勢（gâu）做工，喜樹仔查某勢揀蔥，鯤鯓查某勢揀翁。[191]

意指灣裡地區的女孩子會做很多的工作，工作能力很強，由於灣裡地區的婦女必須從事捕魚、耕作和曬鹽等工作，因而有此說；喜樹地區早期是以捕撈為主，後來就逐漸變成以農業為主，且有部分農田是種蔥以供市場之所需，由於蔥必須沖洗並揀選，然後分優劣捆綁以出售，因此有喜樹地區的女孩子很會挑選蔥蒜之說；鯤鯓是一落後的漁村，人民生活都靠捕魚、養殖漁業為主，生活較困苦，村中漂亮的女孩身價較高，只要有人說媒，大都會選擇嫁到城裡較富有的人家，而府城有錢人家若要討小老婆，也會到這裡挑選。因為嫁到城裡，生活較富裕，所以當時四鯤鯓的漂亮姑娘，也都會精挑細選結婚的對象，以求能過較好的生活，因此有鯤鯓地區的女孩子精明於挑選丈夫的說法。其實，此句俗語主要是在述說，不同地區的居民，會因自己所居住的環境不同，而各自發展出不一樣的生活樣貌，而不同的生活環境，也會造就不同的生活特色。

> 本淵寮的查某囡仔，嬌甲若藝旦；海尾寮的查某囡仔，烏甲若火炭；溪仔墘的查某囡仔，佇塗裡輾。[192]

190——牛八庄，〈臺南俚諺〉，《台南文化》第3卷第1期，1953年，頁 49。
191——吳炎坤，《台南市俗語研究》，頁80-81。

意指本淵寮的女孩像藝旦那麼漂亮；海尾寮的女孩皮膚像木炭那般黝黑；溪仔墘的女孩在泥水中踩踏、翻滾，她們也要到魚塭幫忙捕撈的工作。這句俗諺表現出不同聚落的生活環境，造就出不同樣貌的女孩，這是因為人會去適應各種不同的生活環境，不同的聚落環境也會對人產生不同的影響，造成不同的生活樣貌。

本淵寮屬安南區開墾較早的區域，生活較為富裕、安定，且距離著名的「十字路」很近，而安南區的行政中心又位於此處，因此，當地的婦女較有時間與機會妝扮自己，因此才會說：「本淵寮的查某囡仔，婿甲若藝旦」；海尾寮是因臺江陸浮以後，陸陸續續有人進來開墾，由於此處已接近盡頭，再往西則是淺海了，因此稱為海尾。由於海尾寮是以農、漁業為主，婦女不僅要下田耕作，甚至閒暇時也要幫忙捕撈的工作，鎮日在大太陽底下工作，皮膚曬得比其他地方的女孩黝黑，因此才有「海尾寮的查某囡仔，烏甲若火炭」的說法；溪仔墘位於海尾寮之南，嘉南大排和鹽水溪之間，居民以漁業為主，婦女也要到漁塭去做捕撈的工作，而漁塭底部因為都是泥土，故婦女在漁塭工作時，由於腳下所踩的全部是泥土，稍不小心就會弄得全身是污泥，因此才會說：「溪仔墘的查某囡仔，佇塗裡躡」。

婿的留在（tsāi）庄，穤（bái，醜）的予新寮仔扛。[193]

這是流傳在安南區公親寮的俗諺，意指長的漂亮的女生就嫁給自己庄內的男子，而比較不漂亮的就嫁給外庄的男子。有「肥水不落外人田」之意。「新寮仔」在今安南區長安里內，公親寮仔為公親里。

192——吳炎坤，《台南市俗語研究》，頁83-84。
193——吳炎坤，《台南市俗語研究》，頁76。

趁（thàn，賺）錢無夠大跤（kha，腳）腰仔買礬（huân）糝（sám，撒）跤骨。[194]

「大跤腰仔」為清治臺南私娼館的老鴇，「腰仔」是她的名字，「大跤」指她所纏的小腳尺寸太大，不符合標準。她是煙花界的名女人，很會接客，出手十分闊綽。纏小腳的婦女小腳因為長時間被裹腳布包覆，當打開清洗時，總是臭氣沖天，此時必須撒上明礬粉來除臭，而出手大方的大跤腰仔洗腳時，明礬都大把大把地撒，毫不吝惜，因此產生這則諺語，意指不論錢賺得再多也不夠大跤腰仔買明礬撒腳，藉此用來嘲笑別人，或是自嘲所賺的錢不多，妓女隨便躺著賺都比我們多；也有奉勸世人不要迷戀煙花，歡場本是銷金窟，錢賺得再多也不夠妓女花用。

當羅裙，買荔枝。[195]

意指去典當羅裙，換取銀兩，將錢拿來買荔枝。描述做母親的因疼惜子女，不惜典質羅裙去購買荔枝來給子女吃，比喻為愛子心切之意。這則俗諺由來有個典故：清嘉慶道光年間，臺南有兩個吳姓望族，一為磚仔橋吳，另一為枋橋頭吳，係吳國美及子姪孫。吳國美生了兩個兒子，為元光與元甫，元甫早死，留下兩個兒子晏與明（即春祿），晏也早夭，家中財產都被元光所把持，春祿的母親見生活無法維持，只好搬出吳家幫人洗衣，來養活春祿。春祿幼時在私塾讀書，某日放學向母親表示想吃荔枝，當時荔枝都由福建運送來臺，價格十分昂貴，母親疼愛春祿，於是將羅裙典當購買荔枝給他吃，他十分過意不去，母親對他說：「荔枝有時過，羅裙有時

194——陳華民，《臺灣俗語話講古》，臺北：常民文化，1998年，頁 145-146。
195——連景初，〈海嶠偶錄（下）〉，《台南文化》第9卷第1期，1969年，頁22-23。

討。」意指荔枝生產的季節有限，等到有錢時已經買不到了，而羅裙典當之後，只要有錢隨時都可以贖回來，她愛子之情溢於言表。春祿長大後頗有發展，成為百萬富翁。

（三）家族

柳營劉仔劉孫，無一甲也有八分。[196]

劉家是柳營的望族，其祖先跟隨鄭成功軍隊來臺，後在柳營開墾闢田數百甲，富甲一方，成為當地的大地主，據說「柳營」名稱的由來與其有關。劉家在當地成為望族，清代還出了兩位文舉人：咸豐壬子科（1852）劉達元（劉圭璋）、光緒 15 年（1889）的劉汶澄。此外光緒年間劉焜煌、劉神獄都中過秀才。劉家給人富貴人家的印象，因此民間才會流傳這則諺語，說其子孫每人擁有的土地沒有一甲也有八分。

三吳三黃毋值一石。[197]

三吳、三黃、一石為府城七大家族，「三吳」指竹仔街（忠義路與永福路間的民權路二段）吳世繩、枋橋頭（公園路與中山路間的民權路二段）吳尚新、莊雅橋（永福路和府前路交叉口南側）吳尚霑；「三黃」指做篾街（永福路與忠義路間的民生路一段南側）黃本淵、總管宮（又稱總趕宮）黃拔萃、新港墘黃氏；「一石」指頂南河（和平街）石時榮所開設的石鼎美商號。

石時榮號芝圃，受雇於林朝英所經營的元美號。後逐漸升遷，於嘉慶中辭職，自行開設「榮盛號」，業務蒸蒸日上，後成為府城首富。為感謝

196——黃文博，《南瀛俗諺故事誌》，頁54-57。
197——石萬壽，〈臺南府城人物誌〉，《臺灣文獻》第31卷第2期，1980年，頁145-146。

林朝英提拔之恩，將店號改為「鼎美」，意即「鼎承元美」。後來成為府城三郊董事，且有官銜在身，地位崇高。他一生急公好義、樂善好施，曾受官府表彰。當時府城「三吳三黃一石」七大豪族，石家富仁兼備，聲望最高，故有三吳三黃都比不上一石的說法。

> 弟子若姓郭，食紅龜吐甲滿地血。[198]

這則俗諺在描述中西區南勢街的郭姓家族，他們是地方上的望族，吃紅龜粿時只吃餡料，紅色的粿皮吐得滿地都是，看起來像是吐了滿地的血似的，諺語描繪出他們財大氣粗的驕奢之氣。

> 大郭食小郭，紅龜食去吐滿地血。[199]

這則俗諺也是指南勢街郭姓家族，「大郭食小郭」指同樣是郭姓家族，但族人間會因權勢、地位的不同而有大小之別，因此家族內會有大欺小、強欺弱的現象；第二句與上一則同義。

> 灣裡杜，白砂崙蘇，鯤鯓陳，喜樹仔蔡。[200]

意指灣裡的大姓是杜，白砂崙的大姓是蘇，鯤鯓的大姓是陳，喜樹的大姓是蔡。這四個聚落都濱海，由北到南相鄰排列，依序是鯤鯓、喜樹、灣里、白砂崙，前三者皆位於南區，灣裡的範圍包括永寧、同安、佛壇、松安、省躬、興農六里；鯤鯓指四鯤鯓，即今鯤鯓里；喜樹包括喜北、喜東、喜南三里；白砂崙位於高雄市茄萣區，與灣裡隔著二仁溪。這則諺語呈現出臺南與高雄相鄰的四個靠海的聚落，其姓氏分布的情形。

198——徐雪霞，《台南市國小高年級鄉土教學教師指導手冊》，臺南：臺南師範學院社教系，2001年，頁79。
199——吳炎坤，《台南市俗語研究》，頁49。
200——吳炎坤，《台南市俗語研究》，頁70-72。

總頭寮，施一半；布袋喙寮仔（Pòo-tē-tshuì-liâu-á，布袋嘴寮），蕭全庄。[201]

意指總頭寮最初開墾時，有一半以上的居民都姓施；而布袋嘴寮最初開墾時，則是全庄的居民都姓蕭。總頭寮位在安南區的東北方，今總頭里，居民有施、鄭、蔡、王四大姓氏，其中施姓占了半數以上；布袋嘴寮與總頭寮相鄰，今布袋里。清光緒年間蕭姓夫妻從嘉義布袋（舊名「布袋喙」）南遷來此開墾，為了紀念故鄉，因此取名為布袋喙寮仔。蕭姓夫妻在此開枝散葉，後來才有外姓遷入，因此庄內傳統居民以蕭姓為主。

這則諺語還暗藏戲謔的味道，將「施」聯想成音相近的「死」，「蕭」聯想成音相近的「痟（siáu，瘋）」，變成「總頭寮，死一半；布袋喙寮仔，痟全庄。」這則諺語的產生與此有關，據說過去總頭寮和布袋嘴寮在爭取灌溉水路時，因為兩庄相鄰，利益有所衝突，雙方因此產生嫌隙，於是布袋嘴寮庄民暗罵說：「總頭寮，施（死）一半。」而總頭寮庄民聽到也不甘示弱回罵說：「布袋喙寮仔，蕭（痟）全庄。」

蔡拚蔡，神主牌仔損損破。[202]

「蔡拚蔡」指兩同姓蔡的家族，為了爭奪利益而互相拚鬥；「神主牌仔」是指木主神牌；「損損破」是說全都敲打而破裂了。此俗語是說五條港之一的佛頭港有兩蔡姓家族，為了爭奪貨物的搬運與貿易而大打出手，甚至連木主神牌也都毀壞了。這句俗語也在諷刺自己人打自己人，倒楣的，還是自己人。

清代時，政令難行，任地方各姓氏族橫行，在臺南的五條港區，新港墘黃、佛頭港蔡、北勢街許、南勢街郭、南河港盧五大姓，各自占據五港

201——吳炎坤，《台南市俗語研究》，頁73-74。
202——吳炎坤，《台南市俗語研究》，頁92-94。

渡場，壟斷往來貨物的運搬與貿易，互相對立，且同姓間時而有械鬥。嘉慶年間就發生同姓鬩牆事件，佛頭港的前埔蔡與大崙蔡間因爭挑貨物而發生械鬥，互有死傷，且擴及擲毀佛頭港街的店屋，經當時的臺灣縣知縣溫溶出而調解，並處分肇事者，且於嘉慶 21 年（1816）立石碑於今臺南市水仙宮附近的佛頭港，告示，嚴禁兩幫挑夫分界爭挑、械鬥滋事。今該石碑保存於大南門旁的大碑林。也因為有此碑文為證， 因此，此句俗語流傳至今，仍為人所傳誦。

（四）人物

　　火燒白水溪，起嚴前來賠。[203]

「白水溪」為白河區仙草里的白水溪基督教會，為甘為霖牧師於同治 13 年（1874）興建，是白河最早的教會，然而卻被吳志高放火燒毀。吳志高又稱吳墻、吳老大，因打敗當地的豪強吳振坤，並奪其家產而致富，據說從大營（位在白河區外角里）到鹽水港（鹽水區）都是他的土地。因戴潮春事件有功，被授為「武義都尉斗六都司」，但未去履任，在地方上頗有權勢。他在地方上設立文祠，創立玉山書院，振興文教；還修建大仙寺和碧雲寺，建造崎內埤，對地方上頗有貢獻。然而他十分討厭外國人，當看到白水溪教會成立時，竟然要官兵假扮盜賊，放火燒教堂（一說聽地理師的話，以祖墳面向教會不吉祥為理由，暗中派 30 多人放火燒教堂），想將外國人通通燒死。教會的人用毛毯包裹木條扮成假人，將其丟入火中誘敵，讓甘為霖牧師趁機脫逃到嘉義告官。在此事件發生的前一年，臺南也發生基督教會被攻擊的事件，結果臺灣知府不願處理此事，引發英國人駕

203——邱瑞寅講述，《臺南縣閩南語諺語集（八）》，頁36-38。

船來攻擊臺南的火藥庫，導致清廷最後賠錢了事。因此當白水溪教會被人攻擊放火燒時，嘉義知縣擔心此事又將演變成國際事件，因此小心因應，要求吳志高需賠錢蓋新教堂，他將教堂蓋在巖前，即大仙寺旁邊，因而產生這則諺語，記錄了這段歷史。而吳志高原本因對地方頗有貢獻得到美名，卻因此事件留下臭名。

> 吳仔墻（tshiûnn）真慷慨，提（thėh）錢倩（tshiànn）人做禮拜。[204]

「吳仔墻」即吳志高，這則諺語是上一則事件的延續，白水溪教堂的牧師認為官兵竟然放火燒教堂，目無法紀，這樣會讓信徒心生恐懼，不敢來教堂做禮拜，因此要求官府對此負責，每個星期須找多少人來作禮拜。嘉義知縣自知理虧，只好答應，要求吳志高須負責此事，於是他只好拿錢出來，請一些人上教堂做禮拜，擺平此事，因而產生這則諺語。

> 吳仔墻，好查某；赤山巖，好佛祖。[205]

意指吳志高的手下不僅有男兵，還用女兵，而且能力很強，因此說「好查某」；「赤山巖」為六甲區的赤山龍湖巖，據說當初在建廟時，工人挖到一尊用黃銅打造的觀音佛祖神像，供奉在廟中，吳志高聽說有這項寶物，要求廟方給他，廟方拒絕，他便帶兵強行索取，於是和六甲的居民打起來，此時天降大雨，吳志高這方都被雨淋到全身濕透，而六甲那方卻完全沒有被淋到，最後吳志高兵敗而歸。事後大家咸信這是觀音佛祖顯靈保佑六甲居民的結果，因此產生這則諺語。另一種說法認為「好查某」是指吳志高的夫人，她精通戰術，善用計謀退敵。

204——邱瑞寅講述，《臺南縣閩南語諺語集（八）》，頁39-40。
205——邱瑞寅講述，《臺南縣閩南語諺語集（八）》，頁41-43。

陳番鴨，好大鼓；吳仔墻，好查某。[206]

陳番鴨本名陳尚義，清末時期的人物，為大客庄（東山區大客里）的土豪，很有權勢，他要私占碧雲寺，只要戰鼓一打，各庄的羅漢腳都會前來助陣；「吳仔墻，好查某」同上一則諺語。

東原（tong-guân）謙記，秀英罔市。[207]

清治同治年間，府城西定坊有兩家與洋商往來的新興商號，一為「南河街」（中西區和平街）陳姓所經營的「東原」，另一為「宮後街」黃姓所經營的「謙記」。西定坊是府城酒樓、妓院匯集之地，當時最紅的名妓為「秀英」和「罔市」二人，而東原與謙記的老闆，分別與秀英和罔市相識、相戀，雙方情投意合，最後皆為她們贖身納為小妾，在當時傳為佳話，因而產生這則諺語。後來也用來比喻紈絝子弟流連聲色場所，與風塵女子有情感上的糾葛。

安平保正（pó-tsiànn），陳先生、何仔慶。[208]

「陳先生」指陳織雲，「何仔慶」指何有慶，這兩位都曾在日治時期擔任過安平的保正。日治時期日本政府實施保甲制度，保設有「保正」，任期兩年，由市役所委派，非民選，相當於現在的里長。除此之外，也有選用地方能人擔任，安平就有這樣的例子。日本政府將安平六角頭分為五保，編制五個保正，其中任用陳織雲、何有慶兩位地方人士，這則諺語就在記錄這樣的狀況，及反映這兩位先生受到地方敬重的情形。

206——黃文博，《南瀛俗諺故事誌》，頁110-113。
207——朱鋒〈臺灣方言之語法與語源〉，頁20。
208——何世忠，〈我的自述〉，《安平文化》第1期，臺南：安平文教基金會，2004年，頁3。

陳織雲（1986～1942）曾在安平金門館的私塾授課，後又在市仔街（延平街）開設私塾，因此被稱為「陳先生」。二戰後長期擔任鄰長（1946～1999），參與地方事務；何有慶是安平與府城五條港碼頭貨運業的龍頭，為人急公好義、文武雙全，且精通醫藥，日治時期擔任安平第二任的保正。

水（tsuí）足（tsiok）額（hiȧh）嫁達森命，甘願對（tuì）。[209]

「水足額」指何水、何足、何額三姊妹，她們是安平保正何有慶的女兒。何有慶有八子、四女，女兒個個知書達禮，分別取名為何水、何足、何額、何對，後來分別嫁給陳達、陳森、李命、許甘願，當時流傳出這則俗諺，讚美他們是四對佳偶，十分匹配。

惹（jiá）熊惹虎，毋通惹著郭大虎。[210]

「郭大虎」指府城五條港區的郭姓家族。清治五條港區有五大姓氏，包括新港墘黃、佛頭港蔡、北勢街許、南勢街郭、南河港盧，由於吏治不彰，每個姓氏各自壟斷一港往來貨物的搬運與貿易，互相對立，甚至同姓間時有械鬥。五大姓氏中南勢街郭人數眾多，且好勇鬥狠，作風剽悍，大家不敢得罪，因而流傳這則諺語，意指不論惹誰都可以，但千萬不要惹到郭姓，以免遭殃。南勢街位在南勢港南岸，今民權路三段，從仁愛街至民權路三段 143 巷路段，過去五條港興盛時，郊商雲集，為南北貨的集散地。

想欲（beh，要）好趁，袂曉（bē-hiáu，不會）去學螿蜍仔（tsionn-tsî-á，蟾蜍）弄（lāng，揮舞耍弄）獅頭。[211]

209——何世忠，〈我的自述〉，頁3-4。
210——吳炎坤，《台南市俗語研究》，頁48-49。
211——陳華民，《臺灣俗語話講古》，頁167。

「蟾蜍仔」是府城過去某個人的綽號，他平日遊手好閒，不事生產，缺錢時便等到廟會舉辦時，將褲子後面剪破，露出兩大片屁股，再請人在上面畫顆獅頭，然後跑到許多店家前搖動屁股，做出舞獅的樣子，看熱鬧的群眾被他逗得笑不攏嘴，就會賞他錢。於是大家就用這則諺語嘲諷那些做事投機取巧，不肯腳踏實地，只想不勞而獲的人，叫他們乾脆去學蟾蜍仔扭屁股舞獅頭賺錢比較快。此外也有人說：「想欲好趁，著去縣口尾予（hōo）人畫獅頭。」

> 有樓仔內的厝，無樓仔內的富（pù）；有樓仔內的富，無樓仔內的厝。[212]

「樓仔內」指吳園，原本為荷治時期通事何斌的庭園，清道光 10 年（1830）被當時的府城首富吳尚新（枋橋頭吳）收購重建，聘請名匠仿漳州城外飛來峰山水興建而成，園中佈置假山池閣、廻廊曲榭、奇花異卉等等，十分富麗美觀，又稱「紫春園」，俗稱「樓仔內」，與板橋「林家花園」、新竹「北郭園」、霧峰「萊園」號稱「臺灣四大名園」。吳尚新之父吳春貴為嘉義縣生員，後來拔貢，之後創立「吳恆記」，承辦臺灣、嘉義兩縣的鹽販館，負責官鹽的業務。吳尚新接掌後，業務蒸蒸日上，累積更雄厚的財富，之後建造吳園，勝甲全臺，無人能媲美，因而產生這則諺語，意指即使擁有像吳園那般的豪宅，也沒有像吳家那般的富有；即使有吳家那般的富有，也沒有像吳家那般的豪宅。意即沒有人能像吳家那般，同時擁有頂級豪宅與富甲一方的財富；後來也用此來比喻財富雄厚、宅邸華麗，無人能出其右的富貴之家。

212——「臺南研究資料庫」，https://trd.culture.tw/home/zh-tw/landscapes/265657。

日治初期，吳家被迫變賣吳園部分土地給日人闢建「臺南公館」，後來改稱「臺南公會堂」。戰後曾改為「中山堂」、「臺南社教館」，社教館於 1994 年遷移，1998 年被登錄為臺南市定古蹟「原臺南公會堂」。

有躼（lò）旗的厝，無躼旗的富（pù）；有躼旗的富，無躼旗的厝。[213]

「躼旗」為安平名人盧經堂的外號，他是清治末期臺灣開港通商後崛起於安平的買辦商人，經營砂糖的買賣，同時還是美國「美孚石油公司」的臺灣總代理，是臺灣石油業者的先驅。盧經堂厝過去瀕臨港岸，船隻可到達，因此盧經堂選定此處設立「豐源」商號，方便裝載運送貨物，後生意越做越大，宅院前及安平舊碼頭都有設倉庫，門市遍布全臺各地。當年的建築規模有三排建築體，四週都種植竹林，被稱為「竹圍內」，現已被登錄為市定古蹟。因為他盛極一時，因此產生這則諺語，意指即使擁有像盧經堂那般的豪宅，也不及盧經堂的富有；即使有盧經堂的富有，也沒有像盧經堂那般的豪宅。

有頂洲仔厝，也無頂洲仔富；有頂洲仔富，也無頂洲仔厝。[214]

「頂洲仔」位於是安定區安定里西北端的廢庄，清代庄人陳光輸因為經商致富，盛極一時。他的宅邸十分堅固，若有土匪入庄搶劫時，常因此久攻不下不肯退去，往往要婢女丟銀子予以驅離，因而產生這則諺語，意指即使擁有像陳光輸那般的豪宅，也不及陳光輸的富有；即使有陳光輸的富有，也沒有像陳光輸那般的豪宅。

騙老龍仔毋捌過海外。[215]

213——傅朝卿，《台南市古蹟與歷史建築總覽》，臺南：臺灣建築與文化資產出版社，2001年，171頁。
214——黃文博，《南瀛俗諺故事誌》，頁340-343。
215——黃文博，《南瀛俗諺故事誌》，頁34-37。

老龍仔生於日治時期，是新營區復興街一帶人士，戰後在新營鎮公所挑肥，還曾參加鎮民代表選舉。他最大的消遣是跟庄內的老人在濟安宮前聊天、抬槓。濟安宮在新營區延平里，主祀保生大帝，是當地的大廟。每當大家在廟前談天說地、高談闊論時，若講到誇大吹牛、荒誕離譜之處時，在一旁的老龍仔就會不以為然地說：「騙老龍仔毋捌過海外。」「過海外」是指二次世界大戰時，被日軍徵召到南洋當軍伕，老龍仔不曾有過這樣的經歷，他的意思是：「別唬我了，我才不相信！別以為我沒去過南洋，我可是什麼都知道。」後來有人就將這句話用在對事情感到不以為然、不相信對方所說的話，要對方別騙了的意思。

　　四嫂跤（kha）踏（tȧh）金葫蘆，七娘手提（thė h）紅布袋。[216]

「四嫂」指四嫂巷，今中西區民權路一段 199 巷。據說從前這裡住了一位慈悲為懷、樂善助人的婦女，不知姓名，大家都稱呼她四嫂，因此就將她住的這條巷子稱為四嫂巷；「金葫蘆」指民權路一段 137 號著名的百年茶莊振發茶行，因為它的櫃檯上擺設一個巨大的金色木質葫蘆做為商標，於是大家就不記店名，直接稱其為金葫蘆。金葫蘆位在元會境街，十分出名，久而久之大家又稱這條街為金葫蘆街，戰後改名為建國路，1979 年後併入民權路一段，在今青年路口至東嶽殿前的民權路；「四嫂跤踏金葫蘆」意指四嫂腳踏金葫蘆，即金葫蘆街內有一條小巷，名叫四嫂巷。

　　「七娘」指開隆宮的七娘媽，「紅布袋」指香火袋，臺南人有「做十六歲」成年禮的習俗，此時要更換香火袋，而開隆宮前兩百公尺處有條小巷名紅布袋巷，正好呼應這項習俗。「七娘手提紅布袋」意指 16 歲的

216——吳炎坤，《台南市俗語研究》，頁51。

青少年至開隆宮做成年禮時，七娘媽手拿紅布袋（香火袋）要為他們更換，而廟前就有紅布袋巷。這則諺語巧妙地運用地名、習俗的特色，將這四個點連綴起來。

四、民間信仰

減斗甬（bàng）減口。[217]

意指當上天看到世間太多為非作歹的人時，決定要將一些壞人的性命收走，此時有神明心生不忍，會向上天祈求，希望用減少農作物收成，讓世人生活得較艱辛的方式，來取代收走人的性命的懲罰。

山上區天后宮的主神玉二媽曾有類似傳說，據說祂在未受玉皇大帝敕封前，得知玉皇大帝要將內庄的人口減少，取走一些人命時，於是在農曆7月15日到當地進行過火的法事，原本過火是要將抓到的妖魔鬼怪放入火中燒死，但祂卻趁機將上天派來收取人命的鬼差也燒死，事後雖然成功讓內庄死亡人數減少，但卻因此觸犯天條，須受懲罰。過火的法事完成之後，二媽降駕在乩童身上，將事情的來龍去脈向信徒說清楚，並表示祂要自請處分，祂指示信徒將祂的官服褪下，將神像請到天后宮的天井，放在那邊曬太陽、沾露水、淋雨，藉此向上天請罪、自我懲處。

公親寮，拜溪墘（kînn，邊）。[218]

意指安南區的公親寮（公親里）每年會在農曆7月的最後一天，在曾文溪畔舉辦「拜溪墘」的祭典，這項習俗已有上百年的歷史。公親寮早期位在曾文溪畔，曾文溪曾多次改道潰堤，對兩岸的聚落造成災難。日治

217——林宗德講述，《臺南縣閩南語諺語集（七）》，頁60-61。
218——吳炎坤，《台南市俗語研究》，頁58-59。

時期曾文溪因山洪爆發再度改道潰堤，造成嚴重的水災，西港蚵殼港整庄被毀，十份塭成為溪床的一部分，公親寮居民非常恐慌，於農曆正月初四拜天公時向上蒼祈求保佑全庄平安，在拜過溪神後，洪水竟然轉向，全庄免於水患。事後居民敬備供品祭拜叩謝神恩，此時全庄的信仰中心清水寺的主神清水祖師指示：種植三棵神榕、立白碑、立劍獅碑於大水潰堤處，之後便產生每年農曆7月最後一天拜溪墘的習俗。後來曾文溪堤防工程完工，公親寮不再受到水患的威脅，但仍保持這項傳統習俗。早期曾文溪畔的位置在今曾文大排一線至公學路一段230巷之間，庄民稱附近為「溪仔底」，拜溪墘的位置在此，居民會準備食物、金紙祭拜溪神、好兄弟。

　　來去看水仙宮（king）廟壁。[219]

「水仙宮」位在中西區神農街1號，在市場內，其廟壁上畫有八仙及眾仙圖，也就是「畫仙」。這句俗諺意指大家一起去欣賞水仙宮的壁畫，因為「畫仙」與「話仙」同音，而「話仙」意指聊天、閒談，因此這句話實指的意思是邀大家一起去聊天。

　　西城三件寶：玄帝、藥王、娘娘廟。[220]

「西城」指府城大西門城外的五條港區域，因位處府城的西邊，而稱為西城；「玄帝、藥王、娘娘廟」指奉祀玄天上帝、藥王大帝、媽祖娘娘的宮廟。整句意指府城五條港區有三件寶：玄天上帝、藥王、媽祖，這是五條港區重要的三項民間信仰文化。五條港區奉祀玄天上帝的宮廟包括佛頭港

219——彭小妍，《楊逵全集・第十一卷・謠諺卷》，臺南：文化保存籌備處，1998年，頁2。
220——吳炎坤，《台南市俗語研究》，頁114-115。

的聚福宮、崇福宮（皆位於民族路三段），以及老古石港的集福宮（位於信義街），合稱「三福三堂」；奉祀藥王大帝的為藥王廟（位於金華路四段）；奉祀媽祖娘娘的有媽祖樓天后宮（位於忠孝街）、海安宮（位於金華路四段）、金安宮（位於信義街）。這則諺語顯現五條港區的民間信仰特色與內容。

千年鎖佮（kah，和、與）萬年龜。[221]

意指用千年鎖來鎖住、鎮住萬年龜，讓祂不再興風作浪。傳說在乾隆初年（1736）五條港的南河港出現水怪黑龜精（又稱為萬年龜），經常危害百姓及船隻航行。乾隆4年（1739）臺灣道鄂善在府城的鎮渡頭興建接官亭和風神廟，請風神及其部鎮壓黑龜精，然而祂們只能鎮住黑龜精的四肢，祂的頭部仍然可以轉動、吐水，繼續擾亂船隻的航行。直到乾隆年間臺灣知府蔣元樞建立千年鎖，即接官亭石坊，並在上面設置聖旨牌鎮住黑龜精的頭部，用石柱鎖住其脖子，才終於將祂完全制服，從此風平浪靜。這則俗諺便在記載這則傳說，並指出接官亭石坊具有厭勝物的功能。

新營有錢毋做醮，查畝營（Tsa-bóo-iânn）有錢毋起廟。[222]

第一句俗諺指濟安宮，傳說濟安宮舉辦首科醮事時，有一隻黑狗死在燈篙下，此為不祥之兆，同時黑狗也將這科醮的所有福報通通奪走，這場醮因此徒勞無功，從此以後濟安宮都沒有再做過醮。第二句指柳營聚落形成以來都奉祀代天巡狩遊王公為庄神，庄民一直倡議要建廟，最初建在大堀附近，卻因地層下陷，宮廟跟著下沉，重修之後仍然如此，後來神明指示該

221——吳炎坤，《台南市俗語研究》，頁120-121。
222——黃文博，《南瀛俗諺故事誌》，頁26-29。

處地理不適合建廟，從此信徒便以「跋（音 pua̍h）爐主」的方式輪流奉祀，直到 1968 年左右才在神明的指示之下，於現址興建柳營代天院，成為柳營的大廟。

> 貪著柳營三年一科醮，毋知影嫁來柳營餓（gō）甲七匼（khap，趴覆在地上）八笑（tshiò，仰面向上）。[224]

柳營建庄之初即奉祀遊王公（代天巡狩），1961 年才興建庄廟代天院。自奉祀遊王公以來，每三年舉辦一科王船醮典，是當地的傳統習俗。因為舉辦醮典要花費頗多，一般都在新廟落成或有特殊原因時才會舉辦，柳營定期三年舉辦一次，讓外人以為柳營人很有錢，才會這麼頻繁作醮，其實不然，醮典全庄不論有錢沒錢都得參與，即使沒錢也要借錢來辦。因為誤解，所以外面的人都想嫁來柳營，然而等到嫁進來才知道真相，為了建醮即使餓到趴在地上或躺在地上也得咬牙苦撐。

> 國公爺姓劉，拜拜忌豬頭。[225]

「國公爺」為劉府國公爺，只知姓，名不詳，祂與謝府元帥同為白河區崎內里大聖廟的主祀神明，此廟有不拜豬頭的特殊習俗。據說國公爺原是朱一貴的部將，康熙末年逃到崎內，在躲避清兵追捕時，因跳躍籬笆長髮不慎被籬笆所夾，因而被追上來的清兵斬首；另一說是因為保衛崎內庄民抵抗土匪，要躲藏時來不及進入大門，只好跳躍籬笆，長髮被籬笆勾住因而被土匪砍下首級。庄民為祂收屍時，不忍看祂缺頭死無全屍，因此用一顆豬頭取代。之後有一次過年又有土匪前來搶掠，庄民準備逃亡時，忽見一名騎黑馬的武將，在山腳下來回奔

223——跋爐主：信徒用擲筊杯的方式決定神明由誰奉祀，由連續擲出聖筊數目最多者將神明請回家奉祀一年，隔年再重新擲筊決定人選。
224——黃文博，《南瀛俗諺故事誌》，頁42-45。
225——黃文博，《南瀛俗諺故事誌》，頁114-117。

馳趕走土匪，這名武將即國公爺，庄人因此建廟奉祀。由於當年埋葬國公爺時用豬頭取代祂的頭，因此豬頭成為禁忌，任何祭祀都不能使用豬頭。

> 草店尾老大（lāu-tuā），做事譀呱呱（hàm-kuā-kuā，非常離譜），元帥廟有廟底無廟蓋（kuà），神明毋敢踮（tuà，住），童乩毋敢破（phuà，剖，指乩童操五寶，持法器往身上剖）。[226]

「草店尾」在今麻豆區新建里，「元帥廟」為其庄廟萬福宮，主祀唐代安史之亂死守睢陽的張巡，尊稱張府元帥、張元真君。元帥廟肇建於清道光9年（1829），至日治大正年間已快百年，廟裡的執事老大任由廟體老舊殘破，到最後連屋頂都消失了還不處理，做事的態度非常離譜。而每次颱風下雨，神像都會淋到雨，得勞動爐主先請回家，或暫時供奉在民宅，讓神明十分難堪。廟中的香火沒落，神明自身難保，乩童因此不敢在廟中或神明前面起乩操持五寶。

大正9年（1920）元帥廟因擋路而被拆族，之後耆老發動遷廟於現址，神明與乩童總算可以發揮了。這則諺語記錄了萬福宮曾經沒落的窘況，並提出對執事老大的指責。

> 媽祖飯，食人袂厭。[227]

這是流傳在安平的諺語，「媽祖飯」意指靠媽祖吃飯的人，即漁民。由於漁民大多奉祀媽祖，出海捕魚時仰賴媽祖的庇佑，得到平安與豐收，因而說他們是吃媽祖飯的人。整句意指漁民靠媽祖的庇佑而能在海上討生活，他們對此已習以為常，從來不會感到厭倦。

226——黃文博，《南瀛俗諺故事誌》，頁122-125。

272——廖漢臣，〈臺南的諺語〉，頁35；「做伙破讀講臺語」臉書，2023.2.4貼文，https://www.facebook.com/letstalkintaiwanese/posts/pfbid02g5H921fpkiWP1Lzeu8xru1ryivT3iKgfGZQaLifcbTgoyx7pkPy8zE7ZZwXx8iy6l。

五、風俗習慣

（一）嫁娶

　　你若（nā）愛閒，著來嫁安平。[228]

意指女孩子如果喜歡過著悠閒的生活，就得嫁來安平。這是因為安平瀕海，居民大多靠捕魚、養殖、碼頭貨物搬運等等為業，這些工作大多是男性在從事，女性則在家操持家務。由於安平缺乏耕地，這裡的婦女不需去田裡耕種，相較於一般農村婦女，她們的生活顯得較為清閒，因而產生這則諺語。

　　娶嘉義某，嫁台南尪。[229]

意指娶妻要娶嘉義女子，因為她們比較刻苦耐勞；而嫁夫要嫁臺南人，因為臺南開發較早，有錢人較多，物質生活較好。相傳，嘉義的女子，秀外慧中，既溫柔且善理家務，而且粗勇多，是一般男士心目中理想的對象；而臺南的男子，斯斯文文、敦厚儒雅，也是受一般女子青睞的對象，且臺南的夫家待娘家非常好。

　　上好娶府城查某囡仔，毋通嫁做臺南新婦。[230]

意指娶妻最好娶府城的女孩子，因為會有豐厚的嫁妝；但是出嫁最好不要嫁給臺南人當媳婦，因為臺南人規矩很多，當臺南媳婦要面面俱到，非常辛苦。

　　你若毋乖，將你嫁到菅仔埔食蕃薯簽。[231]

228——鄭道聰，《安平文化資源巡禮》，臺南：臺南市立文化中心，1995年，頁92。
229——吳新榮，《震瀛採訪錄》，頁317；吳炎坤，《台南市俗語研究》，頁139-140。
230——黃徙，《海翁兮故鄉》，臺南：真平企業，2002年，頁230-231。
231——謝美華，《台南市安南區聚落發展演變與居民生活空間調查之研究》，高雄師範大學地理系碩士論文，2001年，頁33。

「菅仔埔」是指芒草叢生的貧瘠之地，這種土地為看天田，只適合種植甘藷、蔥、蒜等農作物，或是在未完全陸化的地區從事漁撈，過去臺江安南區一帶很多這種土地。這則俗諺流行在府城，用來嚇唬女孩子，意指若不乖乖聽話，就要把她嫁到窮鄉僻壤的安南區，沒米飯吃，只能吃番薯籤，讓她受苦。

　　新化例，頭胎二胎食外家（guā-ke，娘家）。[232]

這是新化過去的風俗習慣，女性結婚後所生的頭胎與第二胎，坐月子的所有開銷必須由娘家負擔。也因此在過去物資匱乏的年代，父母都不太喜歡將女兒嫁給新化人；相反地，娶媳婦都喜歡娶新化的女兒，這樣可以省下兩筆開銷。

（二）其他

　　若有啥代誌，就等甲茄荖仔咧做戲。[233]

「茄荖仔」庄位在今後壁區新東里，清末已廢庄。當地有庄廟，但廟名及奉祀的神明已不可考。由於茄荖仔早已廢庄，因此茄荖仔不可能酬神演戲，「荖仔做戲」就用來暗喻不可能發生、解決或達成的事。這句話意指如果有什麼事，就等到茄荖仔酬神演戲的那天，而那天事實上不可能到來，因此言下之意是告訴人家別再指望，根本等不到那一天。當地還有一些類似的說法，如「若欲來討錢，茄荖仔做戲才還你」，這類的話被廣泛地使用在日常生活中。

　　臺南阿兄，食飽閒閒等死。[234]

232──林宗德講述，《臺南縣閩南語諺語集（六）》，頁32。
233──黃文博，《南瀛俗諺故事誌》，頁86-89。
234──吳炎坤，《台南市俗語研究》，頁140-141。

「阿兄」是指以抬棺材為業的人，這是臺南特有的稱呼，因此臺南人避諱稱呼兄長為「阿兄」。這則俗諺意指抬棺人吃飽沒工作可做，只能等待有人過世之後，才會有生意上門。由於「阿兄」在臺南有特殊涵意，因此外地人聽到這句俗諺往往不解其意，只有臺南人才能了解它的言外之意所隱藏的趣味性。

六、歷史事件

一（it）日反三關，二（jī）日殺府縣。[235]

這則諺語指的是發生在道光 12 年（1832）的「張丙事件」，張丙是白河客庄內（庄內里）人士，《臺灣通史》稱其：「能以信義庇鄉鄰，眾倚重之。」是地方上敬重的人士。道光 12 年夏天南部大旱，各地禁止稻米買賣，白河由張丙出面約束。商人陳壬癸購買數百石米，因為無法買賣，於是賄賂生員吳贊，尤其護送偷運出去，不料半途被搶劫，吳贊懷疑是張丙主導，因此向嘉義知縣邵用投訴，邵用之未調查清楚，就去捉拿張丙，他被逼逃亡，對官府感到失望、氣憤，於是在閏 9 月底密謀起事，被眾人推舉為首領，10 月初一他一舉攻下三個關卡，此即「一日反三關」，當天並擒獲邵用，將其分屍。10 月初二臺灣知府呂志恆被困在白河，南投縣丞朱懋率兵趕來合擊，與張丙在大排竹（白河區大竹里）附近的古道展開殊死戰，朱懋戰死，呂志恆之後被殺，知府、縣丞都在初二被殺，此即「二日殺府縣」。

事後陣亡將士的骸骨無人敢收埋，直到隔年 2 月才由陳如川等人撿拾，共有 110 具遺體，葬在玉豐里崁仔頭鯉魚山旁，並建造忠義廟加以祭拜。12 月張丙被捕，隔年 1 月被殺。

235——邱瑞寅講述，《臺南縣閩南語諺語集（八）》，頁45-47。

四月二二，買無豆乾來做忌。[236]

清代道光元年（1821）農曆 4 月 22 日洲仔尾庄民一如往常至臺江內海潮間帶撿拾白蟶（一種可食的貝類），突然發生海嘯，無一生還，死傷無數。隔年忌日要祭拜罹難者，卻因為同一天太多人做忌，市場上的食物都被買光，連最普通容易買的豆乾都買不到，因而產生這則諺語。當地人認為會發生這起悲劇，是因為撈捕白蟶的報應，因而稱其為「白蟶仔報」。

九月初三，買無豆乾。[237]

蕭壟（Siau-lang、Siau-lâng）金瓜，男人大腹肚；臭跤烏綠肉，毋是南勢就三五甲。[238]

蕭壟金瓜──大肚桶。[239]

這兩則俗諺和一則歇後語的意思相近，指涉的都是同一件事。「蕭壟」（或做「蕭壠」）為佳里的舊稱，清末臺灣人為抵抗日本人的接收，發動乙未戰爭（1895 年），當時佳里是受創十分慘重的區域，史稱「蕭壠事件」。其發生於 1895 年 5 月，日本某親王由嘉義縣布袋口登陸，來到臺南市鹽水區遭到突襲，被臺灣人用長竹竿綁上鐮刀從馬上砍下，割傷他的頭顱，因為流血過多死於張厝。主帥被暗殺身亡，日軍全體群情激憤，誓言要報仇。農曆 9 月 3 日日軍行經蕭壠，馬上進行報復，居民被血腥屠殺，傳說死亡人數高達兩千人，當時庄民來收屍，放在牛車上的遺體排滿，總共有 18 輛之多，而由於死亡人數過多，棺木不敷使用，一棺難求。而且因為死傷無數，細菌蔓延滋生，造成傳染病流行，被傳染的人腹部一直腫脹，

236──黃文博，《南瀛俗諺故事誌》，頁452-455；楊家祈，《臺南拜溪墘祭儀與聚落變遷之研究》，頁93。

237──黃文博，《南瀛俗諺故事誌》，頁290。

238──黃文博，《南瀛俗諺故事誌》，頁288-291。

239──邱瑞寅講述，《臺南縣閩南語諺語集（八）》，頁118。

像水桶一樣，又圓又亮，猶如當時盛產的金瓜（南瓜）。不僅如此，大家還得了嚴重的皮膚病，又因為沒有醫藥治療，只好任皮膚流膿潰爛，雙腳顏色變得又黑又綠，臭氣沖天，其中郊外的南勢和三五甲最嚴重，幾乎全庄都是如此。第二則俗諺和第三則歇後語，就是在形容這樣的慘況。從此以後，每年的農曆9月3日，佳里區家家戶戶都要準備食物祭拜因乙未戰爭而犧牲的祖先。由於死亡的人數很多，幾乎家家戶戶都在為祖先做忌，菜市場的食物都買光了，連平常很好買的豆干也買不到。從「買無豆乾」這句，反映出當時死亡人數眾多的慘況。

　　大北門外祭無頭鬼。[240]

「大北門」是指清治臺灣府城大北門，又稱拱辰門，建於乾隆元年（1736年），遺址在今臺南公園東邊的北門路與小東路的交叉路口附近；「祭無頭鬼」是指祭拜無頭的孤魂野鬼。清治大北門外經常發生械鬥戰事，常有死傷，因此設有義塚和南、北壇，用來祭祀無主孤魂。這則俗諺意指祭拜大北門外無頭的孤魂野鬼，也引申用來譏諷那些吃白食的人。[241]

　　三日拍到府，一暝溜到厝。[242]

指清康熙60年（1721）朱一貴起義，花很短的時間便打到臺南府城；「一暝溜到厝」是說在更短的時間之內又被擊退回家鄉。其中的「三日」、「一暝」是比喻花費的時間很短暫，而並非實指三天以及一夜之意。這則俗語用來比喻事情成功得很快，但失敗得更快。

　　毛尾佮毛尾，八個結作伙，吊佇樹仔尾。[243]

240——朱介凡，〈說臺灣風土諺〉，頁26。
241——吳炎坤，《台南市俗語研究》，頁88-90。
242——朱介凡，〈說臺灣風土諺〉，頁3。
243——呂順安，《臺南市鄉土史料》，南投：臺灣省文獻委員會，1994年，頁50。

「毛尾」即清代時所留的辮子；「佮」是和或跟之意；「結作伙」指把辮子綁在一起；「吊佇」是指吊在什麼地方；「樹仔尾」是指樹上。清治時，城西外的五條港區，有所謂的五大姓，平時他們依恃同姓黨族的力量而壟斷市利，魚肉百姓，其中有「南勢街郭」，還是出租宴會廳的保鏢，當遇有遊客滋事時，即以武力對付，然後按月索取保護費。曾經有一個叫「青暝大舍」的人，在他眼睛還沒瞎以前，有一次到出租的宴會廳玩，後來為了一點小事而和宴會廳的主人起了爭執，於是「南勢街郭」的八個年輕人就狠狠地將「青暝大舍」毒打了一頓，最後還把他逼到雞舍旁，並以利器攻擊他，「青暝大舍」在忍無可忍的情形下，只好使出平常修練的拳術來對付他們。結果，八名年輕人的辮子被「青暝大舍」綁在一起，然後把他們吊在樹上，所以就產生了這句「毛尾佮毛尾，八個結作伙，吊佇樹仔尾」的積憤語。

> 余清芳，害死王爺公；王爺公無保庇，害死蘇阿志；蘇阿志無仁義，害死鄭阿利。[244]

意指由於余清芳抗日失敗被捕，導致西來庵的王爺公神像被燒，王爺公升天；而王爺公沒有保佑大家，導致蘇有志也難逃一死；而蘇有志（俗名蘇阿志）沒有仁義，又供出鄭利記，導致他也遭到殺害。

這則俗諺是指發生在日治大正4年（1915年）的武力抗日「西來庵」事件，又稱「余清芳事件」、「玉井事件」、「噍吧哖事件」，領導人為余清芳、羅俊、江定等人，是臺灣人第一次以宗教力量大規模武力抗日的重要事件。余清芳光緒5年（1879年）出生於臺灣府恆春縣阿緱街（今屏東縣

244——許滄淵講述，《臺南縣閩南語諺語集（一）》，頁151-152；黃文博，《南瀛俗諺故事誌》，頁320-323；吳炎坤，《台南市俗語研究》，頁94-96。

屏東市），幼年遷居鳳山縣長治里後鄉庄（後改臺南廳長治二圖里大湖區後鄉庄，今高雄市路竹區後鄉里）。日治時期曾擔任巡查補、巡查等公職，後離職投入齋教活動，鼓吹信徒反日；之後參與臺南西來庵的扶乩，以王爺公（五福王爺、五福大帝）信仰為號召，鼓吹信眾繼續抗日；後來結識他里霧人（今雲林縣斗南鎮）羅俊、竹頭崎人（今臺南市南化區）江定、大目降人（今臺南市新化區）蘇有志等，密謀籌組「大明慈悲國」，積極從事抗日活動。1915年8月22日，余清芳在王萊莊（今臺南市楠西區）鄉人設宴款待時，遭縛送交日軍；1916年江定與部屬272人向總督府投降被捕。事件結束後，西來庵多數神像遭到火化，因此說「余清芳，害死王爺公」。

蘇有志依照戶籍記載，他住在「臺南廳大目降里大目降街觀音廟三五五號」，家中從事米穀買賣生意，他因家中排行第三，人稱「三頭」。他經營米店有成，累積許多財富，又樂善好施，深受大目降人敬重，日人因此聘他為臺南廳參事。後來遇到日本奸商，以東新公司的股票詐騙，害他幾乎傾家蕩產，他從此痛恨日本人。後來到臺南府東街西來庵（今青年路基督教會一帶）以神道設教，擔任西來庵董事，和余清芳、鄭利記等人合作抗日。後事敗被捕，1915年被處死在臺南監獄。由於當初他向王爺公請示起義日期時，王爺公沒事先給他示警，也沒更改日期，導致他事敗被處死刑，因而產生「王爺公無保庇，害死蘇阿志」這則俗諺。他死後新化人為紀念他，特地在虎頭埤豎立他的銅像。

鄭阿利，名利，字利記，以字行。臺南人，曾任大潭莊長和崇德區長（今屬歸仁區）。早年經商，為西來庵董事，因而結識余清芳、蘇有志，與他們共同抗日，並負責會計帳務工作。蘇有志被捕時，日軍從他身上查到線索，因而逮捕鄭利記，後被判死刑，因此產生「蘇阿志無仁義，害死鄭阿利」這則俗諺。

西來庵於明治 44 年（1911 年）由蘇有志、蔣襟三、鄭利記等人發起籌建，主祀「五福王爺」，又稱「五福大帝」。當時信徒分成「福派」與「春派」，「福派」多為府城中上階級仕紳，「春派」來自大目降（今新化區）、噍吧哖（今玉井區）、關帝廟（今關廟區）、蕭壠（今佳里區）和阿公店（今高雄市岡山區）等地的信徒。西來庵事件後，廟宇被管理人蔣襟三與錢雲樵代表之下，於大正 5 年（1916 年）捐贈給財團法人臺南公館，昭和 9 年（1934 年）被拆除改建為四層樓建物。二次世界大戰後，陳清吉等人於牛磨後的正興街 50 號重建廟宇。後因為正興街拓寬工程，廟方在 1993 年拆除廟宇，將神像暫時安奉於正興街 27 號。1998 年信徒楊耀成捐獻廟地，次年開始動工，2001 年落成，即今北區大興街 178 號。

民間文學蘊藏豐富的民俗文化，其藉由語言作為載體，用口耳相傳的方式，將民間創造出來的文學與文化流傳下去。語言是傳承民間文學與民俗文化至關重要的載體，若失去語言，民間文學與民俗文化將會因此迅速流失，臺南的西拉雅族正面臨這樣的困境。

從三大類的民間文學來看，歌謠、俗諺語類具有固定的語法與形式、聲韻、節奏等，這些必須仰賴母語去表現，無法用其他語言來代替，一旦母語消失，所受的影響最大，也最易流失，因此保存下來的數量不多。故事注重情節的推演與發展，只要能清楚表達，較不受到語言的限制，因此是目前仍在繼續發展的文類。

西拉雅語被國際認定為「滅絕語言」，雖然如此，幾十年來，在有志之士的努力之下，西拉雅語文復興運動一直持續進行著，西拉雅語正一點一滴被找回來，他們同時還將這些放入國小的母語教育中，並將西拉雅的傳說故事編寫入教材中，藉此積極教育下一代，讓文化紮根。希望在他們的努力之下，能挖掘、保存更多的民間文學，也能漸漸創造出新的民間文學。

漢人的母語雖也有流失的危機，但在各方積極地提倡之下，仍能維持一定的使用比例。民間文學面臨最大的挑戰，是社會形態的改變，使得傳統的講唱情境消失，因此越來越少人講唱民間文學。民間文學是傳統農業時代的產物，是在民眾的識字率不到 10% 的背景下發展出來的，然而 3C 時代的來臨，人人普遍受過高等教育，都具有高度的文字表達、書寫能力，因此使用口語創作的機會越來越少；其次，受科學教育的影響，民眾對於民間文學中奇幻的內容會開始去檢視、提出質疑，這使得他們對於上一代所流傳下來的民間文學不會照單全收，會去考證、修改，這些都會讓民間文學的面貌產生變化。另外，民間文學的重要功能之一是娛樂，而這個功能也已完全被取代，民間歌謠被流行歌曲所取代，傳說故事被電視、電影、視頻、小說所取代，民間文學成為娛樂的素材，需再進行加工，才能被年輕一代所接受，例如以戲劇的形態演出等等。

臺南漢人的民間文學中，目前民間歌謠已被流行歌曲所取代，呈現發展停滯的狀態，會唸唱的人不多；俗諺語類仍會有新作產生，其與母語的使用頻率息息相關，若能提高母語的使用率，俗諺語的使用也會跟著提升，如此一來語感也會越來越敏銳，這樣有利於創作出更多新的俗諺語；

故事類是目前最活躍的種類，一直有新的作品產生。值得注意的是，網路時代也具有民間文學的集體性與匿名性的特徵，有些故事的發展是在許多匿名的網友合作之下產生，例如各式各樣的都市傳說，這些傳說與民間文學最大的差異在於使用文字而非語言，然而除了口傳性之外，民間文學的許多特徵它們皆具備，未來是否應擴大將它們也納入民間文學的範疇，是個值得討論的問題。

另外，這些年臺南市民間文學也出現一個問題，民眾因為普遍具有閱讀、檢索、歸納、組織資料的能力，會將一些傳說做一番整理、檢視，再發布在網路上，而年輕世代的民眾習慣從網路上取得傳說，會以為形諸文字的即是最佳答案，然而田野中仍有諸多說法未被呈現出來，在網路文字的強力傳播之下，容易使傳說故事的版本趨於單一，甚至定於一尊，這些都會削弱民間文學的變異性特徵，以及忽略其蘊藏多元文化的內涵。未來應該透過更多的交流與討論，並多付諸田野的實踐，才能減少這樣的現象。

臺南文學史 5

現代劇劇卷 兒童文學卷
神話傳說 民間文學卷

發 行 人	黃偉哲
發行總監	謝仕淵
主　　編	陳昌明
作　　者	秦嘉嫄・洪文瓊・趙慶華・林培雅
督　　導	陳修程・林韋旭
行　　政	陳雍杰・李中慧・蔡宜瑾
出　　版	臺南市政府文化局
地　　址	永華市政中心　708201 臺南市安平區永華路 2 段 6 號 13 樓
	民治市政中心　730210 臺南市新營區中正路 23 號 5 樓
T E L	06-6324453
網　　址	https://culture.tainan.gov.tw/
出　　版	國立成功大學
地　　址	701401 臺南市東區大學路 1 號
T E L	06-2757575
網　　址	https://www.ncku.edu.tw/
計畫執行	文訊雜誌社
計畫主持	封德屏
企畫行銷	徐嘉君
執行編輯	游文宓・曾士銘
校　　對	秦嘉嫄・洪文瓊・趙慶華・林培雅・林慈鳶・杜秀卿・李星瑩・林裘雅・吳栢青・黃秀珠・黃亮鈞・楊淑娟・劉晉綸・嚴鼎忠
編印發行	文訊雜誌社
	地址　100012 臺北市中正區中山南路 11 號 B2
	電話　02-23433142
	發行業務　高玉龍
	電子信箱　wenhsunmag@gmail.com
	郵政劃撥　12106756 文訊雜誌社
美術設計	黃子欽
印　　刷	松霖彩色印刷事業有限公司
出版日期	2023 年 11 月
版　　次	初版一刷
定　　價	新臺幣 750 元
I S B N	978-626-7339-40-4
套　　號	978-626-7339-41-1

GPN：1011201386 ｜ 臺南文學叢書 L167 ｜ 局總號 2023-739

國家圖書館出版品預行編目 (CIP) 資料

臺南文學史 . 現代戲劇卷 . 兒童文學卷 . 神話傳說卷與民間
文學卷 / 秦嘉嫄, 洪文瓊, 趙慶華, 林培雅作；陳昌明主編 .
– 臺南市：臺南市政府文化局 , 國立成功大學 , 2023.11

面；　公分 . – (臺南文學叢書；L167)

ISBN 978-626-7339-40-4(精裝)

1.CST: 臺灣文學史 2.CST: 地方文學 3.CST: 現代文學 4.CST:
臺南市

863.9/127　　　　　　　　　　　　　112017458

版權所有・翻印必究

本書若有缺頁・破損・裝訂錯誤，請寄回更換